中国外交

China's Diplomacy

2002年版

中华人民共和国外交部

政策研究室编

中国外交

China's Diplomacy

2002年版

中华人民共和国外交部
编

10月19日，国家主席江泽民在上海西郊宾馆会见美国总统布什。

中国外交

9月7日，全国人大常委会委员长李鹏访问越南时会见越南国会主席阮文安。

　　11月5日，国务院总理朱镕基在文莱首都斯里巴加湾市出席第五次东盟与中、日、韩（10+3）领导人会议并发表重要讲话。这是朱镕基总理与出席会议的各国领导人合影。

4月25日，全国政协主席李瑞环抵达摩洛哥首都拉巴特萨累机场，开始对摩洛哥进行正式友好访问。这是李瑞环主席在摩洛哥高等教育大臣扎鲁阿利的陪同下检阅仪仗队。

　　10月29日，正在英国访问的国家副主席胡锦涛在伦敦会见英国首相布莱尔。

8月21日,中共中央政治局常委、书记处书记尉健行在北京人民大会堂会见以古森鲍尔主席为团长的奥地利社会民主党代表团。

7月13日,国际奥委会第112次全会在莫斯科举行。大阪、巴黎、多伦多、北京、伊斯坦布尔5个城市的申奥代表团在莫斯科世界贸易中心进行了陈述。这是国务院副总理李岚清在陈述会上发言。

　　5月17日，国务院副总理钱其琛在北京钓鱼台国宾馆会见第六期非洲高级外交官访华团。

11月12日，联合国安理会一致通过《全球努力打击恐怖主义的宣言》，呼吁所有国家"采取紧急措施"，全面执行安理会在2001年9月通过的关于打击恐怖主义的第1373号决议。图为中国外长唐家璇（中）在大会上发言。

11月11日，在卡塔尔首都多哈举行了中国加入世贸组织议定书签字仪式。这是中国外经贸部部长石广生（前中）代表中国政府在中国加入世贸组织的议定书上签字。

编辑说明

一、为增进国内外人士对中国外交工作的了解，由外交部各地区业务司（室）撰稿、外交部政策研究室主编、世界知识出版社出版发行的《中国外交》，每年出版一卷，向国内外公开发行。

二、《中国外交》旨在比较准确、全面地阐述中国的外交政策和中国对国际形势的最新看法，较为系统、完整地介绍中国上一年度外交关系状况。

三、《中国外交》2002年版主要介绍2001年的中国外交，个别章节对有关历史状况做了简要的介绍。与往年比较，本年版增加了反映2001年中国重要外交活动的新闻图片若干帧，对封面进行了改进，并增加了"读者意见征求表"。本年版（精装）随书附送APEC上海峰会VCD光碟一张。

四、《中国外交》2002年版共分十三章。

第一章和第二章主要介绍2001年的国际形势和中国的外交工作概况。

第三章至第九章主要介绍2001年中国同世界各国关系的基本情况，按外交部各地区司分工范围，划分为：亚洲国家，西亚北非国家，撒哈拉以南非洲国家，东欧中亚国家，西欧国家，北美大洋洲国家，拉丁美洲和加勒比国家。

各章按国家分节，每个建交国为一节。未建交国家中有需要说明中国政府对该国的政治态度者，亦单列为一节。

各地区国家的排列，一般以由北至南、从东向西的地理位置为序。

第十、第十一章主要介绍2001年中国同联合国和中国同其他国际组织、国际会议之间的关系以及中国对有关问题的立场及观点。

第十二章介绍2001年中国外交工作中的条约法律工作。

第十三章介绍2001年中国外交工作中的领事工作。

最后为附录。本卷附录中收有2001年中国外交部组织机构表，外交部部领导成员名单，同中国建交的国家、建交日期和2001年中国驻外使节一览表，中国常驻联合国代表团名称、驻地和2001年常驻代表一览表，中国同外国互设领事机构情况一览表，中国同外国签订互免签证协议一览表，中国同外国缔结领事条约（协定）一览表，2001年中国参加多边公约一览表以及2001年中国同外国签订的主要双边条约一览表等。

卷前目录附有英文译文。

目　录

第三章　中国同亚洲国家的关系

第四章　中国同西亚北非国家的关系

第五章　中国同撒哈拉以南非洲国家的关系

第六章　中国同东欧中亚国家的关系

第七章　中国同西欧国家的关系

第八章　中国同北美洲大洋洲国家的关系

第九章　中国同拉丁美洲和加勒比国家的关系

第十章　中国同联合国的关系

第十一章　中国同其他国际组织、国际会议的关系

第十二章　中国外交工作中的条约法律工作

第十三章　中国对外领事关系

附　　录

Contents

Chapter III

China's Relations with Other Asian Countries

Chapter IV

China's Relations with West Asian and North African Countries

Chapter V

China's Relations with Sub-Saharan African Countries

Chapter VI

China's Relations with East European and Central Asian Countries

Chapter VII

China's Relations with West European Countries

Chapter VIII

China's Relations with North American and Oceanian Countries

Chapter X

China's Relations with the United Nations

Chapter XI

*China's Relations with Other International Organiza-
tions and International Conferences*

Section 3 Consular Treaties Signed between China and Foreign Countries Applying to Hong Kong SAR and Macao SAR

Section 4 Handling Affairs Concerning Foreign Consulates in China

Section 5 Assistance in Dealing with Foreign-Related Cases

Section 6 Consular Protection

Appendixes

1. Institutional Diagram of the Ministry of Foreign Affairs (MFA) of the People's Republic of China, 2001

2. Name List of Leading Members at Ministerial Level in the MFA of the People's Republic of China, 2001

3. Table of Countries Having Diplomatic Relations with China, Dates of Establishment of Such Relations and Chinese Diplomatic Envoys to Those Countries, 2001

4. Table of Names and Seats of Permanent Missions of the People's Republic of China to the United Nations and Their Resident Representatives, 2001

5. Table of Chinese Consulates in Foreign Countries and Vice Versa

6. Table of Agreements on Mutual Exemption of Visas Signed between China and Foreign Countries

7. Table of Consular Treaties (Agreements) Signed between China and Foreign Countries

8. Table of Multilateral Treaties China Acceded to in 2001

9. Table of Major Bilateral Treaties and Agreements Signed between China and Foreign Countries in 2001

序

　　《中国外交》（2002 年版）即将付梓，我对此表示祝贺。

　　2001 年是新世纪的起始之年，也是极不寻常的一年。国际形势演变错综复杂，特别是"9·11"事件引发国际关系的深层次调整，全球安全面临的不确定因素增加，天下并不太平。

　　但和平与发展依然是当今时代的主题，世界多极化和经济全球化继续在曲折中向前发展，总体缓和、局部紧张，仍是当前和今后一个时期国际形势发展的基本态势。

　　面对国际形势风云变幻，中国外交在以江泽民同志为核心的党中央正确领导下，在人民群众的大力支持和各部门的通力合作下，把握机遇，开拓进取，获得了显著成绩。

　　中国坚定不移地奉行独立自主的和平外交政策，坚持在和平共处五项原则基础上加强同世界各国的友好合作关系。中国多边外交空前活跃，成功主办亚太经合组织第九次领导人非正式会议，为全球经济的恢复注入了新的活力。中国积极参与国际反恐合作，在国际反恐斗争中发挥了建设性作用。

中国的主张和行动体现了一个和平、公正、负责任大国的形象，受到了国际社会的广泛好评。中国外交为维护世界和平、促进共同发展，做出了重要贡献，同时也继续为中国的社会主义建设事业和祖国统一大业营造了良好的外部环境。

要把国际形势的变化和 2001 年中国外交的实践向国内外作一比较全面和系统的介绍，实属应当，但也不易。值得庆贺的是《中国外交》（2002 年版）比较好地做到了这一点。在此还需特别指出的是，近年来，《中国外交》坚持从内容到形式进行改革，力争内容愈益充实，体例渐趋顺当，文字更为简洁，实现图文并茂。改革取得了良好效果，赢得了广大读者的厚爱与支持。

《中国外交》是由外交部各相关单位编撰和出版的，我衷心希望各有关方面继续发扬求精、创新的精神，努力使该书在现有基础上"百尺竿头，更进一步"，更好地体现理论性、政策性和知识性的统一，在宣传中国外交、促进对外交流方面做出新的贡献。

唐家璇

2002 年 5 月 27 日

第一章

2001 年的国际形势

2001 年国际形势起伏多变，重大突发事件频仍。"9·11"事件震动世界，对国际政治、经济、安全产生重大影响。一些地区热点问题尚未得到解决，新的热点问题又在出现。世界经济明显下滑，对各国的影响逐步显现。但"9·11"事件并未改变世界力量对比、国际关系基本格局和形势发展的总趋势：和平与发展作为时代的主题没有改变，世界走向多极化的趋势没有改变，中国面临的国际环境依然是机遇大于挑战。总体和平、局部战争，总体缓和、局部紧张，总体稳定、局部动荡，将是今后一段时期国际形势发展的基本态势。

第 1 节　非传统安全
威胁上升，美国安全战略被迫调整

"9·11"事件表明目前国际安全问题正在趋于多元化。传统安全因素与非传统安全因素相互交织，而恐怖主义等非传统安全问题的危害在加剧，已成为对国际安全的又一重大威胁。

"9·11"事件使美国本土遭到空前袭击。面对新的威胁，美被迫调整其安全战略的优先次序，对恐怖主义等非传统安全威胁的重视上升，反恐和维护本土安全成为布什政府的中心任务。为建立和维系国际反恐联盟，争取有关各方的支持合作，美不得不更多借助多边合作，单边主义一度有所收敛。但总的看，美全球战略目标并未发生根本性变化。

第 2 节　大国关系由紧趋缓，妥协合作的一面上升

上半年，大国关系经历了一些曲折，矛盾比较尖锐。"9·11"事件后，各大国努力扩大共识，增强协作，应对共同挑战。美出于其自身安全需要，加快同其他大国调整关系，把重点放在以反恐为核心的协调合作上。其他大国也抓住机遇，积极改善对美关系。大国关系特别是美俄、中美关系出现转机。美俄主动相互靠拢，展开反恐合作，并在建立新的美俄战略框架和俄罗斯—北约新型伙伴关系等问题上进行广泛磋商和对话，双方关系有所突破。中美关系取得重要改善和发展，双方宣布共同致力于建立"建设性合作关系"。美国同欧盟、日本的关系相对平静。尽管如此，大国间的一些深层矛盾依然存在，既合作又竞争，既相互借重又相互制约，仍是大国关系发展的基本特征。

第 3 节　一些地区热点升温，地缘政治格局出现新变化

"9·11"事件后，阿富汗形势突变，成为世界上一大热点。美对阿富汗发动大规模军事打击，推翻了塔利班政权，摧毁了本·拉登恐怖"基地"组织。在联合国主导下，阿富汗各派力量在波恩会议上就组建临时政府达成协议。但阿问题错综复杂，实现和平与重

建任重道远。美国加大在阿富汗和中亚的存在，中亚地缘政治格局发生新的变化。在中东地区，以巴流血冲突升级，中东和平进程面临严峻考验。

第4节 全球经济下滑，形势严峻

美国经济结束了二战以来最长的增长期而进入衰退，美、欧、日三大经济体自 20 世纪 70 年代以来首次同时下滑，世界经济增长进入 10 年来最低水平。在这种情况下，国际贸易和国际投资减少，国际市场竞争更加激烈，金融市场风险增大，区域性贸易保护主义抬头。这些变化使广大发展中国家处境更加困难。

第二章

2001年的中国外交

2001年，在以江泽民同志为核心的党中央领导下，中国沉着应对国际形势变化，把握机遇，因势利导，中国的国际地位和作用显著提高。中国外交在新世纪赢得了一个良好的开局。

中国坚定不移地奉行独立自主的和平外交政策，坚决捍卫国家主权、领土完整和民族尊严，努力推进祖国统一大业，在和平共处五项原则的基础上发展同世界各国的友好合作关系。2001年，中国国家主席江泽民，全国人大常委会委员长李鹏，国务院总理朱镕基，全国政协主席李瑞环，国家副主席胡锦涛，中共中央政治局常委、书记处书记尉健行，国务院副总理李岚清等党和国家领导人共出访了50多个国家，有30多个国家的元首或政府首脑来华访问，中国与这些国家的关系进一步发展。

2001年6月，马其顿与中国复交。至2001年底，与中国建交的国家有162个。

第 1 节　积极参与国际事务，
维护世界和平，促进共同发展

2001 年，中国积极参与国际事务，与各国携手致力于解决恐怖主义等全球性问题，反对霸权主义和强权政治，推动建立公正、合理的国际政治、经济新秩序，为维护世界和平、促进共同发展做出了积极贡献。

中国在国际反恐斗争中积极发挥建设性作用。"9·11"事件发生后，以江泽民同志为核心的党中央高度重视这一重大突发事件的影响，迅速对形势做出正确判断，及时确定应对方略。中国坚决反对一切形式的恐怖主义，积极参与国际反恐合作，推动联合国和安理会发挥主导作用。同时明确提出，针对恐怖主义的军事行动应目标明确，符合《联合国宪章》的宗旨和原则及公认的国际法准则，不能将恐怖主义与特定的民族或宗教混为一谈。中国的言行展示了一个和平、公正、负责任大国的形象，受到国际社会的广泛好评。

中国在上海成功主办了亚太经合组织第九次领导人非正式会议。这次盛会是在"9·11"事件发生后不久、世界经济面临严峻形势的紧要关头召开的，亚太经合组织成员对之寄予厚望，世界为之瞩目。在江泽民主席主持下，与会领导人围绕"新世纪、新挑战：参与、合作，促进共同繁荣"的主题，深入交换意见，达成广泛共识。江泽民主席在会议期间积极开展"首脑外交"，推动中国与有关国家双边关系的发展，对中国外交全局产生重要影响。会议发表了《领导人宣言》、《上海共识》、《数字 APEC 战略》等重要文件。会议圆满成功，为亚太经合组织的发展注入了新的活力，增强了人们对恢复世界经济增长的信心。

中国还成功举办了亚欧外长会议，保持了与亚欧国家的合作势头。

唐家璇外长出席第 56 届联大，在一般性辩论上全面阐述了中

国外交政策及对反恐等重大国际问题的看法和主张，得到普遍
好评。

中国积极开展人权对话，与联合国人权高专办、欧盟、澳大利
亚等有关方面开展了各种形式的交流与合作。在第 57 届人权会上，
中国第十次挫败反华提案，充分说明以"人权"为借口干涉别国内
政的做法不得人心。

第 2 节　中国与周边国家的睦邻友好合作关系全面发展

2001 年是中俄战略协作伙伴关系的丰收年。两国高层交往密
切，江泽民主席与普京总统数次会晤、多次通热线电话，特别是 7
月江主席访问俄罗斯期间，与普京总统正式签署了《中俄睦邻友好
合作条约》，为两国发展长期友好关系奠定了法律基础。朱镕基总
理、胡锦涛副主席、李岚清副总理相继访俄。俄副总理马特维延科
和杜马主席谢列兹尼奥夫先后访华。两国高层领导的密切接触极大
地推动了双方在各领域的友好合作关系，特别是经贸合作关系的进
一步发展。

6 月，中国、俄罗斯、哈萨克斯坦、吉尔吉斯斯坦、塔吉克斯
坦及乌兹别克斯坦六国元首会聚上海，签署《上海合作组织成立宣
言》及《打击恐怖主义、分裂主义和极端主义上海公约》，共同宣
布建立"上海合作组织"。9 月，"上海合作组织"召开首次总理会
晤，正式启动六国经贸合作进程。"上海合作组织"的成立标志着
一个以互信求安全、以互利求合作的新型区域性合作组织的诞生，
是新中国外交史上一项具有里程碑意义的成果。李鹏委员长、朱镕
基总理分别访问了乌兹别克斯坦、格鲁吉亚和哈萨克斯坦。塔吉克
斯坦总统拉赫莫诺夫访华。中国同中亚邻国的关系保持积极发展的
势头。

中国坚定地支持朝鲜半岛北南双方进行和解与合作、实现自主

和平统一，在半岛事务中发挥着独特作用。1 月，朝鲜劳动党总书记金正日访华。9 月，中共中央总书记江泽民访朝。两国领导人一致同意本着"继承传统，面向未来，睦邻友好，加强合作"的精神，共同努力，在新世纪把两党、两国和两国领导人之间的传统友好合作关系推向更高的发展水平。两国领导人的高层互访进一步增进了中朝两党、两国和两国人民之间的相互了解、信任与友谊，加强了双方在各个领域的交往与合作，对促进朝鲜半岛和平与稳定具有重要意义。5 月，李鹏委员长访问韩国。6 月，韩国总理李汉东访华，双方一致同意继续将中韩合作伙伴关系推向全面合作的新阶段。两国在维护朝鲜半岛和平与稳定，促进地区和平与发展等方面进行了卓有成效的合作。

中日关系几经波折，但本着"以史为鉴，面向未来"的精神，通过双方努力，两国关系逐渐回到正常发展轨道。10 月，日本首相小泉纯一郎对华进行工作访问，前往卢沟桥抗战纪念馆参观，公开发表谈话表示反省侵略历史，"对由于侵略而牺牲的中国人民致以衷心哀悼和道歉"。

中国积极参与地区对话与合作，与东南亚国家的睦邻互信伙伴关系全面推进。朱镕基总理出席第五次东盟与中国（10＋1）领导人会议期间，与东盟就今后 10 年内建立中国—东盟自由贸易区达成共识，双方确定了将农业、信息通讯、人力资源和湄公河流域开发等作为中国与东盟在新世纪重点合作的领域，这对于双方关系的长远发展及地区繁荣稳定具有深远意义。中国与东盟有关"南海行为准则"的磋商取得进展。中国积极参加东盟地区论坛各项活动，全面阐述对重大地区安全问题的立场，积极宣传新安全观，加深了各国对中国政策的了解。首家总部设在中国的非政府国际会议组织——博鳌亚洲论坛正式成立。中国—东盟经贸、科技联委会、联合合作委员会会议以及中国—东盟第七次高官磋商相继成功举行，中国与东盟的关系进一步深化。江泽民主席对缅甸进行了历史性的成功访问，增进了了解，加深了友谊，扩大了合作。李鹏委员长、朱镕基总理、胡锦涛副主席分别访问了柬埔寨、文莱、泰国和越南。马来西亚最高元首萨拉赫丁、文莱苏丹博尔基亚、巴布亚新几内亚总理莫劳塔、泰国总理塔信、菲律宾总统阿罗约、新加坡总统纳丹相继访华。

中国沉着应对南亚变局，与南亚国家的关系继续发展。"9·11"事件后，阿富汗形势突变，成为世界一大热点。作为阿富汗的邻国，中国关注阿富汗局势的发展，及时提出了关于解决阿富汗问题的五点主张，一直为阿富汗问题的解决发挥着积极作用。江泽民主席分别与联合国安理会其他常任理事国的领导人以及巴基斯坦和埃及等国领导人通电话，就阿富汗问题交换了意见和看法，取得了广泛共识。唐家璇外长与多国外长通电话，就推动阿富汗问题的政治解决交换意见。外交部副部长王毅作为江泽民主席特使访问巴基斯坦，就阿富汗问题同巴方深入交换意见。中国重视并积极参与国际社会关于阿富汗重建和向阿富汗人民提供人道主义援助的努力。

中国同印度关系取得积极进展。李鹏委员长访问印度，为中印关系在新世纪的进一步发展起到了积极的推动作用，增加了相互信任，扩大了共识，拓展了经贸合作。朱镕基总理访问巴基斯坦，巴基斯坦总统穆沙拉夫访华，中巴传统友谊进一步巩固。中国与尼泊尔、斯里兰卡、马尔代夫等南亚国家的互利合作进一步深化。

第 3 节　中国与广大
发展中国家的关系取得长足发展

2001 年，中国与拉美国家关系取得新的进展，为新世纪中拉长期、稳定、全面的友好合作关系创造了良好开局。

4 月，江泽民主席访问智利、阿根廷、乌拉圭、古巴、委内瑞拉和巴西六国取得重大成果。江泽民主席在六国先后发表重要讲话，全面阐述了新世纪发展中拉关系的战略构想，提出了"增进理解，平等相待，加强磋商，相互支持，互利互惠，共同发展，面向未来，着眼长远"的指导原则，为中拉友好合作关系写下了新的篇章。11月，李鹏委员长访问了古巴、阿根廷和乌拉圭。唐家璇外长出席了在智利举行的首届东亚—拉美合作论坛外长会议，并与里约集团外长在联大举行第11次对话。委内瑞拉总统查韦斯、墨西哥总统福克斯、智利总统拉戈斯、哥伦比亚副总统贝尔及古巴外长佩雷斯相继访华。中国与拉美国家高层互访的增强，有力地增进了中国与拉美国家的相互了解与合作。

中国与非洲国家的关系发展顺利。中非合作论坛的各项后续工作顺利推进。中国支持非洲国家成立非洲联盟和制定"非洲发展新伙伴计划"，在新世纪实现非洲复兴发展的宏伟目标。全国政协主席李瑞环、国家副主席胡锦涛、唐家璇外长分别访问了毛里求斯、南非、乌干达、中非、喀麦隆、加蓬、安哥拉。尼日尔总统坦贾、尼日利亚总统奥巴桑乔、卢旺达总统卡加梅、南非总统姆贝基相继访华。

中国与西亚北非国家的友好合作关系全面、稳定发展。中国对中东和平进程等地区热点问题采取公正、均衡的政策，得到普遍赞赏。李鹏、李瑞环、胡锦涛、尉健行等领导人分别访问了阿尔及利亚、突尼斯、摩洛哥、土耳其、伊朗、叙利亚、约旦、塞浦路斯和利比亚。巴勒斯坦总统阿拉法特、叙利亚副总统哈达姆、苏丹副总统塔哈及卡塔尔首相阿卜杜拉先后访华。这些访问促进了中国与该地区国家双边关系的持续发展。

中国与南太平洋岛国和地区组织的友好关系得到巩固和加强。李瑞环主席访问了斐济和巴布亚新几内亚。中国政府代表出席了在瑙鲁举行的太平洋岛国论坛第13届对话会并访问瓦努阿图。巴布亚新几内亚总理莫劳塔、瓦努阿图副总理沃霍尔、汤加王储图普托阿先后访华。

中国同中东欧国家的关系保持良好发展势头。江泽民主席访问了乌克兰、白俄罗斯和摩尔多瓦。白俄罗斯总统卢卡申科、爱沙尼亚总统梅里、拉脱维亚议长斯特拉乌梅、立陶宛第一副议长安德留凯季斯分别访华。

第 4 节　中国与西方
发达国家的关系呈现新的发展态势

　　中美关系在上半年经历困难之后，下半年逐渐恢复和改善。3月，钱其琛副总理访美，与美国新政府进行了广泛接触，增进了相互了解，取得了建设性的成果。但中美"撞机"事件以及美方在售台武器和人权会反华提案等方面的错误行径，使中美关系遭受挫折。中方与美方进行了"有理、有利、有节"的斗争，捍卫了国家主权和民族尊严。6月底起，美宣布延长对华正常贸易关系，与中方就中国入世有关谈判遗留问题达成全面共识，中美两国外长在河内会晤，美国务卿鲍威尔访华，中美关系开始出现好转。10月，江泽民主席与布什总统在上海出席亚太经合组织领导人非正式会议期间举行首次会晤，就发展中美建设性合作关系达成重要共识，为两国关系开辟了新的前景。唐家璇外长访美也取得积极成果。12月，美国正式宣布给予中国永久性正常贸易关系地位。

　　中国同西欧国家关系顺利发展。江泽民主席、朱镕基总理、胡锦涛副主席、李岚清副总理、吴邦国副总理分别访问了德国、法国、英国、西班牙、比利时、爱尔兰、马耳他等西欧国家。奥地利总统克莱斯蒂尔、马耳他总统德马科、德国总理施罗德、意大利总理阿马托、意大利外长迪尼先后访华。第四次中欧领导人会晤取得重要成果，双方发表了《联合新闻公报》，决心进一步扩大和深化在各领域的平等互利合作，特别是加强中欧政治对话、扩大对话领域，中欧伙伴关系进入了全方位合作的新阶段。

　　中国同加拿大、澳大利亚、新西兰的关系保持平稳发展。加拿大总理克雷蒂安率"加拿大国家队"访华，与中国签署了多项政府间协议。中澳双边高层互访和接触增多，各层次、各领域交流稳中有进。

第 5 节　维护国家领土
完整，推进祖国统一大业

实现祖国统一，是中国人民坚定不移的决心，也是中国人民神圣的历史使命。中国政府始终坚持按照"和平统一、一国两制"的基本方针和江泽民主席关于现阶段发展两岸关系、推进祖国和平统一进程的八项主张解决台湾问题，坚决反对任何制造"台湾独立"、"两个中国"、"一中一台"的图谋和言行。

2001 年，国际上普遍承认一个中国的基本框架是稳固的，台湾当局在国际上进行的分裂活动一再遭到失败。中国连续第九次和第五次挫败台"重返"联合国和挤入世界卫生组织的图谋，对台政要利用所谓"出访外交"、"过境外交"和"弹性外交"搞分裂进行了坚决斗争。中国政府坚决反对外国向台湾出售先进武器，坚决反对任何外部势力以任何借口阻挠中国的和平统一。中国政府和全体中国人民维护国家主权和领土完整、努力推进和平统一的事业，得到越来越多国家的理解和支持。

两岸同胞血脉相连，情同手足。两岸和则两利，分则两害，已被越来越多的台湾同胞所认识。搞对抗没有好处，搞"台独"没有出路。中国政府对两岸关系发展与祖国和平统一的前景充满信心。

第 6 节　中国对外经贸合作进一步发展

2001 年，在美日衰退，欧洲减速，世界经济陷入十年来最低增长的情况下，中国政府继续实行积极的财政政策和稳健的货币政策，进一步深化体制改革，国民经济继续保持良好发展势头。2001 年国内生产总值为 95933 亿元，按可比价格计算，比 2000 年增长 7.3%。中国对外经贸工作在外部经济环境不利的形势下，逆势而上，取得明显成效。

一、进出口贸易在困难中保持稳定增长

在世界经济形势日趋严峻的情况下，中国外经贸规模、质量和效益进一步提高。全年货物贸易进出口总值首次突破 5000 亿美元大关，达 5097.7 亿美元，比 2000 年增长 7.5%。其中，出口总额为 2661.6 亿美元，同比增长 6.8%；进口总额为 2436.1 亿美元，同比增长 8.2%；贸易顺差 225.5 亿美元。截至 2001 年 12 月 31 日，中国外汇储备达 2121.7 亿美元，较 2000 年增加 466 亿美元。

中国外贸 2001 年的主要特点是：（一）出口增速先抑后扬，贸易顺差逐步攀升。出口增速在第一季度末达到 13.9% 年度峰值后一路走低，到 10 月底已下滑至 6.1%。但在 11、12 两个月出口总值分别达到 240 亿美元和 245 亿美元后，累计增速出现明显回升。与此同时，进口增速有所减缓，进口累计值增速从第一季度末的 17.2% 下滑至年末的 8.2%。（二）一般贸易和加工贸易出口并驾齐驱。一般贸易出口 1119.2 亿美元，占出口总额的 42%，增长 6.4%；加工贸易出口额 1474.5 亿美元，占出口总额的 55.4%，增长 7.1%。（三）进出口商品结构优化取得新成效。2001 年，机电产品出口 1187.9 亿美元，增长 12.8%，在出口总额中所占比重达 44.6%，比总出口增幅高 6 个百分点；高新技术产品出口成为外贸出口增长的中坚力量，对全国外贸出口增长的贡献率首次突破 50%，2001 年出口额 464.6 亿美元，增长 25.4%，在出口总额中所占比重达 17.5%，比总出口增幅多 18.6 个百分点。国内急需的先进技术、关键设备和短缺原材料进口保持较快增长。长线商品和机电产品进口规模趋于下降，进口增速过快的压力有所缓解。（四）外经贸经营主体多元化得到新发展。进一步放宽企业申请进出口经营资格的条件，取消对国内不同所有制企业的区别待遇。（五）与主要贸易伙伴贸易发展基本平稳。全年对美出口额 542.8 亿美元，增长 4.2%，低于总出口平均增幅。对日出口额达 449.6 亿美元，增长 7.9%。对欧盟出口从年初低位回升，全年增长 7.1%。对俄

罗斯与韩国出口保持两位数增长，出口额分别为 125.2 亿美元和 27.1 亿美元，分别增长 10.9％和 21.4％。

二、吸收外资规模扩大、质量提高，外资在国民经济中的作用不断增强

2001 年，中国吸收外商直接投资大幅增长，吸收外资形式和内容日趋多样化，外商对中国金融、保险、商贸、旅游、中介服务等服务贸易领域投资增加。全年新批外商投资企业 26139 家，合同外资金额 691.91 亿美元，实际使用外资金额 468.46 亿美元，分别比 2000 年同期增长 16.01％、10.43％和 14.90％。亚洲十国（地区）对华投资呈现大幅增长；美国对华投资实际投入金额增幅放缓，合同外资金额有所下降；欧盟对华投资合同外资金额和实际投入外资金额呈较大幅度下降。截至 2001 年底，全国累计批准设立外商投资企业 390484 个，合同外资金额 7459.09 亿美元，实际使用外资金额 3954.69 亿美元。

三、对外经济合作稳步发展

2001 年，中国对外承包工程和劳务合作业务取得较为显著的成绩。全年完成营业额 121.39 亿美元，增长 7.2％（其中对外承包工程 68.39 亿美元，对外劳务合作 28.78 亿美元，对外设计咨询 0.63 亿美元）；新签合同额 164.55 亿美元，增长 10.1％；年末在外劳务人员 47.52 万人，增加 4.95 万人。

随着中国经济发展，进一步扩大了对外援助规模；援外方式改革继续推进，援外工作质量提高；在落实"中非合作论坛"后续行动，按照承诺减免非洲国家债务等方面，取得了重大进展；举办 8 期发展中国家经济管理官员研修班，111 个国家的中高级经济官员参加研修。

中国境外投资已扩展到世界 160 多个国家和地区，投资重点地区逐渐从港澳、北美地区向亚太、非洲、拉美等广大发展中国家扩展。截至 2001 年底，经国家批准和备案的境外企业共 6610 家，协

议投资总额达 123.3 亿美元，中方协议投资总额 83.6 亿美元。

2001 年，中国共接待入境旅游者 8901.29 万人次，比上年增长 6.7%。其中，外国旅游者 1122.64 万人次，比上年增长 10.5%。旅游外汇收入达 177.92 亿美元，比上年增长 9.7%，旅游业总收入达到 4995 亿元，比上年增长 10.5%，高出国民经济总体增长速度 3.2 个百分点。

四、积极推动区域经济合作

2001 年，中国在参与和推动区域经济合作方面取得重要进展。6 月，中国、俄罗斯、哈萨克斯坦、吉尔吉斯斯坦、塔吉克斯坦和乌兹别克斯坦共同宣布成立"上海合作组织"，并开始围绕贸易投资便利化等议题展开磋商。10 月 17～21 日，中国作为 2001 年 APEC 会议的东道国，成功举办了第 13 届亚太经合组织部长级会议和第 9 次亚太经合组织领导人非正式会议。江泽民主席在会上强调亚太经合组织的发展应反映各成员最广泛的共同利益，采取更富成效的合作方式，缩小成员间的差距，增强凝聚力。会议通过《上海共识》等文件，就推动加快贸易和投资自由化与便利化、促进经济技术合作等中国长期推动的议程进一步达成共识，中国提出的开展宏观经济政策对话、加强地区金融合作等倡议也得到成员们的支持。11 月 5～6 日，在第 5 次东盟与中国、日本和韩国（10＋3）领导人会议上，朱镕基总理提出在新的世纪里，东亚合作要立足现有基础，着眼未来发展，完善运作机制，充实合作内容，进一步促进在经济、信息技术、环境保护、湄公河流域开发以及非传统安全等领域的交流与合作，不断向更高层次推进东亚合作。2001 年，中国与东盟（10＋1）的合作关系走向更加稳固和成熟的阶段。在中国—东盟领导人会议中，中国与东盟确立 10 年内建立中国—东盟自由贸易区（CAFTA）目标，将农业、信息通讯、人力资源开发、相互投资和湄公河流域开发等 5 个领域确定为新世纪初中国与东盟合作的重点领域，并就进一步加强双方政治对话和合作，增进相互了解和信任等问题达成共识。

五、中国正式加入世界贸易组织

2001年11月10日，世界贸易组织第四届部长级会议通过了中国加入世贸组织决定；11月11日，中国完成加入世贸组织的所有法律程序；12月11日，中国正式成为世界贸易组织第143个成员。加入世贸组织后，中国将在更大范围和更深程度上参与经济全球化，以崭新的姿态迎接对外开放新阶段的到来，推动国民经济持续健康快速发展。同时，中国作为世贸组织新成员，将在世贸组织中与其他成员一道为促进世界经济贸易的发展，完善多边贸易体制，发挥积极和建设性作用。

第三章

中国同亚洲国家的关系

第 1 节　亚洲地区形势

2001 年，亚洲地区形势总体上继续保持稳定。寻求经济发展、加强互利合作仍是各国政策的主流。

亚太地区大国关系总体稳定发展，对话与合作加强。中美关系基本克服 4 月撞机事件带来的困难，在对话与合作的轨道上向前发展。中俄战略协作伙伴关系不断深入。7 月，江泽民主席对俄罗斯进行国事访问，双方签署《中华人民共和国和俄罗斯联邦睦邻友好合作条约》，为发展新世纪的中俄关系奠定法律基础。中日关系重返正常发展轨道。10 月，日本首相小泉对华进行工作访问，就历史问题发表公开讲话，向中国人民表示道歉和哀悼，修补了因历史教科书和参拜靖国神社等事件而受损的中日关系。中印关系继续保持改善势头。"9·11"事件后，中、美、俄就反恐和南亚政策加强了磋商和协调。

朝鲜半岛形势在 2001 年呈现复杂变化，但缓和总趋势没有改变。美国新政府上台后，重新审议对朝政策，朝美对话中断，南北关系改善进程受到影响。6月，朝美重新接触，南北部长级对话恢复，朝鲜与欧盟的关系也明显改善。"9·11"事件后，美多次批评朝不可信，对半岛形势产生消极影响。南北关系重陷停滞。

2001年南亚形势发生重大变化。10月，美对阿富汗塔利班政权进行军事打击，塔利班政权垮台。11月，联合国主持召开由阿富汗四派代表参加的波恩会议，选出以卡尔扎伊为主席、为期6个月的阿临时政府。12月，临时政府正式成立。国际社会还为援助阿富汗重建召开数次会议。阿富汗实现民族和解、恢复重建面临重大历史机遇。

受美、欧、日经济同步放缓和全球新经济调整影响，2001年初以来亚洲经济增长明显减缓，出口不振，股汇市低迷，金融形势趋于严峻。"9·11"事件后，世界经济环境更趋恶化，亚洲经济形势受到直接冲击。日本官方预计2001财年经济负增长0.9%，新加坡政府预计2001年GDP负增长2.2%。韩泰等国经济增长率也大幅下滑，但印度、越南保持平稳增长。不少国家积极采取刺激内需、扩大财政、加快产业结构调整的措施，同时加强区域经济合作。中国经济继续快速、健康发展，为亚洲经济发展做出了贡献。

亚洲地区的区域经济合作与安全对话继续务实发展。11月，第五次东盟与中、日、韩（10＋3）以及东盟与中国（10＋1）领导人会议在文莱举行。中国与东盟就10年内建立中国—东盟自由贸易区达成共识。东亚10＋3框架内的财长会、外长会和经济部长会相继举行。5月，在美国举行的财长会就地区经济和金融形势、加强东亚地区财政金融合作及领导人会议后续行动等进行了讨论，并就双边货币互换的框架协议达成一致。7月，在越南举行的外长会就《东亚合作联合声明》落实情况和第四次10＋3领导人会议后续行动情况以及国际和地区问题进行了讨论。5月和9月，第三和第四次经济部长会议相继在柬埔寨和越南召开，会议就东亚国家加强合作交换了意见，并提出和通过了具体合作项目。

10月，亚太经合组织第九次领导人非正式会议在上海举行。

会议围绕"新世纪、新挑战：参与、合作、促进共同繁荣"主题，就宏观经济形势、人力资源能力建设、APEC 未来发展方向和国际反恐合作等重大问题进行深入讨论，通过了《APEC 领导人宣言》、《上海共识》、《数字 APEC 战略》、《APEC 领导人反恐声明》等文件。会议的成功举行坚定了国际社会对世界和亚太经济发展的信心，对推动亚太经济尽快走上恢复振兴之路发挥了积极作用。

5 月，第三届亚欧外长会议在北京举行。亚欧会议 25 国外长和欧盟委员会对外关系委员围绕"加强新世纪的亚欧伙伴关系"的主题，就促进政治对话、扩大经贸合作和推动社会文化交流三大领域的问题进行深入讨论，并就政治对话、经贸、金融、科技、环境、教育、打击跨国犯罪等领域的合作达成广泛共识。

3 月，东亚—拉美合作论坛首届外长会议在智利圣地亚哥举行，会议就论坛的宗旨、目标、原则、运作方式等做出明确规定，并通过了《框架文件》，强调论坛旨在增进了解，促进政治、经济对话和各领域的合作。

7 月，第八届东盟地区论坛（ARF）外长会议在越南举行，会议就论坛未来发展方向进行充分讨论，通过了"预防性外交概念和原则"、"加强 ARF 主席作用"、"专家名人职权范围"等三个文件。2000~2001 会间年度，ARF 还举行了建立信任措施、常规武器转让、维和等第一轨道会议。

2001 年，亚洲形势发展还存在一些不稳定因素。美国单方面退出反导条约，坚持发展导弹防御系统（MD），强化与一些国家的双边军事同盟，增加在亚太地区的联合军事演习，这些都不利于地区和平与稳定。南亚形势仍十分复杂，要在阿富汗保持和平、实施重建，各方仍需付出很多努力。印巴因克什米尔及恐怖主义问题冲突加剧。一些东南亚国家内部问题突出，经济徘徊不振，地方分裂主义、宗教和种族冲突时有发生，实现稳定的发展任务仍然艰巨。恐怖主义、宗教极端主义、民族分裂主义等三股恶势力以及走私、贩毒、海盗、跨国犯罪等非传统安全领域问题，在一些国家和地区突出。

第2节　中国同亚洲国家关系综述

2001年，中国同亚洲国家的友好关系进一步发展，各领域的交流与合作取得新的成果。

新世纪初，中国同东北亚国家的关系保持良好发展势头。1月15～20日，朝鲜劳动党总书记金正日访华，9月3～5日，江泽民总书记对朝鲜进行正式友好访问，两国最高领导人的成功互访进一步巩固和发展了中朝传统友好关系。7月，两国举行《中朝友好互助条约》签订40周年纪念活动，朝鲜最高人民会议常任委员会秘书长金润赫、中国全国人大常委会副委员长姜春云分别率领友好代表团出席对方举行的纪念活动。中韩关系进入新的发展阶段。5月23～27日，李鹏委员长访韩，6月19～22日，李汉东总理访华，两国保持高层互访深化了两国互利合作。

中日关系在经历了一系列波折后逐步回到正常轨道。2001年内，由于历史教科书、李登辉访日和靖国神社等问题，两国关系受到损害。10月8日，日本首相小泉纯一郎访问中国，参观了卢沟桥中国人民抗日战争纪念馆，向中国抗日英烈敬献花圈、鞠躬默哀，并就历史问题发表公开谈话，强调日本要反省历史，决不再发动战争。10月21日，江泽民主席与前来出席上海APEC会议的小泉举行会晤，就推动两国关系继续向前发展达成共识。

中国与东盟各国睦邻互信伙伴关系进一步发展。12月12～15日，应缅甸联邦国家和平与发展委员会主席丹瑞大将的邀请，江泽民主席对缅甸进行国事访问，两国领导人一致同意继续保持高层往来，扩大两国各个部门间的交流，深化各领域的互利合作。5月18～20日和9月7～10日，李鹏委员长先后访问越南和柬埔寨，进一步密切了双边关系，其中对柬的访问是中国全国人大常委会委员长第一次往访。11月7～11日，朱镕基总理访问印尼，双方签署了经济、文化和旅游等多项双边协定，促进了两国互利友好合

作。11 月 18~23 日，中国全国政协主席李瑞环访问新加坡。4 月
19~22 日，中共中央政治局常委、国家副主席胡锦涛率领中国共
产党高级代表团出席越南共产党第九次全国代表大会。3 月 11~17
日，中共中央政治局委员、书记处书记罗干出席老挝人民革命党第
七次全国代表大会。2001 年，马来西亚最高元首苏丹·萨拉胡丁
（4 月）、总理马哈蒂尔（2 月和 10 月）；泰国公主诗琳通（2 月）、
总理塔信（6 月）、副总理邦朋（8 月）；菲律宾总统阿罗约（10
月）；新加坡总统纳丹（9 月）、内阁资政李光耀（6 月）；越共总书
记农德孟（11 月底 12 月初）、副总理阮孟琴（11 月）、阮功丹（10
月）、国会副主席武廷炬（8 月）；老挝副总理宋沙瓦（4 月）；柬埔
寨参议院主席谢辛（3 月）等先后访华。

　　中国同南亚国家的睦邻友好合作关系得到新的发展。针对
"9·11"事件后阿富汗局势的复杂变化，中国政府及时提出政治解决
阿富汗问题的五点主张，有关主张成为国际社会解决阿问题的基本
共识。阿富汗临时政府成立后，中国政府向其提供了 3000 万元人
民币的紧急物资援助。中国政府的公正主张和支持阿恢复重建的积
极姿态获得了临时政府和阿富汗人民的高度评价。中国与印度的关
系继续在改善和发展的轨道上前进。1 月 9~17 日全国人大常委会
委员长李鹏对印度进行正式友好访问，两国领导人再次确认建立建
设性合作伙伴关系，并同意成立议会中印友好小组。5 月 11~19
日，朱镕基总理访问巴基斯坦、尼泊尔、斯里兰卡、马尔代夫，同
各国领导人就进一步加强双边关系和互利合作达成广泛一致。尼泊
尔国王比兰德拉（2 月底 3 月初）、马尔代夫国民议会议长哈米德
（8 月）、巴基斯坦总统穆沙拉夫（12 月）等先后访华。

　　中国积极参与和推动多边合作务实发展。5 月，第三次东盟与
中、日、韩（10＋3）财政部长会议在美国夏威夷举行，会议就地
区经济和金融形势、加强东亚地区财政金融合作等进行讨论，并就
双边货币互换的框架协议达成一致。5 月和 9 月，第三、第四次
10＋3 经济部长会议分别在柬埔寨暹粒和越南河内召开，会议讨论
了东亚国家加强信息和通讯领域合作，以及中、日、韩参与"电子

东盟"等问题，并通过 6 项合作项目。7 月，第二次 10＋3 外长会在河内举行，就《东亚合作联合声明》落实情况和第四次 10＋3 领导人会议后续行动及国际和地区问题交换了意见。东盟明确提出，希望中、日、韩更多支持东盟一体化进程和缩小发展差距的努力。11 月 5～6 日，第五次东盟与中、日、韩（10＋3）和东盟与中国（10＋1）领导人非正式会晤在文莱举行，朱镕基总理出席会议，就东亚合作提出一系列重要主张和建议。会议期间，朱镕基总理和东盟各国领导人一致同意在 10 年内建成中国—东盟自由贸易区，并确定了新世纪初双方合作的重点领域。

2001 年，受美、欧、日经济衰退以及"9·11"事件的影响，亚洲经济复苏进程明显放缓，但中国与亚洲国家的贸易继续增长。据中国海关总署统计，2001 年，中国与东盟十国的贸易额为 416 亿美元，比 2000 年增长 5.3%；与日本贸易额达 877.5 亿美元，比 2000 年增长 5.5%；与韩国贸易额为 395 亿美元，比 2000 年增长 4.1%；与印度贸易额为 36 亿美元，比 2000 年增长 23.4%。

第 3 节　中国同蒙古的关系

2001 年，中华人民共和国同蒙古国睦邻友好合作关系继续得到巩固和发展。

一、政治关系与重要往来

9 月 3～10 日，应中国人民政治协商会议全国委员会的邀请，蒙古国家大呼拉尔副主席扎·宾巴道尔吉访华。4 日，全国政协主席李瑞环在会见宾巴道尔吉时表示，中蒙是近邻，进一步发展中蒙友好合作关系是中国政府的既定方针。中方对近年来双方高层交往日益增多和各个领域的交流不断发展感到满意。相信中国全国政协与蒙古国家大呼拉尔之间的交往一定会为两国关系的发展做出重要贡献。宾巴道尔吉表示，蒙中友好关系有着悠久的历史，近年来在各个方面都得到了顺利发展。两国最高领导人的互访，使两国关系进入一个崭新的历史阶段，新世纪的蒙中友好关系前景光明。全国政协副主席叶选平、全国人民代表大会常务委员会副委员长许嘉璐也分别会见了宾巴道尔吉一行。

2 月 27 日至 3 月 3 日，中共中央对外联络部副部长王家瑞率中国共产党代表团参加蒙古人民革命党第 23 次代表大会和建党 80 周年庆祝活动。

3 月 19～24 日，应中国司法部的邀请，蒙古国法律和内务部长曾·尼亚木道尔吉访华。中共中央政治局委员、国务委员罗干会见了尼亚木道尔吉一行。尼亚木道尔吉与司法部长张福森举行了会谈，并会见了公安部、最高人民法院和最高人民检察院领导。

6 月 4～9 日，应外交部副部长王毅的邀请，蒙古外交部副部长巴特包勒德访华，并与王毅举行磋商。

7 月 3～5 日，应蒙古外交部长额尔登楚龙的邀请，外交部长唐家璇对蒙古进行正式访问。唐家璇分别会见了蒙古总统那·巴嘎班迪、总理那·恩赫巴亚尔和蒙古国家大呼拉尔副主席扎·宾巴道尔吉，并与额尔登楚龙外长举行了正式会谈。

二、经济合作与贸易关系

2 月 28 日至 3 月 5 日，应中国人民银行行长戴相龙的邀请，蒙古银行行长奥·楚龙巴特访华。戴相龙会见了楚龙巴特。

7 月 2～6 日，中蒙两国政府间经贸、科技合作联合委员会第七次会议在北京举行。对外经济贸易合作部副部长安民率领中国政府经贸代表团，基础设施部长吉格吉德率领蒙古政府经贸代表团参加会议。双方就推动中蒙经贸合作关系在平等互利基础上进一步发展广泛、深入地交换了意见，并签署了会议纪要。国务委员吴仪和对外经济贸易合作部长石广生分别会见蒙方代表团。

12 月 11～15 日，蒙古财政经济部长乌兰访华。财政部长项怀诚会见。双方就扩大财经部门合作等交换了看法。

中国政府向蒙古政府提供 200 万元人民币的无偿援助用于防治

口蹄疫和雪灾救助。

据中国海关总署统计，2001年，中国同蒙古的贸易总额为3.62亿美元，其中，中方出口额为1.23亿美元，进口额为2.39亿美元。

三、文化交流及其他往来

3月4日，蒙古国家体育运动中心副主任、蒙古大学生联合会秘书长扎尔格勒赛汗率团访华。

4月27日至5月1日，中国文化部部长助理常克仁率领文化代表团访蒙，与蒙古教育文化科学部签署两国政府2001～2003年文化交流合作执行计划。

6月1～5日，"中国·呼和浩特周"活动在乌兰巴托举行。呼和浩特市长柳秀率团参加。

6月13～20日，应中国文化部的邀请，蒙古教育文化科学部长阿·仓吉德访华。全国人大常委会副委员长布赫会见。

8月22～27日，应北京市的邀请，蒙古首都乌兰巴托市行政长官恩赫包勒德出席在北京举行的世界大学生运动会开幕式并访问北京市。两市签署了《北京市与乌兰巴托市友好交流备忘录》。

9月4～9日，内蒙古自治区党委宣传部副部长孟树德率团出席在乌兰巴托举行的"中国内蒙古电影电视周"活动。

9月27日至10月9日，蒙古合唱团参加广东江门举行的国际合唱节。

10月27日至11月4日，蒙古杂技团参加第八届吴桥国际杂技节。

11月1～5日，内蒙古广播电视代表团访蒙，与蒙古广播电视局签署在蒙古建立调频广播电台的协议。

11月12～28日，蒙古全军歌舞团参加在北京举行的第五届国际艺术节。

11月27～30日，应蒙古科学院的邀请，中国科学院副院长杨柏龄访问蒙古，参加蒙古科学机构成立80周年暨蒙古科学院成立

40 周年庆祝活动。

2001 年，蒙古在华留学生为 664 名。

四、军事往来

5 月 7～14 日，蒙古边防军管理局长普·达希少将率团访华。

6 月 11～18 日，蒙古国防部长珠·古尔拉格查访华。温家宝副总理、总参谋长傅全有上将分别会见，国防部长迟浩田上将与古尔拉格查举行会谈。

11 月 26～30 日，总后勤部政委周坤仁海军上将率领中国人民解放军友好代表团访蒙。蒙古总统巴嘎班迪、总参谋长达希泽伯格中将、国防部部长古尔拉格查分别会见。

第 4 节　中国同朝鲜的关系

2001 年，中华人民共和国同朝鲜民主主义人民共和国传统友好合作关系得到进一步巩固和发展。两国最高领导人实现互访，商定本着"继承传统、面向未来、睦邻友好、加强合作"的精神，把中朝友好合作关系推向新的发展阶段。

一、政治关系与重要往来

1 月 15～20 日，应中共中央总书记、国家主席江泽民邀请，朝鲜劳动党总书记、国防委员会委员长金正日对中国进行了非正式访问。访问期间，江泽民总书记与金正日举行了会谈。朱镕基总理在上海会见并陪同金正日总书记参观了上海城市规划展示馆、上海通用汽车有限公司和上海华虹 NEC 电子有限公司。上海市委书记黄菊陪同金正日总书记参观了浦东新区、上海贝尔有限公司、上海证券交易所、上海宝山钢铁（集团）公司、张江高科技园区和孙桥现代农业开发区等项目。

中朝两国领导人相互通报了各自国内情况，就进一步发展两国关系以及共同关心的重大国际问题交换了意见，取得了广泛共识。

江泽民总书记对金正日总书记在新世纪初访华予以高度评价，认为这次访问对中朝两党、两国关系在新世纪的发展具有重要意义。金正日总书记对再次与江泽民总书记等中国党和国家领导人会晤并目睹上海的发展面貌感到十分高兴。双方一致认为，自2000年5月中朝领导人北京会晤以来，两党、两国的各个部门为落实两党总书记达成的共识做出了积极努力。双方表示，将做出更大努力，继续巩固、发展和加深两国老一辈领导人亲手缔造和培育的传统友谊，把两国友好合作关系推向更高发展水平。这不仅符合两国人民的共同愿望和根本利益，也有利于本地区乃至世界的和平、稳定与繁荣。

江总书记对朝鲜人民在以金正日总书记为首的朝鲜劳动党的领导下克服重重困难，在经济建设、北南统一和对外关系等方面取得的重大进展和新的成就表示高兴，祝愿朝鲜劳动党和朝鲜人民在新世纪里各个方面取得新的更大的成就。金正日总书记强调指出，中国尤其是上海改革开放以来发生的翻天覆地的巨大变化充分证明，中国共产党实行的改革开放政策是正确的。他相信，中国人民在以江总书记为核心的中国共产党的领导下，在实现"十五"计划发展目标、全面推进社会主义现代化建设、振兴中华的宏伟事业中，一定会不断创造出新的业绩。

江泽民总书记指出，中国是朝鲜半岛的近邻，一贯致力于维护半岛的和平与稳定。今后将继续支持北南双方为进一步改善关系、实现自主和平统一所做的努力，欢迎和支持朝鲜与一些国家改善关系并实现关系正常化。金正日总书记对此表示感谢。他重申朝鲜党和政府将一如既往地继续支持中国在台湾问题上的立场，祝愿中国实现自己国家统一的事业取得成功。

9月3～5日，应朝鲜劳动党总书记、国防委员会委员长金正日的邀请，中共中央总书记、国家主席江泽民对朝鲜进行了正式友好访问。访朝期间，江总书记与金正日总书记举行会谈，并会见朝鲜最高人民会议常任委员会委员长金永南和朝鲜内阁总理洪成南。

双方通报了各自国内的政治、经济形势，就进一步巩固、发展和深化中朝两党、两国和两国人民之间的友好合作关系和共同关心的地区和重大国际问题交换了意见，达成了广泛共识。

两位总书记一致认为，2000 年 5 月双方在北京就进一步发展两党、两国关系达成的共识，对两国在新世纪睦邻友好合作关系长期稳定的发展具有重要的指导意义。双方决心本着"继承传统、面向未来、睦邻友好、加强合作"的精神，共同努力，把中朝友好合作关系推向更高的发展水平。

关于朝鲜半岛问题。江总书记表示，中方十分关注朝鲜半岛的局势变化，并始终致力于维护半岛的和平与稳定。2000 年北南首脑会晤后，北南关系取得了长足的进展。中方对此感到高兴，并衷心希望这种势头能保持和发展下去。中方将一如既往地支持北南双方通过对话、协商，改善和发展关系并最终实现自主和平统一。

此次访问中，中方向朝鲜通报提供 20 万吨粮食和 3 万吨柴油等无偿援助的决定。朝方对此表示感谢。

2 月 6~10 日，应朝鲜劳动党邀请，以王家瑞副部长为团长的中共中央对外联络部代表团对朝鲜进行友好访问。2 月 9 日，朝鲜劳动党总书记、国防委员会委员长金正日会见。

2 月 14 日，中共中央政治局候补委员、书记处书记、中组部部长曾庆红应邀出席朝鲜驻华使馆为金正日诞辰 59 周年举行的宴会。

3 月 20~24 日，应朝鲜劳动党邀请，中共中央政治局候补委员、书记处书记、中央组织部部长曾庆红率中国共产党代表团访朝。朝鲜劳动党总书记、国防委员会委员长金正日会见并宴请，双方就中共中央总书记、国家主席江泽民年内访朝事宜交换意见并达成一致。曾庆红通报了中方再次向朝鲜提供无偿援助的决定。朝方对此表示感谢。

3 月 26~31 日，朝鲜外务省副相朴吉渊应外交部邀请访华。钱其琛副总理会见，王毅副部长与朴交换意见。

4 月 10~15 日，应全国政协邀请，以朝鲜祖国统一民主主义战线中央委员会书记局局长曹奎一为团长的朝鲜祖国统一战线代表团访华。全国政协主席李瑞环、副主席赵南起会见。

4月13日，全国政协副主席李贵鲜及有关部门负责人应邀出席朝鲜驻华使馆举行的纪念金日成诞辰89周年宴会。

6月30日，朝鲜劳动党总书记金正日致电中共中央总书记江泽民，热烈祝贺中国共产党成立80周年。

7月1日，朝鲜劳动党总书记、国防委员会委员长金正日应邀出席中国驻朝鲜大使王国章为中国共产党成立80周年举行的纪念宴会。朝鲜人民军总参谋长金永春次帅，人民武力部部长金一哲次帅，朝鲜最高人民会议常任委员会副委员长杨亨燮，秘书长金润赫，朝鲜劳动党中央书记金国泰、崔泰福等陪同出席。

7月11日是中朝友好合作互助条约签订40周年。中朝双方隆重举行了纪念活动。中共中央总书记、国家主席、中央军委主席江泽民，全国人大常委会委员长李鹏，国务院总理朱镕基与朝鲜劳动党总书记、朝鲜国防委员会委员长、朝鲜人民军最高司令官金正日，朝鲜最高人民会议常任委员会委员长金永南，内阁总理洪成南联名互致贺电。中国外长唐家璇与朝鲜外相白南舜互致贺电。7月9~13日，中共中央政治局委员、全国人大常委会副委员长姜春云率中国友好代表团访朝，参加朝方举行的纪念活动，金正日会见并宴请，朝鲜最高人民会议常任委员会委员长金永南和副委员长杨亨燮分别会见。7月10~14日，朝鲜最高人民会议常任委员会秘书长金润赫率朝友好代表团访华，参加中方举行的纪念活动，江泽民主席、李鹏委员长、钱其琛副总理分别会见。

8月16日，朝鲜驻华大使崔镇洙向中联部转交了朝鲜劳动党总书记、国防委员会委员长金正日致江泽民总书记75寿辰的贺电和朝党中央的寿礼及朝鲜驻华使馆的祝寿花篮。

11月24~27日，应朝鲜外务省邀请，外交部副部长李肇星率中国外交部代表团访朝，与朝鲜外务省第一副相姜锡柱交换意见。朝鲜最高人民会议常任委员会副委员长杨亨燮和朝外务相白南舜分别会见。24日，李肇星和姜锡柱在平壤签署了《中朝边境口岸及其管理制度协定》。

12 月 31 日，新任大使武东和向朝鲜最高人民会议常任委员会委员长金永南递交了国书。

2001 年，中国访朝的主要代表团还有：以第一书记周强为团长的中国共青团代表团（3~4 月）。

2001 年，朝鲜访华的主要代表团还有：以党中央委员会第一副部长金熙泽为团长的朝鲜劳动党友好参观团（4 月）、以中央书记朴智雄为团长的朝鲜金日成社会主义青年同盟代表团（6 月）、以国际部部长吉哲赫为团长朝鲜金日成社会主义青年同盟代表团（11 月）。

二、经济合作与贸易关系

3 月 28 日，科技部副部长李学勇与朝鲜政府科技代表团团长、朝科学院副院长姜东根在北京签署了中朝政府间科技协作委员会第 37 次会议议定书。

据中国海关总署统计，2001 年，中国同朝鲜的贸易总额达 7.4 亿美元，比 2000 年增长 51.6%。其中中方出口额为 5.73 亿美元，进口额为 1.67 亿美元，同比增长分别为 27.1% 和 34.8%。

三、文化交流及其他往来

3 月 20~28 日，上海交响乐团应邀对朝鲜进行访问演出。金正日总书记观看演出，并会见乐团主要成员。

3 月 27 日至 4 月 6 日，应中联部邀请，以朝鲜国家建设监督省副相金铁才为团长的朝鲜建筑设计工作者参观团访华并参观上海。

7 月 22~26 日，应全国总工会邀请，以朝鲜职业总同盟（简称"朝职盟"）中央委员会副委员长李镇守为团长的朝职盟代表团访华。

8 月 18~25 日，以孙爱明副会长为团长的中国红十字会代表团应朝鲜红十字会的邀请访问朝鲜。

8月19~23日，应中国人民争取和平与裁军协会邀请，以朝鲜维护和平全国民族委员会委员长、朝对外文化联络委员会委员长文在哲为团长的朝鲜维护和平全国民族委员会代表团访华，全国人大常委会副委员长兼中国人民争取和平与裁军协会会长何鲁丽会见代表团。

9月23~29日，以太亨哲院长为团长的朝社会科学院代表团访华。

11月6~11日，应全国总工会邀请，朝鲜农业勤劳者同盟（简称农勤盟）中央委员会委员长承长燮率团访华。

2001年，朝鲜在华留学生为565人。

四、军事往来

9月21~28日，以沈阳军区副司令员吴玉谦中将为团长的中国人民解放军友好参观团访问朝鲜，并会见朝国防委员会副委员长、人民武力部部长金一哲次帅。

10月21~27日，以国防部外办主任詹懋海少将为团长的中国人民解放军外事代表团访问朝鲜，朝国防委员会副委员长、人民武力部部长金一哲次帅会见。

11月10~13日，应国防部邀请，以军团副司令官金松云中将为团长的朝鲜人民军友好参观团访华，中央军委副主席、国务委员兼国防部长迟浩田上将会见。

第5节　中国同韩国的关系

2001年，中华人民共和国同大韩民国之间的合作伙伴关系在各个领域继续取得良好发展，进入全面合作的新阶段。

一、政治关系与重要往来

5月23~27日，应大韩民国国会议长李万燮邀请，全国人大

常委会委员长李鹏对韩国进行正式访问。访问期间，李鹏委员长与
韩国会议长李万燮举行会谈，并分别会见韩国总统金大中、国务总
理李汉东以及韩国政界、经济界、韩中友好团体代表等各界人士，
参观 LG 集团设在平泽的电子工厂。在会谈和会见中，双方就双边
关系和半岛形势等共同关心的问题广泛而坦诚地交换了意见，对中
韩关系迅速而全面的发展表示满意，李鹏重申中方对半岛问题的一
贯立场，韩方对此表示感谢。双方一致同意将共同推动两国面向
21 世纪的全面合作伙伴关系的进一步发展。

6 月 19～22 日，应朱镕基总理邀请，大韩民国国务总理李汉
东来华进行工作访问。朱总理与其会谈，江泽民主席、李鹏委员长
分别会见。在就进一步发展中韩友好合作关系交换意见时，朱总理
高度评价韩方为发展中韩关系所做的努力，希望双方再接再厉，切
实推动两国合作伙伴关系在新世纪的全方位发展。李汉东表示希望
双方在信息、金融、能源、钢铁等领域进一步开展互利合作，为两
国全面合作关系增添更为实质性的内涵。双方就朝鲜半岛等共同关
心的问题交换了意见。李汉东代表韩方感谢中国政府一贯支持半岛
南北争取实现和解的政策。

10 月 19 日，江泽民主席在上海会见出席上海 APEC 会议的韩
国总统金大中。

11 月 5 日，朱镕基总理出席在文莱举行的第 5 次东盟与中、
日、韩领导人会议期间，会晤韩国总统金大中。

5 月 26 日，外交部长唐家璇会晤来华参加第三届亚欧外长会
议（5 月 24～25 日在北京举行）的韩国外交通商部长官韩升洙。

10 月 16 日，唐家璇外长在上海会见出席上海 APEC 会议的韩
国外长韩升洙。

11 月 4 日，唐家璇外长在文莱出席第 5 次东盟与中、日、韩
领导人会议期间，会晤韩国外长韩升洙。

2 月 19～26 日，应全国人大外事委员会邀请，韩国国会统一
外交通商委员会委员长朴明焕率团访华。全国人大常委会委员长李
鹏、外交部长唐家璇和中联部长戴秉国分别会见，全国人大外委会

主任委员曾建徽主持工作会谈。

2月21～27日，应中国共产党邀请，以李仁济最高委员为团长的韩国新千年民主党代表团访华。中共中央政治局常委、国家副主席胡锦涛、外交部长唐家璇、中联部部长戴秉国等分别会见。

3月19～25日，应中华全国总工会的邀请，韩国劳动组合总联盟委员长李南淳访华。20日中共中央政治局常委、中央书记处书记、中华全国总工会主席尉健行在人民大会堂会见。

4月5～6日，应农业部的邀请，韩国海洋水产部次官洪承勇访华，农业部副部长齐景发与其会谈，双方就《中韩渔业协定》于2001年6月30日生效等事项达成一致。同日，国家进出口检验局副局长夏红民会见并与洪共同签署了《中韩水产品卫生管理协定》。6月30日，中国驻韩国使馆与韩国外交通商部互换照会，通知中韩渔业协定于6月30日起生效。

4月9～12日，应韩国外交通商部邀请，中联部部长戴秉国率中国共产党代表团访韩，会见金大中总统、国会议长李万燮、外长韩升洙及在野党领导人李会昌、金钟泌等。

4月18～25日，应中国驻韩国大使的邀请，以常务副主任李炳才为团长的国务院台办代表团访韩，会见韩国国会议长李万燮、外交通商部次官崔成泓，并与韩国媒体及侨界进行了接触。

5月7～9日，应韩国妇女部邀请，全国人大常委会副委员长、全国妇联主席彭珮云率中国妇女代表团一行13人出席在汉城举行的东北亚妇女领导人会议。在韩期间，彭分别会见韩国国会议长李万燮和金大中总统夫人李姬镐。

5月15～19日，应全国人大外委会邀请，以会长权哲贤为团长的韩国国会"21世纪东北亚研究会"代表团一行13人访华，李鹏委员长会见。

5月25～29日，应中国共产党邀请，以金重权代表最高委员为团长的韩国新千年民主党代表团一行25人访华，江泽民主席会见。

5月31日至6月6日，应韩国国际交流财团的邀请，外交学会会长梅兆荣率团出席在韩国庆州举行的"中韩未来论坛"第 8 次会议。

7 月 2~6 日，应外交学会邀请，以韩中亲善协会理事长李世基为顾问、会长徐清源为团长的韩中亲善协会西部考察团访华，全国人大常委会副委员长姜春云会见。

7 月 3~5 日，应监察部邀请，韩国监查院院长李种南访华，李鹏委员长会见。

7 月 9~11 日，应外交学会邀请，韩国大国家党副总裁李富荣率韩国国会议员代表团访华，全国政协副主席赵南起、全国人大外委会主任委员曾建徽分别会见。

7 月 18~30 日，应全国人大常委会邀请，韩国国会事务总长金炳午访华，李鹏委员长会见。

8 月 20~25 日，应中国国际交流学会邀请，以韩国大国家党副总裁、国会议员孙鹤圭为团长的 21 世纪韩中交流协会代表团访华，中共中央政治局委员、全国人大常委会副委员长田纪云会见。

8 月 28 日，大韩民国驻广州总领事馆开馆，8 月 31 日起受理赴韩因公、商务、探亲和旅游签证。领区范围为广东省、福建省、海南省和广西壮族自治区。

10 月 10 日，江泽民主席在人民大会堂接受韩国新任驻华大使金夏中递交的国书。

10 月 10~16 日，应外交学会邀请，韩国前总理姜英勋率韩国 21 世纪韩中交流协会代表团访华，出席外交学会与韩中交流协会在扬州共同举办的《纪念中韩建交九周年中韩领导人论坛》。全国人大委员长李鹏和全国政协副主席赵南起分别会见。

10 月 28 日至 11 月 5 日，应中国国际交流协会邀请，韩国大国家党副总裁、国会议员崔秉烈率韩国政治家代表团访华。

10 月 28 日至 11 月 3 日，应河北省人民政府邀请，韩国忠清南道知事沈太平访华，全国政协副主席赵南起会见。

11 月 14~18 日，中共中央委员、陕西省委书记李建国率中国共产党代表团访问韩国。

11 月 21～27 日，应全国政协外事委员会邀请，由李荣一会长率领的韩国韩中文化协会代表团访华。

12 月 10～19 日，应外交学会邀请，韩国前总统全斗焕访华。中共中央政治局委员、全国人大副委员长田纪云和中联部长戴秉国分别会见。

12 月 17～20 日，应国际交流协会邀请，韩国 21 世纪韩中交流协会会长金汉圭一行 3 人访华。中共中央政治局委员、全国人大副委员长田纪云和全国政协副主席赵南起分别会见。代表团还拜会了海峡两岸关系协会主任唐树备、北京 2008 年奥运会筹委会秘书长王伟、国务院扶贫领导小组副组长胡富国和外交学会会长梅兆荣。

12 月 17～21 日，应韩国国会统一外交通商委员会和韩国会韩中议员外交协议会邀请，全国人大外事委员会主任委员、全国人大中韩友好协会主席曾建徽率全国人大友好代表团访韩。会见韩国会议长李万爕、总理李汉东等，与统一部长官洪淳瑛共进早餐。

二、经济合作与贸易关系

4 月 17～20 日，应国家信息产业部的邀请，韩国总统金大中特使、情报通信部长官梁承泽访华，朱镕基总理会见。

4 月 19～21 日，应外经贸部邀请，韩国外交通商部通商交涉本部长黄斗渊访华。外经贸部部长石广生与黄会谈，双方就保证中韩大蒜贸易协议的全面执行问题达成协议，并签署了大蒜贸易协议备忘录。

4 月 24～27 日，应外经贸部的邀请，韩国产业资源部长官张在植访华。吴仪国务委员会见，外经贸部部长石广生和国家经贸委主任李荣融分别与张会谈。双方就成立中韩投资合作委员会签署了协议。

6 月 29 日，外交部副部长王毅约见韩国驻华大使洪淳瑛，就韩国禁止进口中国禽肉产品事进行了交涉。

10 月 17～18 日，山东省荣城市龙眼港和韩国京畿道平泽港之间客货混装航线正式开航。

10 月 24~30 日，应全国工商联主席经叔平邀请，韩国三星集团会长李健熙访华，朱镕基总理会见。

11 月 1~3 日，应韩国副总理兼财政经济部长官陈稔邀请，国家发展计划委员会主任曾培炎率团访韩，出席中韩经济部长第二次定期磋商，还分别会见了韩国产业资源部长官张在植、情报通信部长官梁承泽。

12 月 28~29 日，应外经贸部副部长安民邀请，韩国外交通商部次官崔成泓访华，参加中韩经济贸易和技术合作联合委员会第九次会议，并就发展中韩经贸关系等问题与中方交换了意见。

据中国海关总署统计，2001 年中韩贸易额为 359.1 亿美元，同比增长 4.1%。其中中方出口额为 125.2 亿美元，进口额为 233.9 亿美元。截至 2001 年底，中方共批准韩国企业来华投资项目 18517 项，协议金额 222.88 亿美元，实际使用金额 122.28 亿美元。

三、文化交流及其他来往

4 月 19~24 日，应韩国亚太经济文化研究会和东亚日报社邀请，中国记协主席邵华泽率团对韩国进行访问。

5 月 24~31 日，应福建省人民政府邀请，韩国前总理李寿成访华，全国政协副主席赵南起会见。

6 月 18~27 日，应外交学会的邀请，韩国前外长李廷彬访华。

6 月 25~30 日，应中国红十字总会邀请，韩国红十字会会长徐英勋率韩国红十字会代表团一行 6 人访华。

10 月 11~16 日，韩国总务院长徐正大长老率韩国佛教曹溪宗代表团访华，李岚清副总理会见。

10 月 26~28 日，中国佛教协会在京召开第 4 次中韩日佛教友好交流会议。三国代表 100 余人、港澳台三地代表 50 余人出席。钱其琛副总理接见三国代表团主要代表。

2001 年，中国在韩国学习的留学生、进修生为 1815 人；韩国在华留学生为 22116 人，韩成为在华留学人员最多的国家。

四、军事往来

10 月 26~29 日，由 3 艘舰艇组成的韩远洋巡航训练编队访问上海。

12 月 13~19 日，应中央军委副主席、国务委员兼国防部长迟浩田上将邀请，韩国国防部长官金东信一行 10 人来华进行友好访问。国家副主席、中央军委副主席胡锦涛和中央军委委员、总参谋长傅全有上将分别会见，迟浩田部长与金东信举行了会谈。

2 月 27 日至 3 月 4 日，应中国人民解放军总参谋部邀请，韩国陆军参谋总长吉亨宝上将访华。中央军委副主席、国务委员兼国防部长迟浩田上将和中央军委委员、总参谋长傅全有上将分别会见，副总参谋长钱树根上将与吉会谈。

3 月 5~9 日，应韩国空军总参谋长李亿秀邀请，中国人民解放军空军司令员刘顺尧上将一行访韩，韩国国防部长赵成台和韩国参谋长联席会议主席曹永吉上将分别会见。

5 月 13~19 日，应中国人民解放军空军邀请，韩空军大学校长郑浩准将为团长的空军大学代表团一行 12 人访华。

8 月 27~30 日，应外交学会邀请，以韩国前国防部长李仲九为团长的韩前将军代表团访华，总参谋部副总参谋长熊光楷上将会见。

9 月 26~30 日，应国防部外办邀请，韩国参联会战略企划部长金成万海军少将率参联会代表团来华进行工作访问。

第 6 节 中国同日本的关系

2001 年，中华人民共和国同日本国的关系经历严重波折后逐步恢复正常发展。

一、政治关系与重要往来

由于日方在历史教科书、李登辉访日和靖国神社问题上接连制造事端，中日关系受到严重冲击。中方进行了严肃的交涉斗争，要求日方必须拿出实际行动来消除恶劣影响，修复两国关系。

经中日双方商定，10 月 8 日，日本首相小泉纯一郎对中国进行了为期一天的工作访问。访问期间，国家主席江泽民、国务院总理朱镕基分别会见。

小泉首相抵达北京后首先前往卢沟桥中国人民抗日战争纪念馆参观。小泉首相向在抗日战争中牺牲的中国死难者献了花圈，并鞠躬志哀。随后，参观了纪念馆各个展厅，认真听取了有关讲解。

参观结束后，小泉首相在纪念馆前就历史问题公开发表了谈话，主要内容如下：

"我重视历史，很早就想来参观。今天有机会来到卢沟桥并参观纪念馆，对战争的悲惨有了更深切的感受。在此，我谨对由于侵略而牺牲的中国死难者表示衷心的道歉和哀悼。我们要正视过去的历史，决不再发动战争。过去日本因在国际社会中自我孤立而走上了悲惨的战争道路，基于上述反省，日本战后将国际协调作为重要国策，认为这样才能带来和平与繁荣。今后面向 21 世纪，发展日中友好关系不仅对两国有好处，对亚洲和世界也很重要。作为内阁总理大臣，我今后愿为发展日中友好竭尽全力。"

江主席在会见小泉首相时说，小泉首相抱着改善中日关系的意愿访华，我们表示欢迎。你就任首相后对中日关系做过多次积极表态，重要的是行动。这次你采取行动，参观了抗日战争纪念馆，是有意义的。

江主席还说，如何对待历史，是中日关系的政治基础，也是面向未来的出发点。我一直强调要"以史为鉴，面向未来"，中日关系的发展历程不断有起伏，关系好时，各方面的交往很密切，关系遇到困难时，总是与教科书和靖国神社这类历史问题有关。靖国神社里供奉着日本军国主义战犯的牌位，如果日本领导人去参拜，就会构成严重问题。亚洲人民对日本是否重蹈覆辙是十分警惕的。在教科书问题上，关键是要把历史事实如实告诉下一代，这样才能使两国人民世世代代友好下去。

小泉首相表示，这是我作为日本首相第一次访华，也是第一次前往卢沟桥参观中国人民抗日战争纪念馆。参观有关展览后，我深刻地感受到战争的悲惨，谨对在那场侵略中牺牲的中国人民深表道歉和哀悼。纪念馆所展示的内容使我再次认识到，战争对人民造成的创伤是难以估量的。日本应该从对历史的深刻反省中把握好未来的发展道路，决不再发动战争。

小泉说，当年的日本听不进国际社会的意见，一意孤行，导致了后来的结果。今天的日本必须深刻反省过去，坚持与国际社会相协调。小泉表示，日本高度重视发展同中国的关系，搞好日中关系不仅关系到两国人民的根本利益，对促进亚洲和整个世界的稳定和发展也是一个重要因素。

关于中日邦交正常化30周年，江主席表示，我们很怀念长期以来为增进中日关系做出贡献的友好人士。双方应通过举办各种形式纪念活动，进一步增进两国人民的相互理解和友好感情，推动两国关系取得更大发展。小泉表示，日中双方已商定届时举办"日本年"和"中国年"活动，希望以此为契机，进一步发展两国关系。

朱镕基总理在会见小泉首相时表示，在当前中日关系出现困难的情况下，小泉首相提出访华是重要的。小泉首相抵达北京后先去卢沟桥参观了抗日战争纪念馆。从纪念馆中可以看到，日本过去发动的那场战争给中国人民造成了巨大灾难和伤害，这种伤害至今仍然留在人们的记忆中，如果不重视解决好这个问题，日本同包括中国在内的亚洲邻国的关系就很难根本改善。

朱镕基说，江泽民主席多次强调，要"以史为鉴，面向未来"。去年我访日时，就此同日本政府和朝野各界达成了共识。但是今年以来连续发生教科书和靖国神社问题，亚洲各国人民反应强烈，说明这一问题尚未解决。我们希望日方在此问题上能够采取正确的态度。

朱镕基指出，中国政府重视发展同日本的关系。中日友好合作符合两国人民的根本利益，也有利于亚洲和整个世界的和平与发展。1998 年江主席访日，同小渊首相共同宣布建立两国致力于和平与发展的友好合作伙伴关系。去年我访日时，双方一致同意进一步拓展和深化各领域的协调与合作。明年将迎来中日邦交正常化 30 周年，我们希望日方以此为契机，恪守《中日联合声明》的原则，正确对待历史问题，坚持"一个中国"的原则，维护中日关系的大局。中方愿与日方一道，共同推动两国友好合作关系向前发展。

小泉表示，这是他第一次参观卢沟桥抗日战争纪念馆。学习和了解过去那段历史不仅是为了现在，还要面向未来。我们对过去那段历史要进行深刻反省，这对日中关系乃至日本同亚洲各邻国的关系都很重要。小泉还说，日方重视日中关系的重要性，两国在政治、经贸、文化等各个方面都要加强交流。日方愿同中方一道，以日中邦交正常化 30 周年为契机，进一步充实和全面发展日中友好交流。

5 月 24 日，外交部长唐家璇会见来北京参加第三届亚欧外长会议的日本外相田中真纪子，双方着重就中日关系交换了意见。唐家璇表示，中日两国都是亚太地区的重要国家，两国关系对亚洲以及整个世界都会产生重要影响。中国三代领导人都十分重视中日关系，但两国关系最终能否实现健康稳定发展，并不仅仅取决于中方，而是需要双方在三个政治文件的基础上共同做出不懈努力。唐家璇还就历史教科书、李登辉访日、参拜靖国神社等当前中日关系中面临的问题阐明了中方的立场。田中表示，她对最近日本国内发生的教科书问题感到非常痛心，并强调，日本新内阁将恪守 1995 年村山首相谈话精神，真诚对待中国政府关于历史教科书的要求。关于靖国神社问题，田中表示她本人不会去参拜。在台湾问题上，日方将恪守《日中联合声明》的原则，并将按上述原则慎重处理包括李登辉访日在内的有关问题。

7 月 9～11 日，应中国政府邀请，日本联合执政的自民、公明和保守三党干事长山崎拓、冬柴铁三和野田毅访华。国家主席江泽民，国务院副总理钱其琛，中共中央政治局候补委员、书记处书记曾庆红，外交部长唐家璇分别会见。

江主席在会见中说，要发展两国长期和睦相处、互利合作的关系，就必须"以史为鉴，面向未来"。日本军国主义发动的侵略战争给中国人民带来了深重灾难，日本政府应该把过去的历史如实告诉日本人民。中日两国都是亚洲的重要国家，应该为两国人民的长远利益和亚洲今后的发展与繁荣共同做出努力。山崎等转达了小泉政府致力于发展两国关系的愿望，表示应妥善处理两国之间存在的问题，避免使其影响两国关系的大局。双方应建立起相互信赖的关系，日方将坚持1998年江泽民主席访日时两国发表的联合宣言的原则，使两国关系顺利发展下去。山崎还转交了小泉首相致江泽民主席的信件。

其他重要往来

1月8～14日，应中国共产党邀请，以党首土井多贺子为团长的日本社民党代表团访华。中共中央总书记、国家主席江泽民，中共中央政治局委员、北京市委书记贾庆林分别会见。

1月16日，应中日友好协会邀请，日中友好七团体代表来华出席中日民间友好团体会议，双方发表了《新世纪中日民间友好宣言》。国家主席江泽民会见了日方与会代表。

2月15～17日，应中华全国总工会邀请，日本工会总联合会会长鹫尾悦也和前会长山岸章、芦田甚之助一行访华。中共中央总书记、国家主席江泽民，中共中央政治局常委、书记处书记、中华全国总工会主席尉健行分别会见。

2月26日，国家主席江泽民在海南博鳌会见了来华出席"博鳌亚洲论坛"筹委会会议暨论坛成立大会的日本前首相中曾根康弘。

4月1～4日，应司法部邀请，以法务大臣高村正彦为团长的日本法务省代表团访华。全国人大常委会委员长李鹏、外交部长唐家璇分别会见。

4月17～26日，应中国国际友好联络会邀请，以佐藤文夫会长为团长的日本亚洲交流协会代表团访华。全国人大常委会委员长李鹏会见。

4 月 27 日，国务院总理朱镕基致电祝贺小泉纯一郎就任日本首相。

5 月 2 日，日本新任首相小泉纯一郎分别致函江泽民主席和朱镕基总理，表示日中关系是日本最重要的双边关系之一，新内阁将致力于进一步促进两国间的相互理解和相互信赖，巩固两国致力于和平与发展的友好合作伙伴关系。

5 月 7 日，日本新任外务大臣田中真纪子打电话给外交部长唐家璇，阐述了日本新内阁对日中关系的立场。她表示日中关系是日本最为重要的双边关系之一，强调日方将认真对待中方关于历史教科书问题的立场，并将坚持"一个中国"原则，不支持"台独"。

5 月 22～31 日，应中国国际友好联络会邀请，日本中国政治恳谈会代表团访华。中央军委副主席、国务委员兼国防部长迟浩田上将会见。

6 月 8～10 日，应中日友好协会邀请，日本保守党干事长、日中协会会长野田毅访华。国务院副总理钱其琛会见。

7 月 20～28 日，应中组部邀请，以日本前驻华大使佐藤嘉恭为团长的日本青年干部代表团访华。中共中央政治局候补委员、书记处书记、中组部部长曾庆红，外交部长唐家璇分别会见。

7 月 24 日，外交部长唐家璇在越南河内出席东盟地区论坛会议期间，会见日本外相田中真纪子，双方就当前两国关系深入交换了意见。唐家璇着重阐述了中方对靖国神社问题的原则立场，强调这一问题的实质是日本政府是否真心诚意地承认和反省侵略历史，是否尊重广大战争受害国人民的感情。

8 月 1～5 日，应中联部邀请，日本前自民党干事长野中广务一行访华。中共中央政治局常委、国家副主席胡锦涛，中共中央政治局候补委员、书记处书记、中组部部长曾庆红在北戴河分别会见。

8 月 24～30 日，应中国国际友好联络会邀请，以日本"日中新世纪会"会长、公明党国际委员长远藤乙彦为团长的日本国会议员代表团访华。全国人大常委会委员长李鹏，中共中央政治局候补委员、书记处书记、中组部部长曾庆红，外交部长唐家璇分别会见。

9月2～5日，应外交学会邀请，日本前首相细川护熙一行访华。国家副主席胡锦涛会见。

9月3～12日，应中联部邀请，以副党首伊藤英成为团长的日本民主党"日中21世纪之会"代表团访华。中共中央政治局候补委员、书记处书记、中组部部长曾庆红会见。

9月9～12日，应外交学会邀请，日本前首相海部俊树、前经济企划厅长官宫崎勇、日中友好会馆副会长野田英二郎一行来华出席"21世纪的中国与世界"国际论坛。国家主席江泽民会见。

9月12～17日，应中日友好协会邀请，以会长林义郎为团长的日本日中友好议员联盟代表团访华。国家主席江泽民，全国政协副主席、中日友好协会会长宋健分别会见。江主席在会见时表示，历史是客观事实，是不能抹杀、也是不能忘记的。我们重视历史问题，是为了维护中日关系的政治基础，确保两国关系健康发展。日本也应承认历史事实，从中汲取有益的教训，反对任何美化侵略历史、伤害受害国人民感情的言行。

10月8～17日，应日本外务省邀请，以中央党校副校长虞云耀为团长的中国青年领导干部代表团访日。日本首相小泉纯一郎、内阁官房长官福田康夫分别会见。

10月19～21日，应中国国际友好联络会邀请，日本社民党党首土井多贺子一行访华。中共中央政治局常委、全国人大常委会委员长李鹏会见。

10月21日，国家主席江泽民在上海会见了来华出席APEC领导人非正式会议的日本首相小泉纯一郎。

10月25日，日本首相小泉纯一郎访问中国驻日本大使馆，会见全体馆员并观看文艺演出。

11月5日，国务院总理朱镕基出席在文莱举行的第五次东盟与中、日、韩（10＋3）领导人会晤和东盟与中国（10＋1）领导人会晤。会议期间，朱总理同日本首相小泉纯一郎、韩国总统金大中举行了早餐会。

11 月 6～9 日，应中日友好协会邀请，由日本前首相、日中友好协会名誉顾问村山富市、会长平山郁夫率领的日中友好协会代表团访华。国家主席江泽民，全国政协副主席、中日友协会长宋健分别会见。

11 月 21 日，外交部副部长王毅同日本外务省审议官高野纪元在北京举行第 19 次中日外交当局定期磋商。

12 月 12～15 日，应外交学会邀请，以自民党政调会副会长逢泽一郎为团长的日本"松下政经塾"年轻议员代表团访华。国务院总理朱镕基会见。

12 月 13 日，中共中央政治局委员、书记处书记、中组部部长曾庆红会见来华访问的日本自民党前干事长野中广务一行。

12 月 15～16 日，中日友好 21 世纪委员会第 15 次会议在日本广岛举行。国务院总理朱镕基和日本首相小泉纯一郎分别向会议发了贺电和贺词。17 日，日本首相小泉纯一郎会见了中日双方委员。

关于历史问题

历史教科书问题　　2000 年 4 月，日本 8 家出版社向文部省（现文部科技省）提交了 2002 年版初中历史教科书申请本。其中日本右翼学者组织"新编历史教科书之会"炮制的教科书公然宣扬"皇国史观"，美化侵略历史。该书内容曝光后，中国、韩国和朝鲜等亚洲近邻国家通过不同渠道做出了强烈反应。2001 年 2 月，中国外交部发言人表示，日本历史教科书问题是一个重大政治问题，它涉及包括中国在内的亚洲各受害国人民的感情，也直接关系到日本对过去那段侵略历史的态度和立场。中国政府和人民对日本国内围绕教科书问题出现的动向极为关注。指出日本右翼团体处心积虑地炮制历史教科书，目的就是要宣扬"皇国史观"，否认和美化侵略历史。尽管经过一些修改，但其反动荒谬的本质是不可能改变的。敦促日本政府以对历史负责的态度，妥善处理这一问题。4 月

3日，日本政府不顾中国等亚洲国家的严正交涉，审核通过了该书。4日，外交部长唐家璇约见日本驻华大使阿南惟茂，就此提出严正交涉。唐家璇表示，教科书问题事发以来，中方一直从维护中日关系的政治基础出发，通过各种渠道，反复表明对这一问题的严重关切，要求日方严格遵循《中日联合声明》和《中日联合宣言》的原则，切实履行迄今在历史问题上所作的郑重承诺，阻止这本教科书出台，以免损害日本与亚洲邻国之间的关系，损害日本的国际形象。但日方置中方的严正立场于不顾，仍决定为该书放行，中方对此表示强烈不满和愤慨。唐家璇指出，此次教科书事件是继80年代两次教科书问题之后，日本在历史问题上出现的又一起严重政治事态，严重伤害了中国人民的感情，干扰了两国关系的正常发展。中方要求日方立即采取有效措施，消除此次教科书事件造成的恶劣影响，以实际行动维护中日关系大局。阿南惟茂表示即将中方立场和关切报告国内。

5月16日，外交部亚洲司负责人奉命约见日本驻华使馆公使，再次要求日本政府采取有效措施，纠正日本右翼历史教科书的严重错误，并就此递交了备忘录。7月9日，日本政府以没有发现明显违背史实之处及日本史学界存在不同说法为由，宣布不能根据中方的要求对扶桑社的历史教科书进行进一步修改，同时又表示日本政府将继续坚持1995年"村山谈话"和1998年《日中联合声明》中关于历史问题的立场。对此，中国外交部发言人表示，中方对日本政府的决定极为遗憾并表示强烈不满，要求日方用实际行动体现其正视历史，反省侵略的表态。

据统计，日本右翼学者编纂的历史教科书在全日本学校的采用率不到0.03%。

靖国神社问题　小泉纯一郎当选日本首相后，多次公开声称将于"8·15"日本战败纪念日参拜靖国神社。中国、韩国等亚洲近邻国家分别通过不同渠道对此表示了严重关切和坚决反对。迫于内外压力，小泉于8月13日参拜了靖国神社，同时发表谈话，表示日本愿承认侵略，反省历史。中国外交部发言人就此发表谈话表示，日本领导人的这一错误举动，损害了中日关系的政治基础，伤害了中国人民和亚洲广大受害国人民的感情，也违背了日本政府在历史问题上做出的一系列郑重表态和承诺。中方将通过外交途径向日方提出严正交涉。同日，外交部副部长王毅紧急约见日本驻华大使阿南惟茂，就小泉首相参拜靖国神社向日方提出严正交涉。王毅表示，小泉首相不顾中国及亚洲近邻和日本国内各界的强烈反对，执意参拜供奉着甲级战犯牌位的靖国神社，中国政府和人民对此表示强烈愤慨。王毅指出，靖国神社战前是日本军国主义对外侵略扩张的精神支柱，现在仍然供奉着 14 名二战甲级战犯的牌位。20 世纪上半叶，正是以这些甲级战犯为代表的日本军国主义发动对外侵略战争，给亚洲各国人民带来了空前浩劫，也使日本人民深受其害。战后，远东国际军事法庭对他们进行了正义审判。日本接受了判决结果，承诺今后走和平发展道路。因此，如何对待供奉着甲级战犯的靖国神社问题，历来是检验日本政府对过去那段侵略历史究竟持何态度的试金石。王毅强调，1972 年中日实现邦交正常化时，日方在联合声明中明确表示，痛感过去由于战争给中国人民造成重大损害的责任并表示深刻反省。1998 年，江泽民主席访日时，日方又通过中日联合宣言和双方领导人的正式会谈，郑重承认对中国的侵略，并向中国人民表示反省和道歉。在此基础上，中日双方达成了"以史为鉴，面向未来"的重要共识。但小泉首相一意孤行，执意参拜靖国神社的行为，违背了日本政府的上述基本立场，也使日本在历史问题上再次失信于包括中国在内的亚洲和世界人民。王毅表示，我们注意到小泉首相放弃了在"8·15"这一敏感日期进行参拜的原定计划，并发表了关于历史认识问题的谈话。但他执意参拜的实际行动，与这些谈话精神自相矛盾，背道而驰。王毅最后指出，日本近年来在历史问题上的消极动向，使日本在历史认识问题上更加孤立于亚洲近邻和国际社会。小泉首相组阁以来，多次表示日本将加强国际协调，发展同周边邻国的友好关系。但日本究竟如何以实际行动体现这些表态，值得日本政府和各界有识之士深思，亚洲各国人民对此拭目以待。

关于台湾问题　4月20日，日本政府不顾中国政府的严正交涉，以所谓"人道"和"不搞政治活动、限定医疗目的"为借口，决定给李登辉发放签证，允许其以"就医"名义赴日。同日晚，外交部副部长王毅紧急约见日本驻华大使阿南惟茂，就此向日方提出严正交涉。王毅表示，中方迄今通过各种渠道，反复阐明李登辉访日问题的严重政治性质，要求日方恪守《中日联合声明》和《中日联合宣言》的基本原则，采取果断措施，阻止李登辉赴日活动。但日方不顾中方的多次交涉和严正立场，执意为李登辉放行，中国政府对此表示强烈抗议。王毅指出，日方允许炮制"两国论"、大搞分裂活动的李登辉赴日，严重违背了《中日联合声明》的原则，背弃了自己做出的郑重承诺，严重损害了中日关系的政治基础，对中日关系产生了严重的消极影响。阿南惟茂表示，在台湾问题上，日本政府坚持《中日联合声明》的立场没有任何变化。日方将对李登辉在日活动严格限定于"就医"，尽可能减轻这一问题对日中关系带来的损害。

二、经贸关系

2月6日，应中日友好协会邀请，日本松下电器产业株式会社会长森下洋一一行访华。全国政协副主席、中日友协会长宋健会见。

2月15日，应中日友好协会邀请，日本京瓷公司名誉会长稻盛和夫一行访华。全国人大常委会李鹏委员长会见。

3月30日，外交部副部长王毅与日本驻华大使阿南惟茂签署2000年度日本对华日元贷款政府换文。

4月4～7日，应外交学会邀请，日本富士施乐株式会社董事长、日本经济同友会代表干事小林阳太郎一行访华。国务院副总理李岚清、外交部长唐家璇分别会见。

4月15～22日，应贸促会邀请，以会长樱内义雄为团长的日本国际贸易促进协会代表团访华。国务院副总理温家宝、外交部长唐家璇分别会见。

4月23日，日本政府宣布对三种主要来自中国的农产品大葱、生香菇和蔺草席启动为期200天的临时进口设限措施。

5月25～26日，应中日友好协会邀请，日本京瓷公司名誉会长稻盛和夫一行访华。全国政协副主席、中日友协会长宋健，全国政协副主席经叔平分别会见。

5月31日至6月2日，应中日友好协会邀请，日本佳能公司社长御手洗富士夫一行访华。全国政协副主席胡启立会见。

6月6～7日，应中日友好协会邀请，日本电器公司高级顾问关本忠弘一行访华。全国政协副主席胡启立会见。

6月22日，中国政府宣布，即日起对原产于日本的汽车、手持和车载无绳电话、空调三种进口商品加征税率为100％的特别关税。

6月24～27日，应中国国际友好联络会邀请，日本五十铃公司会长关和平率团访华。国务院总理朱镕基会见。

7月3日，中日双方就农产品贸易摩擦问题举行局长级磋商，未能取得实质性进展。

8月20～23日，应贸促会邀请，日本伊势丹公司社长小柴正和一行访华。国务院副总理李岚清会见。

9月8日，国务院副总理吴邦国在福建厦门会见以今井清辅为团长的日本日中投资促进机构访华团。

9月8～15日，应国家计委和贸促会联合邀请，以日本经济团体联合会会长今井敬为顾问、日中经济协会会长渡里杉一郎为团长的日中经济协会暨中国西部地区官民联合考察团访华。国家主席江泽民、国务院副总理温家宝分别会见。

9月21日，国务院副总理吴邦国会见日本京瓷株式会社社长西口泰夫。

10月17日，外经贸部部长、2001年上海APEC部长级会议主席石广生在上海会见来华出席2001年上海APEC部长级会议的日本经济产业大臣平沼赳夫。双方就农产品贸易摩擦问题等交换了意见。

11 月 1 日，中日双方就农产品贸易摩擦问题再次举行局长级磋商，未能取得实质性进展。

11 月 11 日，外经贸部部长石广生在卡塔尔多哈出席世界贸易组织部长级会议期间，会见日本经济产业大臣平沼赳夫和农林水产大臣武部勤。

11 月 20 日，由人民日报社和日本经济新闻共同主办的第九次中日经济研讨会在天津举行。国务院总理朱镕基和日本首相小泉纯一郎分别致了贺词和贺电。会议的主题是：中国加入 WTO 与 21 世纪中日经济合作。21 日，国务院总理朱镕基会见了出席研讨会的双方主要代表。

12 月 11 日，外经贸部部长石广生与日本经济产业大臣平沼赳夫和农林水产大臣武部勤在北京就农产品贸易摩擦问题举行部长级磋商，双方未能就解决办法达成共识。

12 月 19 日，中日双方就农产品贸易摩擦问题在东京举行副部长级磋商。

12 月 21 日，外经贸部部长石广生与日本经济产业大臣平沼赳夫和农林水产大臣武部勤在北京就农产品贸易摩擦问题举行部长级磋商，双方就解决办法达成以下共识：

（一）日方决定不启动对大葱、鲜香菇、蔺草席三种农产品的正式进口设限措施。

（二）中方决定撤销对原产于日本的汽车、手持和车载无绳电话、空调三种进口商品加征 100 % 特别关税的措施。

（三）双方通过政府和民间两个渠道，在现有基础上进一步探讨并加强两国农产品贸易合作。

中日双边贸易继续保持增长，日本对华投资摆脱亚洲金融危机后连续两年的下滑，出现快速回升。

据中国海关总署统计，2001 年日本仍是中国最大贸易伙伴，双边贸易额为 877.5 亿美元，同比增长 5.5 %，其中中方出口额为 449.6 亿美元，增长 7.9 %，进口额为 428 亿美元，增长 3.1 %。

据外经贸部统计，2001 年日本企业对华投资活动趋旺，中方

吸收日资项目数 2003 个，同比增长 25.03％；合同金额为 53.52
亿美元，同比增长 48.57％；实际使用金额为 45.79 亿美元，同比
增长 41.06％。

截至 2001 年底，日本累计对华直接投资项目 24173 个，合同
金额为 489.9 亿美元，实际投入 365.3 亿美元。

三、文化交流及其他往来

1 月 18～23 日，应文化部邀请，日本文化厅长官佐佐木正峰
率代表团访华。

3 月 11～17 日，应中日友协邀请，以会长伊藤敬一为团长的
日中友好协会（日共系统）代表团访华。全国政协副主席、中日友
协会长宋健会见。

3 月 11～17 日，应中国网球协会邀请，日本著名网球运动员
伊达公子一行访华。全国政协主席李瑞环会见。

3 月 17～27 日，应中国职工对外交流中心邀请，以槙枝元文
理事长为团长的日本日中技能者交流中心代表团访华。中共中央政
治局常委、书记处书记、中华全国总工会主席尉健行会见。

5 月 2～5 日，应中华全国总工会邀请，以日本富士通公司工
会委员长村冈晴男为团长的富士通公司工会青春之船代表团访华。
中共中央政治局常委、书记处书记、中华全国总工会主席尉健行
会见。

5 月 12～18 日，应中日友好协会邀请，以会长团伊玖磨为团
长的日本日中文化交流协会代表团访华。17 日，团伊玖磨在苏州
访问时不幸病逝。

5 月 26 日至 6 月 2 日，应文化部邀请，以日中文化交流协会
顾问堤清二为团长的日中文化交流协会代表团访华。外交部长唐家
璇会见。

5 月 31 日，外交部长唐家璇、文化部长孙家正出席在北京举
行的纪念团伊玖磨作品音乐会。

6 月 26～27 日，应全国青联邀请，以众议员金子哲夫为特别

团长、日本全林野青年女性部部长斋藤胜泽为总团长的日本"和平之旅"青年代表团访华。全国政协副主席胡启立会见。

6月23日至7月3日，应文化部邀请，由千宗之率领的日本茶道里千家青年代表团第100次访华。28日，国家主席江泽民会见代表团主要成员。千宗之转交了日本首相小泉纯一郎致江主席的信件。

8月18～25日，应中华全国总工会邀请，以县教职员工会委员长长石亮一为团长的日本兵库县日中友好教育文化交流代表团访华。中共中央政治局常委、书记处书记、中华全国总工会主席尉健行会见。

8月18～26日，应全国青联邀请，以青年部副部长松山满信为团长的日本创价学会青年代表团访华。全国政协副主席孙孚凌会见。

9月1～19日，应全国青联邀请，由日本内阁府派遣，以日本广报协会理事长石田和洋为团长的日本青年代表团访华。全国政协副主席李贵鲜会见。

9月15～23日，应全国青联邀请，日中友协监事、原厚生大臣井出正一率日本青年代表团访华。全国人大常委会副委员长何鲁丽会见。

10月10日，应人民日报社邀请，日本北海道新闻社社长东功一行访华。外交部长唐家璇会见。

10月21～24日，应北京市邀请，以议长三田敏哉为团长的日本东京都议会友好代表团访华。全国人大副委员长何鲁丽会见。

11月19日，2001年中日民间交流会议在日本东京举行。

2001年，日本在华留学生14692名。

四、军事往来

2月27日至3月3日，应日本航空自卫队参谋长竹河内捷次上将邀请，空军司令刘顺尧上将一行访问日本。

3月11～16日，应总参谋部邀请，日本防卫厅参联会事务局长冈本智博中将一行访华。中央军委委员、中国人民解放军总参谋长傅全有上将，副总参谋长熊光楷上将分别会见。

4月9～22日，应日本笹川财团邀请，中国人民解放军中青年军官研修团一行访问日本。

第7节　中国同越南的关系

2001年，中华人民共和国同越南社会主义共和国的睦邻友好与全面合作关系不断向前发展，各个领域的交流与合作不断深入。

一、政治关系与重要往来

10月19日，江泽民主席会见来上海参加亚太经合组织第九次领导人非正式会议的越政府总理潘文凯。

9月7～10日，应越南共产党中央委员会和越国会常务委员会的邀请，中共中央政治局常委、全国人大常委会委员长李鹏对越南进行了正式友好访问。访问期间，越共中央总书记农德孟、国家主席陈德良、政府总理潘文凯及越共前任总书记杜梅、黎可漂分别会见李鹏委员长，越国会主席阮文安与李鹏委员长举行会谈。双方就加强两党两国关系及国际和地区形势等深入交换了意见，取得广泛共识。

11月6日，国务院总理朱镕基在出席文莱东盟与中、日、韩领导人非正式会晤期间会见了越政府总理潘文凯。

4月19～22日，应越共中央邀请，中共中央政治局常委、国家副主席胡锦涛率中共高级代表团出席越南共产党第九次全国代表大会。胡锦涛在"九大"开幕式上致词，并向新当选的农德孟总书记转交了江泽民总书记的贺电。

在越期间，胡锦涛副主席分别会见了越共中央新任总书记农德孟、前任总书记黎可漂和国家主席陈德良，就新世纪中越关系的发展、各自国内建设和党的建设等共同关心的问题广泛、深入地交换了意见，并同农德孟总书记达成五点共识，即保持高层互访传统，继续加强两国各层次交往，扩大两国经贸合作的规模，加强治党治国经验的交流，在国际和地区事务中加强协调与合作。

1月14～17日，应越南祖国阵线中央委员会的邀请，全国政协副主席霍英东率团访越。越共中央政治局常委、祖国阵线中央委员会主席团主席范世阅会见了霍英东。

3月11日，中共中央政治局委员、书记处书记罗干在出席老挝人民革命党"七大"期间会见了应邀率团与会的越共中央总书记黎可漂。

7月23～27日，外交部部长唐家璇、外交部副部长王毅率团出席在河内举行的东盟地区论坛外长会。

9月7～14日，外经贸部副部长孙振宇率中国政府经贸代表团出席在河内举行的中国—东盟、东盟—中日韩和亚欧经济部长会议。

11月30日至12月4日，应中共中央总书记、国家主席江泽民的邀请，新任越共中央总书记农德孟对中国进行正式友好访问。中共中央总书记、国家主席江泽民同农德孟总书记举行了大、小范围会谈，中共中央政治局常委、全国人大常委会委员长李鹏、中共中央政治局常委、国务院总理朱镕基、中共中央政治局常委、全国政协主席李瑞环和中共中央政治局常委、国家副主席胡锦涛分别会见农德孟。双方发表了《联合声明》，两国政府签署了《经济技术合作协定》和《关于中国向越南提供优惠贷款的框架协议》。

2月25日至3月1日，越政府副总理阮孟琴率团出席博鳌亚洲论坛成立大会。26日，国务院副总理钱其琛会见了阮孟琴。

6月4～12日，应外经贸部部长石广生邀请，越共中央书记处书记、贸易部长武宽出席了上海APEC贸易部长会议和烟台APEC博览会，并于10～12日来京访问。期间，中共中央政治局候补委员、国务委员吴仪会见了武宽。

5月24～25日，越外交部部长阮怡年出席在北京举行的亚欧外长会。

6 月 3~8 日，越外交部副部长黎功奉出席中国—东盟高官会。

6 月 26 日至 7 月 4 日，应中国共产党邀请，越共中央政治局委员、岘港市委书记潘演率团访华。中共中央政治局常委、书记处书记、中纪委书记尉健行会见了潘演。

7 月 8~14 日，应中共北京市委邀请，越共中央政治局委员、河内市委书记阮富仲率团访华。中共中央政治局常委、国家副主席胡锦涛会见了阮富仲。

7 月 31 日至 8 月 6 日，越国会副主席梅叔麟率团访华。中共中央政治局常委、全国人大常委会委员长李鹏会见了梅叔麟。

8 月 25 日至 9 月 4 日，越国会副主席武庭炬率团访华。中共中央政治局常委、全国人大常委会委员长李鹏会见了武庭炬。

10 月 19~22 日，越政府副总理阮功丹应邀率团访问广东、海南、云南、广西四省（区），参观考察当地农、林、渔业发展情况。

11 月 7~10 日，越政府副总理阮孟琴应邀率团访问云南，出席第三届中国国际旅游交易会开幕式和越南航空公司河内至昆明航线开通仪式。

12 月 16~23 日，应全国政协邀请，越祖国阵线中央委员会主席团主席范世阅率团访华。期间，中共中央政治局常委、全国人大常委会委员长李鹏，中共中央政治局常委、全国政协主席李瑞环分别会见了范世阅。

12 月 18~25 日，应中共中央邀请，越共中央政治局委员、中央书记处书记、中央思想文化部部长阮科恬率团访华。期间，中共中央政治局常委、全国人大常委会委员长李鹏，中共中央政治局委员、中央书记处书记、中宣部部长丁关根分别会见了阮科恬。

中方往访的重要团组还有：财政部副部长高强、中国人民对外友好协会副会长苏光（1 月）；中联部副部长王家瑞（2 月）；最高人民法院副院长唐德华、人民日报副主编梁衍（3 月）；云南省人大副主任张宝三（4 月）；广东省副省长汤炳权、信息产业部部长吴基传（5 月）；重庆市副市长陈际瓦、国家宗教局副局长杨同祥、广西壮族自治区党委副书记刘奇葆（6月）；公安部部长贾春旺（7月）；中宣部副部长刘鹏、国家计划生育委员会副主任潘贵玉（9月）；云南省人大副主任高晓宇、全国人大民族委员会副主任江村罗布（10月）；审计署副审计长刘家义、中国人民银行副行长史纪良、重庆市政协副主席张忠惠（11月）；广西壮族自治区人大主任赵富林、体育总局副主任段世杰、人民日报党组书记崔运玺、人民出版社副总编王乃庄、四川省政协主席聂荣贵（12月）。

越方来访的重要团组还有：中央思想文化部副部长何学亥、中央内政部副部长郭梨清、越国会文化教育与青少年儿童委员会主任陈氏心丹（3月）；越文化通讯部副部长武洪光（4月）；和平委员会副主席红河、计划投资部部长陈春价、司法部副部长何雄强（5月）；越义安省省委书记张庭选、越胡志明共青团中央书记处书记武文捌，海关总局局长阮德坚、越共中央委员、越劳动者联合总会主席瞿氏厚、越共中央政治局委员、岘港市委书记潘演、越共中央委员、越通社社长胡进毅（6月）；越共中央政治局委员、河内市委书记阮富仲、越国家监察总署总监察长谢友青、越共中央科教部副部长阮友增、越国会办公厅副主任陈国顺、越人口与计划生育委员会副主任阮攸（7月）；越共中央对外部部长阮文山、越公安部副部长阮庆全（出席亚欧执法机构打击跨国犯罪研讨会）、越共中央民运部副部长陈红军、越科技环境部部长朱俊讶（9月）；越共中央组织部副部长谢春代、越公安部副部长裴国辉（10月）；越科技环境部副部长黄文辉、越共中央组织部副部长张光慎、越国家体委主任阮名泰、越社会保障委员会副主席阮帮、越最高人民检察院副总检察长陈秋（11月）；越共中央办公厅副主任阮光恬、越共中央政治局委员、中央思想文化部部长阮科恬、越最高人民法院院长郑洪阳（12月）。

关于中越边界谈判

11月15日，中越第八轮政府级边界谈判在河内举行。

2月15日至3月2日，中越陆地边界联合勘界委员会第二次会议在河内举行。

5 月 22 日至 6 月 7 日，中越陆地边界联合勘界委员会第三次会议在北京举行。

11 月 16 日至 12 月 6 日，中越陆地边界联合勘界委员会首次首席代表会议在河内举行。

12 月 27 日，中越陆地边界联合勘界立碑揭幕仪式分别在广西防城港市东兴和越芒街口岸举行。

4 月 27~28 日，中越北部湾渔业合作协定补充议定书谈判第一轮会谈在河内举行。

6 月 8~17 日，中越北部湾渔业合作协定补充议定书谈判第二轮会谈在北京举行。

7 月 24~30 日，中越北部湾渔业合作协定补充议定书谈判第三轮会谈暨中越北部湾渔业联合委员会第一次筹备会议在河内举行。

9 月 19~26 日，中越北部湾渔业合作协定补充议定书谈判第四轮会谈暨中越北部湾渔业联合委员会第二次筹备会议在北京举行。

11 月 26 日至 12 月 3 日，中越北部湾渔业合作协定补充议定书谈判第五轮会谈暨中越北部湾渔业联合委员会第三次筹备会议在河内举行。

12 月 16~21 日，中越海上问题专家小组第六轮会谈在北京举行。

二、经济技术合作与贸易关系

2001 年，中越经贸合作进一步加强。一年中两国主要经贸往来有：

2 月 8 日，越贸易部副部长黎名永参加中国东盟电子商务研讨会。

3 月 14 日，中国驻越南大使齐建国与越财政部副部长黎氏冰心代表两国政府签署中国向越南提供 1000 万元人民币无偿援助货物的文书，用于胡志明国家政治学院宿舍区建设。

6月3～10日，越贸易部副部长胡训严率政府经贸代表团出席中越经贸合作研讨会。

7月10～20日，越计划投资部副部长武辉煌率团访华，考察中国外资企业股份化情况。

10月10～19日，越共中央经济部副部长高士兼率团访华，研究中国经济改革、国企改革和解决社会问题经验。

11月3～14日，越工业部部长邓武诸率团访华，考察三峡工程和云南李仙江水文情况。

11月18～20日，中越经济贸易合作委员会第三次会议在河内召开。双方回顾了近年来两国经贸合作的发展情况，并就双边贸易和几个大项目深入交换了意见。

11月9～12日，中国农业发展银行行长何林祥率团出席在河内举行的国际农业信贷组织会议。

11月19～23日，国家经贸委副主任张志刚、外经贸部副部长安民率中国政府经济代表团出席中国援越太原钢铁厂技改项目竣工仪式。

据中国海关总署统计，2001年，中国同越南贸易总额为28.15亿美元，比2000年增长14.1%；其中中方出口额为18.04亿美元，同比增长17.4%，进口额为10.11亿美元，同比增长8.8%。

三、文化交流及其他往来

2001年，中越在文化、教育及其他领域的交流与合作进一步拓展和深入。

3月12～21日，越中央电视台副台长武文献率越电视考察团访华。

4月26日，中越科技合作第四届联委会在河内举行。会议确定了双方2001～2003年的交流项目和长期合作项目。

5月20～24日，中国农业科学院院长吕飞杰率团访越。

6月18～22日，中国科学院院长路甬祥率团访越。

8月13～18日，中国中央人民广播电台台长杨波率团访越。

9 月 10～19 日，《求是》杂志社副总编朱峻峰率团访越。

9 月 17～26 日，中国记协副主席郑梦熊率中国新闻代表团访越。

10 月 9～15 日，中国共产主义青年团中央书记处第一书记周强率中国青年代表团访越，参加第二届"中越青年友好会见"活动。

10 月 9～16 日，越文化通讯部部长范光毅率政府文化代表团访华。

11 月 12～23 日，越教育培训部部长阮文旺率团访华。

12 月 14～23 日，越共中央科教部副部长范必勇率团访华。

2001 年，越南在华留学生 1170 人。

四、军事往来

2 月 8～13 日，应越共中央政治局委员、国防部长范文茶上将的邀请，中共中央政治局委员、中央军事委员会副主席迟浩田上将率团访越。越共中央总书记黎可漂、国家主席陈德良、国防部长范文茶上将分别会见。

2 月 16 日至 3 月 1 日，武警部队副司令高文远应邀访越。

8 月 28 日至 9 月 4 日，应中国人民解放军总政治部邀请，越人民军政治总局副主任冯克登少将率团访华。中央军委委员、总政治部主任于永波上将会见了冯克登一行。

9 月，中国人民解放军总后勤部副部长苏书岩中将率团访越。

9 月 6～13 日，应中国人民解放军总参谋部邀请，越人民军副总参谋长黎海英中将率团访华。中央军委委员、总参谋长傅全有上将会见了黎一行。

11 月，总参情报部部长罗宇栋少将率团访越。

11 月 20～27 日，应中国人民解放军总政治部邀请，越国防部监察委员会总监察长阮文谷中将率团访华。中央军委委员、中央军委纪委书记、总政治部常务副主任徐才厚上将会见了阮文谷一行。

11月19～22日，中国海军"玉林号"护卫舰访问胡志明市。

12月18～25日，应中国人民解放军总参谋部邀请，越人民军第一军区司令阮克研少将率越人民军第一、二、三军区代表团访华。中国人民解放军总参谋部副总参谋长熊光楷上将会见了代表团。

第8节 中国同老挝的关系

2001年，中华人民共和国同老挝人民民主共和国的睦邻友好合作关系继续得到巩固和发展，各个领域的交流与合作进一步加强。

一、政治关系与重要往来

1月11日，中国新任驻老挝大使刘正修向老挝国家主席坎代·西潘敦递交国书。

1月11～15日，公安部部长贾春旺率中国公安代表团访老。

1月12～14日，全国政协副主席霍英东访老。老挝党中央政治局委员、国会主席沙曼·维亚吉、建国阵线中央代主席西何·班纳冯分别会见。

2月16～20日，中联部副部长王家瑞访老。

3月4～11日，中共中央政治局委员、书记处书记罗干率中国共产党代表团出席老挝人民革命党第七次全国代表大会。罗干向大会致贺辞并向坎代主席面交了江泽民总书记祝贺他再次当选老挝人民革命党主席的贺电。

3月31日至4月5日，最高人民法院副院长唐德华访老。

4月17～22日，老挝党中央政治局委员、中宣部长奥沙甘·塔马铁瓦率老挝党中央代表团访华。中共中央政治局常委尉健行、政治局委员、中宣部长丁关根分别会见。

6月7~12日，云南省委副书记孙淦率中共干部代表团访老。

6月30日，老党中央致电中共中央，祝贺中国共产党成立80周年。

7月16~20日，老挝司法部法律司司长坎贡·联帕占率团访华。双方草签了《中老引渡条约》。

7月23~27日，老挝外交部条法司司长汶·蓬马占率团出席在北京举行的中老边界制度条约联合执行工作委员会第二次会议，双方签署了会议纪要。

8月16~23日，老挝和平与团结委员会会长西何·班纳冯率团访华。

8月26~31日，老挝主席府部长、国家禁毒委主任苏班·沙立提腊出席在北京举行的中、老、缅、泰四国禁毒部长会议。

9月3~9日，老挝党中央委员、老挝人民革命青年团中央书记本宝·布达纳冯访华。

9月6~27日，老挝党中央委员、国会副主席、妇联主席奥占·塔马冯等31人赴华参加2001年第一期老挝高干理论研讨班。

9月6~9日，中宣部副部长刘鹏率中共干部代表团访老。

10月7~11日，中共中央委员、中联部长戴秉国率中共代表团访老。

10月18~28日，老挝党中央政治局委员、中央办公厅主任波松·布帕万率老党代表团访华。

11月10~22日，老挝最高人民检察院总检察长坎班·披拉冯率团出席在广州举行的亚欧总检察长会议并顺访中国。

11月11~18日，老挝副总理兼国家计委主任通伦·西苏里率团来华考察。

11月16~18日，外交部副部长王毅赴老挝外交磋商，本扬总理、宋沙瓦副总理兼外长分别会见。王毅副部长同蓬沙瓦副外长举行会谈，并签署了《中老经济技术合作协定》和互换《中老民事刑事司法协助条约》的批准书。

二、经贸关系

4月10日，中国援建的老挝国家文化宫附属停车场、餐厅和宿舍工程举行交接仪式。

4月30日，中老合资老挝包装制品有限公司纸袋厂项目竣工。

6月3~7日，老挝贸易部副部长肖沙瓦·沙汶舍萨出席昆明中国国际旅游交易会。

11月2日，中国红十字会向老挝遭受严重水灾的中南部灾区提供3万美元援助。

11月7~11日，老挝副总理兼国家计委主任通伦·西苏里率老挝政府代表团出席昆明2001年中国国际旅游交易会。

12月26日，中国驻老挝大使刘正修与老挝财政部长苏甘·马哈拉签署中国向老挝提供8000万元人民币无息贷款的《中老经济技术合作协定》。

据中国海关总署统计，2001年，中国同老挝贸易总额为6186万美元，比2000年增长51.5%，其中中方出口额为5441万美元，进口额为745万美元。

三、文化交流及其他往来

2月8~15日，云南日报社代表团访老。

3月29日至4月5日，中共中央《求是》杂志社社长高明光访老。

4月10~14日，老挝交通运输邮电建设部副部长坎洛·西拉昆出席在深圳举行的中国—东盟信息通讯技术合作研讨会。

5月27日至6月3日，老挝党中央机关报《人民报》主编坎盖·永萨万访问云南省。

5月14~16日，老挝教育部副部长坎丹·占塔拉出席在北京举行的东亚及太平洋地区第五次儿童发展问题部长级磋商。

7月10~13日，云南省副省长邵琪玮率云南省政府代表团访老，老挝副总理兼国家计委主任通伦·西苏里等会见。访问期间，邵琪玮副省长出席了《万象平原钾盐矿勘探和可行性研究协议》签字仪式。

9 月 15～18 日，卫生部部长张文康访老。

11 月 22～25 日，老挝卫生部长本梅·达拉洛出席昆明第三次湄公河流域疾病监测部长会议，并与中国国家质量监督检验检疫总局签署《中老边境地区卫生检疫协定》。

11 月 22～29 日，老挝新闻文化部长潘隆吉·冯萨率团访华。

11 月 27 日至 12 月 2 日，老挝国家政治行政学院代院长吉乔·凯坎披吞率团访华。

12 月 2～9 日，老挝党中央委员、工会联合会主席万通·琅维莱率团访华。

2001 年，老挝在华留学生 312 人。

四、军事往来

2 月 5～8 日，中共中央政治局委员、中央军委副主席、国务委员兼国防部长迟浩田上将访老。老挝党中央政治局委员、副总理兼国防部长朱马里·赛亚森中将与迟副主席会谈，老挝党中央主席、国家主席坎代·西潘敦、政府总理西沙瓦·乔本潘分别会见。

9 月 6～13 日，老挝人民军总政副主任劳·高巴色准将访华。

11 月 29 日至 12 月 6 日，老挝国防部副部长艾·苏里雅胜中将率老军高级将领见习团访华。

第 9 节　中国同柬埔寨的关系

2001 年，中华人民共和国同柬埔寨王国的友好合作关系持续发展。

一、政治关系与重要往来

5月18～21日，应柬国会主席诺罗敦·拉纳烈亲王和政府首相洪森的联合邀请，全国人大常委会委员长李鹏对柬进行正式友好访问。此访是中柬建交43年来中国全国人大常委会委员长首次访柬。访问期间，李鹏委员长与西哈努克国王、参议院主席谢辛、国会主席拉纳烈和首相洪森进行了亲切友好的会见、会谈。访问进一步加强了中柬传统睦邻友好关系，促进了两国立法机构之间的友好合作。

12月13～16日，应柬人民党和奉辛比克党联合邀请，中共中央政治局常委、中央书记处书记尉健行率中共代表团对柬进行友好访问。代表团分别会见了柬人民党主席、参议院主席谢辛和奉辛比克党主席、国会主席拉纳烈及人民党副主席、首相洪森。

3月26日至4月2日，应全国政协主席李瑞环邀请，柬参议院主席、人民党主席谢辛率参议院代表团对华进行正式友好访问。访问期间，江泽民主席、李鹏委员长、政协主席李瑞环和副主席万国权分别会见了谢辛。

西哈努克国王于2月21日至4月9日和12月3日两次来北京做例行体检和休养。李鹏委员长和夫人朱琳于4月4日会见并宴请西哈努克国王和莫尼列王后。

1月9～12日，全国政协副主席霍英东率全国政协代表团对柬进行友好访问。访问期间，代表团分别拜会了西哈努克国王、参议院主席谢辛、国会主席拉纳烈和首相洪森。

1月23日，柬国会主席拉纳烈会见在柬出席亚洲议会和平协会第二次会议的中国全国人大代表团团长、人大外委会副主任委员徐敦信。

2月26～28日，应北京市政府邀请，金边市长谢索帕拉率金边市代表团对北京进行友好访问。

3月19～24日，应奉辛比克党邀请，中共代表、中联部秘书长李扬赴柬出席奉党第8次党代会和奉党成立20周年庆典活动，并转交了中国共产党致奉党的贺电。

9 月 24 日至 10 月 1 日，柬人民党中央常委赛冲率人民党高级代表团对中国进行友好访问。

10 月 27 日至 11 月 2 日，柬国会银行和财经委员会主任委员金叶率国会专门委员会代表访华。

11 月 6 日，朱镕基总理在出席文莱第五次东亚领导人会议期间会见了柬首相洪森。

11 月 8 日，柬新任驻华大使凯·勒昂向江泽民主席递交国书。

二、经济与贸易关系

2001 年，中柬经贸关系进一步发展。

3 月 30 日至 4 月 3 日，应柬商业部大臣占蒲拉西邀请，中国对外贸易经济合作部副部长安民访柬，并与柬商业部国务秘书索·西潘纳共同主持中柬经贸合作委员会首次会议的开幕式。

5 月 4 日，柬首相洪森会见了在柬出席第三届 10＋3 经济部长会议的中国对外贸易经济合作部部长石广生。

据中国海关总署统计，2001 年，中国同柬埔寨贸易总额为 2.4 亿美元，同比增长 7.1%。其中中方出口额为 2.06 亿美元，同比增长 25.3%；进口额为 0.35 亿美元，同比下降 41.5%。

三、文化交流及其他往来

2001 年，中柬两国文化、卫生、新闻、航空等领域的合作与交流进一步扩大。

4 月 20～24 日，应柬文化艺术部大臣、柬中友协会长诺罗敦·帕花黛薇公主的邀请，中华全国妇女联合会副主席、中柬友协会长顾秀莲率中柬友协代表团对柬进行友好访问。西哈努克国王、国会主席拉纳烈和首相洪森会见了代表团。

5 月 9～12 日，应全国人大副委员长、全国妇联主席、中国红十字总会主席彭珮云邀请，柬红十字会主席文拉妮·洪森女士率柬红会代表团访华。

9月18~22日,卫生部长张文康率团访柬,代表团拜会了西哈努克国王和洪森首相,双方签署了《关于消除湄公河次区域流动人口艾滋病的谅解备忘录》。

9月5~14日,柬新闻记者代表团访华。

11月14~17日,应柬文化艺术部邀请,文化部潘震宙副部长率中国政府文化代表团对柬进行友好访问。

11月28日至12月1日,中国妇女研究所所长、全国妇联书记处书记李秋芳率中国妇女代表团对柬进行友好访问。

12月12日,中国澳门特别行政区与柬政府航空协定签字仪式在柬首相府举行,中国驻柬大使宁赋魁与柬国务兼内阁办公厅大臣索安出席。

柬埔寨在华留学人员89名。

四、军事往来

中柬两军保持正常友好往来。

2月13~17日,应柬联合国防大臣迪班上将和西索瓦·西里拉亲王邀请,中央军委副主席、国务委员兼国防部长迟浩田上将对柬进行友好访问。迟副主席分别拜会了西哈努克国王、参议院主席谢辛、国会主席拉纳烈和洪森首相,并与柬国防联合大臣举行会谈。

第10节 中国同缅甸的关系

2001年,中华人民共和国同缅甸联邦的传统睦邻友好关系继续巩固和发展,各领域的交流与合作进一步深化。

一、政治关系与重要往来

12月12~15日,应缅甸联邦国家和平与发展委员会主席丹瑞大将的邀请,中国国家主席江泽民和夫人王冶坪对缅甸联邦进行国事访问,国务院副总理钱其琛等陪同访问。这是中国最高领导人首次访问缅甸，在中缅关系史上具有里程碑意义，为中缅传统睦邻友好关系在新世纪不断发展奠定坚实基础。访问期间，江泽民主席与丹瑞主席举行会谈，会见了缅和发委第一秘书钦钮中将，双方就进一步发展双边关系，不断深化两国各领域合作达成了广泛共识。江泽民主席盛赞中缅传统"胞波"友谊，强调中国将一如既往地致力于巩固和发展同缅甸的传统睦邻友好关系，进一步推进两国在各领域的合作，使两国人民永做好邻居、好伙伴。缅甸领导人高度评价江泽民主席对缅甸的国事访问，感谢中国长期以来给予缅甸的大力支持和无私援助，重申缅甸将继续奉行对华友好政策，加强同中国的全面合作。

访问期间，双方签署了《中缅两国政府经济技术合作协定》、《中缅两国政府投资保护协定》、《中缅两国政府渔业合作协定》、《中缅两国政府关于动物检疫及动物卫生的合作协定》、《中缅两国政府关于植物检疫的合作协定》、《中国公安部和缅甸内政部边防合作议定书》及《中国石油天然气集团公司与缅甸国家石油公司IOR4 PYAY 油田提高油气采收率合同》七个双边合作文件。在仰光，江泽民主席一行还参观了著名的大金塔，在人民公园植下了一棵象征中缅"胞波"情谊的友谊树。除仰光外，江泽民主席一行还赴额布里、蒲甘和曼德勒访问。

11 月 18 日，缅甸新任驻华大使吴盛温昂向江泽民主席递交国书。12 月 4 日，国务院总理朱镕基集体会见离到任外国使节，吴盛温昂参加。

1 月 16~21 日，中国公安部长贾春旺率团访缅，与缅甸内政部长丁莱上校举行会谈，并拜会了缅甸国家和平与发展委员会第一秘书钦钮中将。访问期间，中缅双方签署了两国政府禁毒合作谅解备忘录。

1 月 28 日至 2 月 4 日，全国人大外事委员会副主任委员徐敦信率团访缅。代表团拜会了缅甸国家和平与发展委员会第一秘书钦钮中将、外长吴温昂及副外长吴钦貌温。

3 月 13 日，中国新任驻缅甸大使李进军向缅甸联邦国家和平与发展委员会主席丹瑞大将递交国书。

5月9日，昆明市同缅甸曼德勒市结为友好城市。曼德勒市长仰登准将来华参加两市缔结友城仪式。

8月23～26日，外交部副部长王毅赴缅进行第四次中缅外交磋商。访缅期间，王毅副部长与缅吴钦貌温副外长举行外交磋商，并会见了缅甸国家和平与发展委员会第一秘书钦纽中将、吴温昂外长和农业部长纽丁少将。王毅副部长还代表中国政府同缅方签署《中缅经济技术合作协定》。

9月19～26日，应中国国际交流协会邀请，缅甸联邦巩固与发展协会中央执委吴丹瑞率团访华。

11月10日，缅甸副总检察长吴钦貌埃率团来华参加在广州举行的亚欧总检察长地区大会。

11月20～25日，缅甸外交部政治司司长吴当吞率团来华进行《中缅边境管理与合作协定》实施情况第三轮司局级磋商。

二、经济合作与贸易关系

2001年，中缅经贸合作取得新进展。

4月13日，由缅甸第一工业部与中国天津机械进出口公司共同兴建的曼德勒第三造纸厂建成投产。

4月9～16日，应中国信息产业部长吴基传邀请，缅甸邮电通讯部长温丁准将率团来华参加中国—东盟信息通讯技术合作研讨会。

6月9日，中国云南机械进出口公司为缅甸交通部建造的三艘挖泥船在仰光举行交接仪式。

6月14日，缅甸第一工业部与中国工程与农业机械进出口公司签署合作建设萨林基纺织厂项目合同。

7月4～8日，缅甸财税部长吴钦貌登访华。访华期间，国务院副总理李岚清会见了吴钦貌登。

7月13～18日，云南省副省长邵琪玮率团访缅，考察了邦朗水电站及其他一些云南省在缅投资合作项目。

7 月 15～20 日，应缅甸矿业部长翁敏准将邀请，中国国土资源部长田凤山率团访缅。7 月 16 日，双方签署了两国地质矿产资源部门合作谅解备忘录。

8 月 26 日至 9 月 1 日，缅甸内政部长丁莱上校出席在北京举行的中、老、缅、泰四国部长级禁毒合作会议并顺访中国。

据中国海关总署统计，2001 年中国同缅甸贸易总额为 6.3154 亿美元，与 2000 年相比增长 1.7%。其中，中方出口额为 4.9735 亿美元，进口额为 1.3419 亿美元，分别增长 0.2% 和 7.5%。

三、文化交流及其他往来

2001 年，两国在文化等领域的交流与合作进一步扩大。

1 月 15 日，中国驻缅大使梁栋向缅甸教育部捐建的一所小学在仰光举行交接仪式。

4 月 11 日，中国驻缅甸大使李进军代表中国作家协会向缅甸文化部副部长、诗人吴梭纽颁发"中缅文学友好使者"称号荣誉证章。

6 月 8 日，中国驻缅甸使馆与缅甸文化部联合举办的"中国西部与西藏图片电影展"在缅甸国家博物馆开幕。

6 月 24～28 日，缅甸交通部副部长吴佩丹率团赴云南参加中缅老泰澜沧江—湄公河四国商船正式通航典礼。

10 月 10～20 日，缅甸宣传部副部长昂登准将率团访华。

11 月 10～17 日，缅甸体育部长都拉埃敏准将来华观摩中华人民共和国第九届全国运动会并进行访问。

2001 年，缅甸在华留学生 149 人。

四、军事往来

4 月 25～29 日，中央军委委员、总参谋长傅全有上将率团访缅。缅甸国家和平与发展委员会主席兼三军总司令丹瑞大将、缅甸国家和平与发展委员会副主席兼三军副总司令、陆军司令貌埃上将分别会见代表团。

9月17～22日，缅甸空军司令敏瑞少将率团访华。中央军委副主席、国务委员兼国防部长迟浩田上将、中央军委委员、总参谋长傅全有上将分别会见了敏瑞少将一行。

第11节　中国同泰国的关系

2001年，中华人民共和国同泰王国关系继续保持良好发展势头。两国高层接触频繁，各领域友好合作不断深入。

一、政治关系与重要往来

5月19～22日，应泰国总理塔信·钦那瓦邀请，朱镕基总理先后会见了泰国国王普密蓬·阿杜德和王后诗丽吉、总理塔信、副总理兼国防部长差瓦立·永猜育上将、国会主席兼下议院议长乌泰·屏知春、国会副主席兼上议院议长玛嫩吉·鲁卡宗，并广泛接触泰主要政党领袖和各界知名人士。双方就加强中泰睦邻互信的全方位合作关系，深化两国在经贸、金融、航运和禁毒等领域的合作达成一系列共识。

8月27～29日，应朱镕基总理邀请，泰国总理塔信正式访华。江泽民主席和李鹏委员长分别会见，朱镕基总理同塔信总理举行会谈，双方签署了《中华人民共和国政府和泰王国政府文化合作协定》、《中国国际贸易促进委员会和泰国贸易院关于建立双边商业理事会的谅解备忘录》和《中国华源集团在泰国投资协议》。访问结束后，两国发表了《中国与泰国联合公报》。

11月11～17日，应泰国国会邀请，全国人大常委会副委员长布赫访问泰国。泰国诗琳通公主、副总理兼国防部长差瓦立上将和国会副主席兼上议院议长玛嫩吉分别会见。布赫副委员长向泰方介绍中国政治、经济、社会和中国人民代表大会制度情况，并就民主法制建设等与泰国国会广泛交换意见。

1月10～12日，应泰国枢密院主席炳·廷素拉暖上将邀请，财政部长项怀诚访问泰国。会见了泰国总理川·立派、副总理功·塔帕朗西和刚在大选中获胜的泰爱泰党主席塔信，并在"第二次纪念盘谷银行创办人陈弼臣演讲会"上发表演讲。

1月31日至2月5日，应泰国王后诗丽吉邀请，全国政协副主席钱正英访问泰国，国王普密蓬和前上议院议长米猜·雷初攀分别会见。泰国清迈大学授予钱正英副主席环境工程学名誉博士学位。

5月2～6日，应泰国外长、泰爱泰党副主席素拉杰·沙田泰邀请，中共中央政治局委员、广东省委书记李长春率中共代表团访泰。期间，会见了泰国总理塔信、副总理兼国防部长差瓦立上将、外长素拉杰以及泰国主要政党领袖，与泰国政界、经济界的知名人士和友好团体举行座谈，介绍中国经济体制改革，"十五计划"和广东省改革开放和经济发展情况。

6月6～8日，应泰国交通部邀请，交通部长黄镇东访问泰国，泰国总理塔信、交通部长万·穆罕默德·诺·玛他会见，双方主要就中泰航运合作的具体事宜进行磋商。

8月22～24日，应泰国外交部邀请，外交部副部长王毅访问泰国，与泰国外交部次长尼·披汶颂堪举行中泰第16次外交磋商。泰国副总理邦朋·阿滴列汕会见。

6月20～24日，应中央军委副主席、国务委员兼国防部长迟浩田上将邀请，泰国副总理兼国防部长差瓦立上将访华。江泽民主席、朱镕基总理和中央军委副主席张万年上将分别会见，迟浩田与泰方举行了会谈。

6月20～24日，泰国副总理邦朋作为泰国驻华使馆客人来华主持泰驻华机构内部会议，朱镕基总理和唐家璇外长分别会见。

8月13～27日，应中国政府邀请，泰国诗琳通公主访华。温家宝副总理和全国政协副主席钱正英分别会见。中国文学基金会授予诗"理解与友谊国际文学奖"。

3月22～25日，应唐家璇外长邀请，泰国外长素拉杰访华。江泽民主席、中联部部长戴秉国分别会见，唐家璇外长与素举行会谈。双方就双边关系、地区和国际形势交换意见。

4月17～24日，应外交学会邀请，泰国前外长、枢密院大臣西提·沙卫西拉空军上将访华。全国人大常委会委员长李鹏会见。

5月9～19日，应外交学会邀请，泰国朱拉蓬公主访华。李岚清副总理会见。朱考察了中国文化艺术发展情况。

其他重要往来还有：

5月9日，江泽民主席在香港出席"2001年《财富》全球论坛年会"期间会见泰国总理塔信。

10月19日，江泽民主席在上海第九次亚太经济合作组织领导人非正式会议期间会见泰国总理塔信。

2月16日，江泽民主席在人民大会堂接受泰国新任驻华大使敦·帕玛威奈递交国书。

11月6日，朱镕基总理在文莱出席东盟与中日韩领导人会议期间，会见泰国总理塔信。

5月24日，素拉杰外长来华出席第三届亚欧外长会议，并与唐家璇外长进行了双边会见。

7月25日，唐家璇外长在新加坡出席第八届东盟地区论坛会议期间会见泰国外长素拉杰。

10月19日，应中国外交学会邀请，泰国前总理、泰国党主席班汉·信拉巴阿差访华。姜春云副委员长会见。

4月24～29日，应中国人民对外友好协会邀请，泰中友协会长功·塔帕朗西和世贸组织候任总干事素帕猜·帕尼差帕访华。全国政协副主席李贵鲜会见。素应邀赴四川、广东出席"中国与WTO"研讨会，并发表专题演讲。

二、经济技术合作与贸易往来

2001年，中泰经贸合作保持了稳定发展。据中国海关总署统计，2001年双边贸易总额70.5亿美元，同比增长6.4%。其中中国出口额为23.37亿美元，同比增长4.2%，进口额为47.13亿美元，同比增长7.6%。2001年泰国来华协议投资53.48亿美元，实际投入 21.88 亿美元。中国对泰协议投资 3.27 亿美元，实际投入 2.1 亿美元。中国在泰工程承包和劳务合作逐年扩大。

三、文化交流及其他往来

2001 年，两国在科技、文教、卫生、体育和禁毒等领域的合作成果显著。双方在曼谷举行第 16 届科技联委会，确立了 45 项交流和研究开发项目，项目涉及农业、林业、机械、化工、环保、中医药和水利等 20 多个合作领域。双方签署《中华人民共和国和泰王国文化合作协定》，确立了中泰文化交流的具体目标。中国教育部首次在泰举办"留学中国教育展"。中泰两国卫生部在华举办第四届卫生合作联合委员会会议。中国前卫体育协会与世界泰拳理事会先后在广州和曼谷举行交流比赛。中泰签署《货币互换协议》，开展金融领域的合作。据统计，2001 年，双方在上述领域的互访团组约 69 起。

重要往来有：

2 月 14 日至 3 月 15 日，应教育部长陈至立邀请，泰国诗琳通公主来北京大学进修汉语，李岚清副总理、全国政协副主席钱正英和教育部长陈至立分别会见。北京大学授予诗琳通公主名誉博士学位。

4 月 11 日，应中国昆明国际旅游节组委会邀请，泰国副总理邦朋出席中国昆明国际旅游节开幕式，全国政协副主席陈锦华会见。

5 月 12 日，泰国副总理德·汶隆来北京出席第四届中国北京高新技术产业国际周活动。布赫副委员长会见。

7 月 19～22 日，公安部长贾春旺率中国公安代表团访问泰国。期间，会见了泰国总理塔信、副总理兼国家禁毒委员会主席差瓦立上将、国务部长探玛叻·伊沙朗军上将、外长素拉杰和内务部长布拉猜·扁颂汶，双方就加强两国警务和禁毒合作交换意见。

8 月 5～10 日，应泰国朱拉蓬公主邀请，文化部副部长周和平访泰并出席为庆祝诗丽吉王后寿辰而举行的"泰中两国友谊情"大型义演。

2001 年，泰国在华留学生 860 人。

四、军事往来

2001 年，中泰两军继续保持友好交流与合作。中国国防大学和泰国国防学院定期开展友好校际交流活动。两国国防部确立安全会晤机制。

重要交往有：

12 月 1~5 日，应泰国国防部邀请，中国人民解放军副总参谋长熊光楷上将访问泰国，并举行首次安全会晤。熊副总参谋长还会见了泰副总理兼国防部长差瓦立上将。

5 月 21~26 日，应中央军委委员、中国人民解放军总参谋长傅全有上将邀请，泰国武装部队最高司令桑抛·楚齐上将访华。国家副主席、中央军委副主席胡锦涛，中央军委副主席、国务委员兼国防部长迟浩田上将分别会见。

第 12 节　中国同马来西亚的关系

2001 年，中华人民共和国同马来西亚的友好合作关系继续发展。

一、政治关系与重要往来

2 月 26 日，江泽民主席在海南出席"博鳌亚洲论坛"期间会见了应邀与会的马来西亚总理马哈蒂尔。

江主席说，当今世界经济全球化趋势不断发展。一方面，它给世界经济的发展提供了机遇和可能，另一方面也带来了更多的风险和挑战。尤其是在旧的经济秩序没有根本改变的情况下，发展中国家在经济全球化进程中总体上处于不利地位。为了有效应对经济全球化挑战，亚洲国家有必要加强合作，以提高整体经济能力和抵御风险的能力。即将启动的"博鳌亚洲论坛"以民间国际组织形式，为亚洲各国开辟了一个新的对话与合作的渠道。"论坛"的成立反应了亚洲各国人民的共同愿望，有利于促进亚洲各国之间，以及亚洲与世界其他地区的相互理解与互利合作。

马哈蒂尔认为，广大发展中国家应更积极地致力于国际金融和贸易体制的改革，以应对全球化给他们带来的挑战。亚洲国家有必要坐在一起认真研究这些问题，亚洲应有自己的论坛，以便更清楚地表明亚洲对世界上一些重大问题的看法，而新成立的"博鳌亚洲论坛"是一个有益的渠道，大家可以通过讨论和磋商，达成共识，更好地维护自身利益。

4 月 24~29 日，马来西亚最高元首苏丹·萨拉赫丁对华进行国事访问，江泽民主席和朱镕基总理分别会见了萨一行。

江主席高度评价中马两国人民之间的传统友谊以及建交 27 年来稳定、健康发展的两国友好关系。江主席说，当前中马两国领导人保持着经常交往，两国领导人之间的互访和接触，为增进两国人民的了解、友谊与信任发挥了重要作用。中马两国在一系列重大国际问题上一贯相互理解、互相支持，虽然我们有着不同的历史传统和政治制度，但我们之间保持着深厚的友谊，并将永远流传下去。

朱总理高度评价中马关系现状以及萨拉赫丁为推动两国关系所作的努力。朱总理说，中马两国在国际和地区事务中保持密切协调配合。在经贸等领域，双方的交流与合作不断拓展，2000 年两国贸易额突破 80 亿美元，马已成为东盟国家中中国的第二大贸易伙伴，此外在萨拉赫丁的倡议下，两国在农业方面的合作得到加强。朱总理肯定了马来西亚成功抵御亚洲金融危机以及在经济复苏和发展方面取得的成就，并向萨介绍了中国改革开放和经济发展等情况。朱总理重申，两国在当前国际经济形势下，应加强经济合作，这有利于两国经济健康持续发展。

萨拉赫丁积极评价两国关系，并表示，访华期间他亲身感受到中国的巨大变化，希望中国在经济建设方面获得更大的成就。萨说，马中友谊源远流长，当前马中各自经济不断发展，必将促进双边经贸合作不断加强。他表示很高兴看到两国在农业领域合作取得新进展，相信两国在其他领域的友好合作也将不断进步。

10月20日，江泽民主席在上海会见了出席第九次APEC领导人非正式会议的马来西亚总理马哈蒂尔。江主席说，我们此次承办APEC会议，希望进一步推动APEC合作进程，加强各成员在新世纪应对新经济与全球化的能力，为区域经济合作和世界经济发展做出贡献。江主席还阐述了中方反对一切形式的恐怖主义的原则立场。

马哈蒂尔认为，在当前形势下，这次上海亚太经合组织会议具有更加重要的意义，与会领导人不仅要讨论亚太经合组织会议本身的重要议题，也将就大家共同关心的反对恐怖主义问题交换意见。马哈蒂尔还阐述了马来西亚在反对恐怖主义问题上的立场。

5月6～10日，中共中央政治局委员、广东省委书记李长春率中共代表团访问马来西亚。访马期间，李会见了巴达维副总理、马巫统秘书长兼新闻部长卡利尔和马能源、通讯及多媒体部长廖莫宜。

5月23～25日，马来西亚外长赛义德·哈密德来华出席第三次亚欧外长会议，并与唐家璇外长举行了双边会晤。

6月21～23日，中共中央候补委员、中共安徽省委书记王太华率中共代表团出席马来西亚巫统第55届代表大会。访马期间王会见了马哈蒂尔总理。

7月4～8日，山东省李春亭省长率团访问马来西亚。访问期间，马来西亚总理马哈蒂尔会见了李一行。

8月27～29日，国务院台湾事务办公室副主任王在希率团访问马来西亚。

10月21日，唐家璇外长会见了来上海出席APEC会议的马来西亚外长赛义德·哈密德。

10月21日至11月2日，最高人民法院副院长姜兴长率团访马。

10月25～27日，马来西亚外交部秘书长弗兹率团来华参加中马第八次外交磋商，唐家璇外长会见了弗兹一行。

二、经济合作与贸易关系

2 月 23 日，中国银行副行长孙昌基赴马来西亚主持马来西亚中国银行开业典礼。

3 月 27 日至 4 月 1 日，马来西亚财政部长敦·达因赴上海主持马来亚银行上海分行开业典礼并访问上海，上海市长徐匡迪会见了敦·达因。

6 月 6～7 日，马来西亚国际贸易及工业部长拉菲达来上海出席 APEC 贸易部长会议。

11 月 25～27 日，马来西亚国际贸易及工业部长拉菲达来华与对外贸易经济合作部石广生部长共同主持中马经贸联委会第五次会议。

据中国海关总署统计，2001 年中国与马来西亚双边贸易额达 94 亿美元，同比增长 17.2%。

三、文化交流及其他往来

2 月 16～18 日，应中国远洋运输（集团）公司邀请，马来西亚交通部长林良实来厦门、上海进行工作访问。

3 月 30 日至 4 月 1 日，马来西亚文化、艺术和旅游部副部长黄燕燕来华参加广州国际旅游展销会。

4 月 26～29 日，应中国远洋集团公司邀请，马来西亚交通部长林良实访华。访问期间，国家计委主任曾培炎、铁道部长傅志寰、交通部长黄镇东和国家民航总局局长刘剑峰分别会见。

5 月 15～20 日，中国农业科学院院长吕飞杰应邀访问马来西亚。

12 月 20～24 日，教育部副部长张保庆访问马来西亚，张与马教育部副部长韩春锦举行了会谈。

2001 年，马来西亚在华留学生 632 人。

四、军事往来

5 月 24～28 日，应中国国防部邀请，马来西亚国防部常任秘书哈西姆·米翁访华。中央军委副主席迟浩田上将会见，副总参谋长张黎上将与哈举行了会谈。

第 13 节　中国同新加坡的关系

2001 年，中华人民共和国同新加坡共和国的友好互利合作关系继续全面发展。

一、政治关系与重要往来

9 月 12～22 日，应国家主席江泽民邀请，新加坡总统纳丹对中国进行国事访问。江泽民主席与纳丹总统举行会谈，全国人大常委会委员长李鹏、全国政协主席李瑞环、国家副主席胡锦涛分别会见。江泽民表示，世纪之交，两国发表了双边合作的《联合声明》，为新世纪两国关系明确了方向。中新互利合作的潜力和空间很大，中方愿进一步加强与新加坡的交流与合作。纳丹对中国改革开放以来取得的巨大成就表示钦佩。他说，中新之间有着悠久的传统友谊。新加坡通过与中国相互学习和借鉴，促进了自身的发展。希望双方进一步加强年青一代的交往，共同创造两国友好的未来。

10 月 18～21 日，新加坡总理吴作栋赴上海出席 APEC 领导人非正式会议。19 日，江泽民主席与吴作栋总理举行双边会晤。

11 月 18～23 日，应新加坡政府邀请，全国政协主席李瑞环对新加坡进行正式友好访问。访问期间，李瑞环主席分别会见了新加坡总统纳丹、总理吴作栋、内阁资政李光耀、副总理李显龙和国会议长陈树群，并参观了新加坡国立大学、科技园和社区中心等。

4 月 1～6 日，应新加坡副总理李显龙邀请，中共中央政治局候补委员、书记处书记、中央组织部部长曾庆红访问新加坡。新总统纳丹、总理吴作栋、内阁资政李光耀、副总理李显龙、外长贾古玛分别会见。访问期间，曾庆红与李显龙共同出席了两国《关于中国中、高级官员赴新加坡学习培训项目的框架协议》签字仪式，并参观了新加坡学校教育、人才培训、科技开发、国企管理和人民行动党总部等机构。

5 月 10～12 日，应新加坡副总理李显龙邀请，中共中央政治局委员、广东省委书记李长春访问新加坡。新总理吴作栋、内阁资政李光耀、副总理李显龙分别会见。

5 月 24～26 日，新加坡外交部长贾古玛来京出席第三届亚欧外长会议。

6 月 8～12 日，应李岚清副总理邀请，新加坡内阁资政李光耀来华出席苏州工业园区成立 7 周年庆祝活动并对上海和北京进行非正式访问。江泽民主席、李鹏委员长和李岚清副总理分别会见了李光耀。

8 月 20～21 日，外交部副部长王毅与新加坡外交部常秘陈振忠在新加坡举行年度外交磋商。内阁资政李光耀、外交部政务部长欧进福分别会见了王毅。

10 月 16～21 日，新加坡外长贾古玛赴上海出席 APEC 双部长会议。

11 月 23 日，朱镕基总理致电吴作栋，祝贺其连任新加坡新届政府总理。同日，唐家璇外长也向贾古玛外长发去就职贺电。

二、经济合作和贸易关系

11 月 14～17 日，外经贸部副部长安民与新加坡贸工部常秘王瑞杰在新加坡举行中新第 4 次经贸磋商。

11 月 30 日至 12 月 1 日，外经贸部首席谈判代表龙永图赴新加坡出席 WTO 研讨会。

据中国海关总署统计，2001 年，中国同新加坡双边贸易总额为 109.34 亿美元，比 2000 年增长 1.1%，其中中方出口额为

57.91 亿美元，进口额为 51.43 亿美元。

三、文化交流及其他往来

4 月 12 日，新加坡国家发展部长马宝山访问深圳，参观高新技术开发区及住宅区。

6 月 5～15 日，中组部副部长孙晓群率考察团访问新加坡，主要考察新加坡淡马锡控股公司管理和运作国有资产的情况。

6 月 24～26 日，新加坡教育部长兼国防部第二部长张志贤率教育代表团访华。

8 月 1～8 日，应中组部邀请，新加坡常秘培训班代表团 21 人对北京、青海和上海进行考察访问。

9 月 20～26 日，应中国人民对外友好协会邀请，以谢镛会长为团长的新加坡—中国友好协会代表团访华。全国人大常委会副委员长蒋正华会见。

11 月 26～29 日，应中华全国青年联合会邀请，新加坡代新闻、通信及艺术部长兼国防部高级政务部长、全国青年理事会主席林得恩访问北京和上海。

2001 年，新加坡在华留学生 344 人。

四、军事往来

2 月 19～23 日，应中国国防部邀请，新加坡教育部长兼国防部第二部长张志贤访华。国家副主席、军委副主席胡锦涛、军委委员、总参谋长傅全有上将和教育部长陈至立分别会见，军委委员兼常务副总参谋长郭伯雄上将与张志贤举行会谈。

6 月 13 日，国防大学副校长陈章元率国防大学学员班访问新加坡，考察新加坡国防建设情况。

第14节 中国同文莱的关系

2001 年是中华人民共和国同文莱达鲁萨兰国建交 10 周年。两国在各个领域的友好交流与合作得到较快发展。

一、政治关系与重要往来

5 月 21～23 日，应文莱苏丹哈桑纳尔·博尔基亚邀请，中国全国人大常委会委员长李鹏对文莱进行正式访问。访问期间，李鹏委员长会见了文莱苏丹。李鹏委员长积极评价建交 10 年来中文关系取得的进展，高度赞赏文莱苏丹和王室成员对促进两国关系所做的重要贡献，强调中国十分重视发展同文莱和其他东盟国家的睦邻友好关系。

文莱苏丹表示，两国在几百年前就开始交往，在近代史上，又有遭受外来侵略的共同经历。在新的世纪，应进一步巩固两国的友好关系，为两国人民乃至全人类造福，为地区和平与发展做出贡献。

11 月 4～7 日，应文莱苏丹哈桑纳尔·博尔基亚邀请，朱镕基总理赴文莱出席第五次东盟与中、日、韩领导人（10＋3）会议和东盟与中国领导人（10＋1）会议。期间，朱镕基总理与苏丹举行了双边会晤。朱镕基总理表示，近年来，中文友好合作关系发展很快。两国高层交往频繁，双方在石油化工、农业、旅游等领域的合作取得积极进展。文莱苏丹表示，文莱把中国看作一个特殊的朋友，对两国之间的密切关系感到极为满意。

5 月 14～17 日，文莱苏丹哈桑纳尔·博尔基亚赴北京出席 APEC 人力资源能力建设高峰会并访问深圳。江泽民主席和李鹏委员长分别会见苏丹。会见中，中国领导人表示，中文建交 10 年来，两国在政治、经济、文化等各个领域里的合作关系取得了较大发展，两国间开展的许多友好合作项目进一步加深了两国人民之间的了解和友谊。

文莱苏丹表示，文中两国友好合作前景十分广阔。文莱政府高度重视文中关系，真诚希望两国关系继续保持良好的发展势头，并不断得到巩固和加强。

10月20～21日，文莱苏丹哈桑纳尔·博尔基亚赴上海出席第九次 APEC 领导人非正式会议。江泽民主席会见苏丹。江泽民主席对中文两国各领域合作的不断扩大表示满意，对苏丹为促进两国关系做出的贡献表示赞赏，并表示相信中文关系将不断取得新的发展。文莱苏丹也对文中两国关系的顺利发展予以高度评价，赞赏中方为 APEC 会议成功举行做了出色安排。会见前，北京外国语大学授予苏丹国际关系荣誉博士学位。

3月12～14日，中国海外交流协会副会长刘泽鹏率团访文。

3月20日，文莱新任驻中国大使阿斯玛里·艾哈迈德向江泽民主席递交国书。

5月22日至6月1日，应唐家璇外长邀请，文莱外交大臣穆罕默德·博尔基亚亲王访华并出席第三次亚欧外长会议。钱其琛副总理会见穆罕默德亲王，唐家璇外长与其举行了会谈。

8月28日至9月1日，应中国外交部邀请，文莱外交部无任所大使玛斯娜公主（大臣级）访华。钱其琛副总理与唐家璇外长分别会见玛斯娜公主。玛斯娜公主出席了北京外国语大学和文莱大学共同举办的"中国与文莱关系研讨会"。29日，随同玛斯娜公主访华的文莱外交部常务秘书林玉成与中国外交部副部长王毅在北京举行中文第九次外交磋商。

9月23～26日，人事部副部长侯建良率团赴文莱出席 APEC 第四次人力资源开发部长会议并访问文莱。

11月9～20日，文莱总检察长基弗拉维对中国进行工作访问并出席亚欧国家总检察长会议。

二、经济合作与贸易关系

2001年10月，文莱皇家航空公司开通斯里巴加湾市至上海的航线。

10 月 17～18 日，文莱工业与初级资源大臣阿卜杜勒·拉赫曼赴上海出席 APEC 部长会议并访问深圳。

据中国海关总署统计，2001 年，中国与文莱贸易总额为 1.65 亿美元，比 2000 年增长 122.4％，其中中方出口额 1715.6 万美元，进口额 1.48 亿美元。

三、文化交流及其他往来

4 月 21～26 日，文莱卫生部代部长阿卜杜勒·阿齐兹访华。

7 月 6～9 日，中国国家医药管理局代表团访问文莱。

7 月 18～21 日，上海市副市长左焕琛率上海卫生代表团访问文莱。

8 月 11～23 日，山东杂技团赴文莱访问演出。

8 月 18 日，中国伊斯兰教协会代表团参加在文莱举行的国际穆斯林科技博览会。

9 月 12～14 日，卫生部长张文康率团赴文莱参加世界卫生组织西太区第 52 届会议并访问文莱。

2001 年，文莱在华留学生 4 人。

第 15 节　中国同菲律宾的关系

2001 年，中华人民共和国同菲律宾共和国的友好合作关系取得新的发展。

一、政治关系与重要往来

10 月 19～21 日，菲律宾总统阿罗约出席上海 APEC 领导人非正式会议。江泽民主席与阿罗约总统举行双边会晤。

10 月 29～31 日，应国家主席江泽民邀请，菲律宾总统阿罗约对中国进行国事访问。访问期间，江泽民主席与阿罗约总统举行会谈，李鹏委员长和朱镕基总理分别会见阿罗约总统。双方积极评价两国关系的发展。江泽民建议，双方应继续保持两国高层和各层次交往与接触，深化各个领域的合作，妥善处理分歧，加强两国在国际事务中的合作。阿罗约总统对此表示赞同。双方同意重点加强农业、基础设施建设和信息产业等领域的互利合作。双方重申，将从两国友好关系大局和两国人民根本利益出发，以冷静和建设性的态度，继续通过谈判协商以和平方式解决彼此间的分歧，不让有关具体分歧影响两国关系的发展。会谈后，双方签署了"引渡条约"、"打击跨国犯罪合作谅解备忘录"、"打击贩毒合作协议"等双边合作协议。江泽民主席和阿罗约总统出席了签字仪式。阿罗约总统一行还赴广东清远市参观访问。

1月22日，江泽民主席和胡锦涛副主席分别致电阿罗约，祝贺其就任菲律宾总统。

2月9日，胡锦涛副主席致电金戈纳，祝贺其就任菲律宾副总统。

3月27日至4月1日，菲律宾总统特使杨应琳访华。访问期间，朱镕基总理会见了杨应琳。

4月2~6日，中菲建立信任措施专家组第三次会议在马尼拉召开。会后双方发表了《联合新闻声明》，再次确认不在南海地区采取可能导致问题复杂化和扩大化的行动等共识，并同意就南海合作进行探讨。

5月23~27日，菲律宾副总统兼外长金戈纳来京参加第三届亚欧外长会议。其间，胡锦涛副主席和唐家璇外长分别会见了金戈纳。

8月16~19日，外交部部长王毅与菲副外长巴哈在马尼拉举行外交磋商。其间，王毅副部长会见了菲副总统兼外长金戈纳。

10月16~21日，菲副总统兼外长金戈纳出席上海APEC双部长会议。唐家璇外长与金戈纳举行了双边会晤。

11月15~18日，应菲律宾工商总会邀请，全国政协副主席陈锦华赴菲律宾出席菲第27届工商大会。

二、经济合作与贸易关系

5 月 24 日，中方在菲援建的中菲农技中心破土动工。

10 月 20 日，菲律宾首都银行上海分行正式开业。

据中国海关总署统计，2001 年，中国同菲律宾贸易总额为 35.65 亿美元，比 2000 年增长 13.5％，其中中方出口额为 16.2 亿美元，进口额为 19.45 亿美元。

三、文化交流及其他往来

6 月 10～13 日，最高人民法院院长肖扬赴菲律宾出席菲最高法院成立一百周年庆典活动。

7 月 8～10 日，应菲律宾工程部部长邀请，交通部长黄镇东访菲，分别会见菲工程部部长、交通部部长和亚洲开发银行行长。

7 月 29 日，菲马格赛赛基金会授予中国水稻专家袁隆平和谢冰心的女儿吴青教授 2001 年度马格赛赛奖。

8 月 1～5 日，应最高人民法院邀请，菲律宾最高法院首席大法官小希拉里奥·达维德率团访问湖北和重庆。

9 月 26 日，中国电影周在马尼拉艺术中心开幕。

10 月 28 日，菲律宾航空公司正式开通马尼拉至上海直飞航线。

11 月 7～10 日，菲律宾移民局局长多明戈女士访华。

11 月 29 日，由全国执行主任何塞·鲁菲诺率领的菲律宾力量—全国基督教民主联盟代表团访华。中共中央政治局常委、书记处书记尉健行会见了何一行。

2001 年，菲律宾在华留学生 456 人。

四、军事往来

1 月 12～15 日，应中央军委副主席、国防部长迟浩田上将的邀请，菲律宾国防部长莫卡多访华。

第16节 中国同印度尼西亚的关系

2001年,中华人民共和国同印度尼西亚共和国的友好合作关系进一步发展。

一、政治关系与重要往来

10月19～22日,印尼总统梅加瓦蒂出席在上海举行的APEC第九次领导人非正式会议。江泽民主席会见梅加瓦蒂总统。江主席表示,中国和印尼是友好邻邦,我们很高兴近来印尼局势正在走向稳定,经济也在逐步恢复。作为友好邻国,中国将一如既往地支持印尼政府为维护领土完整、国家统一和民族和睦所做的努力。江主席还愉快地回忆了1994年参加印尼茂物APEC会议的情景。江主席邀请梅加瓦蒂明年方便的时候访问中国。梅加瓦蒂愉快地接受了邀请,并表示,印尼和中国已经建立起良好的关系,她很久以来一直希望有机会访华,以进一步推进两国关系的发展。两国领导人还就当前反对国际恐怖主义、维护地区稳定、促进地区合作等问题交换了意见。

11月7～11日,应印尼总统梅加瓦蒂邀请,朱镕基总理对印尼进行正式访问。期间,朱总理与梅加瓦蒂举行会谈,并会见了人民协商会议主席阿敏·拉伊斯、国会议长阿克巴尔·丹绒,就双边关系和共同关心的国际与地区问题交换意见。双方签署了《中华人民共和国政府和印度尼西亚共和国政府关于文化合作的协定》、《中华人民共和国政府和印度尼西亚共和国政府关于避免双重征税的协定》、《中华人民共和国农业部和印度尼西亚共和国农业部关于农业合作的谅解备忘录》、《中国人民银行和印度尼西亚银行关于加强合作与信息交流的谅解备忘录》、《中华人民共和国国家旅游局和印度尼西亚共和国文化旅游部关于中国公民赴印尼旅游实施方案的谅解备忘录》和《中华人民共和国政府和印度尼西亚共和国政府关于经济技术合作无偿援助谅解备忘录》。

12 月 18～21 日，受印尼总统梅加瓦蒂委托，梅加瓦蒂总统丈夫陶菲克率团访华，推动落实朱镕基总理访问印尼时双方达成的共识。朱镕基总理和唐家璇外长分别会见陶菲克一行，印尼方的随行部长分别与国家计委、建设部、交通部、农业部、外经贸部和中国人民银行举行对口会谈。

5 月 24 日，印尼外长阿尔维·希哈布来京出席第三届亚欧外长会议，并与唐家璇外长举行双边会晤。

6 月 21～29 日，印尼外交部秘书长埃芬迪访华，就印尼拟在广州和上海两地开设领馆事与中方举行磋商。

7 月 4 日，江泽民主席接受印尼新任驻华大使库斯蒂亚递交的国书。

7 月 23 日，江泽民主席电贺梅加瓦蒂就任印尼总统。

7 月 27 日，胡锦涛副主席电贺哈姆扎·哈兹就任印尼副总统。

8 月 30 日至 9 月 2 日，国务院台办副主任王在希访问印尼。

10 月 17～18 日，印尼外长哈桑·维拉尤达和工贸部长丽妮·苏宛蒂出席在上海举行的 APEC 双部长会议。期间，唐家璇外长与哈桑·维拉尤达外长举行双边会晤。

二、经济合作与贸易往来

4 月，西加里曼丹省省长及地方议会访问广东，商谈两省农业合作事。

4 月 23～25 日，应农业部邀请，印尼海洋渔业部长萨尔沃诺访华。双方签署《关于渔业合作的谅解备忘录》。

5 月 12～17 日，应印尼交通部长邀请，信息产业部部长吴基传赴印尼出席"第二届亚太地区电信和信息技术论坛和展览"并顺访。

6 月 3～6 日，交通部长黄镇东访问印尼。双方签署《海运协定》和合作谅解备忘录。

6月6～7日，印尼工贸部长潘贾丹出席在上海举行的 APEC 贸易部长会议。

9月9～14日，应印尼交通部邮电总署邀请，国家邮政局局长刘立清访问印尼。

10月5～8日，应印尼农业部长邀请，农业部副部长刘坚赴印尼出席东盟与中、日、韩（10＋3）农业部长会议并顺访印尼。

10月22～28日，应印尼农业部邀请，农业部副部长齐景发赴印尼考察两国渔业合作谅解备忘录落实情况。

10月28日至11月2日，应济南市邀请，印尼南苏拉威西省副省长福莱迪·苏瓦郎访问山东。

11月7～11日，应印尼工商会邀请，中国国际贸易促进委员会会长俞晓松赴印尼出席中国—东盟商务理事会成立大会。

12月1～7日，交通部副部长胡希捷率团访问印尼，落实朱镕基总理访问印尼有关成果。

12月21～25日，辽宁省大连市市长李永金访问印尼。

据中国海关总署统计，2001年，中印尼两国贸易额为67.2亿美元，同比下降9.9%。其中中方出口额为28.36亿美元，下降7.4%，进口额为38.88亿美元，下降11.7%。

三、文化交流及其他往来

2月13～16日，应印尼农业部邀请，国务院扶贫开发领导小组常务副组长、农业部副部长刘成果访问印尼。

3月3～12日，中国海外交流协会副会长刘泽彭访问印尼。

4月8～11日，印尼妇女作用部长兼国家计划生育委员会主任科菲法·茵达·巴拉万萨率计划生育代表团访华。

4月8～19日，应印尼记协邀请，中华全国新闻工作者协会主席邵华泽访问印尼。

5月16～18日，应全国妇联邀请，印尼妇女作用部长兼国家计划生育委员会主任科菲法·茵达·巴拉万萨来京出席"东亚太平洋儿童问题部长级磋商"并顺访。

5月17～18日，印尼国民教育部长穆海敏来京出席 APEC 人力资源能力建设高级别会议并顺访。

6月3～13日，应中国人民对外友好协会邀请，印尼—中国友好协会副主席乌玛尔访华。

6月12～17日，中国佛教协会副会长刀述仁赴印尼出席"亚洲宗教和平"执行委员会会议。

6月18日，中国佛教协会副会长净慧法师赴印尼弘法。

8月30日至9月3日，福建省副省长潘心城访问印尼，与印尼中爪哇省签署建立友好省份的意向书。

9月9～15日，吉林省副省长魏敏学赴印尼出席第二届东亚旅游观光论坛。

9月12～17日，印尼北苏门答腊省棉兰市副市长莫拉那·波汗访华，与四川省成都市签署建立友好城市意向书。

10月31日至11月4日，印尼北苏门答腊省省长李察努汀访问广东，双方签署关于建立友好省份的备忘录。

11月2～11日，应中国人民对外友好协会邀请，印尼省政府协会副主席、南苏门答腊省省长阿斯亚德率印尼省长代表团访华。

11月10～16日，应中国—印尼经济社会文化合作协会会长王光英邀请，印尼—中国经济社会文化合作协会总主席苏坎达尼率团访问青岛和北京。

11月12～15日，应印尼—中国经济社会文化友好协会邀请，全国政协副主席陈锦华访问印尼。

2001年，印尼在华留学生1697人。

四、军事往来

9月10～14日，印尼国民军参谋指挥学校副校长赛赫里尔率团来华参观访问。

第 17 节　中国同巴基斯坦的关系

2001 年是中华人民共和国同巴基斯坦伊斯兰共和国建交 50 周年，两国友好往来和互利合作继续加强，面向 21 世纪的全面合作伙伴关系进一步巩固和发展。

一、政治关系与重要往来

5 月 11~14 日，应巴首席执行官穆沙拉夫的邀请，朱镕基总理对巴进行正式访问。访问期间，朱总理与穆沙拉夫举行了会谈，并出席了两国经济技术合作协定、旅游合作协定等七个合作文件的签字仪式。朱总理还会见了巴总统塔拉尔，与巴工商界人士举行了午餐会。访问拉合尔期间，朱总理会见了旁遮普省督萨夫达尔并出席了市民招待会。此外，唐家璇外长、外经贸部部长石广生分别与巴外长萨塔尔、工商部长达乌德举行了对口会谈。

12 月 20~24 日，应江泽民主席的邀请，穆沙拉夫总统对华进行国事访问。江泽民主席与穆举行会谈，李鹏委员长、朱镕基总理和胡锦涛副主席等分别会见。访问期间，两国签署了《中巴经济技术合作协定》等七个经贸合作文件。

1 月 27 日，朱镕基总理致电巴基斯坦首席执行官穆沙拉夫，就巴南部部分地区遭受震灾向灾区人民表示慰问。中国红十字会为此向巴基斯坦红新月会提供 5 万美元现款紧急赈灾援助。

3 月 19~23 日，应公安部部长贾春旺邀请，巴内政部长海德尔访华，国务委员罗干会见。双方签署了《中国公安部与巴基斯坦内政部合作备忘录》。

4 月 16~18 日，应唐家璇外长邀请，巴基斯坦外长萨塔尔访华。朱镕基总理会见。

5 月 18 日，巴外长萨塔尔致函唐家璇外长，感谢中方支持巴竞选联合国人权会成员。

6 月 6~10 日，应巴外长萨塔尔邀请，中联部部长戴秉国率团访巴。巴总统塔拉尔、首席执行官穆沙拉夫分别予以会见。

6 月 14~17 日，最高人民法院院长肖扬应巴基斯坦首席大法官艾尔沙德邀请访巴。巴总统塔拉尔、首席执行官穆沙拉夫分别会见。

6 月 21 日，江泽民主席致电穆沙拉夫首席执行官，对其出任巴总统表示祝贺。

6 月 28 日，巴总统兼首席执行官穆沙拉夫就福建省遭受台风灾害致电江泽民主席表示慰问。

9 月 3~10 日，应最高人民法院院长肖扬邀请，巴最高法院首席大法官艾尔沙德·哈桑·汗率代表团访华。李鹏委员长会见。肖扬院长与艾举行会谈，双方签署了谅解与合作备忘录。

9 月 30 日，江泽民主席和唐家璇外长分别与穆沙拉夫总统和萨塔尔外长就阿富汗形势通电话，江主席宣布向在巴的阿富汗难民提供 1000 万元人民币的紧急人道主义物资援助。

11 月 12 日，唐家璇外长在纽约分别会见出席第 57 届联大会议的穆沙拉夫总统和萨塔尔外长。

11 月 16 日，江泽民主席应约与穆沙拉夫总统通电话，就阿富汗问题交换了意见。

11 月 26~27 日，应巴外秘哈克的邀请，外交部副部长王毅赴巴参加中巴年度外交磋商。访问期间，拜会了穆沙拉夫总统、萨塔尔外长，就中巴双边关系、阿富汗问题等交换了意见。

12 月 31 日，唐家璇外长就当前印巴局势与巴外长萨塔尔通电话。

二、经济合作与经贸关系

3 月 26 日至 4 月 4 日，国防科工委主任刘积斌率中国政府代表团赴巴出席恰希玛核电站竣工典礼，并转交了朱镕基总理就电站竣工致穆沙拉夫首席执行官的贺信。巴总统塔拉尔、首席执行官穆沙拉夫会见了代表团。

4月3～8日，外经贸部副部长安民率中国政府经贸代表团访巴。

6月8～14日，交通部部长黄镇东访巴，与巴方就两国共同建设瓜达尔港项目进行可行性研究，并转交朱镕基总理就该项目致穆沙拉夫首席执行官的函。巴总统塔拉尔和穆沙拉夫分别予以会见。

6月14～19日，由外经贸部组织的中国企业赴巴采购团访巴，与巴方签署了采购铬矿、聚脂切片、棉短绒等商品的价值约1800万美元的合同。

8月6～13日，巴基斯坦财长肖卡特·阿齐兹和交通部长贾维德·阿什拉夫一行应邀访华。朱镕基总理、唐家璇外长分别会见，外经贸部石广生部长主持会谈，双方签署了瓜达尔港口项目融资方案等3个协议。

11月5日，中国援助巴基斯坦1000万元人民币的紧急物资安全运抵巴城市白沙瓦。

11月20～26日，应外经贸部邀请，巴商业、工业和生产部长拉扎克·达乌德访华。朱镕基总理会见。石广生部长与其举行会谈。

11月26日至12月3日，应经贸部邀请，巴石油能源部长乌斯曼·阿明乌丁访华。30日，阿同中冶集团签署了巴山达克铜金矿项目租赁经营合同。

中国和巴基斯坦经贸关系继续稳步发展。据中国海关总署统计，2001年中巴贸易总额达13.97亿美元，比上年增长20%。其中中国出口额为8.15亿美元，进口额为5.82亿美元，同比分别增长21%和18%。

三、文化交流及其他往来

2月9～15日，应监察部邀请，巴监察专员穆罕默德·巴希尔·杰罕吉里法官率巴监察专员公署代表团访华。

2月26日至3月4日，应巴基斯坦科学基金会邀请，中国国家自然科学委员会代表团访巴。

3 月 3～9 日，共青团中央副书记、全国青联主席胡春华应邀率领全国青联代表团访巴。

4 月 23～29 日，巴基斯坦新闻代表团访华。

5 月 15 日，"21 世纪的中巴关系"研讨会在巴基斯坦举行。穆沙拉夫首席执行官与会，强调巴政府将继续奉行对华友好的政策。

7 月 20～26 日，应国家审计署邀请，巴审计长曼佐尔·侯赛因率团访华。国家审计署审计长李金华会见了代表团一行。

9 月 22～27 日，国家计生委副主任潘贵玉应邀率团访巴。

2001 年，巴基斯坦在华留学人员 344 名。

四、军事往来

2 月 16～23 日，应空军司令员刘顺尧上将邀请，巴空军参谋长穆沙夫上将来华访问，总参谋长傅全有上将会见。

4 月 19～21 日，总参谋长傅全有上将应邀对巴进行正式友好访问。巴总统塔拉尔、首席执行官穆沙拉夫分别会见。傅总长还会见了巴海军参谋长米尔扎上将、空军参谋长穆沙夫上将、陆军参谋局长尤素夫中将。

4 月 23～29 日，巴基斯坦国防学院院长贾维德·哈桑中将率团访华。

7 月 23～30 日，巴基斯坦陆军参谋局局长穆罕默德·尤素夫·汗中将访华。军委副主席迟浩田上将会见。

第 18 节　中国同阿富汗的关系

2001 年 "9·11" 事件后，阿富汗局势发生重大变化。中国积极参与阿富汗问题解决进程，明确提出解决阿富汗问题的五条基本原则：（一）阿富汗的主权独立和领土完整应得到确保；（二）阿富汗问题最终解决应由阿人民自己决定；（三）阿富汗未来政府应该基础广泛、代表各民族利益，奉行和平的对外政策，抛弃极端主义，与世界各国尤其是邻国友好相处；（四）联合国要发挥更大、更积极的作用；（五）阿问题的解决应有利于地区的和平与稳定。中国代表参加了在华盛顿、伊斯兰堡和布鲁塞尔召开的阿富汗问题重建会议。12 月 22 日，阿富汗临时政府成立后，中国与阿临时政府建立了友好关系。

一、政治关系与重要往来

12 月 19 日，中国外交部赴阿富汗工作组抵达喀布尔，出席阿临时政府成立仪式并为中国驻阿使馆复馆做准备。

12 月 22 日，阿富汗临时政府成立，中国政府致电卡尔扎伊主席表示祝贺。外交部代表张敏于当日拜会卡尔扎伊主席，转交了贺电，并向卡表示中国政府决定向阿临时政府提供 3000 万元人民币紧急物资援助。卡对此表示感谢，表示中国是第一个向阿临时政府提供援助的国家，卡对中国长期以来为和平解决阿问题所做出的不懈努力及向阿提供的无私援助表示感谢。

二、贸易关系

据中国海关总署统计，2001 年，中国同阿富汗贸易总额为 1743 万美元，其中中方出口额为 1727 万美元，进口额为 16 万美元。

10 月，中国政府通过联合国难民署驻巴基斯坦办事处向阿富汗境内的难民提供 200 万元人民币的人道主义物资援助，通过巴基斯坦政府向其境内的阿难民提供 200 万元人民币的人道主义物资援助和 100 万元人民币紧急物资援助。11 月，通过联合国难民署驻塔吉克斯坦办事处向阿富汗北部难民提供 100 万元人民币人道主义物资援助。

三、文化交流

2001 年，阿富汗在华留学生 16 人。

第 19 节　中国同尼泊尔的关系

　　2001 年，中华人民共和国同尼泊尔王国之间的睦邻友好合作关系深入发展，两国领导人交往频繁，在政治、经济、文化、军事等领域的合作进一步巩固和加强。

一、政治关系与重要往来

　　2 月 26 日至 3 月 4 日，应江泽民主席邀请，尼国王比兰德拉和王后对中国进行国事访问。2 月 26～28 日，比兰德拉国王作为中国政府特邀嘉宾，在海南省出席了"博鳌亚洲论坛"成立大会开幕式并致辞，江主席与其简短会晤。在京期间，江主席、李鹏委员长、朱镕基总理和胡锦涛副主席分别会见，中央军委副主席、国务委员兼国防部长迟浩田上将拜会了比。会见中，双方一致认为，中尼关系十分友好，不存在任何悬而未决的问题，此次世纪之初访问的任务就是使两国关系在新的世纪中发展得更快更好。两国领导人为中尼关系的未来发展勾画了蓝图，决心将中尼世代友好的睦邻伙伴关系带入新世纪。比一行并赴上海访问。

　　5 月 14～16 日，应尼泊尔首相柯伊拉腊邀请，朱镕基总理对尼进行正式访问。访问期间，朱总理与柯举行会谈，会见了比兰德拉国王、议会下院议长拉纳巴特、上院议长莫哈辛、议会反对党领袖尼共（联合马列）总书记尼帕尔、外交大臣巴斯托拉和工商联主席施瑞斯塔。双方高度评价中尼关系，认为中尼关系建立在和平共处五项原则基础之上，两国历来相互友好、相互理解和相互合作，是大小国家平等相待、和平共处的典范。朱总理感谢尼多年来在台湾、西藏和人权等问题上给予中国的支持。尼感谢中国慷慨援助和对尼保持国家独立和民族尊严立场的理解，重申将不允许在尼领土上进行反华活动。双方表示了开展经贸互利合作的愿望，签署了《中尼经济技术合作协定》、《中尼关于对所得避免双重征税和防止

偷漏税协定》、《中尼农业合作谅解备忘录》及 3 个合作项目换文等
6 个文件。

1 月 17～21 日，中联部副部长蔡武访尼，参加了尼大会党第
10 届党代会，会见了尼共（联合马列）总书记和民族民主党主席。

2 月 4～7 日，外交部部长助理王毅赴尼，两国举行了第三轮
外交部磋商。尼首相柯伊拉腊和外交大臣巴斯托拉分别会见了王
一行。

6 月 3 日，江泽民主席发表讲话，对比兰德拉国王和王后不幸
逝世表示深切哀悼。江主席高度评价了比兰德拉国王为维护尼国家
独立、促进尼社会发展以及为发展中尼睦邻友好合作关系做出的卓
越贡献。

6 月 3 日，朱镕基总理向尼首相柯伊拉腊致唁电，对比兰德拉
国王和王后不幸逝世表示深切哀悼。

6 月 4 日，朱镕基总理前往尼驻华使馆，吊唁比兰德拉国王和
王后不幸逝世，表示，中国人民永远不会忘记比兰德拉国王为中尼
睦邻友好合作关系做出的重要贡献。

6 月 6 日，江泽民主席向尼国王贾南德拉致贺电，祝贺他登基
加冕。

7 月 23 日，朱镕基总理向尼首相德乌帕致贺电，祝贺他就任。

8 月 31 日，中国新任驻尼泊尔大使吴从勇向尼国王贾南德拉
递交国书。

9 月 11～18 日，应中联部邀请，尼泊尔共产党（联合马列）
中央常委尼帕尔访华。

9 月 22～29 日，应中联部邀请，尼民族民主党总书记拉纳
访华。

10 月 9～16 日，应外交部领事司邀请，尼内政部秘书雷格米
访华。

10 月 10～14 日，尼外秘塔帕来华，两国外交部举行第四轮磋
商，唐家璇外长会见了塔一行。

11 月 2～6 日，全国人大民族委员会副主任委员江村罗布率团

访尼。

11 月 29 日，中国外交部发言人就尼反政府势力暴力活动升级发表谈话，表示中国政府坚决支持尼国王和政府为恢复尼国内和平和稳定所做出的努力。

12 月 9 日，唐家璇外长与尼首相兼外交大臣德乌帕通电话，重申中国政府支持尼为恢复国内和平与稳定所采取的行动。

二、经济技术合作与贸易关系

11 月 17～23 日，应信息产业部邀请，尼新闻通讯大臣古普塔访华。

11 月 29 日至 12 月 12 日，中国全国工商联副主席张绪武率企业家代表团赴尼，参加第五次中尼民间合作论坛会议。

据中国海关总署统计，2001 年，中国同尼泊尔贸易总额为 1.53 亿美元，其中中方出口额为 1.49 亿美元，进口额为 0.04 亿美元。

三、文化交流及其他往来

4 月 11～18 日，应中国国家旅游局邀请，尼文化、旅游和民航大臣施瑞斯塔访华，双方签署了《中尼旅游合作谅解备忘录》。

11 月 10 日，尼总检察长赴中国广州参加亚太地区总检察长会议并访华。

11 月 25 日，国家旅游局局长何光晔访尼，双方签署了《中国公民赴尼泊尔旅游具体组织和实施方案》。

中国向尼提供政府奖学金名额为 100 人／年。2001 年，尼在华留学生共 752 人。

四、军事往来

2 月 21～24 日，中央军委副主席、国务委员兼国防部长迟浩田上将访尼。这是两国建交以来中国国防部长首次访尼。迟分别会见了尼国王比兰德拉、首相柯伊拉腊和外交大臣巴斯托拉，与国防秘书阿查里雅举行了会谈。

8月22~30日，应总参谋部邀请，尼皇家军队军械部长符东少将率团访华，总参谋长傅全有上将会见。

10月30日至11月7日，尼国防秘书阿查里雅访华，中央军委副主席、国务委员兼国防部长迟浩田上将、中国人民解放军副总参谋长熊光楷上将分别予以会见。

第20节　中国同不丹的关系

中华人民共和国同不丹王国迄未建交，但两国一直保持着友好关系。2001年，中国同不丹关系平稳发展。

一、政治关系与重要往来

4月1~11日，应中国文化部邀请，不丹王国宗教领袖央腾加增大师（不丹宗教界第二号人物）率不丹文化代表团访华。国务院副总理李岚清、全国人大常委会副委员长许嘉璐、文化部部长孙家正、国家宗教局局长叶小文等分别会见了代表团一行。

7月18~25日，应中国外交部王毅副部长邀请，不丹外秘乌金·泽林率不丹官方代表团访华。外交部长唐家璇、副部长王毅分别会见了代表团一行。

10月28~31日，应中国国家审计署李金华审计长邀请，不丹审计署审计长昆藏·旺堆率团访华。

11月29日至12月1日，中国不丹边界第15轮会谈在不丹首都廷布举行。中方代表团团长为外交部副部长王毅，不方代表团团长为外交大臣吉格梅·廷里。不丹国王吉格梅·辛格·旺楚克和大臣委员会主席坎杜·旺楚克分别会见了王毅副部长。

二、经贸关系

据中国海关总署统计，2001年，中国对不丹进出口贸易总额为 160 万美元。

第 21 节　中国同孟加拉国的关系

2001 年，中华人民共和国同孟加拉人民共和国的友好合作关系稳步发展。

一、政治关系与重要往来

2 月 18~24 日，孟加拉国人民联盟总书记、地方政府、乡村发展与合作部部长齐鲁尔·拉赫曼率人盟代表团访华。中共中央政治局常委、全国政协主席李瑞环会见，中联部部长戴秉国与拉举行了会谈。

2 月 26 日，孟加拉国议员、前国务部长阿布·侯赛因·乔杜里应邀来华出席博鳌亚洲论坛成立大会，并参加了江泽民主席的集体会见。

3 月 8~14 日，应中国共产党邀请，孟加拉国民族主义党主席、议会反对党领袖、前总理卡莉达·齐亚率孟民族主义党代表团访华。江泽民总书记会见，中联部部长戴秉国与卡举行了会谈。

6 月 28 日，哈西娜总理以孟政府名义致电朱镕基总理，祝贺中国共产党成立 80 周年。孟民族主义党、民族党、孟共（马列）等主要政党领导人也分别致电江泽民主席，祝贺中国共产党成立 80 周年。

7 月 10 日，孟议长乔杜里逝世。李鹏委员长发唁电表示慰问，布赫副委员长前往孟驻华使馆吊唁。

7 月 1~5 日，孟外秘阿里应邀来华参加中孟外交磋商，唐家璇外长会见，王毅副外长与其举行了会谈。

7 月 5 日，即将卸任的孟总理哈西娜致信朱镕基总理，对中国政府在她任总理期间给予孟政府的支持和帮助表示感谢。

10 月 11 日，朱镕基总理致电孟民族主义党主席卡莉达·齐亚，祝贺她当选孟新总理。

10月12日，唐家璇外长向孟新任外长巴德鲁杜扎·乔杜里致电表示祝贺。

10月30日，李鹏委员长致电贾米尔·乌丁·西尔卡，祝贺他当选孟新议长。

11月14日，孟议会选举现任外长巴德鲁杜扎·乔杜里为孟第13任总统，江泽民主席致电表示祝贺。

11月21日，唐家璇外长向孟新任外长莫西德·汗致电表示祝贺。

二、经济技术合作与贸易关系

5月1日，由中国政府提供贴息优惠货款、总投资5000多万美元、中国成套设备进出口（集团）总公司承建的孟加拉国磷酸二铵肥厂项目举行隆重奠基仪式，孟总理哈西娜出席并对工程予以高度评价。

据中国海关总署统计，2001年中孟贸易总额约为9.72亿美元，同比增长5.9%，其中中方出口额约9.55亿美元，同比增长6.2%，进口额约0.17亿美元，同比下降11%。

三、文化交流及其他往来

4月2~6日，中国新闻记者代表团访孟，期间代表团拜会了哈西娜总理。

9月19~25日，孟主计审计长赛义德·约瑟夫·侯赛因应邀访华，期间与国家审计署副审计长刘家义举行了工作会谈，并与审计长李金华签署了《中华人民共和国审计署与孟加拉国主计审计长公署谅解备忘录》。

四、军事往来

7月8~14日，孟陆军参谋局长阿明少将一行应邀访华，中央军委副主席、国防部长迟浩田上将会见，副总参谋长张黎中将会见并宴请了阿明一行。

12 月 22～25 日，副总参谋长张黎中将应邀对孟进行正式友好访问，期间拜会了孟总理卡莉达·齐亚和孟三军参谋长。

第 22 节　中国同印度的关系

2001 年，中华人民共和国同印度共和国的关系进一步改善和发展。

一、政治关系与重要往来

1 月 9～17 日，应印度共和国副总统兼联邦院议长克里尚·坎特和人民院议长巴拉约吉的邀请，全国人大常委会委员长李鹏对印度进行正式友好访问，先后访问了孟买、德里、阿格拉、班加罗尔、海德拉巴等地。访问期间，李鹏委员长分别会见了印总统纳拉亚南、总理瓦杰帕伊、副总统兼联邦院议长坎特、人民院议长巴拉约吉、联邦院副议长赫卜杜拉、反对党领袖、国大党主席索尼亚·甘地夫人等。双方就双边关系及国际、地区等共同关心的问题深入交换了意见，同意成立议会中印友好小组。李鹏委员长在印度国际中心发表了题为"增进了解、发展友谊、加强合作"的演讲。

1 月 26 日，印古吉拉特邦发生强烈地震，江泽民主席、李鹏委员长和朱镕基总理分别致电印总统、两院议长和总理，表示诚挚慰问，向遇难者表示沉痛哀悼。

1 月 28 日，中国驻印度大使华君铎紧急约见印外秘曼·辛格，表示中国政府向印度提供价值 500 万元人民币的紧急救灾物资，以帮助印地震灾区人民。曼对此表示感谢。中国红十字会向印度红十字会发出慰问电并提供 5 万美元现款援助。中国驻印使馆、中国人民对外友协及中国联合国协会亦分别向印地震灾区提供了捐款。

2 月 8 日，外交部部长助理王毅率团赴印参加第二轮中印安全对话,同印外交部辅秘朗加查利举行了会谈,并拜会了印外秘曼·辛格。

5月12~18日,应印外长贾·辛格邀请,中共中央政治局委员、广东省委书记李长春率中共代表团访印,先后访问了孟买、海德拉巴、德里等地,分别会见了印总统纳拉亚南、外长辛格、信息产业部长马哈詹、印度人民党主席克里斯纳穆迪、印共(马)总书记苏吉特、印共总书记巴尔丹等,就共同关心的国际、地区及双边关系问题广泛交换了意见。

7月1~7日,应全国人大常委会委员长李鹏的邀请,各国议会联盟主席、印联邦院副议长赫卜杜拉女士率议员、工商界人士组成的友好代表团访华,访问了北京、乌鲁木齐、上海、深圳等地。李鹏委员长、朱镕基总理等分别会见了赫一行。

8月22~23日,印度人力资源部长乔希赴京参加"九大国人口会议",江泽民主席集体会见了各国与会代表。

8月26~31日,印共(马)政治局委员维贾因率团访华,全国政协副主席李贵鲜、中联部部长戴秉国分别会见。

9月17~18日,中印名人论坛首次会议在新德里举行,两国总理分别致贺信。论坛会议由中方主席刘述卿和印方主席巴蒂亚共同主持。

9月23~28日,应印最高法院邀请,最高人民法院副院长刘家坤率团访印。

10月9日,印度外长辛格与唐家璇外长通电话,双方就中印双边关系及当前国际、地区形势等问题交换了看法,表示将就反恐问题加强沟通与合作。

10月25~31日,应中联部邀请,印度人民党全国执委、前拉贾斯坦邦首席部长谢哈瓦特率印人党代表团访华。全国人大常委会副委员长蒋正华、中联部部长戴秉国分别会见并宴请。

11月2日,中印两国外交部官员在北京就当前南亚地区形势及反恐问题举行磋商。

11月12日,唐家璇外长在纽约联合国总部会见了印度外长辛格，双方就双边关系及阿富汗问题等交换了意见。

12 月 17 日，中印边界问题专家小组第 10 次会议在北京举行。

12 月 18 日，中印第二轮外交部官员磋商在德里举行，中方团长为外交部亚洲司长傅莹，印方团长为印度外交部东亚司司长苏瑞。

二、经济合作与贸易关系

2 月 6～12 日，应印乡村发展部邀请，农业部中国扶贫代表团赴印考察印扶贫情况。

4 月 5～14 日，应中国科技部邀请，印科技部秘书拉玛穆蒂率团访华。

4 月 8～14 日，应印度出口组织协会邀请，河北省副省长何少存率团访印。

5 月 14～19 日，应印度信息部邀请，浙江省副省长叶荣宝率团访印。

9 月 1～4 日，应印工会中心邀请，全国总工会副主席、书记处书记徐锡澄访印，印劳动国务部长会见。

9 月 17～24 日，应国家电力公司邀请，印电力部长普拉布率团访华。

11 月 8～14 日，应印度塔塔公司邀请，上海市副市长周宇鹏率团赴印考察印度市场及软件产业的发展情况。

11 月 13～17 日，应印度计划委员会的邀请，国家计委副主任刘江率团访印。

11 月 18～22 日，对外经济贸易合作部副部长张祥率团赴印考察印技术贸易情况。

据中国海关总署统计，2001 年，中国同印度贸易总额为 35.96 亿美元，比 2000 年增长 23%，其中中方出口额为 18.96 亿美元，进口额为 17 亿美元。

三、文化交流及其他往来

11 月 8~14 日，应印度文化部邀请，文化部副部长潘震宙率团访印。

11 月 27 日至 12 月 4 日，应全印研究中心的邀请，中国国际交流协会副会长、全国人大常委会委员、全国人大财经委员会副主任委员厉以宁教授访印。

2001 年，印度在华留学人员 45 人。

四、军事往来

4 月 1~7 日，应中国人民解放军总参谋部邀请，印东部军区司令卡尔卡特中将一行 7 人访华，总参谋长傅全有上将、副总参谋长熊光楷上将、成都军区司令员廖锡龙上将、云南省军区政委陶昌廉少将分别会见了卡一行。

5 月 20~27 日，印空军参谋长蒂普利斯上将访华，中央军委副主席、国防部长迟浩田上将、总参谋长傅全有上将、空军司令员刘顺尧上将分别会见。

5 月 22~26 日，应印国防学院邀请，国防大学副校长张兴业率国防大学代表团访印。

5 月 27~30 日，北海舰队副司令员张岩少将率人民解放军海军舰艇编队访问孟买。

12 月 16~22 日，中国人民解放军副总参谋长张黎中将率团访印，分别会见了印国防部长费尔南德斯、陆军参谋长、海军参谋长、空军参谋长及陆军第一副参谋长。

第 23 节　中国同斯里兰卡的关系

2001 年，中华人民共和国同斯里兰卡民主社会主义共和国的传统友好关系进一步发展。

一、政治关系与重要往来

5 月 17～19 日，应斯里兰卡总统库马拉通加的邀请，中国国务院总理朱镕基对斯里兰卡进行了正式访问。朱总理与库马拉通加总统举行了会谈。朱总理指出，中斯友谊源远流长，在两国领导人的关怀下，中斯关系不断发展。中国政府十分珍视与斯里兰卡的友好合作关系，不管国际风云如何变化，中国人民永远是斯里兰卡的好朋友。库马拉通加总统感谢中国政府 50 年来给予斯政府和人民的援助，表示，只要中国需要，斯都会坚定地站在中国一边。斯也愿意向中国学习改革和经济建设的经验。朱镕基总理和库马拉通加总统出席了中方向斯提供 5000 万元人民币援助的两国政府中斯经济技术合作协定的签字仪式。朱总理还会见了斯议长阿努拉和反对党领袖维克勒马辛哈等，并出席了西丽马沃·班达拉奈克国际展览中心的奠基仪式。

2 月 9～11 日，外交部部长助理王毅访问斯里兰卡，与斯外交部常秘维贾亚西里进行中斯外交部第三轮磋商，并拜会了斯外长卡迪加马和总理维克拉马纳亚克。

3 月 2～7 日，中纪委委员李成仁率中共代表团出席斯自由党第 13 届年会。

10 月 15～21 日，国家环保总局副局长汪纪戎率团参加在科伦坡举行的“《关于消耗臭氧层物质的蒙特利尔议定书》缔约方大会第十三次会议”。

11 月 12～14 日，斯里兰卡总检察长凯马拉萨贝出席在广州举行的“欧亚国家总检察长会议”。

12 月 9 日，朱镕基总理致电拉尼尔·维克勒马辛哈，祝贺他当选斯里兰卡新一届总理。

12 月 13 日，唐家璇外长致电蒂龙·费尔南多，祝贺他出任斯里兰卡新任外长。

12 月 16～21 日，斯西方省首席部长雷吉纳德·库雷访问中国河北省和北京市。河北省省长钮茂生会见了库雷一行。

12月21日，全国人大常委会委员长李鹏致电约瑟夫·迈克尔·佩雷拉，祝贺他当选斯里兰卡新任议长。

二、经济合作与贸易往来

6月19～22日，中国政府采购团访斯，与斯内外商贸部官员进行会谈并会见了斯有关商会负责人和橡胶供应商。双方签署了中方购买斯方橡胶的意向书。

8月4日，由斯里兰卡政府出资，中国港湾工程公司承建的高尔码头工程举行竣工典礼。

据中国海关总署统计，2001年，中国同斯里兰卡贸易总额为4亿美元，其中中方出口额为3.9亿美元，进口额为0.1亿美元。

三、文化往来及其他往来

4月16～22日，应斯里兰卡政府邀请，中国佛教协会副会长刀述仁率中国佛教代表团访斯。这是中国佛教代表团首次访斯。

5月7～17日，中国云南杂技团赴斯里兰卡访问演出。

6月11～18日，斯里兰卡文化部长高帕瓦拉率斯政府文化代表团访华。

7月30日至8月5日，应斯里兰卡佛牙寺邀请，中国佛教协会副会长释新成率团赴斯参加佛牙节活动。

11月5～8日，文化部副部长潘震宙率团访斯。

11月8日，斯里兰卡旅游局长阿尔维斯来华参加在昆明举行的中国国际旅游交易会。

2001年，斯里兰卡在华留学生117人。

第24节　中国同马尔代夫的关系

2001年，中华人民共和国同马尔代夫共和国友好合作关系继续发展。

一、政治关系与重要往来

5 月 16～17 日，应马尔代夫总统加尧姆的邀请，中国国务院总理朱镕基对马尔代夫进行正式访问 。这是中国总理首次对马进行访问。访问期间，朱镕基总理与马尔代夫总统加尧姆举行了会谈。朱总理表示，中马建交以来，两国政治关系不断巩固，经济合作拓展，在国际和地区事务中进行了积极合作。今后不管地区和国际风云如何变幻，中国对马友好政策不会改变。加尧姆总统表示对双边关系发展感到满意。马重视发展对华关系，坚持一个中国政策。马政府和人民感谢中国对马给予的帮助，希望马中友好和互利合作关系在新世纪进一步发展。朱镕基总理和加尧姆出席了两国政府经济技术合作协定的签字仪式，并共同为中国援建马尔代夫的第四期住房项目奠基。朱镕基总理还分别会见了议长哈米德和外长贾米尔。

8 月 16～20 日，应全国人大常委会委员长李鹏邀请，马尔代夫议长阿卜杜勒·哈米德率马国民议会代表团对中国进行正式友好访问。李鹏委员长和全国政协主席李瑞环分别会见了哈米德一行。

1 月 11～12 日，外交部部长助理王毅赴马尔代夫，与马尔代夫外长贾米尔进行了中马外交部首次磋商。访问期间，王毅部长助理还拜会了马尔代夫总统加尧姆、计划和国家发展部长扎基、建设和公共工程部长扎希尔和旅游部长索比尔。

6 月 20～24 日，应唐家璇外长邀请，马尔代夫外长贾米尔对中国进行访问。访问期间，贾米尔外长拜会了胡锦涛副主席，与唐家璇外长举行了会谈，并会见了外经贸部、国家旅游局和国家进出口银行的领导。

二、经贸关系

据中国海关总署统计，2001 年，中国同马尔代夫贸易总额为220 万美元，其中中方出口额为 210 万美元，进口额为 10 万美元。

三、文化交流

2001 年，马尔代夫在华留学生 1 人。

四、军事往来

4 月 14~18 日，应马尔代夫国防与国家安全国务部长萨塔尔少将邀请，中国人民解放军总参谋长傅全有上将对马尔代夫进行访问。访问期间，傅全有总参谋长会见了马尔代夫总统加尧姆、国家安全卫队总参谋长扎希尔准将等，参观了马尔代夫军事设施。

11 月 10~15 日，应中国人民解放军总参谋长傅全有上将的邀请，马尔代夫国家安全卫队总参谋长穆罕默德·扎希尔准将率团访华。中央军委副主席、国务委员兼国防部长迟浩田上将和中央军委委员、总参谋长傅全有上将会见了扎一行。

第 25 节　中国同锡金的关系

中国政府不承认印度对锡金的非法吞并。

第四章

中国同西亚北非国家的关系

第 1 节　西亚北非地区形势

2001 年，西亚地区很不平静。以色列与巴勒斯坦关系恶化，中东和平进程面临严峻考验，围绕伊拉克问题的较量时有起伏，美国的反恐战争对地区国家造成冲击，也给地区政治、经济、安全形势注入新的复杂因素，形势发展的不确定性比较突出。北非地区形势相对稳定。

一、以巴冲突频仍且不断升级，严重危及地区安全。以巴由打打谈谈发展到几乎只打不谈，出现"以暴制暴"的恶性循环，恶化了各自的政治、安全和经济环境，导致各自内部反和势力上升。"9·11"事件后，以政府加强了对巴的封锁和军事打击，造成以同阿拉伯国家关系紧张和地区局势动荡。阿拉伯国家联盟和伊斯兰会议组织多次举行紧急外长会议，强烈谴责以色列对巴人民的暴行。以虽然于 2000 年 5 月单方面从黎巴嫩南部撤军，但以叙（利亚）、以黎谈判仍深陷僵局。美新政府对中东问题采取实用主义的政策，阿拉伯国家对此强烈不满，中东和平进程陷入近年来最困难时期。

二、"9·11"事件对地区国家影响深远。美构筑国际反恐联盟，以反恐划线，对西亚北非国家施加影响。地区有关国家为避免涉嫌支持恐怖主义和安抚国内民众的反美情绪，举措谨慎。以巴、阿美、阿拉伯国家之间的矛盾均有不同程度的发展和变化，使地区的不稳定因素增加。"9·11"事件对地区经济也造成严重冲击，产油国经济因油价下跌滑坡，估计海湾国家石油收入下降达两成。地区的旅游、金融、交通运输以及对外贸易等受重创，地区国家在吸引投资方面已受到影响。经济困难将制约地区国家经济改革进程和相互合作。据联合国有关机构分析，地区经济增长率下降 0.7 个百分点，由原来预测的 2.6% 降为 1.9%。

三、伊拉克与美矛盾激化，威胁着海湾地区的稳定。布什政府强化其"遏伊倒萨"政策，与英国联手对伊实施军事打击，随后又提出"精明制裁"方案，遭到伊的坚决反对，伊一度停止出口石油。"9·11"事件后，美欲将伊作为打恐目标，搜集伊涉恐证据，对伊不断增压。国际舆论特别是阿拉伯世界强烈反对美把反恐战争扩大到伊拉克。

四、地区国家谋稳定、求团结、促发展的趋势进一步加强。面对以巴冲突不断升级和"9·11"事件对地区国家造成冲击的新形势，地区国家一方面寻求世界大国的支持与合作，另一方面加强了相互间磋商与协调，联合自强趋势有所发展，阿拉伯国家实现首脑会议机制化。伊拉克与多数阿拉伯国家关系有所改善，赢得了越来越多的同情。伊朗与阿拉伯国家关系逐渐升温。阿拉伯国家双边及次区域经济合作得到加强，双边和多边自由贸易区建设初见成效。海湾合作委员会决定将统一关税时间由 2005 年提前至 2003 年，并力求在 2010 年实现六国货币统一。

第 2 节　中国同西亚北非地区国家关系综述

2001 年，中国与西亚北非地区国家在政治、经济、军事、文化等各领域的友好合作关系进一步发展。

中国与该地区各国继续保持高层互访势头。李鹏委员长 11 月访问阿尔及利亚和突尼斯，李瑞环主席 4 月访问摩洛哥和土耳其，胡锦涛副主席 1 月访问伊朗、叙利亚、约旦和塞浦路斯；巴勒斯坦总统阿拉法特，叙利亚、苏丹副总统和卡塔尔首相先后访华。年底，唐家璇外长分赴黎巴嫩、叙利亚、约旦、埃及四个阿拉伯国家进行政治磋商，与各方扩大了共识。中国与地区有关国家在经贸、能源、科技、文化等领域签署了一系列新的合作协议和议定书。

中国在地区热点问题上立场公正，作用独特。2001 年，以色列对巴勒斯坦不断采取军事行动，美国威胁再次对伊拉克进行军事打击，中国适时表明了原则立场，得到阿拉伯国家的赞赏。在洛克比问题上，中方在联合国等各种场合为解除对利制裁做了大量工作。2001 年联合国人权会上，阿拉伯国家为再次挫败美反华提案发挥了重要作用。地区国家还对中国申奥给予了有力支持。"9·11"事件发生后，中国及时阐明了反对将恐怖主义与特定民族及宗教挂钩的明确立场，受到伊斯兰和阿拉伯国家的好评。国家主席江泽民与埃及总统穆巴拉克，外长唐家璇同以、巴、阿盟及伊斯兰会议组织领导人通话，就重大问题进行磋商与协调。

中国积极推动与该地区国家关系全方位发展。对阿盟和阿拉伯国家提出关于成立中阿论坛的友好倡议，中方本着认真务实的态度予以积极回应。5 月，中方举办了首届"阿拉伯青年外交官讲习班"，取得了良好效果。9 月，又在厦门成功举办了"中阿双向投资研讨会"，加强了中阿企业家的交流，推动了双方在经贸方面的进一步合作。12 月，中阿友协在京成立，中阿友好合作关系跨上新台阶。

中国同该地区国家在经贸、军事、文化等领域的合作进一步深化。经贸方面，2001 年，中国与地区国家的进出口总额达到 203.08 亿美元，同比增长 1.3%。同伊朗签订了能源合作及地铁建设合同和意向书；与卡塔尔、阿曼新签或续签了购油合同，增加了直接购油量；同卡、塞（浦路斯）分别签署了避免双重征税和投资保护协议；同叙、约签署了经济技术合作协定；宣布埃及和土耳其为中国公民旅游目的地。军事方面，空军司令员刘顺尧上将、副总参谋长钱树根上将先后访问土耳其，总装备部政委李继耐上将访问埃及、叙利亚，土耳其军队总参谋长科夫勒克奥卢上将、叙利亚副总参谋长哈桑中将、黎巴嫩参谋长阿布·沙克拉上将、苏丹武装部队副总参谋长苏来曼等访华。文化方面，中国同卡塔尔签署了《中华人民共和国中华全国青年联合会与卡塔尔国青年总局合作协定》，中国国际交流协会顾问蒋正华率交协代表团访问了伊朗，《人民日报》社总编许中田访问埃及。科威特新闻大臣艾哈迈德亲王、伊拉克高教科研部长胡马姆、阿拉伯联合酋长国新闻文化部长阿卜杜拉、也门文化部长鲁哈尼等访问中国。"中国百件珍宝展"在以色列展出。

第 3 节 中国同伊朗的关系

2001 年是中华人民共和国与伊朗伊斯兰共和国建交 30 周年，两国在政治、经济、文化等方面的友好合作关系继续发展。

一、政治关系与重要往来

1 月 5～10 日，应伊朗第一副总统哈比比邀请，胡锦涛副主席对伊朗进行正式访问。期间，会见了总统哈塔米、确定国家利益委员会主席拉夫桑贾尼、副总统哈什米及外长哈拉齐，并与第一副总统哈比比举行了会谈。胡锦涛副主席积极评价中伊关系，并希望双方共同努力，加强两国在政治、经贸、文化等领域的友好合作关系。双方有关部门签署了《里海周边国家原油转输项目保证合同》、《伊朗喀山区块风险勘探项目勘探服务合同》、《中国珠海振戎公司和伊朗国家石油公司能源领域合作协议》和《伊朗梅沙至哈斯特盖尔德市电气化铁路合作协议书》。

2 月 16～21 日，王光亚副外长率团出席在伊朗举行的"亚洲文明对话会议"和"反对种族主义世界大会亚洲区域筹备会"，哈拉齐外长会见。

2 月 22 日至 3 月 2 日，伊朗伊斯兰议会国家安全和外交政策委员会主席米尔达马迪率团访华，李鹏委员长、中联部部长戴秉国、副总参谋长熊光楷和吉佩定副外长分别会见，全国人大外事委员会主任委员曾建徽与其举行会谈。

7 月 31 日至 8 月 3 日，劳动和社会保障部部长张左已访问伊朗，会见了伊议长卡鲁比、劳动和社会事务部部长卡马里、卫生部长法尔哈迪以及财政与经济事务部长纳马齐。双方签署了《中华人民共和国劳动和社会保障部与伊朗伊斯兰共和国劳动和社会事务部合作谅解备忘录》。

9 月 7～9 日，杨文昌副外长访问伊朗，与伊副外长阿明扎德举行两国外交部间政治磋商，会见了伊外长哈拉齐。

11 月 8 日，伊朗新任驻华大使韦尔迪内贾德向江泽民主席递交国书。

11 月 11 日，唐家璇外长在出席第 56 届联大期间会见了伊外长哈拉齐。

二、经贸关系

2 月 28 日至 3 月 8 日，伊朗能源部部长顾问、伊电站项目管理公司董事长兼总经理瑞方率伊朗能源高级代表团访华，外经贸部石广生部长会见。

8 月 28～30 日，外经贸部副部长周可仁率团访伊，出席德黑兰地铁二期一段通车仪式，会见了德黑兰市长阿勒维利、住房与城镇发展部长阿里扎德。

11 月 28 日，中国驻伊朗大使孙必干通报伊方，中国将向伊赠送 500 万元人民币人道主义物资援助，用于救济在伊的阿富汗难民。

据中国海关总署统计，2001 年，中伊贸易总额为 33.12 亿美元，其中中方出口额为 8.88 亿美元，进口额为 24.23 亿美元。

三、文化交流及其他往来

2 月 19～21 日，全国人大副委员长、中国国际交流协会顾问蒋正华率领交协代表团访问了伊朗，与哈塔米副议长举行了会谈，卡鲁比议长会见了代表团。

3 月 10～11 日，中国贸促会会长俞晓松访问伊朗。

7 月 4～19 日，伊朗德黑兰市议会副议长罗特菲率伊斯兰劳动党考察团访华，中联部副部长马文普、人大常委会外事委员会副主任李淑铮分别会见。

12 月 27～30 日，应北京市市长刘淇的邀请，伊朗德黑兰市长阿勒维利访华。

2001 年，伊朗在华留学生为 57 人。

第 4 节　中国同土耳其的关系

2001 年是中华人民共和国与土耳其共和国建交 30 周年，两国在政治、经济、文化和军事等方面的友好合作关系继续发展。

一、政治关系与重要往来

1 月 6～9 日，应土耳其外长杰姆邀请，唐家璇外长率团访问土耳其，会见了土总统塞泽尔和总理埃杰维特，与杰姆外长进行了会谈。两国外长签署了《中华人民共和国外交部与土耳其共和国外交部关于落实两国元首联合公报的行动计划》。

2 月 19 日，外交部部长助理王毅与来华的土耳其外交部副次长厄尔曼就阿富汗问题举行磋商。

3月18～21日，土耳其外长塞浦路斯问题特使、土外交部副次长阿尔波甘访华。杨文昌副外长与其就塞问题举行了磋商，唐家璇外长会见了阿一行。

4月28日至5月2日，应土耳其大国民议会议长伊兹吉的邀请，全国政协主席李瑞环访问土耳其。李主席同伊兹吉议长举行会谈，会见了塞泽尔总统和埃杰维特总理。

6月8～11日，最高人民检察院检察长韩杼滨率团访问土耳其。土司法部长图克、宪法法院院长布明、总检察长卡纳特奥卢分别会见。

9月4～6日，杨文昌副外长访问土耳其，与土副次长齐亚举行两国外交部政治磋商，会见了土外长杰姆。

12月12～18日，国家旅游局局长何光暐率团访问土耳其，与土旅游部长塔萨尔签署了《中华人民共和国国家旅游局和土耳其共和国旅游部关于中国公民组团赴土耳其旅游实施方案的谅解备忘录》。

二、经贸关系

8月24～26日，外经贸部副部长周可仁率团访问土耳其，出席在土伊兹密尔举行的第70届伊兹密尔博览会开幕式，会见了土国务部长查伊和工贸部长唐热库鲁。

据中国海关总署统计，2001 年，中土贸易总额为 9.05 亿美元，其中中方出口额为 6.74 亿美元，进口额为 2.31 亿美元。

三、文化交流及其他往来

2月21～23日，中联部副部长马文普率中联部代表团访问土耳其。

3月25～31日，卫生部副部长殷大奎访问土耳其。

4月8～13日，土耳其审计法院院长穆特勒来华访问。审计长李金华会见，副审计长刘家义与其举行了工作会谈。双方签署了

《中华人民共和国审计署和土耳其审计法院合作谅解备忘录》。

6月3~10日，土耳其《国民报》记者杰瓦奥卢访华。

6月7~13日，全国人大中国土耳其友好小组主席李伯勇率团访问土耳其。

6月17~19日，广东省省长卢瑞华率团访问土耳其，与伊斯坦布尔省省长签署了广东与伊斯坦布尔建立友好省际关系的协议。

6月20~28日，土耳其民族行动党副主席亚赫尼吉率团访华。国务委员铁木尔·达瓦买提、副外长杨文昌、中联部副部长马文普分别会见。

10月13~19日，中国残联主席邓朴方率团访问土耳其。

2001年，土耳其在华留学生86人。

四、军事往来

3月16~22日，应土耳其空军司令杰拉辛上将邀请，空军司令员刘顺尧上将率团访问土耳其，会见了土军第二总参谋长比于克昂那特上将，与土空军司令杰拉辛上将举行了会谈。

4月8~15日，应海军司令员石云生上将的邀请，土耳其海军司令埃尔迪上将访华，中央军委委员、总参谋长傅全有上将会见，海军参谋长王玉成中将与埃举行了会谈。

5月11~17日，应土耳其武装部队的邀请，副总参谋长钱树根上将率团访问土耳其，会见土军第二总长比于克昂那特上将及国防部次长科沙内尔中将，与土陆军司令厄兹柯克上将举行了会谈。

6月6~10日，应总参谋长傅全有上将的邀请，土耳其军队总参谋长科夫勒克奥卢上将率团访华，江泽民主席、中央军委副主席迟浩田会见。

第5节　中国同塞浦路斯的关系

2001年是中华人民共和国与塞浦路斯共和国建交30周年，两国的友好合作关系继续发展。

一、政治关系与重要往来

1 月 15～17 日，应塞浦路斯共和国总统格·克莱里季斯邀请，胡锦涛副主席率团对塞浦路斯进行正式访问。胡副主席与克莱里季斯总统举行会谈，会见了基普里亚努议长。双方签署了《中塞投资保护协定》、《中兴通讯公司与塞浦路斯电信总局合作协议》和《电信智能网系统交接协议》。

8 月 27 日至 9 月 1 日，塞浦路斯议会外事委员会主席阿纳斯塔西阿迪斯率团访华。全国政协主席李瑞环、中联部部长戴秉国、全国人大外事委员会主任委员曾建徽分别会见，中联部副部长马文普主持会谈。

9 月 16～20 日，应塞浦路斯内政部长克里斯托杜卢的邀请，民政部部长多吉才让访问塞浦路斯，会见了塞总统克莱里季斯、议长赫里斯托菲亚斯以及劳动和社会保障部部长，与塞内政部长会谈并共同签署了《中华人民共和国民政部与塞浦路斯共和国内政部在民防和基层选举管理领域的合作协议》。

10 月 24～29 日，应司法部邀请，塞浦路斯司法和公共秩序部部长科西斯率团访华。全国人大常委会副委员长布赫、司法部部长张福森会见，范方平副部长与科会谈。

11 月 25 日至 12 月 1 日，塞浦路斯外长卡苏利季斯访华，胡锦涛副主席会见，唐家璇外长与其会谈。

二、经贸关系

6 月 24～29 日，应外经贸部石广生部长邀请，塞浦路斯财政部长塔·克莱里季斯率团访华，与石广生部长共同主持召开中塞经贸科技合作联委会第四次会议，司马义·艾买提国务委员会见了克一行。双方签署了中塞经贸科技合作联委会第四次会议议定书。

据中国海关总署统计，2001 年，中塞贸易总额为 1.17 亿美元，其中中方出口额为 1.16 亿美元，进口额为 133 万美元。

三、文化交流及其他往来

9月14～16日，应塞中友协邀请，中国人民对外友好协会会长陈昊苏率团访问塞浦路斯，塞代总统、议长赫里斯托菲亚斯会见。

9月21～28日，应中联部邀请，塞浦路斯劳动人民进步党中央委员耶洛拉齐迪斯率劳进党干部考察团访华，中联部副部长马文普会见。

9月23～26日，上海市人大常委会副主任胡正昌率上海世博会代表团访问塞浦路斯。

12月14～16日，应塞中友协邀请，湖南省政协副主席游碧竹率友协代表团访问塞浦路斯。

12月20～29日，应中国人民对外友好协会邀请，塞中友协会长迪诺斯率塞中友协代表团访华。

2001年，塞在华留学生为4人。

第6节　中国同叙利亚的关系

2001年，中华人民共和国同阿拉伯叙利亚共和国友好合作关系进一步巩固和发展。

一、政治关系与重要往来

1月10～13日，国家副主席胡锦涛对叙利亚进行正式访问。访问期间，胡副主席分别同叙利亚总统巴沙尔、复兴社会党民族领导副总书记艾哈迈尔、副总统兼全国进步阵线副主席莫沙拉克、总理米鲁会见，并同副总统哈达姆举行会谈。胡副主席就发展新世纪中叙两国友好互利合作关系提出了三点框架设想，双方还就中东和平进程、加强发展中国家团结及其他共同关心的国际和地区问题广泛、深入地交换了看法，达成了广泛的共识。双方还签署了两国政府"经济、贸易和技术合作协定"。

4 月 26 日至 5 月 3 日，叙利亚复兴社会党民族领导副总书记艾哈迈尔率团访华，国家副主席胡锦涛、国务院副总理钱其琛、全国政协副主席李贵鲜分别会见，中联部部长戴秉国与其会谈。双方就发展新世纪中叙两国、中国共产党和叙利亚复兴社会党两党友好合作关系，进一步加强两国在各领域的全面合作交换了意见。双方还签订了两党合作议定书。

5 月 13～17 日，应国家副主席胡锦涛的邀请，叙利亚副总统哈达姆对中国进行正式访问，国家主席江泽民、全国人大常委会委员长李鹏、国务院副总理吴邦国分别会见，胡锦涛副主席与其会谈。双方就双边关系、中东和平进程及其他共同关心的国际和地区问题深入交换了看法。双方强调将共同致力于发展新世纪中叙两国长期、稳定的互利合作关系，进一步加强两国在政治、经济等各领域的合作。

1 月 3 日，叙利亚新任驻华大使穆罕默德·海依尔·瓦迪向国家主席江泽民递交国书。

12 月 22～23 日，应叙利亚副总理兼外长沙雷邀请，外交部长唐家璇访问叙利亚，叙利亚总统巴沙尔予以会见，沙雷同唐外长举行了会谈，双方就发展两国友好合作关系、中东局势、反对恐怖主义及其他共同关心的国际和地区问题深入交换了意见。

二、经贸关系

5 月 24～30 日，中国机电商会组织 8 家中国企业参加叙利亚工业营销展，设立了独立的中国公司馆。

据中国海关总署统计，2001 年，中国同叙利亚贸易总额为 2.232 亿美元，其中中方出口额为 2.2318 亿美元，进口额为 1 万美元。

三、文化合作与其他往来

3 月 18～22 日，全国总工会副主席尤仁率工会代表团访问叙利亚。

3月25～27日，国家体育总局副局长于再清率团访问叙利亚。

7月18～29日，中国文联副主席李准率领中国文联代表团访问叙利亚，叙利亚文化部长加努特、新闻部长阿姆朗等分别会见。

10月15～22日，应外交部邀请，由叙利亚新闻部出版审查司司长穆特兹·谢赫率领的叙利亚新闻代表团访华。

2001年，叙利亚在华留学生37名。

四、军事往来

8月11～16日，中国人民解放军总装备部政委李继耐上将率团访问叙利亚，叙利亚副总统哈达姆、总参谋长阿斯兰中将予以会见，同叙利亚军队副总长哈桑中将举行了会谈。

9月12～19日，叙利亚军队副总参谋长哈桑中将率叙利亚军事代表团访华，中国人民解放军总参谋长傅全有上将和总装备部部长曹刚川上将等予以会见。

第7节　中国同伊拉克的关系

2001年，中华人民共和国同伊拉克共和国的友好合作关系保持了正常发展。

一、政治关系与重要往来

2月17日，中国外交部发言人就美国、英国战机空袭伊拉克首都巴格达南部雷达和通讯设施发表谈话，谴责美、英的空袭行动，并对由此造成的无辜平民伤亡深表遗憾，呼吁美、英立即停止在伊的军事行动，为伊与联合国秘书长即将举行的对话创造适宜的气氛。

3月20日，国家主席江泽民接受伊拉克新任驻华大使乌萨迈·巴德尔丁·马哈茂德递交的国书。

4 月 2～6 日，应中国人民对外友好协会邀请，伊拉克"友好和平团结"组织主席阿卜杜·拉扎克·哈希米来华进行友好访问。全国政协副主席钱正英和友协会长陈昊苏、外交部领导成员武东和、中共中央对外联络部副部长张志军分别与其会见、会谈。

7 月 2～7 日，应中共中央对外联络部邀请，伊拉克复兴党对外关系局局长哈沙里率复兴党代表团访华。中共中央政治局委员李铁映、中联部部长戴秉国分别予以会见。

8 月 7 日，外交部长唐家璇致电祝贺纳吉·萨布里·艾哈迈德就任伊拉克外交部长。18 日，纳吉部长复电致谢。

二、经贸关系

7 月 9～12 日，应对外贸易经济合作部长石广生邀请，伊拉克石油部长拉希德率政府经贸代表团访华，出席两国经贸混委会第 11 次会议。双方就进一步加强两国在联合国"石油换食品"计划项内经贸合作交换意见，并签署了会议纪要。外交部长唐家璇会见了拉一行。

11 月 1～14 日，5 家中国公司参加了第 34 届巴格达国际博览会，展出了电站模型、施工机械、汽车及家用电器等产品。

据中国海关总署统计，2001 年，中国同伊拉克贸易总额为 4.6999 亿美元，其中中方出口额 3.9697 亿美元，进口额 0.7302 亿美元。

三、文化交流及其他往来

5 月 11～15 日，应教育部长陈至立邀请，伊拉克高等教育和科研部长胡马姆·阿卜杜·哈利克率伊高等教育代表团访华。中伊双方就加强两国在高教领域的交流与合作举行了会谈，伊方还同中国文化部签署了《中华人民共和国政府和伊拉克共和国政府 2001～2003 年文化合作执行计划》。

9 月 9～14 日，应卫生部长张文康邀请，伊拉克卫生部长乌米德·米德哈特·穆巴拉克率伊卫生部代表团访华。双方就开展两国在卫生领域的交流与合作交换了意见。

2001 年，伊拉克在华留学生 46 名。

第 8 节　中国同黎巴嫩的关系

2001 年，中华人民共和国同黎巴嫩共和国友好合作关系继续稳步发展。

一、政治关系与重要往来

4 月 15~22 日，应中国全国人民代表大会常务委员会委员长李鹏的邀请，黎巴嫩议长纳比·贝里访华，李鹏委员长与贝里议长举行会谈，铁木尔·达瓦买提副委员长、温家宝副总理分别予以会见。双方就加强双边关系特别是两国议会间的关系及其他共同关心的问题深入交换了意见。

12 月 21~22 日，应黎巴嫩外长哈穆德的邀请，外交部长唐家璇访问黎巴嫩。访问期间，唐外长分别会见了黎巴嫩总统拉胡德、总理哈里里、议长贝里，并同哈穆德外长举行会谈。双方主要就双边关系和中东局势、恐怖主义等国际和地区问题深入交换了看法，达成了广泛共识。

9 月 19 日，黎巴嫩总理哈里里就美国"9·11"事件致信国家主席江泽民，通报黎巴嫩有关立场。哈里里强调黎巴嫩谴责一切恐怖活动，但同时反对将恐怖主义与伊斯兰教挂钩，主张应把抵抗占领和为实现民族自决而进行的斗争与恐怖主义区别开来；呼吁通过解决中东问题及其他地区冲突来根除恐怖主义，倡议在联合国范围内召开反恐大会以增进全球反恐合作。

11 月 14 日，外交部长唐家璇在纽约出席第 56 届联大外长会议期间会见黎巴嫩外长哈穆德，双方就进一步发展双边关系及反对恐怖主义、阿富汗局势等问题交换了意见。

9 月 14 日，黎巴嫩外长哈穆德会见了在黎巴嫩主持中国驻中东地区国家使节会议的外交部副部长杨文昌。

2 月 14~17 日，中共中央对外联络部副部长马文普率团访问黎巴嫩。

6 月 26 日至 7 月 2 日，应中共中央对外联络部邀请，黎巴嫩共产党副总书记马兹阿尼率黎巴嫩共产党代表团访华，中联部部长戴秉国予以会见，中联部副部长马文普主持工作会谈。

二、经贸合作

据中国海关总署统计，2001 年，中国同黎巴嫩贸易总额为 2.3824 亿美元，其中中方出口额为 2.3565 亿美元，进口额为 259 万美元。

三、文化及其他往来

3 月 27~28 日，国家体育总局副局长于再清访问黎巴嫩。

8 月 16 日，"黎巴嫩中国友好合作联合会"举行换届大会，选举黎巴嫩前任驻华大使法里德·萨马哈等 8 人组成新理事会。

2001 年，黎巴嫩在华留学生 8 名。

四、军事合作

4 月 21~30 日，黎巴嫩军队参谋长阿布·沙克拉少将访华，中央军委副主席兼国防部长迟浩田上将予以会见，副总参谋长隗福临中将主持工作会谈。

第 9 节　中国同约旦的关系

2001 年，中华人民共和国同约旦哈希姆王国的友好合作关系持续稳步发展。

一、政治关系与重要往来

1月13～15日，应约旦国王阿卜杜拉二世邀请，国家副主席胡锦涛访问约旦。访问期间，胡副主席分别会见了约旦国王阿卜杜拉二世及参、众两院议长，并与拉吉卜首相举行会谈。双方就双边关系、中东问题等交换了意见。胡副主席表示要站在跨世纪的历史高度，把新世纪中约友好合作关系提高到一个新的水平。约方表示愿进一步加强同中国在各领域的友好合作关系，重申约将继续坚持一个中国、不与台发展官方关系的立场。

1月19～21日，应约旦亲王哈桑邀请，外交学会会长梅兆荣访问约旦。其间，约旦前首相、约国际事务委员会主席马贾利会见，哈桑亲王设家宴款待。

9月11～12日，应约旦外交部秘书长巴克的邀请，外交部副部长杨文昌访问约旦。约代国王费萨尔、参议长里法伊、外交大臣哈提卜分别予以会见。杨副部长与约外交部秘书长巴克举行了政治磋商，双方就双边关系及共同关心的地区、国际问题交换了意见。

11月14～17日，应约旦经贸大臣萨拉赫·巴希尔邀请，外经贸部部长石广生访问约旦。其间，约国王阿卜杜拉二世、首相拉吉卜分别予以会见。石部长与约工贸大臣巴希尔举行会谈，双方就如何进一步发展中约在贸易、投资、承包等领域的合作广泛深入地交换了意见。会谈后，石部长与约工贸大臣巴希尔、计划大臣阿瓦达拉分别代表两国政府签署了"投资保护协定"和"经济、技术合作协定"。

12月24～25日，应约旦外交大臣阿卜杜勒·伊拉·哈提卜的邀请，外交部长唐家璇访问约旦。其间，约国王阿卜杜拉二世会见，唐外长转交了江泽民主席致阿卜杜拉二世国王的亲笔信。唐部长与约外交大臣哈提卜举行会谈，双方就双边关系、中东局势、反恐等共同关心的国际、地区问题深入地交换了意见。

6月19日至7月1日，应中国人民对外友好协会邀请，约佩特拉地区管理委员会主席夏海德率领约旦市长代表团访华。全国人大常委会副委员长铁木尔·达瓦买提会见了代表团。

二、经贸关系

据中国海关总署统计，2001 年，中国同约旦贸易总额为 2.7429 亿美元，其中中方出口额为 2.2598 亿美元，进口额为 0.4831 亿美元，比 2000 年增长 8.4%。

三、文化交流

约旦在华留学生 24 名。

第 10 节　中国同巴勒斯坦国的关系

2001 年，中华人民共和国同巴勒斯坦国的友好合作关系继续全面发展。

一、政治关系与重要往来

8 月 23～24 日，应国家主席江泽民的邀请，巴勒斯坦国总统阿拉法特对中国进行工作访问。江泽民主席、李鹏委员长分别予以会见。阿向中国领导人通报了当前中东局势，江主席在会见时表示，中国政府和人民十分关注中东局势发展，对总统阁下在斗争中既坚持原则又采取灵活策略的方针表示赞赏，中国将一如既往支持巴勒斯坦人民恢复合法民族权利的正义事业。双方还签署了"经济技术合作协定"。

7 月 5～9 日，巴勒斯坦全国委员会主席萨利姆·扎农率巴全委会代表团访华。江泽民主席、李鹏委员长分别予以会见，布赫副委员长与其会谈。双方就中巴双边关系和中东局势等问题深入交换了意见。扎农感谢中国长期以来对巴正义事业的支持，中国领导人阐述了中国政府对中东问题的原则立场，强调中国政府和人民始终同阿拉伯和巴勒斯坦人民站在一起，继续支持巴人民的正义斗争。

3月22日，唐家璇外长应约与巴勒斯坦国外长、巴解政治部主任法鲁克·卡杜米通了电话。卡向唐外长通报了即将召开的阿拉伯首脑会议的有关筹备情况及以色列同巴勒斯坦冲突的有关情况。

4月22～29日，应中联部邀请，巴勒斯坦"法塔赫"中央委员、对外关系局局长哈尼·哈桑率团访华。中联部部长戴秉国会见，副部长张志军与其会谈。外交部副部长杨文昌会见了哈。

6月7日，外交部长唐家璇打电话给巴勒斯坦国总统阿拉法特，阐述了中国对当前中东局势的看法，重申中国支持巴勒斯坦人民正义事业的一贯立场。阿拉法特总统对中国为平息以巴冲突所作的努力表示赞赏，希望中国在缓和地区紧张局势、恢复以巴和谈方面发挥更大作用。

6月29日，巴勒斯坦国总统阿拉法特致信国家主席江泽民，热烈祝贺中国共产党建党80周年。

11月14日，唐家璇外长在出席联合国大会期间会见巴勒斯坦民族权力机构计划和国际合作部长纳比勒·沙阿斯。双方就当前中东形势相互交换了看法。

11月27日，巴勒斯坦民族权力机构计划和国际合作部长纳比勒·沙阿斯致信唐家璇外长，信中列举了近一时期以来国际社会的促和努力，谴责以色列继续破坏停火、扩建犹太人定居点，希望中方做以工作，促其停止一切与国际社会调解努力相悖的行为。

11月29日，朱镕基总理致电祝贺联合国"声援巴勒斯坦人民国际日"大会召开。同日，中国人民对外友好协会在京举行"声援巴勒斯坦人民国际日"招待会，全国人大常委会副委员长蒋正华等出席了招待会。

12月1日，巴勒斯坦民族权力机构主席阿拉法特致信朱镕基总理，感谢朱总理为"声援巴勒斯坦人民国际日"发的贺电和对巴人民为恢复合法权利正义斗争的支持。阿重申巴方将坚持政治解决巴问题的立场，希望中国发挥作用，制止以色列对巴的侵略。

12月5日，唐家璇外长复信巴勒斯坦民族权力机构计划和国际合作部长沙阿斯，重申中国支持巴勒斯坦人民正义斗争的立场，赞赏巴方坚持走和平道路的选择。

二、经贸关系

4 月 18～24 日，应外经贸部邀请，巴勒斯坦经贸部次长苏莱曼·艾布·卡拉什访华。外经贸部部长助理何晓卫与其会谈。外交部副部长杨文昌会见了卡。

据中国海关总署统计，2001 年，中国同巴勒斯坦贸易总额为494 万美元，其中中方出口额为 489 万美元，进口额为 5 万美元。

三、文化交流

2001 年，巴勒斯坦在华留学生 102 名。

第 11 节　中国同以色列的关系

2001 年，中华人民共和国同以色列国的友好合作关系继续发展。

一、政治关系与重要往来

1 月 16 日，中国新任驻以色列国特命全权大使潘占林向以色列总统卡察夫递交国书。

1 月 14～18 日，应以色列外交关系委员会邀请，外交学会会长梅兆荣访问以色列。

2 月 12 日，以色列看守内阁总理埃胡德·巴拉克致信江泽民主席，介绍了他执政期间为推进中东和平进程所作的努力。

2 月 21 日，应以色列外交部长本·阿米要求，外交部长唐家璇与其通电话。本·阿米通报了中东局势。唐家璇外长希望以色列新政府能继续坚持通过政治谈判解决争端的战略选择，强调中国愿继续为推动中东和谈深入发展作出自己的贡献。双方还就双边关系交换了看法。

4月14~18日，外交部西亚北非司司长吕国增应邀访问以色列，进行两国外交部第五次政治磋商。

5月22~23日，外交部政策研究室主任崔天凯访问以色列，与以色列外交部副总司长兼政策规划司司长莫卡迪进行两国外交部政策研究部门间对口磋商。

6月6日，应以色列副总理兼外长佩雷斯要求，唐家璇外长与其通电话。佩雷斯通报了以色列和巴勒斯坦之间冲突情况及以色列立场，对中国为平息冲突所作的努力表示赞赏，希望中国在缓和地区紧张局势、恢复以色列和巴勒斯坦之间政治谈判方面发挥更大作用。唐外长重申了中国的有关原则立场，强调中国愿继续为推动中东和谈作出自己的贡献。

6月7~12日，以色列《国土报》总编哈努齐·马莫瑞和总经理约瑟夫·卡苏托一行应外交部邀请访华。8日，外交部副部长杨文昌予以会见。

8月21~30日，应中国人民对外友好协会邀请，以色列议会副议长阿卜杜·马立克·达罕姆西一行访华，国务委员司马义·艾买提予以会见。

8月30日，应以色列副总理兼外长佩雷斯要求，唐家璇外长与其通电话。佩雷斯向唐外长通报了以色列和巴勒斯坦之间冲突的有关情况。唐外长重申了中国在中东问题上的一贯立场，对中东局势进一步恶化深表关切和忧虑，并希望以色列和巴勒斯坦双方积极配合国际社会的调解促和努力，尽快就实现停火举行高层会晤，为早日重开和谈创造必要的条件。

9月10~14日，中国人民对外友好协会会长陈昊苏访问以色列。以色列总统卡察夫、副总理兼外长佩雷斯分别举行招待会欢迎陈昊苏一行。

11月22日，以色列外交部副总司长兼政策规划司司长莫卡迪访华。杨文昌副外长予以会见。政研室主任崔天凯与莫卡迪进行了对口磋商。

二、经济技术合作与贸易往来

10 月 12~19 日，以色列农业部长沙罗姆·希姆宏访华。农业部长杜青林与其进行了会谈，并签署了"中国以色列农业合作会议纪要"。农业部副部长韩长赋与希姆宏一同出席了中国以色列示范农场奶牛场落成典礼。

据中国海关总署统计，2001 年，中国同以色列贸易额为 13.1 亿美元，同比增长 24.8%，其中中方出口额 8.3 亿美元，进口额 4.8 亿美元，同比分别增长 15.8% 和 44.1%。

三、文化交流及其他往来

8 月 9~15 日，国家文物局副局长郑欣淼访问以色列。

2001 年，以色列在华留学生为 107 人。

四、军事往来

7 月 26 日至 8 月 2 日，应国防部外事办公室邀请，以色列国防军总参谋部计划部战略计划局局长麦克尔·赫尔佐克准将一行访华。

第 12 节 中国同沙特阿拉伯的关系

2001 年，中华人民共和国同沙特阿拉伯王国的双边关系稳步发展。

一、政治关系与重要往来

5 月 30 日，全国政协主席李瑞环致电沙特协商会议主席杰比尔，祝贺其蝉联第三届协商会议主席。

2 月 18~25 日，应外交部邀请，沙特外交部政治事务次官助理兼国际司司长图尔基·卡比尔亲王访华，罗干国务委员、唐家璇外长和公安部副部长田期玉分别会见。

4月8日，中国新任驻沙特大使吴思科向法赫德国王递交国书。

5月28～31日，应外交部邀请，沙特外交副大臣迈达尼访华，唐家璇外长会见，杨文昌副外长与其举行两国外交部第五轮政治磋商。

6月3～6日，北京市人大主任于均波率团访问沙特。于会见了利雅得地区副埃米尔萨塔姆亲王，并与利雅得市长阿卜杜勒—阿齐兹举行会谈。

二、经济技术合作与贸易往来

1月16日，中国港湾建设总公司与沙特港务局签署承建6艘拖轮合同。

6月9日，广东省政协副主席刘维明率广东经贸团访问沙特。

8月27日，沙特驻华使馆商务处正式成立。

据中国海关总署统计，2001年，中国同沙特两国贸易总额为40.75亿美元，其中中方出口额为13.54亿美元，进口额为27.21亿美元。

三、文化交流及其他往来

2月22～28日，河北省副省长郭世昌率团访问沙特。

4月8日，应沙特奥委会主席兼关心青年委员会主席苏尔坦亲王邀请，国家体育总局副局长于再清访沙。

6月12～19日，应外交部邀请，《沙特公报》副主编塞伯尔夫妇访华，外交部副部长杨文昌会见并接受其书面采访。

6月16～18日，应沙特纳伊夫亲王安全科学院院长的邀请，中国人民公安大学校长孙中国率团访沙，沙内政大臣纳伊夫会见了孙一行，两校签署了合作备忘录。

7月19日，沙特驻华大使白舍尔向福建泉州市伊斯兰文化博物馆转交了法赫德国王捐赠的30万美元和一块麦加天房帐幔及一些古兰经书籍。

10 月 16 日，应沙中友协邀请，中沙友协会长王涛率团访问沙特，两国友协举行第四次联席会议。

2001 年，中国赴沙特各类朝觐人员约 4000 人。

2001 年，沙特在华留学生 35 人。

第 13 节　中国同科威特的关系

2001 年，中华人民共和国同科威特国的友好合作关系稳步发展。

一、政治关系与重要往来

4 月 10～21 日，科威特埃米尔特使萨乌德·萨巴赫访华，唐家璇外长、杨文昌副外长分别会见。萨向唐外长转交了科埃米尔贾比尔致江泽民主席的信件，并通报了在安曼举行的第 13 届阿拉伯国家首脑会议情况及科对海湾地区形势的看法。5 月 14 日，江泽民主席复信埃米尔贾比尔，表示中国愿与国际社会一道，为实现海湾地区的长治久安继续努力，中国愿进一步发展中科两国在各领域的友好合作关系。

5 月 13～18 日，应全国人大常委会邀请，科威特国民议会副议长安吉里访华，李鹏委员长会见，铁木尔·达瓦买提副委员长会见并宴请。双方就加强两国和两国议会间的友好交往以及共同关心的地区和国际问题交换了意见。

5 月 12～18 日，应中国人民对外友好协会和江苏省人民政府邀请，科威特贾赫拉省省长阿里亲王访华，全国人大副委员长铁木尔·达瓦买提予以会见。

9 月 18 日，中国新任驻科威特大使曾序勇向科威特埃米尔贾比尔递交国书。

11 月 12 日，唐家璇外长在纽约出席联合国大会期间会晤科威特代首相兼外交大臣萨巴赫，双方就两国关系、海湾战争遗留问题、反对恐怖主义及中东问题等交换了看法。

二、经贸关系

1月27日，科威特石油公司举行仪式，庆祝中国石油工程建设公司承建的科第27号集油站正式竣工投产。

4月21～24日，国家经贸委副主任石万鹏率中国政府石油代表团访问科威特，出席中国石油工程建设公司承建的科第28号集油站项目的竣工投产仪式。

9月6～9日，应科威特工商会的邀请，中国贸促会副会长刘文杰率经贸代表团访科。

2月和8月，科威特阿拉伯经济发展基金会副总裁瓦夸延和巴德尔先后访华，与中国财政部金融司司长徐放鸣分别代表两国政府签署了广西钦州港二期项目和四川攀枝花机场项目贷款协定。

据中国海关总署统计，2001年，中科贸易总额为6.42亿美元，其中中方出口额为1.92亿美元，进口额为4.50亿美元。

三、文化交流及其他往来

5月12～15日，应国务院新闻办公室邀请，科威特新闻大臣艾哈迈德亲王访华，与国务院新闻办负责人就加强两国在新闻领域的交流与合作进行了探讨。江泽民主席会见了艾哈迈德亲王。

10月7日，中国驻科威特大使馆举办的《世界遗产在中国》图片展在科威特开幕。

2001年，科威特在华留学生5人。

四、军事往来

9月23～27日，应科威特总参谋部邀请，济南军区司令员陈炳德中将率中国军事代表团访科。科副首相兼国防大臣穆巴拉克亲王、国防部次官纳赛尔亲王、总参谋长穆明中将等分别会见，副总参谋长阿米尔少将与代表团举行了会谈。

第 14 节　中国同巴林的关系

2001 年，中华人民共和国同巴林国在各领域的友好合作稳步发展。

一、政治关系

5 月 22 日，中国新任驻巴林大使杨洪林向巴埃米尔哈马德递交了国书。

9 月 27 日，江泽民主席在人民大会堂接受巴林新任驻华大使卡里姆·易卜拉欣·沙克尔递交国书。

二、经贸关系

据中国海关总署统计，2001 年，中国同巴林贸易总额为 1.3 亿美元，其中中方出口额为 0.5 亿美元，进口额为 0.8 亿美元。

三、文化交流及其他往来

9 月 5～8 日，应巴林司法和伊斯兰事务大臣阿卜杜拉·本·哈立德的邀请，最高人民检察院副检察长赵虹率团访巴。访问期间，巴协商会议主席胡迈丹、外交国务大臣加法尔和总检察长布胡吾等会见了代表团。

2001 年，巴林在华留学生 1 人。

第 15 节　中国同卡塔尔的关系

2001 年，中华人民共和国同卡塔尔国的友好合作深入发展，双边互访频繁，经贸合作取得实质性进展。

一、政治关系与重要往来

4月1～3日，卡塔尔首相阿卜杜拉·本·哈利法·阿勒萨尼访华。江泽民主席、李鹏委员长分别会见，朱镕基总理与阿举行了会谈，中央军委副主席、国务委员兼国防部长迟浩田拜会了阿卜杜拉。访问期间，中卡双方签署了《中华人民共和国政府与卡塔尔国政府关于对所得避免双重征税和防止偷漏税的协定》、《中华人民共和国中华全国青年联合会与卡塔尔国青年总局合作协定》和"中国化工进出口总公司与卡塔尔国家石油总公司原油长期购销合同"。

2月25日至3月1日，卡塔尔外交次大臣阿卜杜—拉赫曼·本·哈马德·阿蒂亚访华。罗干国务委员、唐家璇外长分别会见，吉佩定副外长与阿蒂亚举行中卡外交部第二轮政治磋商，就双边关系及共同关心的国际与地区问题广泛交换了意见。

6月10日，本届伊斯兰会议组织主席、卡塔尔埃米尔哈马德·本·哈利法·阿勒萨尼就巴勒斯坦局势进一步恶化致信江泽民主席。

10月9日，唐家璇外长与伊斯兰会议组织主席国卡塔尔外交大臣哈马德·本·贾西姆·阿勒萨尼通电话，就国际反恐合作及双边关系等问题交换意见。

二、经贸关系

11月9～13日，对外贸易经济合作部部长石广生出席在多哈举行的世界贸易组织（WTO）第四次部长级会议，会议期间中国被批准加入世贸组织。

据中国海关总署统计，2001年，中国同卡塔尔贸易总额为4亿美元，其中中方出口额为0.3亿美元，进口额为3.7亿美元。

三、文化交流及其他往来

10月15～20日，应中华全国妇女联合会邀请，卡塔尔埃米尔夫人穆扎率团访华。胡锦涛副主席、李鹏委员长夫人朱琳分别会见，全国妇联副主席顾秀莲与穆举行了会谈。穆向全国妇联捐款

50 万美元。

2001 年，卡塔尔在华留学生 2 人。

第 16 节 　中国同阿拉伯联合酋长国的关系

2001 年，中华人民共和国同阿拉伯联合酋长国的友好合作稳步发展。

一、政治关系与重要往来

4 月 19～25 日，阿联酋计划部长胡梅德·本·艾哈迈德·穆阿拉率团出席了在北京和宁波举行的"网络经济与经济治理国际研讨会"。温家宝副总理集体会见了与会代表。胡还会见了国家发展计划委员会副主任王春正。

6 月 17～25 日，阿联酋新闻文化部长阿卜杜拉·本·扎耶德·阿勒纳哈扬率政府文化代表团访华。总理朱镕基、外交部长唐家璇、科技部长徐冠华分别会见，文化部长孙家正与阿会谈并共同签署了《中华人民共和国政府和阿拉伯联合酋长国政府新闻文化协定》。

11 月 5 日，中国新任驻阿联酋大使张志军向阿副总统兼总理马克图姆·本·拉希德·马克图姆递交了国书。

12 月 3 日，江泽民主席、胡锦涛副主席分别致电阿联酋总统扎耶德和副总统马克图姆，祝贺其连任。

二、经贸关系

11 月 4～8 日，对外贸易经济合作部副部长孙广相率团访问阿联酋。

据中国海关总署统计，2001 年，中国同阿联酋贸易总额为 28.3 亿美元，其中中方出口额为 23.8 亿美元，进口额为 4.5 亿美元。

三、文化交流及其他往来

2001 年，阿联酋在华留学生 2 人。

四、军事往来

3 月 16～19 日，国防科学技术工业委员会副主任张维民率中国展团赴阿联酋出席第五届阿布扎比国际防务展。阿国防部长穆罕默德·本·拉希德·阿勒马克图姆上将会见了代表团。

3 月 18～21 日，中国人民解放军总装备部副部长李元正中将率中国国防部代表团访问阿联酋。阿国防部长穆罕默德·本·拉希德·阿勒马克图姆上将、外交国务部长哈姆丹·本·扎耶德·阿勒纳哈扬分别会见了代表团。

第 17 节　中国同阿曼的关系

2001 年，中华人民共和国同阿曼苏丹国的友好合作关系进一步巩固和发展。

一、政治关系与重要往来

4 月 7～8 日，外交部部长助理张业遂率中国政府代表团出席在阿曼首都马斯喀特举行的环印度洋地区合作联盟第三届部长理事会会议。会议期间，阿曼外交事务主管大臣尤素夫·本·阿拉维·本·阿卜杜拉会见了张部长助理一行。

6 月 24～27 日，阿曼外交次大臣巴德尔·本·哈迈德·本·哈穆德·布赛义迪访华。外交部长唐家璇、中共中央对外联络部副部长张志军、对外贸易经济合作部部长助理何晓卫分别予以会见，外交部副部长杨文昌与巴举行了中阿外交部第 13 轮政治磋商。

9 月 30 日，值阿曼"苏哈尔"号仿古船驶抵广州 20 周年和中国国庆 52 周年之际，阿驻华大使侯斯尼向杨文昌副外长转交了阿曼苏丹卡布斯·本·赛义德赠送给江泽民主席的"苏哈尔"号船模型；10 月 31 日，江泽民主席致函卡布斯苏丹，表示感谢。

二、经贸关系

4 月 22～26 日，应外经贸部长石广生邀请，阿曼石油和天然气大臣穆罕默德·本·哈姆德·鲁姆希访华。吴仪国务委员会见，石广生部长与其会谈。访问期间，阿方与中国石油化工集团公司签署了每天直接购阿 1.7 万桶原油的合同，与中国化工进出口总公司续签了五年期的每天直接购阿 1.7 万桶原油的协议。

据中国海关总署统计，2001 年，中国同阿曼贸易总额为 16.8 亿美元，其中中方出口额为 6.7 亿美元，进口额 16.1 亿美元。

三、文化交流及其他往来

2001 年，阿曼在华留学生 6 人。

四、军事往来

9 月 20～23 日，济南军区司令员陈炳德中将率中国军事代表团访问阿曼，阿国防事务主管大臣巴德尔和总参谋长卡勒巴尼中将分别予以会见。

第 18 节　中国同也门的关系

2001 年，中华人民共和国同也门共和国的友好合作关系发展平稳。

一、政治关系与重要往来

10 月 15～21 日，应全国政协主席李瑞环的邀请，也门协商会议主席加尼访华。李鹏委员长、李瑞环主席分别会见，全国政协副主席杨汝岱与加尼举行会谈，双方就中也两国议会关系及共同关心的双边、地区和国际问题交换了看法。

4月8日，朱镕基总理、国务委员兼国防部长迟浩田上将和唐家璇外长分别电贺也新任总理巴杰麦勒、国防部长阿留瓦少将和外长科尔比。

二、经贸关系

8月27~29日，第五届中也经济、技术和贸易合作混合委员会在北京召开，对外贸易经济合作部长石广生与也门通讯部长穆阿里米共同主持。吴仪国务委员会见了穆阿里米，穆转交了也门总统萨利赫致江泽民主席的信。中也双方签署了两国政府间《经济、技术和贸易合作混合委员会第五次会议纪要》、《关于中华人民共和国政府向也门共和国政府提供500万元人民币援助的换文》和两国卫生部《关于派遣中国医疗队赴也门共和国工作的双边合作协议》。

10月29日至11月7日，也门渔业部长艾哈迈迪应邀访华，与农业部副部长齐景发签署了《中华人民共和国农业部与也门共和国渔业部会谈纪要》。

据中国海关总署统计，2001年，中也贸易总额为6.6亿美元，其中中方出口额为2.1亿美元，进口额为4.5亿美元。

三、文化交流及其他往来

4月25日，中国驻也门大使周国斌和也门高等教育及科研部长叶海亚·舒伊比分别代表中也两国政府签署了《中华人民共和国政府和也门共和国政府2001~2003年教育合作协定》。

10月24~30日，应文化部长孙家正的邀请，也门文化和旅游部长鲁哈尼率政府文化代表团访华。访问期间，中也双方签署了《关于延长〈中华人民共和国政府和也门共和国政府文化合作协定1998、1999、2000年执行计划〉有效期的协议》。

2001年，也门在华留学人数233名，中国在也门医疗队员人数177名。

第 19 节　中国同埃及的关系

2001 年，中华人民共和国同阿拉伯埃及共和国的友好合作关系继续发展。

一、政治关系与重要往来

9 月 26 日，国家主席江泽民与埃及总统穆巴拉克通电话，双方就反对国际恐怖主义和中东问题交换了看法。

9 月 7～11 日，应埃及民族民主党邀请，中共中央政治局委员、书记处书记丁关根访问埃及，其间分别会见了奥贝德总理，副总理、民族民主党总书记瓦利，新闻部长、民族民主党副总书记谢里夫，文化部长法鲁克，《金字塔报》总编纳菲阿和中东社社长安萨利。双方就进一步加强两党和两国关系，特别是新闻和文化等领域的合作进行了深入探讨。

12 月 25～28 日，应埃及外交部长艾哈迈德·马希尔·赛义德邀请，外交部长唐家璇访埃。穆巴拉克总统予以会见。唐外长分别与马希尔外长、阿盟秘书长穆萨举行会谈，就中埃、中阿关系及共同关心的国际和地区问题深入交换了意见。

4 月 6～8 日，应埃及外交部邀请，外交部副部长杨文昌访埃。其间，杨副外长会见了埃外交部长穆萨，转交了江泽民主席致穆巴拉克总统的亲笔信，并与埃外交部部长助理兼部长办公室主任欧拉比举行了两国外交部第八轮政治磋商，双方就发展和加强双边关系、中东和平进程等问题交换了意见。

5 月 23～27 日，农业部副部长范小健访问埃及。埃副总理兼农业和农垦部长瓦利予以会见。两国农业部签署了植物检疫协议。

6 月 26 日至 7 月 3 日，全国人大内务司法委员会副主任委员束怀德应邀访问埃及，其间分别会见了埃副总理瓦利、人民议会副议长奥斯曼、司法部长纳赛尔和外交部长马希尔。

7月26~31日，应埃及人力和移民部邀请，劳动和社会保障部长张左己访问埃及，与埃人力和移民部长举行会谈并签署了《会谈纪要》。

9月3~10日，应埃及行政监察总署邀请，监察部高级监察专员傅杰访问埃及，分别会见了埃总理奥贝德、人民议会议长苏鲁尔和行政监察总署署长希特莱尔。

9月22日，中国新任驻埃及大使刘晓明向埃及总统穆巴拉克递交国书。

10月10~14日，应埃及卫生与人口部邀请，国家计划生育委员会主任张维庆访问埃及，其间分别会见了奥贝德总理、卫生与人口部长，双方签署了计划生育合作协议。

11月5~11日，国家民委副主任图道多吉访问埃及，会见了埃宗教基金部长扎克祖克。

5月19日至6月2日，应监察部邀请，埃及行政监察总署副署长穆斯塔法·阿卜杜·拉希姆·阿布·萨德拉哈率埃及行政监察署考察团访华，监察部部长何勇会见。

7月4~11日，应全国人大法律委员会邀请，埃及人民议会宪法和立法事务委员会主任穆罕默德·穆萨访华，全国人大常委会副委员长姜春云等会见。

8月21~23日，埃及教育部长巴哈丁应邀访华，参加联合国教科文组织发起的"第四届9个人口大国全民教育（简称E—9）部长会议"。

10月10日，埃及新任驻华大使阿里·侯赛姆丁·希夫尼向国家主席江泽民递交国书。

5月16日、11月23日，唐家璇外长分别致电艾哈迈德·马希尔·赛义德和法伊扎·穆罕默德·阿布·纳佳女士，祝贺其就任埃及外交部长和外交事务国务部长。

6月25日，全国政协主席李瑞环致电祝贺埃及协商会议主席穆斯塔法·卡迈勒·希勒米第四次连任及埃及新一届协商会议组成。

二、经济技术合作与贸易关系

9 月 10～12 日，埃及经济和外贸部第一国务秘书赛义德·贾西姆访华，并出席了中埃经贸混委会第五届会议。

11 月 7～9 日，埃及农业部国务秘书马姆杜赫·里亚德来华出席了在北京召开的国际农业科技大会，并拜会了科技部长徐冠华。

据中国海关总署统计，2001 年，中国与埃及贸易总额为 9.5321 亿美元，其中中方出口额 8.7285 亿美元，进口额 0.8032 亿美元。

三、文化交流及其他往来

1 月 8～12 日，国家体育总局副局长李志坚访问埃及，会见了埃青年部长和国家奥委会主席。

5 月 31 日至 6 月 3 日，应埃及宗教基金部部长、伊斯兰事务最高理事会主席马哈茂德·哈姆迪·扎克祖克的邀请，中国伊斯兰教协会副会长刘书祥赴埃及首都开罗出席伊斯兰事务最高理事会第 13 届大会。

5 月，埃及"尼罗河"民乐艺术团来华参加"相约北京"联欢活动，并赴大连、沈阳演出。

6 月 1～7 日，应埃及《金字塔报》社和埃新闻部新闻总署邀请，《人民日报》社总编辑许中田访问埃及，穆巴拉克总统予以会见。

7 月 16～19 日，应埃及中东社邀请，新华社社长田聪明访问埃及，其间分别会见了穆巴拉克总统、奥贝德总理、新闻部长谢里夫、外交部长马希尔和中东社社长安萨利。

8 月 13～18 日，国务院三峡工程建设委员会监察局局长何文彬访问埃及，会见了埃水利和水资源部长。

8 月 21～28 日，应外交部新闻司邀请，埃及《金字塔报》副主编萨勒瓦·哈比卜和《消息报》编辑艾哈迈德·赛义德访华，外交部副部长杨文昌、中联部副部长马文普等予以会见。

9 月 2～11 日，应中国国际交流协会邀请，埃及《十月》杂志主编、埃及知识出版社董事长拉吉布·巴奈访华。全国政协副主席、中国国际交流协会会长李贵鲜、外交部副部长李肇星、中联部副部长张志军等分别予以会见。

9月7~10日，应埃中友好协会邀请，中国人民对外友好协会会长陈昊苏访问埃及，会见了埃副总理兼埃中友协主席瓦利、地方发展国务部长及阿盟秘书长穆萨。

9月15~19日，中央政研室副主任郑新立率国家计委代表团访问埃及。

9月，空军政治部副主任邓铜山少将率《霸王别姬》剧组赴埃及参加"开罗国际实验戏剧节"。

10月9~20日，第25届开罗国际电影节在开罗举行，中国著名导演霍建起执导的影片《蓝色爱情》及《我的父亲母亲》等其他中国影片参展。

11月12~19日，应中国人民对外友好协会邀请，埃中友协副会长艾哈迈德·瓦利访华，国务委员、中埃友协会长司马义·艾买提，中联部副部长马文普等分别予以会见。

11月17日，埃及开罗国家歌剧院芭蕾舞团应邀参加2001年中国上海国际艺术节，并演出大型舞剧《海盗》。

12月23~28日，由中国人民对外友好协会、中国日报社、中国北京五洲风文化艺术中心、中华民族文化促进会、北京晨报社联合主办的第四届中国国际友好文化节"长城—金字塔之吻"活动在两国首都举行。

2001年，埃及在华留学生有54人。

四、军事关系

5月27日至6月1日，国家安全部副部长宋平率团访问埃及。

7月7~12日，国防科工委主任刘积斌应邀访问埃及，埃国防部长坦塔维元帅等予以会见。刘主任还出席了首架 K—8 教练机交付仪式。

8月5~11日，应埃及军队邀请，解放军总装备部政委李继耐上将率中国人民解放军友好参观团访问埃及，会见了埃武装部队参谋长哈塔塔中将、埃军士气鼓动局局长阿斯尼少将等。

11 月 16～22 日，应中国人民公安大学邀请，埃及警察学院院长纳什阿特·希拉里访华。

第 20 节　中国同苏丹的关系

2001 年，中华人民共和国同苏丹共和国友好合作关系稳步发展，政治和经贸合作进一步加强。

一、政治关系与重要往来

1 月 13～14 日，外交部亚非司司长吕国增赴苏丹，与苏外交部亚洲司司长举行两国外交部间第三次政治磋商。

3 月 29 日至 4 月 2 日，应国家副主席胡锦涛的邀请，苏丹第一副总统阿里·奥斯曼·穆罕默德·塔哈率团访华。胡锦涛副主席与塔会谈，江泽民主席、吴邦国副总理分别会见。访华期间，双方签署了《中华人民共和国政府和苏丹共和国政府经济技术合作协定》等文件。

8 月 6 日，苏丹外长穆斯塔法致信唐外长，感谢中国政府免除苏丹部分到期债务。

9 月 28 日，苏丹外长穆斯塔法就安理会取消对苏制裁致唐外长感谢信。

二、经贸关系

3 月 16～21 日，苏丹国际合作部国务部长阿迪姆·巴鲁哈·穆罕默德率团访华，与外经贸部部长助理何晓卫共同主持召开中苏第六届经贸混委会，并签署两国混委会会谈纪要等文件。

5 月 27～30 日，原外经贸部副部长、中国对外承包工程商会名誉会长乌兰木伦和上海市政协副主席陈正兴分别率团访苏。

12月20日，由中国出资援建的苏丹吉利循环电站举行开工典礼，一期工程总装机容量为20兆瓦，工程投产后，将成为目前苏国内最大的火力发电站。

据中国海关总署统计，2001年，中国同苏丹贸易总额为115802万美元，其中中方出口额为21989万美元，进口额为93813万美元。

2001年，中国在苏丹的中资机构专家组、侨民共2239人。

三、文化交流及其他往来

9月22～29日，司法部副部长范方平访问苏丹，与苏司法部长亚辛会谈并签署会谈纪要，会见了苏内政部长、国民议会副议长及首席大法官等。

11月8日，中国红十字会向苏丹赠送3万美元抗疟药。

2001年，苏丹在华留学生65人。

四、军事往来

10月8～17日，苏总司令部宣导副总长穆罕默德·苏莱曼访华。

第21节　中国同利比亚的关系

2001年，中国同大阿拉伯利比亚人民社会主义民众国的友好合作关系进一步巩固和发展。

一、政治关系与重要往来

12月21～23日，中共中央政治局委员、书记处书记尉健行率中共代表团访问利比亚。访问期间，尉健行分别会见了利比亚领导人卡扎菲、总人民大会秘书（议长）兹纳提和总人民委员会秘书（总理）夏米赫，双方就进一步加强中利双边关系和共同关心的地区和国际问题交换了看法。

1 月 9～11 日，唐家璇外长访问利比亚，会见了利比亚领导人卡扎菲和非洲统一事务秘书（部长）图莱基，同对外联络与国际合作秘书（外长）阿卜杜—拉赫曼·沙勒格姆举行了会谈，就双边关系、中非合作及有关地区和国际问题交换了看法。

2 月 7 日，唐家璇外长就洛克比问题与利比亚对外联络与国际合作秘书（外长）阿卜杜—拉赫曼·沙勒格姆通电话。

5 月 10～17 日，应政协全国委员会邀请，利比亚社会人民指挥部总协调员哈迪·米夫塔赫一行 12 人访华。国家副主席胡锦涛、政协主席李瑞环和副主席杨汝岱分别予以会见，双方就进一步发展中利友好合作关系交换了看法。

5 月 16～22 日，利比亚对外联络与国际合作总人民委员会助理秘书（副外长）穆吉贝尔访华。国务委员司马义·艾买提、中联部部长戴秉国、外经贸部副部长孙振宇分别予以会见，外交部副部长杨文昌与其举行了会谈。

二、经贸关系

3 月 24～27 日，外经贸部副部长孙广相率中国政府经贸代表团访问利比亚，与利对外联络与国际合作总人民委员会助理秘书（副外长）穆吉贝尔举行了会谈，就进一步推动两国在经贸领域的合作进行了深入探讨。

2001 年，中利贸易额达 9518 万美元，其中中国出口额 4098 万美元，进口额 5420 万美元。

三、文化交流

2001 年，利比亚在华留学生共 49 人。

第22节　中国同突尼斯的关系

2001年，中华人民共和国同突尼斯共和国的友好合作关系稳步发展。

一、政治关系与重要往来

10月10日，江泽民主席接受突尼斯新任驻华大使哈姆迪递交的国书。

11月15～17日，全国人大常委会委员长李鹏应邀对突尼斯进行正式友好访问。其间，李鹏委员长会见了突总统本·阿里，与突议长迈巴扎举行了会谈，双方主要就进一步发展双边关系及共同关心的地区和国际问题深入交换了看法。

6月28日，突宪政民主联盟主席本·阿里致电中共中央总书记、国家主席江泽民，祝贺中国共产党成立80周年，表示突将致力于巩固和加强突中两党、两国间的友谊与合作。

11月18～22日，突尼斯外长本·叶海亚访华。李鹏委员长、胡锦涛副主席、钱其琛副总理和迟浩田国务委员兼国防部长分别会见，唐家璇外长与其会谈，并共同签署了《中华人民共和国和突尼斯共和国引渡条约》。

二、经济技术合作与贸易关系

2月26日至3月5日，国家税务总局副局长郝昭成率团访突，与突财政部长就两国避免双重征税协定进行了商谈。

5月11～14日，中共中央政治局委员、山东省委书记吴官正应邀率中共代表团访突。其间，吴与突宪盟总书记沙乌什举行了会谈，会见了突宪政民主联盟第一副主席、前总理卡鲁伊，工业部长阿卜杜拉。

据中国海关总署统计，2001年，中国同突尼斯贸易总额为

1.0938 亿美元，其中中方出口额为 1.0617 亿美元，进口额为 320 万美元。

三、文化交流及其他往来

5 月 24 日，突宪盟中央委员、战略研究所所长祖海尔·穆德哈法尔应邀来华参加"新世纪与发展中国家政党"的研讨会。

7 月 29 日至 8 月 3 日，中国文联副主席李准率文联代表团访突，分别会见了突文化部长哈尔马希及作家联合会主席、造型艺术家协会主席、科学文学与艺术学院院长和国家剧院院长等人士。

7 月 30 日至 8 月 3 日，新华社副社长张宝顺访突，会见了突非洲通讯社社长本·伊兹·丁。

8 月 26～29 日，上海市经贸委常务副主任任均谊率上海申办 2010 年世界博览会游说团访突，分别会见了突出口促进署董事长和贸易部官员。

9 月 23 日至 10 月 2 日，应中国艺术家协会邀请，突国际造型艺术家协会主席阿布德海姆·摩扎奥利访华。

2001 年，中国在突医务人员为 47 人。

2001 年，中国在突留学生 2 人，突在华留学生 14 人。

第 23 节　中国同阿尔及利亚的关系

2001 年，中华人民共和国同阿尔及利亚民主人民共和国的友好合作关系进一步巩固和发展。

一、政治关系与重要往来

4 月 18 日，全国人大常委会委员长李鹏致电穆罕默德·谢里夫·迈萨迪亚，祝贺其就任阿尔及利亚民族院议长。

11 月 14 日，江泽民主席、李鹏委员长和朱镕基总理分别致电布特弗利卡总统、国民议会议长迈萨迪亚及阿里·本弗利斯总理，对阿尔及利亚遭受水灾表示慰问。中国政府向阿尔及利亚提供了500万元人民币的紧急物资援助。中国红十字会也向阿捐赠了4万美元的救灾援款。

10月31日至11月3日，全国人大常委会委员长李鹏应阿尔及利亚民主人民共和国国民议会议长本·萨拉赫的邀请，对阿进行正式友好访问，与本·萨拉赫议长举行了会谈，并分别会见了布特弗利卡总统、本弗利斯总理和民族院议长迈萨迪亚。双方就发展两国及中国全国人大与阿议会间关系以及有关地区和国际问题交换了看法并达成了广泛共识。

10月10日，阿新任驻华大使盖拉向江主席递交国书。

二、经贸关系

5月14～18日，中国国际贸促会代表团访阿。

7月23～28日，中国石油天然气勘探开发公司副总裁李庆平率团组访阿。

据中国海关总署统计，2001年，中国同阿尔及利亚的贸易额为2.923亿美元，其中中方出口额2.223亿美元，进口额6999万美元。

三、文化交流及其他往来

1月13～16日，国家体育总局副局长李志坚对阿进行友好工作访问，与阿方签署了《中阿两国体育合作交流协议》。

2月13～18日，应阿老战士部邀请，中国国际交流协会高级顾问、全国人大常委会副委员长蒋正华率团访阿。

5月14～21日，阿总工会全国书记处书记贾努哈特访华。

9月16～21日，《中国京剧艺术》图片展在阿尔及尔文化宫展出。

11月8～15日，阿青体部长贝尔希什应邀赴华观摩第九届全运会。

11月15～18日，卫生部副部长朱庆生访阿，视察中国在阿医疗队。

2001 年，中国在阿尔及利亚的医务人员共 92 人，阿在华留学生共 37 人。

四、军事往来

5 月 13～21 日，总参军训部副部长陈有元少将率团参加在阿尔及尔举行的第 56 届国际军体大会。

7 月 12～15 日，应阿尔及利亚人民军总参谋长拉马利中将邀请，国防科工委主任刘积斌率团对阿进行访问，同拉马利参谋长、阿国防部军工局长阿依德少将等军种负责人进行了会见和会谈，并参观了海军基地、造船厂。

第 24 节　中国同摩洛哥的关系

2001 年，中华人民共和国同摩洛哥王国双边关系续有发展。

一、政治关系与重要往来

4 月 25～28 日，应摩洛哥政府的邀请，全国政协主席李瑞环对摩洛哥进行正式友好访问，先后会见了摩国王穆罕默德六世、首相尤素福、众议长拉迪和参议长奥卡沙。除首都拉巴特外，代表团一行还赴卡萨布兰卡参观。

4 月 1～10 日，摩公职和行政改革大臣穆罕默德·哈利法应人事部长张学忠邀请访华。王忠禹国务委员会见，人事部长张学忠与其会谈，并签署了有关合作协议。

4 月 22～26 日，农业部副部长刘坚率中国农业代表团访摩。

5 月 9～10 日，交通部副部长胡希捷访问摩洛哥。

5 月 20～25 日，应摩洛哥人民力量社会主义联盟第一书记尤素福的邀请，中共中央政治局委员吴官正率中共代表团访摩，与尤素福进行工作会谈，并先后会见了摩众参两院议长以及独立党议会党团主席等。

5月31日至6月6日，应全国人大邀请，摩洛哥众议院第一副议长哈菲迪率摩议会代表团访华。李鹏委员长、田纪云副委员长分别会见。

7月15～20日，全国妇联副主席田淑兰率团访摩，会见了摩妇联主席拉拉·法蒂玛公主及摩保卫儿童联盟负责人。

9月1～4日，应摩方邀请，上海市长徐匡迪率团访摩，参加上海—卡萨布兰卡两国缔结友好城市15周年庆祝活动。摩首相尤素福接见了代表团一行。

二、经贸关系

1月18～22日，中摩第五届贸易、经济、技术合作混委会在京举行。外经贸部长石广生同摩工业、贸易、能源及矿业大臣穆斯塔法·曼苏里主持会议，双方签署了中摩第五届经贸混委会会议纪要。吴仪国务委员会见了摩代表团一行。

据中国海关总署统计，2001年，中国同摩洛哥贸易总额为3.84亿美元，比2000年增长14.3%，其中中方出口额3亿美元，进口额0.84亿美元。

三、文化交流及其他往来

2001年，中国在摩留学生21人，摩洛哥在华留学生32人。

四、军事往来

6月16～24日，应中央军委副主席、国务委员兼国防部长迟浩田上将邀请，摩洛哥负责国防行政事务大臣级代表斯贝率团对华进行正式友好访问。温家宝副总理会见，迟浩田上将与其进行了工作会谈。

第 25 节　中国同毛里塔尼亚的关系

2001 年，中华人民共和国同毛里塔尼亚伊斯兰共和国的友好合作关系顺利发展。

一、政治关系与重要往来

2 月 17～20 日，应毛里塔尼亚民主社会共和党邀请，中联部副部长马文普率代表团访毛。毛总统塔亚、国民议会议长巴巴和外长阿卜迪分别会见，马文普副部长还同民社党总书记哈桑举行了工作会谈。

9 月 13～17 日，应民政部邀请，毛里塔尼亚公职部长西迪率团访华。司马义·艾买提国务委员予以会见。

二、经贸关系

2001 年，中国与毛里塔尼亚双边经贸额为 3424 万美元，比 2000 年增长 15.6%。其中，中方出口额 2987 万美元，进口额 437 万美元。

三、文化交流及其他往来

2001 年，中国在毛医疗队人数为 27 人，毛里塔尼亚在华留学生 17 人。

第五章

中国同撒哈拉
以南非洲国家的关系

第 1 节　撒哈拉以南非洲地区形势

　　2001 年，撒哈拉以南非洲地区形势继续趋向缓和，各国谋求联合自强、发展振兴的愿望和要求更加强烈，积极参与整个大陆的一体化进程；经济保持低速增长，依然较为困难。

　　在该地区有关国家、地区组织及国际社会的积极斡旋下，撒哈拉以南非洲地区热点进一步降温。刚果（金）、安哥拉和平进程继续推进；埃塞俄比亚—厄立特里亚冲突步入和平解决进程，并就边界问题进行谈判；布隆迪在历经 8 年内乱之后达成两族分权协议并成立过渡政府；塞拉利昂和平协议付诸实施。该地区少数国家举行了总统选举，顺利完成政权更迭。同时，非洲各国在推动和深化政治、经济合作方面取得重要进展，非洲联盟正式启动，以逐步取代原有的非洲统一组织，以非洲复兴为目标的"非洲发展新伙伴计划"出台并开始实施。地区大国加强协调，在制订非洲发展战略、加快非盟建设、稳定地区局势方面发挥着积极作用。

一年来，撒哈拉以南非洲国家经济总体维持缓慢复苏和增长，内部环境有所改善。各国以消除贫困、谋求发展为重点目标，积极探索行之有效的发展战略，调整经济结构；区域组织完善内部机制，充实合作内涵，积极推进一体化并取得一定成效。据国际货币基金组织统计，2001 年撒哈拉以南非洲国家经济增长率为 3.5%。但非洲经济外部环境相对不利，其整体经济基础薄弱、结构单一，更易受外界冲击。2001 年，国际市场农矿产品价格持续走低；"9·11"事件后，石油价格动荡、航空和旅游业受损；外国对非直接投资和对非官方发展援助减少。该地区国家财政收入受到影响，贫困人口和绝对贫困人口又出现新的增长。

撒哈拉以南非洲国家外交日趋活跃。以地区大国为代表的非洲国家努力推动国际社会关注和帮助非洲，与西方发达国家和国际社会积极展开对话，促成热那亚八国首脑会议通过《热那亚非洲计划》并支持非洲复兴计划。美国发起召开美非贸易和经济合作论坛，评估并讨论具体实施美国会通过的《对非投资与机遇法案》；欧盟与共同起草"非洲发展新伙伴计划"的非洲国家举行首脑会晤和磋商，双方同意建立定期磋商机制；日本首相首次出访非洲，日本政府还与联合国开发计划署等在东京联合举办"非洲发展东京国际会议"（TICADIII）部长级会议；俄罗斯外长亦于 2001 年底实现 20 世纪 90 年代以来的首次访非。同时，非洲国家内部加强协调与合作，积极谋求在国际事务中发挥更大作用，在世界反种族主义大会和世界贸易组织多哈部长级会议等各种场合继续努力以一个声音说话，捍卫自身权益；在反对和打击恐怖主义问题上主张发挥联合国的主导作用，呼吁国际社会对恐怖主义滋生根源进行反思。

第 2 节　中国同撒哈拉以南非洲国家关系综述

2001 年，中国同撒哈拉以南非洲国家的友好合作关系继续深入发展。

双方高层往来频繁。中国对该地区的重要出访有：全国政协主席李瑞环访问毛里求斯、南非（4月），国家副主席胡锦涛访问乌干达（1月），中共中央政治局委员李铁映访问肯尼亚、纳米比亚、安哥拉、南非（10月），中央军委副主席、国务委员兼国防部长迟浩田访问科特迪瓦、尼日利亚（9月），国务委员兼国务院秘书长王忠禹访问毛里求斯、马达加斯加和南非（3月），全国人大常委会副委员长许嘉璐访问卢旺达、加纳、多哥、马达加斯加（5～6月），外交部长唐家璇访问中非、喀麦隆、加蓬、安哥拉（1月），外交部副部长杨文昌和吉佩定，外经贸部副部长张祥、孙振宇和周可仁，外经贸部部长助理何晓卫，中央军委委员、总参谋长傅全有，副总参谋长钱树根等也分别访问了该地区一些国家。

该地区国家共有6位总统、1位首相、1位总统夫人、7位外长访华：吉布提总统伊斯梅尔·奥马尔·盖莱（3月），尼日尔总统马马杜·坦贾（6月），尼日利亚总统奥卢塞贡·奥巴桑乔（8月），卢旺达总统保罗·卡加梅（11月），赤道几内亚总统恩圭马·姆巴索格·奥比昂（11月），南非总统塔博·姆贝基（12月），莱索托王国首相帕卡里塔·莫西西里（12月），多哥总统纳辛贝·埃亚德马夫人巴达娜克（4月），科摩罗外交和合作部长苏埃夫·阿明（5月），东部和南部非洲共同市场部长理事会轮值主席、毛里求斯外长阿尼尔·库马辛格·加扬（4月），坦桑尼亚外交与国际合作部长贾卡亚·姆里绍·基奎特（6月），佛得角外交、合作和侨务部长曼努埃尔·伊诺森西奥·索萨（7月），几内亚总统府外交合作部长卡马拉·哈贾·玛哈尼·邦古拉（8月），科特迪瓦外交国务部长阿布·德拉赫曼·桑加雷（12月），刚果（金）外交与国际合作部长莱昂纳尔·谢·奥基通杜（12月）。

在中非双方的努力下，中非合作论坛后续行动进展顺利：减债工作取得成效，中国与29个非洲国家签署了减免其欠中国部分到期债务的协议，并抓紧与其他非洲国家进行债务核对工作；中方在力所能及的范围内不断扩大对非援助规模，并增加了无偿援助的比例；中非进一步加强在人力资源开发方面的合作，中方增办为非洲培训各类人才的讲习班和培训班，积极研究设立"非洲人力资源开发基金"；中非贸易和中国对非投资继续增长，双方在旅游、环保、金融等新领域的合作也陆续启动；论坛后续机制不断完善。2001年 7 月，中非双方在赞比亚首都卢萨卡成功举行了中非合作论坛后续行动部长级磋商会，原则通过了《中非合作论坛后续机制程序》，并决定由埃塞俄比亚分别于 2002 年和 2003 年承办论坛第二届高官会和部长级会议。

中国同撒哈拉以南非洲国家的双边磋商机制不断加强，年内先后同赞比亚、坦桑尼亚和科特迪瓦建立了外交部间磋商机制。目前，与中国建立这一机制的该地区国家已达 14 个。

双方在国际事务中继续相互支持，密切配合。中国在联合国人权委员会第 57 届会议上打掉美国反华提案，并在第 56 届联大总务委员会上打掉台湾"参与"联合国提案，该地区有关国家均给予了积极支持。中国作为联合国安理会常任理事国，继续关注和支持非洲和平与发展问题，支持非洲国家成立非洲联盟和实施"非洲发展新伙伴计划"，努力推动国际社会采取切实有效措施解决非洲问题，并积极参与联合国在非洲的维和行动。

中非经贸关系稳步发展。中非双方公司、企业之间的互利合作规模不断扩大，合作效果显著。2001 年，中国同撒哈拉以南非洲国家贸易总额为 77.6 亿美元，其中中国出口额为 42.2 亿美元，进口额为 35.4 亿美元。

中非在文教、卫生领域的合作与交流继续扩大。目前，中国与该地区 38 个国家签订了文化合作协定；向该地区 15 个国家派遣了54 名教师，接受该地区 42 个国家的来华留学生共 1258 名；中国向该地区 28 个国家派有医疗队员 541 人。中国政府成功举办了第六期、第七期、第八期和第九期中非经济管理官员研修班以及第六期非洲高级外交官访华团和中青年外交官讲习班，共有来自 36 个国家和 5 个地区组织的 108 名学员参加了培训。

第3节　中国同埃塞俄比亚的关系

2001 年，中华人民共和国同埃塞俄比亚联邦民主共和国的友好合作关系继续健康发展。

一、政治关系与重要往来

3 月 13 日，中国新任驻埃塞俄比亚大使艾平向内加索总统递交国书。

5 月 28 日，埃塞俄比亚驻华大使举行国庆招待会，庆祝埃塞俄比亚联邦民主共和国成立 10 周年，蒋正华副委员长等应邀出席。

6 月 4～6 日，应中国现代国际关系研究所邀请，埃塞俄比亚外交部副部长特科达·阿勒穆率团访华。中国外交部副部长杨文昌会见了特科达一行。

7 月 1 日，埃塞俄比亚人民革命民主阵线主席（简称埃革阵）兼政府总理梅莱斯致电江泽民总书记，祝贺中国共产党成立 80 周年，对 80 年来中国共产党领导中国人民赢得民族独立和在国家现代化建设方面取得的成就表示钦佩，对中国在国际事务中发挥的作用表示由衷赞赏。

9 月 20 日，中共中央总书记江泽民致电梅莱斯，祝贺其蝉联埃革阵主席。21 日，梅莱斯复电江总书记表示感谢。

10 月 9 日，中国国家主席江泽民致电埃塞俄比亚总统吉尔马·沃尔德·乔治斯，对其履新表示祝贺。

二、经济技术合作与贸易关系

5 月 21～23 日，应埃塞俄比亚农业部邀请，中国农业部副部长范小建率中国农业代表团访问埃塞。访问期间，双方签署了《中华人民共和国农业部和埃塞俄比亚联邦民主共和国农业部关于农业合作的谅解备忘录》，并就加强中埃农村职业培训合作交换了意见。

10 月 15～29 日，埃塞农业部副部长比雷·埃吉古率农业代表团回访。

6 月 20～22 日，应埃塞俄比亚政府邀请，中国对外贸易经济合作部副部长周可仁率政府经贸代表团访问埃塞俄比亚。埃塞总理梅莱斯会见了代表团。埃塞经济合作部副部长穆拉图·特绍梅主持会谈，双方签署了《中华人民共和国政府和埃塞俄比亚联邦民主共和国政府关于免除埃塞俄比亚政府部分债务议定书》和《中华人民共和国政府与埃塞俄比亚联邦民主共和国政府经济技术合作协定》。

10 月 15～22 日，应中国外经贸部邀请，埃塞俄比亚经济发展合作部副部长穆拉图率团访华，参加在北京举行的中埃（塞）经贸联委会第五次会议。

据中国海关总署统计，2001 年，中国与埃塞双边贸易总额为8056.7 万美元，其中中方出口额为 7879.8 万美元，进口额为 177万美元。

三、文化交流及其他往来

2 月 27 日至 3 月 11 日，应埃塞俄比亚农业部邀请，由中国农业部国际合作司、中国农牧渔业国际合作公司、湖南省农业厅等单位组成的农业职业教育先遣组访问埃塞，对埃塞农业职业技术教育设施和现状进行实地考察。6 月 18 日，根据两国农业部门达成的有关协议，首批 20 名中国农业职业教育教师赴埃塞开展农业职业教育工作。8 月 23 日，该批中国教师圆满结束在埃塞阿拉格农业培训中心的教学任务后回国，埃塞领导人对中国教师的教学工作给予充分肯定。12 月 3 日，第二批 32 名教师赴埃执行农业职业教育培训任务。

3 月 5～15 日，应中国人民对外友好协会邀请，埃塞俄比亚亚的斯亚贝巴市市长阿里·阿布杜率团访华。

5 月 7 日至 7 月 21 日，应中华全国新闻工作者协会邀请，埃塞俄比亚新闻代表团访问北京、南京、上海、杭州和绍兴等地。

10 月 25～31 日，应埃塞俄比亚外交部邀请，中国国家民族事务委员会副主任江家福率国家民委代表团对埃塞进行友好访问。

11 月 12 日，根据中国与埃塞俄比亚两国教育部签署的职业技术教育合作与交流意向书，21 名中国教师启程赴埃塞从事为期 2 年的城市职业技术教育工作。

12 月 19 日，中国驻埃塞大使艾平代表中国政府向埃塞俄比亚政府移交中国捐赠的一批扫雷器材。

2001 年，中国在埃塞俄比亚医疗人员 15 人，埃塞俄比亚在华留学生 58 名。

第 4 节　中国同厄立特里亚的关系

2001 年，中华人民共和国同厄立特里亚国的友好合作关系继续稳步发展。

一、政治关系与重要往来

4 月 27 日，厄立特里亚新任驻华大使穆罕默德·努尔·艾哈迈德向中国国家主席江泽民递交国书。

6 月 15～17 日，应厄立特里亚外交部邀请，中国对外贸易经济合作部副部长周可仁率政府经贸代表团访问厄立特里亚。双方签署了《中华人民共和国政府和厄立特里亚国政府经济技术合作协定》及《中华人民共和国政府和厄立特里亚国政府关于免除厄立特里亚政府部分债务议定书》。

7 月 2～9 日，应中国人民外交学会邀请，厄立特里亚能源矿产部长特斯法耶·格布勒塞拉西访华。国务委员兼国务院秘书长王忠禹、国土资源部副部长蒋承菘分别会见。特斯法耶部长还分别同中国石油天然气集团公司、中国石油化工集团公司及中国航空技术进出口总公司的负责人就在相关领域开展合作事进行了探讨。

二、经济合作与贸易往来

5 月 21～25 日，应厄立特里亚中央省省长阿雷德·米歇尔·卡塞邀请，河南省副省长张洪华率团访厄。访厄期间，代表团举办了河南省产品展示暨经贸洽谈会。

据中国海关总署统计，2001 年，中国同厄立特里亚贸易总额为 284.4 万美元，其中中方出口额为 283.5 万美元，进口额为 0.9 万美元。

三、文化交流及其他往来

1 月 5 日，厄立特里亚总统伊萨亚斯夫妇、卫生部长、公共工程部长等应邀出席中国驻厄使馆为迎送中国新老援厄医疗队员举行的招待会。伊萨亚斯总统对中国医疗队的工作给予高度评价。

5 月 24～29 日，河北省京剧团赴厄立特里亚访问演出并出席厄独立 8 周年庆典活动，伊萨亚斯总统出席该团首演仪式。

11 月 15～24 日，中国扫雷培训和考察代表团访问厄立特里亚，代表中国政府向厄政府捐赠一批扫雷器材并实地考察当地雷患情况。

2001 年，中国在厄立特里亚工作的医疗队员有 18 人，厄在华留学生有 9 人。

第 5 节　中国同吉布提的关系

2001 年，中华人民共和国同吉布提共和国的友好合作关系进一步巩固和发展。

一、政治关系与重要往来

3 月 20～25 日，应中国国家主席江泽民邀请，吉布提总统伊斯梅尔·奥马尔·盖莱率代表团对中国进行国事访问。江泽民主席与盖莱举行会谈，全国人大常委会委员长李鹏和国务院总理朱镕基分别会见盖莱。中国领导人对中吉关系的顺利发展表示满意，对盖莱为发展中吉友好所作的贡献以及吉政府在台湾和人权问题上给予中国的宝贵支持表示赞赏和感谢，强调中方愿在和平共处五项原则基础上与吉方共同努力，进一步加强在政治、经济、卫生等各个领域的合作，推动两国友好合作关系在新世纪不断得到新的发展。盖莱总统感谢中国政府和人民长期以来给予吉的支持和援助，重申吉将坚持一个中国的立场，在人权等重大问题上坚定地站在中国一边。盖莱表示，吉愿加强与中国在各个领域的合作关系，欢迎中国企业家赴吉投资，扩大双边经贸合作；为进一步加强两国的友好合作关系，吉决定在中国设立大使馆。访问期间，双方签署了《中华人民共和国政府和吉布提共和国政府经济技术合作协定》、《中华人民共和国政府和吉布提共和国政府关于向吉布提政府提供优惠贷款的框架协议》和《中华人民共和国政府和吉布提共和国政府关于免除吉布提政府部分债务议定书》。盖莱一行还访问了重庆和深圳。

3月6日，朱镕基总理电贺迪莱塔·穆罕默德·迪莱塔就任吉总理。

7月1日，吉布提"争取进步人民联盟"主席、总统盖莱致电中国共产党中央委员会总书记江泽民，祝贺中国共产党成立80周年。

7月4日，吉首任常驻中国大使穆萨·布·奥多瓦向江泽民主席递交国书。

二、经济技术合作与贸易往来

3月10日，盖莱总统、迪莱塔总理等出席中国援建吉布提外交部办公楼的奠基仪式。

3月13日，吉总统事务兼促进投资部长奥斯曼和中国驻吉大使关金地出席中国政府向吉布提总统府赠送办公用品的交接仪式，并签署交接证书。

据中国海关总署统计，2001年，中国与吉布提的贸易总额为

4764 万美元，其中中方出口额为 4731.9 万美元，进口额为 32.2
万美元。

三、文化交流及其他往来

6 月 24～28 日，中国人民对外友好协会秘书长韦东率友协代
表团对吉布提进行友好访问。

9 月 29 日至 10 月 6 日，应中国中央电视台邀请，吉布提电视
台台长阿布迪·阿特耶·阿布迪访华，这是中吉两国电视台间的首次
交流。

10 月 12～17 日，应中国信息产业部邀请，吉布提新闻、文化
和邮电部部长里弗基访问中国。期间，里会见了信息产业部部长吴
基传，与对外贸易经济合作部部长助理何晓卫举行会谈。里还赴深
圳参观了中兴公司。

2001 年，中国在吉工作的医疗队员有 10 人，吉在中国有 6 名
留学生。

第 6 节　　中国同索马里的关系

2001 年，中华人民共和国政府和人民继续关注索马里形势的
发展及索和平进程，同索有关各方保持友好联系。

一、政治关系

2001 年，索马里过渡全国政府继续遭到国内主要派别的抵制，
索和平进程陷入僵局。索仍呈军阀割据状态。

中国政府对索局势总体缓和表示欢迎，主张索有关各方继续通
过对话和平解决分歧，实现和解，支持国际社会一切有助于索实现
和平与统一的努力，衷心希望索有关各方以国家和民族的利益为
重，采取灵活务实的态度，共同推动索和平进程向前发展，早日实
现索和平与稳定并开始重建国家。

二、经贸关系及其他

据中国海关总署统计，2001 年，中国同索马里贸易总额为 163 万美元，其中中方出口额为 111.5 万美元，进口额为 51.5 万美元。2001 年，索马里在华留学生 2 名。

第 7 节　中国同肯尼亚的关系

2001 年，中华人民共和国同肯尼亚共和国的友好合作关系进一步发展。

一、政治关系与重要往来

10 月 14～17 日，应肯尼亚非洲民族联盟（简称肯盟）邀请，中共中央政治局委员李铁映率中国共产党代表团对肯尼亚进行友好访问。肯总统丹尼尔·阿拉普·莫伊会见，肯盟第二全国副主席威尔逊·多罗·阿亚主持会谈，肯盟全国组织书记兼旅游和新闻部长斯蒂芬·卡罗佐·穆西约卡设宴款待。会谈、会见中，双方高度评价中肯关系，表示愿进一步加强两国、两党间的交流与合作。

1 月 9 日，中国新任驻肯尼亚大使杜起文向莫伊总统递交国书。

3 月 28 日至 4 月 1 日，应肯尼亚外交与国际合作部邀请，中国外交部副部长杨文昌对肯进行工作访问。期间，杨文昌副部长拜会了莫伊总统，与肯副外长穆罕默德·阿菲举行会谈，并向肯外交部赠送了一批办公用品。

二、经济技术合作与贸易往来

7 月 14～17 日，应肯尼亚贸易与工业部邀请，中国对外贸易经济合作部副部长孙振宇率政府经贸代表团对肯尼亚进行访问。孙振宇副部长同肯财政部长克里桑瑟斯·奥克莫分别代表各自政府签署了《中华人民共和国政府和肯尼亚共和国政府经济技术合作协定》、《中华人民共和国政府和肯尼亚共和国政府关于免除肯尼亚政府部分债务议定书》和《中华人民共和国政府和肯尼亚共和国政府关于鼓励、促进和保护投资协定》。

据中国海关总署统计，2001 年，中国同肯尼亚贸易总额为14480.6 万美元，其中中方出口额为 13892.8 万美元，进口额为587.8 万美元。

三、文化交流及其他往来

5 月 16～20 日，应肯尼亚农业、家畜和农村发展部邀请，中国农业部副部长范小建访问肯尼亚。

5 月 17～23 日，应中国残疾人联合会邀请，肯尼亚教育部副部长、全国残联主席莫迪·阿沃里访华。

5 月 20～25 日，应肯尼亚新闻、交通和通讯部邀请，中国国家广播电影电视总局局长徐光春对肯尼亚进行工作访问。肯国民议会议长弗朗西斯·奥莱·卡帕罗予以会见，新闻、交通和通讯部长穆萨利亚·穆达瓦迪主持会谈。徐光春局长与穆达瓦迪部长分别代表各自政府签署了《中国国家广播电影电视总局和肯尼亚新闻、交通和通讯部广播影视合作协议》，中央电视台副台长何宗与肯尼亚广播电视公司总裁哈西米签署了关于中央电视台允许肯尼亚广播电视公司转播中央电视台国际频道和英语频道的授权协议书。

6 月 11～14 日，北京 2008 年奥运会申办委员会主席、北京市长刘淇和奥申委副主席、国际奥委会执行委员何振梁率北京奥申委代表团赴肯尼亚蒙巴萨市参加非洲国家奥委会协会代表大会。

9 月 18～22 日，应肯尼亚总检察长阿莫斯·瓦科邀请，司法部副部长范方平率中国司法代表团访问肯尼亚。

10 月 17～19 日，应肯尼亚全国人口与发展委员会主任西蒙·布鲁特邀请，国家计划生育委员会主任张维庆访问肯尼亚。肯卫生部长山姆·翁杰里会见。张维庆主任与肯计划部长安德鲁·阿维提签署了《中华人民共和国政府和肯尼亚共和国政府关于在人口、计划生育和艾滋病防治领域开展合作的备忘录》。

11月15～19日，中国全国人大财经委员会主任委员陈光毅访问肯尼亚。

12月3～7日，应肯尼亚新闻和旅游部长穆西约卡邀请，国务院新闻办公室副主任蔡名照访问肯尼亚，与穆西约卡部长进行了会谈。

据中国教育部统计，2001年，肯尼亚在华留学生有48人。

四、军事往来

12月1～4日，应肯尼亚武装部队总参谋长约瑟夫·基卜瓦纳上将邀请，中央军委委员、中国人民解放军总参谋长傅全有上将偕夫人对肯尼亚进行正式友好访问。莫伊总统会见，基卜瓦纳总参谋长主持会谈并设宴欢迎。会谈、会见中，肯领导人感谢中国长期以来向肯提供经济及军事援助，希望中国成为肯经济发展的主要合作伙伴。傅全有总参谋长高度评价中肯关系，表示中方愿与肯方共同努力，不断推进两国及两军间业已存在的友好合作关系。

第8节　中国同乌干达的关系

2001年，中华人民共和国同乌干达共和国的友好合作关系继续稳步发展。

一、政治关系与重要往来

1月17～19日，应乌干达政府邀请，中国国家副主席胡锦涛对乌干达进行正式访问。访问期间，胡锦涛副主席分别会见约韦里·卡古塔·穆塞韦尼总统和阿波罗·恩西班比总理，与斯派西欧莎·万迪拉·卡齐布威副总统举行会谈。双方高度评价中乌传统友谊，盛赞两国在政治、经贸、文教、卫生等各个领域进行的富有成果的合作，表示愿共同努力，推动两国间业已存在的友好关系在新世纪里继续健康、稳定地向前发展。两国政府代表签署了《中华人民共和国政府与乌干达共和国政府贸易、经济和技术合作协定》、《中华人民共和国政府与乌干达共和国政府经济技术合作协定》、《中华人民共和国政府与乌干达共和国政府关于免除乌干达政府部分债务议定书》以及中国政府向乌干达政府提供无偿援助用于帮助乌预防和治疗埃博拉病疫的换文。中国石油天然气集团公司与乌政府签署了关于在乌合作勘探和开发石油资源的谅解备忘录。

3 月 16 日，中国国家主席江泽民致电穆塞韦尼，祝贺其再次当选为乌干达总统。

7 月 11 日，中国全国人大常委会委员长李鹏致电乌干达国民议会议长爱德华·塞坎迪，对其履新表示祝贺；胡锦涛副主席致电卡齐布威，祝贺其连任乌干达副总统。

7 月 13 日，中国国务院总理朱镕基致电恩西班比，祝贺其连任乌干达总理。

7 月 26 日，中国外交部长唐家璇致电乌干达第三副总理兼外长詹姆斯·万博戈·瓦帕卡布洛，对其履新表示祝贺。

8 月 26 日至 9 月 6 日，应中国人民对外友好协会邀请，乌干达旅游、贸易与工业部长爱德华·卢古马尤率领乌高层友好人士代表团对华进行友好访问。中国全国人大常委会副委员长许嘉璐予以会见。

12 月 3～10 日，应中国外交部邀请，乌干达外交部代常秘约翰·基特约率领乌人权代表团访华，中国外交部副部长杨文昌和司法部副部长顾正坤分别会见，双方就加强两国在人权领域的磋商与合作达成了一致。

二、经济技术合作与贸易关系

8 月 29 日至 9 月 3 日，应乌干达全国运动（简称运动）秘书处邀请，中共中央对外联络部经济联络中心（首创集团）代表团访乌，就双方开展经济合作事宜与乌方进行磋商，并参观考察乌一些企业。

9月19日,中国北辰集团和乌干达咖啡发展局在北京签署在京共同开设咖啡生产销售公司的合资意向书。

据中国海关总署统计,2001年,中国同乌干达的贸易总额为1747.7万美元,其中中方出口额为1624万美元,进口额为123.6万美元。

三、文化交流及其他往来

3月22~28日,应中国教育部邀请,乌干达教育与体育部长爱德华·马库布亚率乌教育代表团访华。教育部长陈至立予以会见,并与马库布亚部长签署了《中华人民共和国教育部和乌干达共和国教育与体育部2000~2005年教育交流与合作协议》。

7月21~28日,中国计划生育协会代表团访问乌干达,乌总统事务部长鲁哈卡纳·鲁贡达予以会见。

7月22~29日,中华全国新闻工作者协会代表团访乌,与乌干达记者协会进行座谈并参观了有关院校和部门。

9月18~25日,应中国国际交流协会邀请,乌干达青年政治家代表团访华。

9月21~25日,应乌干达妇女拯救孤儿组织邀请,中国人民对外友好协会妇女代表团访乌。乌国民议会副议长卡达加予以会见。

9月21~26日,中华全国妇女联合会副主席华福周率领中国妇联代表团访乌。

2001年,中国在乌干达工作的医疗队员有8名,乌干达在华留学生49人。

第9节 中国同塞舌尔的关系

2001年,中华人民共和国同塞舌尔共和国的友好合作关系继续发展。

一、政治关系与重要往来

9 月 3 日，江泽民主席致电祝贺勒内蝉联塞总统。中国国家副主席胡锦涛致电詹姆斯·米歇尔，祝贺其再次当选塞副总统。

9 月 7 日，中国外交部长唐家璇致电博纳拉姆，祝贺其连任塞外长。

二、经济技术合作与贸易往来

9 月 20 日，中国驻塞舌尔大使侯贵信与博纳拉姆外长就中国政府向塞政府提供无偿援助事换文确认。

据中国海关总署统计，2001 年，中塞贸易总额为 116.5 万美元，其中中方出口额为 111.5 万美元，进口额为 5.1 万美元。

三、文化交流及其他往来

6 月 10～20 日，应中国人民对外友好协会邀请，塞前总统曼卡姆夫妇及维多利亚市市长本斯特朗对中国进行友好访问，全国人大常委会副委员长周光召予以会见。

10 月 31 日至 11 月 6 日，中国吉林民乐团在塞舌尔访问演出，受到塞社会各界的欢迎。

2001 年，中国有 6 名医疗人员在塞舌尔工作，塞舌尔有 11 名留学生在华学习。

第 10 节　中国同坦桑尼亚的关系

2001 年，中华人民共和国同坦桑尼亚联合共和国的友好合作关系继续顺利发展。

一、政治关系与重要往来

7 月 6 日，中国国家副主席胡锦涛致电坦桑尼亚政府，对坦桑副总统奥马尔·阿里·朱马逝世表示哀悼和慰问。9月7日，坦桑总统本杰明·威廉·姆卡帕复函胡锦涛副主席表示感谢。

7月16日，胡锦涛副主席致电阿里·穆罕默德·谢尼，祝贺其就任坦桑尼亚副总统。

4月19日至5月2日，应中国共产党邀请，坦桑尼亚革命党总书记菲利浦·曼古拉率革命党代表团对中国进行友好访问。全国人大常委会委员长李鹏会见，中共中央对外联络部副部长王家瑞与曼古拉举行工作会谈。

6月6～10日，应外交部长唐家璇邀请，坦桑尼亚外交与国际合作部长贾卡亚·姆里绍·基奎特对中国进行正式访问。朱镕基总理会见，唐家璇外长主持会谈，对外贸易经济合作部副部长孙广相与基奎特外长举行经贸对口会谈。朱总理表示，中、坦桑关系基础牢固，真诚友好，健康稳定，有着很大的发展潜力和广阔的发展前景，进一步巩固和发展这一关系符合两国和两国人民的根本和长远利益。唐外长对坦桑政府坚持一个中国立场、支持中国和平统一大业表示赞赏和感谢。基奎特表示，坦桑领导人、政府和人民一直把中国看成是自己最好的朋友。坦桑政府将毫不动摇地坚持一个中国的原则，在人权等重大问题上支持中国的立场。基还表示，坦桑正致力于国家经济改革，希望学习中国的发展经验，进一步加强与中国在经贸等领域的友好合作。访问期间，双方签署了《中华人民共和国外交部和坦桑尼亚联合共和国外交部关于建立政治磋商机制的协议》和中国政府向坦桑尼亚政府提供无偿援助的换文。

7月16～20日，全国人大常委会委员、全国人大内务司法委员会副主任委员万绍芬率团访问坦桑尼亚。坦桑总理弗雷德里克·苏马耶、坦桑尼亚联合共和国桑给巴尔总统阿马尼·阿贝德·卡鲁梅、坦桑国民议会代议长阿库奎特和桑给巴尔人民代表会议长旁杜·阿迈尔·基菲乔分别会见了代表团一行。

二、经济技术合作与贸易关系

8月4日，苏马耶总理致函朱镕基总理，通报了坦中友谊纺织有限公司近况以及坦桑政府拟给予该公司的具体优惠政策。9 月 20 日，朱镕基总理复函苏马耶总理，表示中国政府愿同坦桑政府一道，为该公司扭亏为盈继续做出努力。

7 月 17～20 日，对外贸易经济合作部部长助理何晓卫率政府经贸代表团访问坦桑尼亚。桑给巴尔总统卡鲁梅和坦桑财政部长巴西尔·姆拉姆巴分别会见，何晓卫部长助理与坦桑工业和商业部常秘查尔斯·姆塔莱姆瓦举行经贸对口会谈。双方签署了《中华人民共和国政府和坦桑尼亚联合共和国政府关于免除坦桑尼亚政府部分债务的议定书》、《中华人民共和国政府和坦桑尼亚联合共和国桑给巴尔革命政府关于免除桑给巴尔政府部分债务的议定书》、《中华人民共和国政府和坦桑尼亚联合共和国政府经济技术合作协定》以及中国政府向桑给巴尔政府提供无偿援助的换文。访问期间，何部长助理还参加了在坦桑举行的中国、坦桑尼亚、赞比亚政府关于坦赞铁路第十一期技术合作的三国会谈，以及坦赞铁路局为该铁路建成运营 25 周年举行的纪念活动，并与坦、赞方签署了《中华人民共和国政府、坦桑尼亚联合共和国政府、赞比亚共和国政府关于中国政府向坦赞铁路提供专项贷款协定》和《中华人民共和国政府、坦桑尼亚联合共和国政府、赞比亚共和国政府关于坦赞铁路经济技术合作议定书》。

7 月 25 日，姆卡帕总统致函中国国家主席江泽民，对中国政府减免坦桑政府部分到期债务表示感谢。

3 月 18～21 日，山西省副省长杨志明率山西省政府代表团访问坦桑尼亚，与坦桑国防与国民服务部长菲利蒙·萨伦吉举行会谈，并出席了由山西省和坦桑国民服务队合资兴建的坦中联合制药厂正式开工仪式。

5 月 22～24 日，应黑龙江省政府邀请，坦桑尼亚工业和商业部长伊迪·辛巴率团考察了黑龙江省有关企业。黑龙江省省长宋法棠会见了辛巴部长，双方探讨了开展经贸合作等问题。

7 月 23 日，中国援建的坦桑尼亚多多马供水工程举行开工典礼。

10月19日，中国援建的坦桑尼亚查林兹供水工程举行奠基仪式。

据中国海关总署统计，2001年，中国同坦桑尼亚贸易总额为9343.3万美元，其中中方出口额为9014.7万美元，进口额为328.6万美元。

三、文化交流及其他往来

8月14～20日，应中国信息产业部邀请，坦桑尼亚通信和运输部长马克·姆万多斯亚对中国进行友好访问。信息产业部长吴基传予以会见。

8月28日至9月8日，应中国科学技术部邀请，坦桑尼亚科学、技术和高等教育部副部长扎贝伊恩·姆希塔女士访问中国。

9月3～10日，应中国文化部邀请，坦桑尼亚教育部副部长布吉库·萨基拉率政府文化代表团访问中国。文化部副部长潘震宙会见。双方签署了《中华人民共和国政府和坦桑尼亚联合共和国政府文化协定2002年至2004年执行计划》。

10月17～22日，应中国监察部邀请，坦桑尼亚总统府国务部长威尔逊·马林西吉率团对中国进行友好访问，监察部部长何勇主持工作会谈。

2001年，中国在坦桑尼亚有46名医疗队员，坦桑尼亚在华有95名留学生。

四、军事往来

5月19～24日，中国人民解放军副总参谋长钱树根上将率军事代表团访问坦桑尼亚。姆卡帕总统、桑给巴尔总统卡鲁梅、坦桑国防与国民服务部长菲利蒙·萨伦吉分别会见，坦桑人民国防军司令罗伯特·姆博马上将与钱副总长举行了会谈。

11月28日至12月1日，中央军委委员、中国人民解放军总参谋长傅全有上将对坦桑尼亚进行正式友好访问。姆卡帕总统、国防与国民服务部长萨伦吉分别会见，坦桑人民国防军新任司令瓦依塔拉上将与傅全有总长举行会谈。

第 11 节　　中国同科摩罗的关系

2001 年，中华人民共和国同科摩罗伊斯兰联邦共和国的友好合作关系继续稳步发展。

一、政治关系与重要往来

4 月 4 日，中国新任驻科摩罗大使赵春胜向阿扎利国家元首递交国书。

5 月 14 日，中国外交部副部长李肇星会见来华进行私人访问的科摩罗外交与合作部长苏埃夫·阿明。双方就双边关系、中非合作论坛后续行动以及共同关心的问题交换了意见。阿明外长感谢中国政府对科国家统一、领土完整和经济建设的一贯支持和无私援助，重申科政府将一如既往地坚持一个中国立场。

二、经济技术合作与贸易往来

8 月 9 日，赵春胜大使和阿明外长分别代表各自政府签署了《中华人民共和国政府和科摩罗伊斯兰联邦共和国政府关于免除科摩罗政府部分债务议定书》。

11 月 10 日至 12 月 1 日，中国政府派组对科摩罗人民宫维修等项目进行考察，阿扎利国家元首、阿明外长等分别会见考察组一行。

12 月 26 日，赵春胜大使和阿明外长分别代表各自政府签署了《中华人民共和国政府和科摩罗伊斯兰联邦共和国政府经济技术合作协定》。

据中国海关总署统计，2001 年，中国同科摩罗贸易总额为 49.9 万美元，其中中方出口额为 45.7 万美元，进口额为 4.2 万美元。

三、文化交流及其他往来

11 月 8～16 日，应科摩罗文化青年和体育部邀请，中国吉林民乐团在科访问演出，受到热烈欢迎。

2001 年，中国有 11 名医疗队员在科工作，科有 6 名留学生在华学习。

第 12 节 中国同毛里求斯的关系

2001 年，中华人民共和国同毛里求斯共和国的友好合作关系进一步发展。

一、政治关系与重要往来

4 月 16～19 日，应毛里求斯政府邀请，中国人民政治协商会议全国委员会主席李瑞环对毛进行正式友好访问。访问期间，李瑞环主席分别会见了毛总统卡萨姆·乌蒂姆、总理阿内罗德·贾格纳特、副总理兼财政部长保罗·贝朗热和议长德夫·拉姆纳。毛领导人感谢中国政府为毛国家建设提供的帮助，重申坚持一个中国政策，愿继续加强两国在国内建设和国际事务中的相互支持与合作。李瑞环主席积极评价中毛建交 29 年来双边关系取得的成果，表示中方愿与毛方共同努力，在平等互利的基础上加强经贸、科技、文化等领域的交流与合作，使两国间业已存在的友好关系进一步巩固和发展。

3 月 23～25 日，应毛里求斯政府邀请，中国国务委员兼国务院秘书长王忠禹率中国政府人事代表团访毛。毛总理贾格纳特和副总理兼财政部长贝朗热分别会见。毛公职和行政改革部长阿迈德·吉瓦与王忠禹国务委员举行工作会谈，双方就各自公务员制度和政府机构改革等问题交换了意见。

4 月 2 日，中国外交部领导成员武东和会见以东部和南部非洲共同市场部长理事会主席身份率团访华的毛里求斯外交部长阿尼尔·加扬，双方就中毛关系及其他共同关心的问题交换了意见。

5 月 24～31 日，应中共中央对外联络部邀请，毛里求斯战斗党副总书记阿鲁纳萨隆率毛执政的社战党/战斗党联盟代表团访华。中共中央委员、中国人民政治协商会议全国委员会副主席李贵鲜会见。中联部副部长蔡武与阿举行工作会谈。

6 月 5～6 日，中国全国人民代表大会常务委员会副委员长许嘉璐访问非洲时途经毛里求斯，拉姆纳议长予以会见。

9 月 15 日，在第 56 届联合国大会总务委员会会议上，毛里求斯代表发言反对将台湾"参与"联合国提案列入本届联大议程。

二、经济技术合作与贸易关系

7 月 4～6 日，应毛里求斯政府邀请，中国对外贸易经济合作部副部长孙振宇率政府经贸代表团访毛。访问期间，毛副总理兼财政部长贝朗热、工商和国际贸易部长贾亚·卡塔里分别会见。孙振宇副部长与贝朗热副总理分别代表各自政府签署了《中华人民共和国政府和毛里求斯共和国政府经济技术合作协定》。

7 月 25～28 日，中国进出口银行副行长钱中涛访问毛里求斯。毛副总理兼财政部长贝朗热、经济发展部长库什哈尔·库什兰、住房部长穆克斯瓦·丘尼分别会见。

据中国海关总署统计，2001 年，中国同毛里求斯贸易总额为9613.6 万美元，其中中方出口额为 8718.4 万美元，进口额为895.2 万美元。

三、文化交流及其他往来

2 月 2～7 日，中国浙江省艺术团对毛里求斯进行访问演出。

4 月 1～3 日，中国国务院华侨事务办公室主任郭东坡率团访问毛里求斯，毛总检察长兼司法和人权部长陈念汀予以会见。

4 月 8～11 日，中国海关总署副署长端木君率团访问毛里求斯。

4月19～21日，中国奥林匹克运动委员会名誉主席、国际奥林匹克运动委员会执行委员何振梁访问毛里求斯。

5月27～29日，应毛里求斯劳动和工业部长萨卡塔里·苏登邀请，中国浙江省省长柴松岳率省政府代表团访毛。

7月18～25日，应北京市侨办邀请，毛里求斯寻根青少年团参加了在北京举行的"海外华裔青少年2001年中国寻根之旅联欢节"。

10月12～16日，应毛里求斯文化部邀请，中国文化部部长助理贾明如率中国政府文化代表团访毛。毛总统乌蒂姆、总理贾格纳特和副总理兼财政部长贝朗热分别会见。毛文化艺术部长拉姆达斯与贾举行工作会谈，双方签署了《中华人民共和国政府和毛里求斯共和国政府文化协定2001年、2002年和2003年执行计划》。

2001年，毛里求斯在华有46名留学生。

第13节　中国同马达加斯加的关系

2001年，中华人民共和国同马达加斯加共和国的友好合作关系继续稳步、健康发展。

一、政治关系与重要往来

3月25～27日，中国国务委员兼国务院秘书长王忠禹率中国政府人事代表团访问马达加斯加。访马期间，代表团分别会见了马总统拉齐拉卡、总理安德里亚纳里武，与副总理拉左纳里韦卢及公职部长拉扎菲纳坎加进行了工作会谈。王忠禹国务委员高度评价中马友好关系，感谢马在台湾和人权等重大问题上给予中国的一贯支持。马领导人对中国政府向马提供的援助表示感谢，希望两国友好合作关系进一步发展。

5月24～31日，应中国人事部邀请，马达加斯加公职、劳动和社会法律部长艾利斯·拉扎菲纳坎加率团访华。国务委员王忠禹予以会见，人事部长张学忠与拉举行会谈。

5 月 31 日至 6 月 5 日，中国全国人大常委会副委员长许嘉璐访问马达加斯加。期间，许嘉璐副委员长分别会见了马国民议会议长安德里亚纳利苏阿和参议院议长奥诺雷，转达了李鹏委员长对两位议长的问候，对马参议院正式成立和奥诺雷出任议长表示祝贺，并高度评价马在探索适合本国国情发展道路方面取得的成就，对马坚定奉行一个中国政策和在人权等问题上支持中国表示赞赏和感谢。

8 月 27 日，中国新任驻马达加斯加大使许镜湖向拉齐拉卡总统递交国书。

二、经济技术合作与贸易往来

11 月 11~15 日，中国对外贸易经济合作部部长助理何晓卫率政府经贸代表团访问马达加斯加。期间，代表团分别会见了马国民议会议长安德里亚纳利苏阿、总理安德里亚纳里武和副总理拉左纳里韦卢，同马贸易与消费部长拉克塔芒加举行工作会谈。何晓卫部长助理与马代外长、负责公安的国务秘书阿扎利共同签署了《中华人民共和国政府和马达加斯加共和国政府经济技术合作协定》、《中华人民共和国政府和马达加斯加共和国政府关于免除马达加斯加政府部分债务议定书》以及关于就中国援建的体育馆进行第三期技术合作的换文。

据中国海关总署统计，2001 年，中国同马达加斯加的贸易总额为 8170.4 万美元，其中中方出口额为 7286.4 万美元，进口额为 884 万美元。

三、文化交流及其他往来

3 月 27~29 日，中国内蒙古自治区代主席乌云其木格率团访问马达加斯加，与马外长拉齐凡德里亚马纳举行会谈。

4 月 3~6 日，中国国务院侨务办公室主任郭东坡率团访问马达加斯加，看望当地侨胞，视察侨情。

2001年，中国在马达加斯加有 30 名医疗队员，马达加斯加在华有 29 名留学生。

第 14 节　中国同中非的关系

2001年，中华人民共和国同中非共和国的友好合作关系继续发展。

一、政治关系与重要往来

1月 11～12 日，应中非外交和法语国家事务部长马塞尔·梅泰法拉的邀请，外交部长唐家璇对中非进行正式访问。期间，唐外长会见了中非总统昂热—菲利克斯·帕塔塞和总理阿尼塞·乔治·多罗格雷，与梅泰法拉外长进行会谈。帕塔塞总统向唐家璇外长授予了荣誉勋章，表彰他为促进两国友谊做出的贡献。会见、会谈中，双方就两国关系和其他共同关心的问题深入交换了意见。帕塔塞总统对两国 1998 年复交以来双边关系的发展表示满意，感谢中国政府对中非政府给予的政治支持和物质帮助。他重申，中非政府坚持一个中国的立场不是权宜之计，祝愿中国早日完成统一大业。唐家璇外长赞赏并感谢帕塔塞总统和中非政府坚持一个中国立场和为推动两国友好合作关系所作的努力，表示两国复交以来在各个领域的合作取得了令人满意的成果，中方愿在和平共处五项原则基础上不断巩固和发展与中非在各个领域的密切合作，使两国友好合作关系在新世纪取得长足进展。访问期间，唐外长和梅泰法拉外长分别代表各自政府签署了《中华人民共和国政府和中非共和国政府经济技术合作协定》。

1月 4 日，中非新任驻华大使克里斯多夫·加扎姆—贝蒂向江泽民主席递交国书。

7月 20 日，中国新任驻中非大使王四法向帕塔塞总统递交国书。

11 月 20～29 日，应中共中央对外联络部邀请，中非人民解放运动副主席于格·多博赞迪率团访华。中国人民政治协商会议全国委员会副主席李贵鲜和中联部部长戴秉国分别会见，中联部副部长马文普与多博赞迪一行举行会谈。李贵鲜介绍了中国共产党建党80 年来取得的成就，以及中国面临的形势和基本任务，表示中国共产党愿继续发展同中非人民解放运动的友谊与合作。戴秉国部长介绍了中国对非政策和对重大国际问题的看法。多博赞迪高度评价中国共产党在过去 80 年中所取得的成就，表示中非人民解放运动十分重视发展与中国共产党的关系，愿通过此访学习中国共产党的治党治国经验，并进一步加强两党的交流与合作。

二、经济技术合作与贸易关系

11 月 25～28 日，应中非政府邀请，对外贸易经济合作部部长助理何晓卫率中国政府经贸代表团访问中非。双方签署了两国政府经济技术合作协定和中国政府减免中非债务的议定书。

3 月 26 日，中国政府向中非政府赠送 70 辆汽车交接仪式在中非首都班吉举行。

10 月 16 日，中非邮政、通讯、新技术、文化和法语国家事务国务部长加布里埃尔·让—爱德华·科扬布努代表中非政府向中国援助中非勃利亚农业组组长李关土和姆波科农业组组长张大钟授予四级荣誉勋章，以表彰他们为帮助中非解决粮食问题做出的突出贡献。

据中国海关总署统计，2001 年，中国与中非贸易额为 195.9 万美元，比上年增长 204.5%，其中中方出口额 57 万美元，比上年增长 66.1%，进口额 139 万美元，比上年增长 362.2%。

三、文化交流及其他往来

12 月 14 日，"世界遗产在中国"图片展在中非博冈达博物馆举行。

2001 年，中非在华留学生 16 人，中国在中非医疗队员 15 人。

第15节　中国同喀麦隆的关系

2001年，中华人民共和国同喀麦隆共和国的友好合作关系继续顺利发展。

一、政治关系与重要往来

1月12～14日，应喀麦隆对外关系国务部长奥古斯坦·古梅尼·孔楚的邀请，外交部长唐家璇对喀麦隆进行正式访问。期间，唐外长会见了喀总理彼得·马法尼·穆松格，并与孔楚外长举行会谈，双方签署了《中华人民共和国政府和喀麦隆共和国政府经济技术合作协定》。唐家璇外长在会见、会谈中高度评价中喀建交30年来双边关系取得的成果，对两国在政治、经贸、文化、卫生等各个领域友好合作的不断发展表示满意。他说，此次访问恰逢新千年伊始和中喀建交30周年，两国关系正处在一个新的起点，中国愿同包括喀麦隆在内的广大非洲国家进一步发展和扩大相互间的友好合作关系。穆松格总理表示，喀中建交以来，双方高层互访频繁，双边合作充满朝气，富有成效，起到了造福双方的作用。他祝愿喀中友好合作关系不断巩固和发展。孔楚外长称赞喀中合作堪称典范，感谢中国为促进喀经济、文化发展所提供的宝贵支持，表示喀将一如既往地坚持一个中国的立场，愿与中国在人权、反邪教等领域保持密切合作。

4月18日，在联合国人权委员会第57届会议上，喀麦隆对中国针对美国人权反华提案提出的"不采取行动"动议投了赞成票。

5月14～26日，应中共中央对外联络部的邀请，喀麦隆人民民主联盟社会经济事务书记姆贝莱·威尔福里德来华参加非洲国家政党研讨考察活动。

二、经济技术合作与贸易关系

11月21～25日，应喀麦隆政府邀请，中国对外贸易经济合作部部长助理何晓卫率政府经贸代表团访问喀麦隆。双方签署了中国政府向喀麦隆政府提供无息贷款的协定和关于中国政府减免喀麦隆政府债务的议定书，并就中国为喀援建一座体育馆举行了换文。

据中国海关总署统计，2001年，中国与喀麦隆贸易总额为2.13058亿美元，比2000年增长32.6%。其中，中方出口2935.9万美元，比2000年增长29.7%；进口1.83699亿美元，比2000年增长33.1%。

三、文化交流及其他往来

6月21日至7月1日，应文化部邀请，喀麦隆文化国务部长费迪南·莱奥彼德·奥约诺率喀文化代表团访华。国务院副总理钱其琛和外交部长唐家璇分别会见，文化部部长孙家正与奥约诺举行工作会谈。

7月2～11日，应新华社邀请，喀麦隆新闻出版公司总经理穆翁多·热罗姆、喀麦隆通讯社社长让·恩冈爵和《喀麦隆论坛报》社论专栏记者皮埃尔·埃巴松联合访华。新华社副社长马胜荣会见。

8月23日，中国驻喀麦隆大使许孟水和喀麦隆卫生部长于尔班分别代表各自政府在雅温得签署了《中华人民共和国政府和喀麦隆共和国政府关于喀麦隆雅温得妇女儿童医院第一期技术合作的议定书》。

10月21～25日，应喀麦隆文化部邀请，吉林省民乐团对喀麦隆进行访问演出。

2001年，中国在喀麦隆医疗队人员34名，喀麦隆在华留学生49人。

第16节　中国同卢旺达的关系

2001 年，中华人民共和国同卢旺达共和国的友好合作关系顺利发展。

一、政治关系与重要往来

11 月 11～15 日，应国家主席江泽民邀请，卢旺达总统卡加梅访华。江泽民主席和朱镕基总理分别会见。卡加梅总统出席了中卢建交 30 周年庆祝活动。江泽民主席在会见中表示，中卢建交 30 年来，两国关系始终稳定、健康发展，相信卡加梅总统此次访问一定会对两国友好合作关系的进一步发展起到积极的推动作用。朱镕基总理对卢旺达政府和人民在国家稳定、民族团结、恢复和发展经济中所取得的成就表示祝贺，对卢政府重视发展同中国的友好合作关系，坚持一个中国的立场表示赞赏。卡加梅总统感谢中国在卢遭受困难时给予的援助和支持，表示卢中关系有着良好的基础，卢从中国学到了很多东西。卢政府愿为继续发展两国友好合作关系而努力。卡加梅祝贺中国加入世界贸易组织，表示中国的加入将使国际社会争取平等、公正的力量得到加强。访问期间，中卢双方签署了《中华人民共和国政府和卢旺达共和国政府经济技术合作协定》和《中华人民共和国政府和卢旺达共和国政府关于减免卢旺达政府债务议定书》。

5 月 18～20 日，应卢旺达国民议会邀请，全国人民代表大会常务委员会副委员长许嘉璐对卢旺达进行正式友好访问，期间会见了卢旺达总统保罗·卡加梅，与卢国民议会议长比鲁塔·万桑举行会谈，双方就两国关系、国际和地区形势等问题交换了意见。许嘉璐副委员长表示，中国一贯重视同卢旺达的友好合作关系，两国议会间高层往来和工作交流对中卢双边关系的发展具有积极的促进作用。卡加梅总统表示，中国在国际事务中有着重要的地位和影响，卢旺达重视对华关系，希望两国关系更加密切和牢固。许嘉璐副委员长代表全国人大向卢国民议会赠送了一批办公用品。

7 月 9～16 日，应中共中央对外联络部邀请，卢旺达爱国阵线总书记夏尔·穆里冈代对中国进行友好访问。中共中央政治局常委、国家副主席胡锦涛会见，中联部部长戴秉国同穆里冈代举行了会谈。

二、经济技术合作和贸易关系

6 月 15 日，中国驻卢旺达大使沈江宽代表中国政府向卢旺达政府赠送了价值 100 万元人民币的牛肉罐头。

7 月 20 日，由中国援建并技术代管的卢旺达马叙塞水泥厂举行扩建竣工仪式。

10 月 30 日，由中国援建卢旺达的议会大厦至基尼尼亚 3.5 公里公路项目竣工仪式在基加利举行。

据中国海关总署统计，2001 年，中国与卢旺达贸易总额为 926.1 万美元，同比增长 53.1%。其中中方出口额为 289.1 万美元，同比减少 15.6%；进口额为 637 万美元，同比增长 142.6%。

三、文化交流及其他往来

10 月 26～30 日，应卢旺达青年、体育和文化部邀请，吉林省民乐团对卢旺达进行访问演出。

11 月 11～19 日，应文化部邀请，卢旺达国家艺术团来华访问演出。

11 月 19～30 日，应中华全国妇女联合会的邀请，卢旺达妇女促进部长安热利娜·穆甘扎访华。全国妇联副主席顾秀莲会见，书记处书记冯淬与穆甘扎举行工作会谈。

2001 年，中国在卢旺达工作的医务人员共 12 名，卢旺达在华留学生共 43 人。

第17节　中国同布隆迪的关系

2001 年，中华人民共和国同布隆迪共和国的友好合作关系顺利发展。

一、政治关系与重要往来

3 月 27～28 日，应布隆迪对外关系与合作部的邀请，外交部副部长杨文昌对布隆迪进行工作访问。期间，杨副部长会见了布隆迪总统皮埃尔·布约亚和第一副总统弗雷德里克·邦弗吉尼恩维拉，与对外关系与合作部长塞弗兰·恩塔霍姆武基伊举行了会谈。双方签署了《中华人民共和国政府和布隆迪共和国政府经济技术合作协定》。布约亚总统感谢中国政府对布隆迪和平稳定事业的巨大支持和对布经济、社会发展提供的援助，赞赏中国政府采取的减免包括布隆迪在内非洲国家债务的举措。杨文昌副部长对中布友好合作关系的健康、稳定发展表示满意，赞赏布隆迪政府始终奉行一个中国的政策，表示愿与布方共同努力，进一步加强两国在各个领域以及在国际事务中的合作。

4 月 18 日，在联合国人权委员会第 57 届会议上，布隆迪对中国针对美国人权反华提案提出的"不采取行动"动议投了赞成票。

9 月 17～24 日，应全国人民代表大会常务委员会委员长李鹏的邀请，布隆迪国民议会议长莱翁斯·恩冈达库马纳访华，李鹏委员长和许嘉璐副委员长分别会见。李鹏委员长表示，中布复交 30 年来，尽管国际形势和两国各自国内情况都发生了很大变化，但两国人民的友谊始终未变，双方在各个领域开展了广泛而富有成效的合作。中方对布隆迪政府、议会和人民重视对华关系，始终奉行一个中国政策表示赞赏，相信在双方的共同努力下，两国人民的友谊一定会不断巩固，两国友好合作关系一定会不断向前发展。许嘉璐副委员长表示，中布两国建立长期稳定的友好合作关系符合两国人

民的利益，两国议会之间的交往可以促进相互了解，增进友谊。恩
冈达库马纳议长说，布中两国人民的友谊源远流长，中国一直对布
隆迪的发展给予多种形式的支持和援助，布方对此表示感谢。他表
示布方希望进一步扩大与中国在技术、农村发展等各方面的合作。

　　11 月 2 日，外交部发言人朱邦造在就布隆迪 11 月 1 日成立过
渡政府一事回答记者提问时说，中方对布隆迪过渡政府成立表示欢
迎，认为这是继去年 8 月有关各方签署阿鲁沙和平协议后，布和平
进程取得的又一重要进展，中方对布有关派别努力谋求和解，积极
推动和平进程表示赞赏，并高度评价国际社会特别是有关非洲国家
和布问题国际调解人曼德拉先生所做的巨大调解努力。中方呼吁布
反政府武装尽快停火，加入和平进程。希望布各派以国家的和平稳
定和人民的根本利益为重，继续加强对话，推进民族和解，使国家
早日走上稳定、发展的道路。同时也希望国际社会对布和平进程和
经济发展给予更大支持。

二、经济技术合作和贸易关系

　　4 月 28 日，中国驻布隆迪大使孟宪科和布隆迪对外关系与合
作部长恩塔霍姆武基伊在布琼布拉分别代表各自政府签署了《中华
人民共和国政府和布隆迪共和国政府关于免除布隆迪共和国政府债
务的议定书》。

　　9 月 7 日，中国援建的布隆迪穆杰雷水电站大修工程举行竣工
交接仪式。

　　据中国海关总署统计，2001 年，中国同布隆迪贸易总额为
115.8 万美元，比 2000 年减少 75.6%，其中中方出口 115.5 万美
元，比 2000 年减少 68.1%，进口 0.2 万美元，比 2000 年减少
99.8%。

三、文化交流及其他往来

　　3 月 19～26 日，应中华全国妇女联合会的邀请，布隆迪社会
活动与妇女发展部长罗曼·恩多里马纳率妇女代表团访华。全国人

民代表大会常务委员会副委员长、全国妇联主席彭珮云会见了恩多
里马纳一行，全国妇联书记处书记冯淬与代表团举行了会谈。

6月11～18日，应卫生部邀请，布隆迪公共卫生部长斯塔尼
斯拉斯·恩塔霍巴里率团访华。卫生部部长张文康同恩塔霍巴里部
长举行了工作会谈。

2001年，中国在布隆迪工作的医务人员共29人，布隆迪在华
留学生共57人。

第18节 中国同刚果民主共和国的关系

2001年，中华人民共和国同刚果民主共和国［简称刚果
（金）］的友好合作关系继续发展。

一、政治关系与重要往来

4月2～4日，应刚果（金）外交与国际合作部的邀请，外交
部副部长杨文昌对刚果（金）进行工作访问，期间分别会见了刚总
统约瑟夫·卡比拉和外交与国际合作部长莱昂纳尔·谢·奥基通杜，
与外交部副部长伊龙加·阿瓦内举行了会谈。双方签署了两国政府
经济、技术合作协定并就中国政府向刚果（金）外交与国际合作部
和全国人权会议分别提供物资援助以及向刚方提供港口设备举行了
换文。杨文昌副部长在会见、会谈中表示，中刚两国人民有着长期
的友好合作关系，双方在政治、经贸等领域进行了真诚、平等和富
有成果的合作。中方愿与刚方一道，继续扩大两国在各个领域的交
流与合作，推动双边关系在新世纪里不断向前发展。卡比拉总统表
示，刚中两国友好关系历史悠久，中国政府长期以来对刚方给予了
巨大政治支持和经济援助，希望两国合作今后能得到进一步加强。

3月18～22日，应外交部邀请，刚果（金）人权部长卡凯·卡
扎扎马率团访华。外交部副部长杨文昌和司法部副部长张福森分别
会见。

9 月 23～30 日，应外交部邀请，刚果（金）人权部长恩通巴·卢阿巴访华。外交部副部长杨文昌和最高人民法院副院长沈德咏分别会见。

12 月 5～11 日，应外交部长唐家璇的邀请，刚果（金）外交与国际合作部长奥基通杜来华进行正式访问。国务院总理朱镕基会见，唐家璇外长与之举行会谈，对外贸易经济合作部副部长孙广相与其共同主持了两国政府经贸混委会第七次会议，并签署了中国政府向刚果（金）政府提供无息贷款的协定和混委会会议纪要。朱镕基总理在会见时表示，中刚两国人民之间有着深厚的传统友谊，两国在政治、经贸和文教等各个领域开展了卓有成效的合作。中国政府和人民赞赏刚果（金）政府奉行一个中国的政策，愿与刚方一道，进一步加强双方在各个领域以及国际事务中的密切合作。奥基通杜表示，刚果（金）政府十分重视对华关系，感谢中国政府给予的大力支持和援助，愿在国际事务中加强与中方的合作。

1 月 21 日，国家主席江泽民致电刚果（金）军队最高统帅和政府首脑约瑟夫·卡比拉，对洛朗·德西雷·卡比拉总统不幸遇难身亡表示哀悼。

2 月 7 日，江泽民主席致电刚果（金）总统约瑟夫·卡比拉，对其就任总统表示祝贺。

3 月 28 日，中国新任驻刚果（金）大使崔永乾向约瑟夫·卡比拉总统递交国书。

4 月 18 日，在联合国人权委员会第 57 届会议对中国针对美国人权反华提案提出的"不采取行动"动议进行表决时，刚果（金）代表未参加投票。

5 月 17～21 日，中国常驻联合国代表王英凡大使随安理会代表团访问刚果（金），期间单独会见了刚总统约瑟夫·卡比拉。

二、经济技术合作和贸易关系

6 月 13 日，中国驻刚果（金）大使崔永乾代表中国政府向刚果（金）政府赠送了一批救灾物资，用于救助金沙萨市遭受水灾的居民。刚卫生部长马沙科·芒巴出席捐赠仪式。

8月10日，由中国援建的刚果（金）人民宫和体育场维修项目举行竣工仪式。

9月10～16日，应信息产业部的邀请，刚果（金）邮电部长菲力普·库乌塔马·马沃科访华。外经贸部副部长孙广相和信息产业部副部长娄勤俭分别会见。

10月16日，中刚合资企业"中刚电信公司"电信网试运行仪式在金沙萨举行。

10月19～25日，湖北省农业考察组访问刚果（金）。

据中国海关总署统计，2001年，中国与刚果（金）贸易总额为2081.5万美元，比2000年增长7.3%。其中中方出口额为1312.7万美元，比2000年减少28.8%；进口额为768.8万美元，比2000年增长688.4%。

三、文化交流及其他往来

7月2～7日，中国国际交流协会代表团访问刚果（金）。

7月30日至8月2日，中国文化部市场考察组赴刚果（金）考察。

8月27日至9月2日，应文化部部长孙家正的邀请，刚果（金）文化与艺术部长恩加卢拉访华，孙家正部长会见，双方签署了两国政府文化合作协定2002年执行计划。

2001年，刚果（金）在华留学生共28人。

第19节　中国同刚果共和国的关系

2001年，中华人民共和国同刚果共和国［简称刚果（布）］的友好合作关系顺利发展。

一、政治关系与重要往来

4 月 1～2 日，应刚果（布）外交、合作和法语国家事务部的邀请，外交部副部长杨文昌对刚果（布）进行工作访问。期间，杨副部长会见了刚果（布）总统德尼·萨苏—恩格索，与刚外交、合作和法语国家事务部长鲁道夫·阿达达举行会谈，双方签署了两国政府经济、技术合作协定。萨苏总统在会见时高度评价两国近年来在各个领域的友好合作，表示杨副部长在刚果（布）开展全国对话和经济重建的关键时刻访刚，体现了中国政府和人民对刚果（布）政府和人民的巨大支持。萨苏总统还对中国长期以来向刚果（布）提供的援助和支持表示感谢。杨副部长对萨苏总统和刚果（布）政府积极推动中刚友好合作关系的发展表示赞赏，感谢刚果（布）政府在台湾和人权问题上一贯支持中国。访问期间，杨副部长和萨苏总统共同出席了由北京住宅开发建设总公司承建的刚果（布）广播电视大楼奠基仪式。

6 月 30 日，刚果（布）劳动党总书记昂布瓦兹·爱德华·努马扎莱致电中国共产党中央委员会，祝贺中国共产党建党 80 周年。

11 月 23 日，中国新任驻刚果（布）大使袁国厚向萨苏总统递交国书。

二、经济技术合作和贸易关系

1 月 15 日，萨苏总统主持由中国援建的马桑巴—代巴体育场维修项目开工仪式。

5 月 19 日，中国政府向刚果（布）政府无偿提供价值 150 万元人民币的车辆和办公用品等物资的交接仪式在刚首都布拉柴维尔举行。

5 月 24～26 日，应刚果（布）外交、合作和法语国家事务部的邀请，中国对外贸易经济合作部副部长张祥率政府经贸代表团访刚，期间会见了萨苏总统，与阿达达外长举行会谈，双方签署了中国向刚果（布）提供无息贷款的协定和中国免除刚果（布）部分到期债务的议定书。萨苏总统在会见中称赞刚中友谊，感谢中国免除刚债务并提供新贷款，对中方积极落实中非合作论坛会议成果表示赞赏。

6月5日，萨苏总统主持由刚果（布）政府出资、中国北京住宅开发建设集团总公司承建的刚果（布）外交部大楼工程奠基仪式。

8月7日，应水利部邀请，刚果（布）能源和水利部长让—玛丽·塔苏瓦率团访华，与中国机械设备进出口总公司就建设刚果（布）英布鲁水电站项目进行磋商并签署了工程合同。中国人民政治协商会议全国委员会副主席孙孚凌出席合同签字仪式。

10月15～25日，应信息产业部邀请，刚果（布）邮电部长让·德洛访华。信息产业部部长吴基传和对外贸易经济合作部副部长孙广相分别会见。双方就加强两国在电信、邮政领域的合作进行了商谈。

10月26日至11月4日，应中国对外贸易经济合作部邀请，刚果（布）技术职业教育、青年安置、公民教育和体育部长安德烈·奥昆比—萨利萨访华。外经贸部部长助理何晓卫会见，双方就两国在体育基础设施建设等方面的合作交换了意见。

据中国海关总署统计，2001年，中国与刚果（布）的贸易总额为22002.5万美元，同比减少35.7%。其中中方出口额为3818.3万美元，同比增长108.2%；进口额为18184.2万美元，同比减小43.8%。

三、文化交流及其他往来

2月19～25日，中国驻刚果（布）使馆和刚果（布）文化、艺术和旅游部联合举办中国电影周，庆祝中刚建交37周年。

5月28日，中国驻刚果（布）使馆和刚果（布）新闻与议会关系部共同举办为期一周的"拉萨一日"大型图片展，庆祝西藏自治区成立50周年。

6月6～11日，应刚果（布）文化、艺术和旅游部邀请，中国河北省京剧团对刚果（布）进行访问演出。

2001 年，刚果（布）在华留学生共 45 人，中国在刚果（布）工作的医务人员共 24 人。

第 20 节　　中国同赤道几内亚的关系

2001 年，中华人民共和国同赤道几内亚共和国的友好合作关系稳步发展。

一、政治关系与重要往来

11 月 18～24 日，应中国国家主席江泽民的邀请，赤道几内亚总统奥比昂·恩圭马·姆巴索戈对中国进行非正式访问。江泽民主席会见并宴请，朱镕基总理会见，唐家璇外长会见了随访的赤几外交、国际合作和法语国家事务部长圣地亚哥·恩索贝亚·埃富曼。中国领导人高度评价中、赤几之间相互支持、真诚合作的深厚友谊，对近年来两国友好合作关系呈现出新的发展势头表示满意，强调中方愿在力所能及的范围内向包括赤几在内的广大发展中国家提供帮助，愿与赤几方一道，为在新世纪巩固和发展长期稳定、平等互利的友好关系而共同努力。奥比昂总统感谢中国政府多年来对赤几提供的大量帮助，表示赤几和中国在国际事务中有很多共同点，希望通过此次访华扩大与中国在广泛领域特别是在经贸领域的合作关系。奥祝贺中国成功恢复对香港、澳门行使主权，希望中国大陆与台湾早日实现统一，并对中国加入世界贸易组织表示祝贺。访问期间，双方签署了《中华人民共和国政府向赤道几内亚共和国政府提供贷款的协定》、《中华人民共和国政府和赤道几内亚共和国政府关于免除赤道几内亚政府部分债务议定书》和《中华人民共和国农业部和赤道几内亚农业、畜牧业和农村发展部关于农业合作的谅解备忘录》。

6 月 10～16 日，应全国人大常委会委员长李鹏的邀请，赤道几内亚人民代表院议长萨洛蒙·恩格马·恩沃诺对中国进行正式友好访问。李鹏委员长会见并宴请。李鹏委员长高度赞扬中、赤几建交30多年来的传统友好关系，感谢赤几政府和议会坚持一个中国的原则，不与台湾发生官方关系，表示中国支持非洲国家发展民族经济、开展区域合作、联合自强的努力。萨洛蒙议长重申赤几坚持一个中国的政策，并代表赤几人民感谢中国对赤几的无私援助。

3月5日，中国国务院总理朱镕基电贺坎迪多·穆阿特特马·里瓦斯就任赤道几内亚新一届政府总理。

二、经济技术合作与贸易关系

9月13～20日，应安徽省人民政府邀请，赤道几内亚农业、畜牧业和农村发展部长格雷戈里奥·博奥·卡莫率赤几农业代表团访问北京和安徽。

据中国海关总署统计，2001年，中国同赤道几内亚贸易总额为5.11936亿美元，比2000年同期增长58.5%。其中，中方出口额335.5万美元，比2000年减少5.5%；进口额5.08581亿美元，比2000年增长59.2%。

三、文化交流及其他往来

6月20～25日，河北省京剧院赴赤几访问演出。

2001年，赤几在华留学生49人，中国在赤几工作的医疗队员共20人。

第21节　中国同加蓬的关系

2001年，中华人民共和国同加蓬共和国的友好合作关系顺利发展。

一、政治关系与重要往来

1月14～15日，应加蓬外交、合作和法语国家事务国务部长让·平的邀请，中国外交部长唐家璇对加蓬进行正式访问，期间分别会见了加总统哈吉·奥马尔·邦戈和总理让—弗朗索瓦·恩图图梅—埃马内，与让·平外长举行了会谈，双方就中国政府向加蓬政府提供无偿援助举行了换文。唐家璇外长在会见、会谈中表示，中加两国自1974年建交以来，双边关系一直保持良好的发展态势。近年来，双方相互信任不断增强，在各个领域的合作日益扩大，两国关系呈现出新的发展势头。中国政府赞赏并感谢加蓬政府始终坚持一个中国的立场，支持中国的统一大业。唐外长还阐述了中国政府对解决非洲地区冲突的四项原则。邦戈总统表示，加蓬政府非常重视与中国的关系，对加中关系的发展状况非常满意，愿意继续深化和扩大与中国的互利友好合作关系，相信唐外长此访对进一步推动两国的政治关系和扩大双边经贸合作将发挥重要作用。

6月13～22日，应最高人民检察院检察长韩杼滨的邀请，加蓬总检察长皮耶雷特·朱阿萨访华。全国人民代表大会常务委员会委员长李鹏会见，韩杼滨检察长与朱阿萨举行会谈，双方签署了中加检察院合作议定书。朱阿萨一行还访问了长春和哈尔滨。李鹏委员长在会见中高度评价中加两国友好合作关系，赞赏并感谢加蓬政府在人权和台湾等问题上坚持正确立场，充分肯定两国检察部门友好合作所取得的成绩。朱阿萨对两国检察部门的合作表示满意，表示希望通过此访进一步推动双方的合作与交流，并重申加政府将坚定奉行一个中国政策。

11月4～11日，应中国经济社会研究会邀请，加蓬经社理事会主席路易·加斯东·马伊拉率团访华。中国人民政治协商会议全国委员会主席李瑞环会见，全国政协副主席、中国经济社会研究会会长陈锦华与之会谈。李瑞环主席在会见中表示，中加建交以来，两国友好关系发展顺利，希望中国经济社会研究会与加蓬经社理事会加强联系往来，开展多种形式的交流合作。马伊拉表示，加蓬与中国在各个领域保持了高质量的合作，两国在许多重大问题上有共同的追求，希望今后进一步加强双边合作。

7月1日，加蓬民主党总书记森普利斯·格代—芒泽拉致电中共中央总书记江泽民，祝贺中国共产党成立80周年。

二、经济技术合作与贸易往来

5月16日，中国驻加蓬大使郭天民代表中国红十字会向加蓬政府捐赠3万美元，用于改善加蓬首都利伯维尔精神病院条件。

5月25日，中国援建的加蓬国民议会大厦启用典礼和参议院大厦奠基仪式在利伯维尔举行。

5月29日，中国援建加蓬的木薯加工厂项目交接仪式在加蓬河口省举行。

6月19日，中国政府向加蓬政府赠送20辆吉普车交接仪式在利伯维尔举行。

10月，应中国信息产业部邀请，加蓬邮电、通讯和信息技术国务部长让·雷米·彭迪·布伊基和经济、财政、预算和私有化部长埃米尔·敦巴联合访华，就加蓬国家广播电视中心项目的建设问题与中国机械设备进出口总公司进行了商谈。

据中国海关总署统计，2001年，中国同加蓬贸易总额为2.65亿美元，比2000年减少22.4%，其中中方出口额为588.9万美元，比2000年增加33%，进口额为2.59亿美元，比2000年减少23.1%。

三、文化交流及其他往来

5月31日至6月6日，中国河北省京剧团应邀参加利伯维尔文化节并在加蓬进行访问演出。

9月11～18日，应外交部新闻司邀请，加蓬《团结报》主编莱昂纳尔—布里斯·姆巴·阿苏梅访华。

10月10～20日，应中华全国妇女联合会邀请，加蓬民主党妇女联合会主席维克图瓦·拉塞尼·迪博兹率加蓬妇女代表团访华。全国政协副主席钱正英会见了迪博兹一行。

2001 年，加蓬在华留学生共 44 人；中国在加工作的医务人员共 27 人，教师 2 人。

四、军事往来

4 月 1～8 日，应中央军事委员会副主席、国务委员兼国防部长迟浩田上将的邀请，加蓬国防部长阿里·邦戈访华。中央军委副主席、国家副主席胡锦涛会见，迟浩田上将与之进行会谈。阿里·邦戈一行还访问了上海和杭州。胡锦涛副主席在会见中表示，中加关系长期以来一直健康稳步发展，双方在各个领域的合作卓有成效。中国政府高度赞赏加蓬政府重视发展对华关系，始终坚持一个中国的立场，感谢加方在国际事务中给予中方的一贯支持，愿意同包括加蓬在内的广大非洲国家发展长期稳定、全面合作的友好关系。迟浩田上将在会谈中对中加两军友好合作关系的发展表示满意，指出双方通过人员培训和互访等方式增进了相互了解和友谊，有力地推动了两军的友好合作。阿里·邦戈积极评价中加两国的友好交往与合作，感谢中国政府长期以来给予加蓬的帮助和支持，表示愿进一步加强与中国在军事领域的交流与合作。

第 22 节　中国同马里的关系

2001 年，中华人民共和国同马里共和国的友好合作关系继续稳步发展。

一、政治关系

9 月 7 日，中国新任驻马里大使马志学向马里总统科纳雷递交国书。

二、经济技术合作与贸易关系

12月2~6日，应马里政府的邀请，中国政府代表、全国政协委员王文东访问马里。马里总理芒代·西迪贝及装备、领土整治、环境和城建部长苏迈拉·西塞分别会见，马里工业、贸易和运输部长杜尔·阿莉玛塔·特拉奥雷与其会谈。王文东和西迪贝总理还共同为中国援建的"3·26"体育场剪彩。访问期间，中国驻马里大使马志学和马里代外长、领土管理和地方行政部长奥斯曼·西签署了《中华人民共和国政府向马里共和国政府提供无息贷款的协定》、《中华人民共和国政府和马里共和国政府关于免除马里政府债务议定书》、《援马里3·26体育场项目交接证书》以及3·26体育场技术合作的换文。

据中国海关总署统计，2001年，中国同马里的贸易总额为2391.8万美元，其中中方出口额为2289.9万美元，进口额为101.9万美元。

三、文化交流及其他往来

10月10~22日，应中华全国总工会的邀请，马里劳动者全国联合会行政书记雅各巴·库里巴利率团访华。全国总工会副主席、书记处第一书记张俊九会见，全国总工会书记处书记苏立清同代表团举行会谈。

2001年，马里在华留学生73人；在马里工作的中国教师3人，医疗队员31人。

四、军事往来

5月15~19日，应中央军委副主席、国务委员兼国防部长迟浩田上将邀请，马里武装力量和老战士部部长苏梅卢·布贝伊·马伊加率军事代表团访华。中国国家副主席、中央军委副主席胡锦涛，中共中央对外联络部副部长张志军分别会见，迟浩田与其举行会谈。

第 23 节　　中国同尼日利亚的关系

2001 年，中华人民共和国同尼日利亚联邦共和国的友好合作关系继续深入发展。

一、政治关系与重要往来

8 月 26～29 日，应中国国家主席江泽民的邀请，尼日利亚总统奥卢塞贡·奥巴桑乔对中国进行国事访问。江主席举行欢迎仪式并同奥会谈。国务院总理朱镕基会见。中国领导人高度评价中尼关系，表示中国政府和人民愿与尼政府和人民携起手来，为不断拓展和深化中尼友好合作而共同努力。江主席提出了在新世纪里发展双边关系的四点建议：（一）真诚友好，相互信任，不断加强两国人民之间的了解和友谊；（二）互利互惠，共同发展，努力扩大两国在经贸和其他领域的合作；（三）加强磋商，相互支持，进一步密切两国在地区和国际事务中的合作；（四）面向未来，登高望远，保持长期稳定、全面合作的国家关系。奥完全赞同江主席提出的指导中尼关系的四项原则，表示他此次访华旨在进一步加强两国友好合作关系，并将之推向更高水平。访问期间，双方签署了《中华人民共和国政府和尼日利亚联邦共和国政府合作谅解备忘录》、《中华人民共和国政府和尼日利亚联邦共和国政府贸易协定》、《中华人民共和国政府和尼日利亚联邦共和国政府相互促进和保护投资协定》、《中华人民共和国政府和尼日利亚联邦共和国政府关于开展油气合作的框架协议》、《中华人民共和国信息产业部和尼日利亚联邦共和国通信部合作谅解备忘录》和《中华人民共和国国家广播电影电视总局和尼日利亚联邦共和国新闻部广播电视合作备忘录》。奥还出席了中国国际贸易促进委员会举办的中尼企业家研讨会。

12 月 20～23 日，应中国全国人大常委会委员长李鹏的邀请，尼日利亚参议长安伊姆·皮尤斯·安伊姆对中国进行正式友好访问。

李鹏委员长和丁石孙副委员长分别会见并宴请。李鹏委员长表示，此次访问开创了中国全国人大和尼议会领导人的交往，希望双方以此为契机，建立联系，发展关系。安伊姆表示，尼愿与中方进一步发展包括议会在内的各个领域的合作。

1月4～9日，应中国外交部副部长吉佩定的邀请，尼日利亚外交部常秘、联合国人权委员会促进和保护人权小组委员会委员古德弗里·巴约尔·普雷瓦雷访华并正式启动两国外交部磋商机制。唐家璇外长会见，吉佩定副部长与之会谈。

4月18日，在联合国人权委员会第57届会议上，尼日利亚投票支持中国就美国反华提案提出的"不采取行动"动议。

5月15～18日，应尼日利亚执政党人民民主党的邀请，中共中央政治局委员、山东省委书记吴官正率中共代表团对尼日利亚进行友好访问。访尼期间，代表团拜会了奥巴桑乔总统，与人民民主党主席巴纳巴斯·吉玛迪举行会谈。中共中央对外联络部副部长王家瑞与尼人民民主党全国书记奥科维西里耶兹·恩沃杜签署了关于中国共产党与尼人民民主党开展交流与合作的谅解备忘录。

10月21～27日，应中国外交部副部长杨文昌的邀请，尼日利亚外交部常秘萨厄迪斯·丹尼尔·哈特访华。唐家璇外长会见，杨文昌副部长与之会谈。

二、经济技术合作与贸易往来

2月28日至3月4日，应中国对外贸易经济合作部的邀请，尼日利亚外交国务部长杜贝姆·翁伊亚率团访华，并出席在北京召开的第四次中尼经贸混委会会议。国务委员司马义·艾买提和唐家璇外长分别会见。外经贸部副部长孙广相与翁共同出席了混委会开、闭幕式。

3月8～14日，应中国信息产业部的邀请，尼日利亚通信部长哈吉·穆罕默德·阿尔齐卡访华。信息产业部部长吴基传会见。

6月5～13日，应中国土木工程总公司的邀请，尼日利亚交通国务部长伊萨·尤古达率团访华。双方签署了尼铁路修复改造项目补充合同和会谈纪要。

据中国海关总署统计，2001 年，中国和尼日利亚贸易总额为 11.44 亿美元，其中中方出口额为 9.17 亿美元，进口额为 2.27 亿美元。

三、文化交流及其他往来

1 月 9～13 日，应中国人民外交学会的邀请，尼日利亚众议院特别项目委员会代表团访华。

4 月 6～11 日，应全国人大农业与农村委员会的邀请，尼日利亚参议院水利委员会代表团访华。

4 月 14～21 日，应中国人民对外友好协会的邀请，尼日利亚阿比亚州州长奥基·厄佐·卡鲁率州政府代表团访华。中国人民政治协商会议全国委员会副主席王文元和对外友协会长陈昊苏分别会见。

4 月 15～29 日，应中华全国新闻工作者协会的邀请，尼日利亚记者联合会主席斯马特·阿德耶米率尼记者联合会代表团访华。

8 月 25～27 日，应中国教育部的邀请，尼日利亚教育部长巴巴洛拉·阿波里谢德在北京参加了九个人口大国教育部长会议后对中国进行顺访。教育部长陈至立与之会谈。

9 月 1～9 日，应中国全国人大财政经济委员会的邀请，尼日利亚众议院公共账目委员会代表团访华。

10 月 15～19 日，应中国人民对外友好协会的邀请，尼日利亚众议院国家安全和情报委员会代表团访华。

10 月 25～31 日，应尼日利亚妇女事务和青年发展部的邀请，中华全国妇女联合会副主席华福周率中国妇女代表团访尼。代表团拜会了尼副总统阿提库夫人阿米娜·蒂蒂·阿布巴卡尔，与尼妇女部常秘进行了会谈。

11 月 20～24 日，应尼日利亚参议院农业委员会的邀请，中国全国人大农业与农村委员会代表团访尼。

10 月 29 日至 11 月 2 日，应中国卫生部部长张文康的邀请，尼日利亚卫生部长阿方萨斯·恩沃苏访华。双方就两国卫生合作交换了意见。恩还代表尼卫生部与中国科学技术部副部长马颂德签署了关于在尼日利亚建立中国诊断中心的谅解备忘录。

2001 年，尼在华留学生 67 人。

四、军事往来

6 月 19～23 日，中国人民解放军副总参谋长吴铨叙上将率军事代表团访尼。访尼期间，代表团拜会了尼总统奥巴桑乔和国防部长西奥菲勒斯·丹朱马，同国防参谋长伊布拉希姆·奥戈希进行会谈。

7 月 14～21 日，应中国国防科学技术工业委员会的邀请，尼日利亚国防国务部长杜佩·阿德拉贾率军事代表团访华。中央军委副主席、国务委员兼国防部长迟浩田上将和国防科工委副主任张维民会见。

9 月 11～13 日，应尼日利亚国防部的邀请，中央军委副主席、国务委员兼国防部长迟浩田上将访问尼日利亚。迟副主席拜会了尼总统奥巴桑乔并与其共进早餐，与尼国防国务部长拉瓦尔·巴塔加拉瓦举行会谈。

第 24 节 中国同贝宁的关系

2001 年，中华人民共和国同贝宁共和国的友好合作关系继续稳步发展。

一、政治关系与重要往来

1 月 15 日和 5 月 7 日，贝宁总统马蒂厄·克雷库先后致电国家主席江泽民，分别就河南发生重大火灾和江西芳林小学发生爆炸表示慰问。

3 月 20 日，贝宁新任驻华大使皮埃尔·阿戈·多苏向江泽民主席递交国书。

3 月 27 日，江泽民主席致电祝贺克雷库蝉联贝宁总统。

5 月 10 日，外交部长唐家璇致电祝贺安托万·伊吉·科拉沃莱连任贝宁外交和非洲一体化部长。

8 月 24 日，中国新任驻贝宁大使王信石向克雷库总统递交国书。

二、经济技术合作与贸易关系

8 月 8 日，中国援建的会议大厦项目正式开工。

据中国海关总署统计，2001 年，中国同贝宁贸易总额为 5.20494 亿美元。其中中方出口额为 5.20434 亿美元，进口额为 6 万美元。

三、文化交流及其他往来

6 月 13～20 日，河北省京剧团在贝宁科托努、波多诺伏和帕拉库三市访问演出。

7 月 24～28 日，应贝宁家庭、社会保障和团结部邀请，中华全国妇女联合会副主席田淑兰率团访问贝宁。克雷库总统夫妇会见代表团。

11 月 21～26 日，应贝宁外交和非洲一体化部邀请，卫生部副部长朱庆生率团访问贝宁。

2001 年，贝宁在华留学生 48 人，中国在贝医疗队员 25 人。

第 25 节 中国同尼日尔的关系

2001 年，中华人民共和国同尼日尔共和国的友好合作关系得到较大发展。

一、政治关系与重要往来

6 月 4～15 日，应中国国家主席江泽民的邀请，尼日尔总统马马杜·坦贾偕夫人来华进行工作访问，尼农村发展部长瓦萨尔克·布卡里、环境与防治沙漠化部长优素福·阿苏曼、工商部长塞义尼·奥马鲁等随访。江主席主持会谈和欢迎宴会，朱镕基总理会见。坦积极评价尼中两国之间业已存在的友好合作关系，对中国政府和人民长期以来向尼政府和人民提供的各种援助表示感谢，祝愿中国早日解决台湾问题、完成祖国统一大业。江主席表示，中尼复交以来，两国关系得到迅速恢复和全面发展，各领域的合作取得明显成果，中方愿与尼方共同努力，推动建立相互信任、真诚合作的友好合作关系。朱总理对尼在台湾问题上奉行一个中国政策、在联合国人权会上连续两次投票支持中国表示赞赏和感谢，对尼政府在发展经济、改善人民生活方面取得的成就表示祝贺。中国对外贸易经济合作部副部长孙广相与尼农村发展部长布卡里分别代表本国政府签署了《中华人民共和国政府和尼日尔共和国政府经济技术合作协定》和《中华人民共和国政府和尼日尔共和国政府关于免除尼日尔债务议定书》。

4月18日，在联合国人权委员会第57届会议上，尼日尔投票支持中国就美国反华提案提出的"不采取行动动议"。

9月29日，中国外交部长唐家璇电贺艾莎图·明达乌杜就任尼日尔外交部长。

二、经济技术合作与贸易关系

据中国海关总署统计，2001年，中国同尼日尔贸易总额为648.3万美元，比2000年减少7.7%，均为中方出口。

三、文化交流及其他往来

5月16～27日，应中华全国妇女联合会的邀请，尼日尔社会发展、人口、妇女促进和儿童保护部部长艾莎图·富马科耶和总理夫人阿丽·哈马访华。全国人民代表大会常务委员会副委员长、全国妇联主席彭珮云会见。

8月27～30日，应尼日尔司法、掌玺和对议会关系部长阿里·

西尔菲的邀请，中国最高人民检察院副检察长赵虹率团访尼。尼司法部长西尔菲主持工作会谈，赵虹副检察长代表中国最高人民检察院与西尔菲部长签署了《中华人民共和国最高人民检察院与尼日尔共和国司法、掌玺和对议会关系部司法合作协定》。

9 月 12～23 日，应中华全国总工会的邀请，尼日尔劳动者工会联合会总书记达多访华。全总副主席、书记处第一书记张俊九会见并宴请，全总副主席徐锡澄主持会谈。

2001 年，尼日尔在华留学生 45 人，中国在尼工作的医疗队员 36 人。

第 26 节　　中国同多哥的关系

2001 年，中华人民共和国同多哥共和国的友好合作关系保持良好的发展势头。

一、政治关系与友好往来

3 月 26 日至 4 月 2 日，应中共中央对外联络部邀请，多哥执政党——多哥人民联盟总书记、国民教育和科研部长科菲·萨马率团访华。国务院副总理李岚清、中联部部长戴秉国、教育部部长陈至立分别会见，中联部副部长蔡武与萨马举行会谈。

5 月 25～27 日，应多哥议会邀请，全国人民代表大会常务委员会副委员长许嘉璐率团访多。访问期间，许嘉璐副委员长拜会了埃亚德马总统，与瓦塔拉·方巴雷·纳查巴议长会谈。埃赞扬中国是一个伟大的国家，在国际事务中发挥着重要作用；重申多重视发展对华友好合作关系，坚持一个中国的立场。

二、经济技术合作和贸易关系

4 月 10～17 日，应对外贸易经济合作部的邀请，多哥工商、运输与保税区发展部长达马·德拉马尼访华。国务委员吴仪、中联部副部长蔡武分别会见，外经贸部副部长周可仁与其会谈，双方签署了两国经济技术合作协议。

6月19日，中国驻多哥大使尹玉标和多哥外交和合作部长科菲·帕努代表各自政府签署中国免除多哥部分到期债务的议定书。

据中国海关总署统计，2001年，中国同多哥的贸易总额为1.08977亿美元，比2000年同期增长35.5%。其中，中方出口额为1.08752亿美元，比2000年增长35.3%，进口额为22.5万美元，比2000年增长262.3%。

三、文化交流及其他往来

4月15～17日，由中国国际奥林匹克委员会委员、国际羽毛球协会主席吕圣荣率领的中国奥林匹克申请委员会工作小组一行三人访多，会见了多哥青年、文化和体育部长科米·克拉苏。

4月20日至5月1日，应中华全国妇女联合会的邀请，多哥总统夫人巴达娜克·埃亚德马、社会与妇女事务促进和儿童保护部长伊雷娜·阿希拉·艾萨率多哥妇女代表团访华。国务委员、国务院妇女儿童工作委员会主任吴仪和全国人大常委会副委员长、全国妇联主席彭珮云会见，全国妇联副主席华福周主持工作会谈。

2001年，中国在多哥工作的医疗队员共21人，多在华留学生共21人。

四、军事往来

4月8～10日，国防大学外训系主任姜普敏少将率领中国军事院校外训考察团访问多哥，拜会了多哥国防与退伍军人部长阿萨尼·蒂贾尼准将。

10月16～25日，应中国人民解放军总参谋部邀请，多哥陆军参谋长贝里纳·纳库代中校率领多哥军事友好参观团访华，中国人民解放军总参谋长傅全有上将会见，副总参谋长钱树根上将会见并宴请。

第 27 节　中国同加纳的关系

2001 年，中华人民共和国同加纳共和国的友好合作关系平稳发展。

一、政治关系与重要往来

1 月 3 日，中国国家主席江泽民、副主席胡锦涛分别向新当选的加纳总统约翰·阿吉耶库姆·库福尔及副总统哈吉·阿利乌·马哈马致电祝贺。

1 月 19 日，中国全国人大常委会委员长李鹏致电祝贺彼得·阿拉·阿杰蒂当选加纳议长。

2 月 8 日，中国外交部部长唐家璇致电祝贺哈克曼·奥乌苏—阿杰芒就任加纳外长。

5 月 22～25 日，应加纳议长阿杰蒂的邀请，全国人大常委会副委员长许嘉璐对加纳进行正式友好访问。加总统库福尔、议长阿杰蒂、第一副议长布雷等分别会见。许嘉璐副委员长表示，中加友谊源远流长，中国全国人大代表团来访正值加新政府成立不久，相信此访将使两国议会间交流与合作进入新的阶段，中方愿与加新政府携手努力，把中加友好关系不断推向前进。加领导人表示，长期以来，加中两国相互支持，保持着良好关系，两国议会也有着友好交往，加议会希望继续巩固和加强加中友好合作关系，并愿为此作出自己的努力。

二、经济技术合作与贸易关系

11 月 26 日，中国驻加纳大使吕永寿和加纳财政部长亚乌·奥萨福·马福各自代表两国政府签署了《中华人民共和国政府和加纳共和国政府经济技术合作协定》。

据中国海关总署统计，2001 年，中加贸易额 1.8248 亿美元，其中中方出口 1.4588 亿美元，进口 3660 万美元。

三、文化交流及其他往来

6 月 25 日，加纳副总统阿利乌在国家宫会见访加的中国竹藤协会代表团。

8 月 29 日，中国文化部向加文化委员会捐赠文化用品移交仪式在加举行。

2001 年，加纳在华留学生共 27 人，中国有 2 名教师在加工作。

第 28 节　中国同科特迪瓦的关系

2001 年，中华人民共和国同科特迪瓦共和国的友好合作关系顺利发展。

一、政治关系与重要往来

1 月 23 日，中国全国人民代表大会常务委员会委员长李鹏致电马马杜·库里巴利，祝贺其当选科特迪瓦国民议会议长。31 日，库里巴利议长复函感谢。

2 月 15～16 日，应科特迪瓦外交国务部的邀请，中国外交部副部长吉佩定对科特迪瓦进行工作访问。科特迪瓦总统洛朗·巴博和国民议会议长库里巴利分别会见，科特迪瓦代外长、内政和权力下放国务部长埃米尔·博加·杜杜与其会谈。科方高度评价中国对科特迪瓦的支持，重申坚持一个中国的立场，并表示愿与中国加强在各个领域的友好合作。

3 月 12 日，科特迪瓦总统巴博致电中国国家主席江泽民，对江西省一学校发生爆炸造成人员伤亡表示慰问。

10 月 16～24 日，应中国共产党的邀请，科特迪瓦执政党人民阵线副总书记洛朗·阿昆对中国进行友好访问。中国人民政治协商会议全国委员会副主席李贵鲜和中共中央对外联络部部长戴秉国会见，中联部副部长马文普与其会谈。

11月22～23日，科特迪瓦总统巴博和总理恩盖桑分别向国家主席江泽民和国务院总理朱镕基致电、函，祝贺中国加入世界贸易组织。30日，江泽民主席、朱镕基总理分别复电感谢。

12月1～6日，应中国外交部长唐家璇的邀请，科特迪瓦外交国务部长阿布·德拉赫曼·桑加雷正式访华。国务院总理朱镕基会见，唐家璇外长与其会谈。朱镕基总理积极评价两国关系，赞赏并感谢科特迪瓦坚持一个中国的立场，表示中国政府愿进一步巩固和加强两国友好合作关系。桑加雷高度评价两国关系，感谢中国长期以来给予科特迪瓦的真诚、无私援助，并重申科特迪瓦在台湾问题上将毫不含糊地坚持一个中国的立场。访华期间，唐家璇外长与其签署了两国外交部关于建立政治磋商机制的协议；对外贸易经济合作部部长石广生与其签署了《中华人民共和国政府和科特迪瓦共和国政府关于成立经济和贸易合作混合委员会的协定》，双方共同主持了混委会首次会议开、闭幕式。

二、经济技术合作与贸易关系

7月20日，中国驻科特迪瓦大使赵宝珍与科特迪瓦经济和财政部长布瓦布雷·博洪分别代表各自政府签署《中华人民共和国政府和科特迪瓦共和国政府关于免除科特迪瓦共和国政府部分债务议定书》。

8月12～19日，应中国国家邮政局局长刘立清的邀请，科特迪瓦经济基础设施部长帕特里克·阿希对中国进行访问。中国国务院副总理吴邦国、财政部长项怀诚、信息产业部部长吴基传、交通部副部长翁孟勇和对外贸易经济合作部部长助理何晓卫分别会见，刘立清局长与其工作会谈。

据中国海关总署统计，2001年，中国同科特迪瓦贸易总额为2.65459亿美元，其中中方出口额为2.57684亿美元，进口额为777.5万美元。

三、文化交流及其他往来

7月21~24日，应科特迪瓦家庭、妇女和儿童部的邀请，中华全国妇女联合会副主席田淑兰访问科特迪瓦。科特迪瓦总统巴博会见，总理恩盖桑设宴款待，家庭、妇女和儿童部长亨丽埃特·拉古与其会谈。

11月4~9日，应中国卫生部的邀请，科特迪瓦卫生部长恩多里·雷蒙·阿布奥对中国进行访问。卫生部长张文康与其会谈。

2001年，科特迪瓦在华留学生共5人，中国有3名教师在科工作。

四、军事往来

4月11~14日，中国国防大学外训系主任姜普敏少将率外训考察团访问科特迪瓦。科特迪瓦总理恩盖桑、外交国务部长桑加雷、国防和国民保护国务部长利达分别会见。

9月8~11日，应科特迪瓦国防和国民保护国务部的邀请，中央军委副主席、国务委员兼国防部长迟浩田上将对科特迪瓦进行正式友好访问。科特迪瓦总统巴博和总理阿菲·恩盖桑分别会见，国防和国民保护国务部长夸西·莫伊兹·利达与其会谈。科方高度评价并感谢中国向科特迪瓦提供的大力支持与帮助，重申科特迪瓦将继续奉行一个中国的政策，并表示希望进一步发展和加强两国在各个领域的友好关系。巴博总统为迟浩田副主席等颁发了国家荣誉勋章。

第29节　中国同佛得角的关系

2001年，中华人民共和国同佛得角共和国的友好合作关系稳步发展。

一、政治关系与重要往来

2 月 2 日，中国国务院总理朱镕基致电若泽·马里亚·内韦斯，祝贺其就任佛得角总理。

2 月 2 日，中国外交部部长唐家璇致电曼努埃尔·伊诺森西奥·索萨，祝贺其就任佛得角外交、合作和侨务部长。

2 月 15 日，中国全国人民代表大会常务委员会委员长李鹏致电阿里斯蒂德斯·雷蒙多·利马，祝贺其当选佛得角全国人民议会议长。

6 月 29 日，佛得角执政党佛得角非洲独立党主席若泽·马里亚·内韦斯致函中国共产党中央委员会总书记江泽民，祝贺中国共产党成立 80 周年。

7 月 11~14 日，应中国外交部长唐家璇的邀请，佛得角外交、合作和侨务部长索萨正式访华。国家副主席胡锦涛会见，唐家璇外长与其会谈，水利部长汪恕诚和对外贸易经济合作部副部长孙广相分别会见。胡锦涛副主席在会见时积极评价两国关系，感谢佛得角政府始终坚持一个中国的立场，表示中国愿与佛得角一道，进一步加强和深化双边友好关系，深入探讨拓展两国经贸合作的新思路和新领域。索萨感谢中国政府和人民长期以来给予佛得角的极大支持，强调佛得角政府愿一如既往支持中国，特别是坚定地支持中国的和平统一大业。访华期间，索萨主持了佛得角驻华使馆开馆仪式，并与孙广相副部长代表各自政府签署了《中华人民共和国政府和佛得角共和国政府经济技术合作协定》和中国政府关于免除佛得角政府部分债务的议定书。

9 月 11~21 日，应中共中央对外联络部的邀请，佛得角非洲独立党全国书记、政治局常委鲁伊·塞梅多访华。中国人民政治协商会议全国委员会副主席胡启立和中联部部长戴秉国分别会见。

二、经济技术合作与贸易往来

据中国海关总署统计，2001 年，中国同佛得角的贸易总额为 221.3 万美元，均为中方出口。

三、文化交流及其他往来

9月14～21日，应中华全国青年联合会的邀请，佛得角青年联合会主席保罗·桑托斯访华。全国青联副主席黄丹华会见。

2001年，佛得角在华留学生12人，中国在佛得角医疗队员8人。

第30节　中国同几内亚比绍的关系

2001年，中华人民共和国同几内亚比绍共和国的友好合作关系继续顺利发展。

一、政治关系与重要往来

2月11～12日，应几内亚比绍外交与国际合作部的邀请，中国外交部副部长吉佩定对几比进行工作访问。几比代总统、全国人民议会议长若热·马卢，总理卡埃塔诺·恩查马分别会见，代外长、新闻和议会事务部长佩德罗·达科斯塔与其举行工作会谈。会见、会谈中，几比方感谢中国政府和人民长期以来向几比提供的各种帮助和支持，表示几比将继续坚持一个中国的政策，强调发展与中国的友好合作关系是几比对外关系的重点。吉佩定和达科斯塔还代表各自政府签署了《中华人民共和国政府和几内亚比绍共和国政府经济技术合作协定》。

2月16日，几比首任驻华大使尼古劳·多斯桑托斯向中国国家主席江泽民递交国书。

3月22日，中国国务院总理朱镕基致电福斯蒂诺·法杜特·因巴利，祝贺其就任几比政府总理。

9月12日，中国新任驻几比大使高克祥向几比总统昆巴·亚拉递交国书。

12月10日，中国国务院总理朱镕基致电阿拉马拉·尼亚塞，祝贺其就任几比政府总理。

12 月 14 日，中国外交部长唐家璇致电菲洛梅娜·玛斯卡雷妮娅斯·蒂波特，祝贺其就任几比外交、国际合作和侨务部长。

二、经济技术合作与贸易关系

6 月 29 日，中国驻几比大使洪虹和几比经济与财政部长路易·巴罗斯分别代表各自政府签署关于中国政府免除几比政府债务议定书。几比总理因巴利出席仪式并讲话。

9 月 29 日，中国援建几比老战士住宅项目举行奠基仪式。几比总统昆巴·亚拉、中国驻几比大使高克祥等出席。

据中国海关总署统计，2001 年，中国同几比贸易总额为 829.9 万美元，均为中方出口。

三、文化交流及其他往来

5 月 20～30 日，应中华全国总工会的邀请，几比劳动者全国联合会总书记利马·达科斯塔访华。

11 月 24 日至 12 月 1 日，应几比劳动者全国联合会的邀请，中华全国总工会副主席倪豪梅率中国工会代表团访问几比。几比总理因巴利、全国人民议会议长马卢、公共管理和劳工部长卡洛斯·平托·佩雷拉及社会救助、就业与反贫困部长菲洛梅娜·玛斯卡雷妮娅斯·蒂波特等分别会见。

2001 年，几比在华留学生 3 人，中国在几比医疗队员 7 人。

四、军事往来

11 月 5～12 日，应中央军委委员、中国人民解放军总参谋长傅全有上将的邀请，几比军队总参谋长韦里西莫·塞亚布拉少将访华。中央军委副主席、国务委员兼国防部长迟浩田上将会见，傅全有总长主持欢迎仪式、会谈并宴请。

第 31 节　中国同几内亚的关系

2001 年，中华人民共和国同几内亚共和国的友好合作关系进一步发展。

一、政治关系与重要往来

2 月 12~14 日，应几内亚总统府外交合作部的邀请，中国外交部副部长吉佩定对几内亚进行工作访问。几内亚总统兰萨纳·孔戴、总理拉明·西迪梅和通讯部长玛玛迪·贡代分别会见，几内亚总统府外交合作部长卡马拉·哈贾·玛哈瓦·邦古拉与其会谈。孔戴总统在会见时高度评价两国关系，感谢中国对几内亚真诚、无私和慷慨的援助，表示愿进一步加强两国友谊与合作。访问期间，双方签署了《中华人民共和国政府和几内亚共和国政府经济技术合作协定》和关于中国政府向几内亚政府提供物资援助的换文。

8 月 25~31 日，应中国外交部长唐家璇的邀请，几内亚总统府外交合作部长邦古拉对中国进行正式访问。中国国家副主席胡锦涛会见，唐家璇外长与其会谈。中方积极评价两国建交以来在各个领域的友好合作关系，赞赏并感谢几内亚在台湾、人权等问题上以及国际事务中给予中国的一贯支持，表示愿与几方一道，在新世纪不断将两国关系推向前进。邦古拉高度评价两国友谊和友好合作关系，感谢中国自几内亚独立以来给予的支持和真诚、无私援助，重申几内亚政府将继续奉行一个中国政策，反对任何改变这一现实的做法，表示希望两国政府与企业间进一步加强合作。双方签署了《中华人民共和国政府和几内亚共和国政府关于免除几内亚政府债务议定书》等。

9 月 20 日，中国新任驻几内亚大使龚元兴向几内亚总统孔戴递交国书。

二、经济技术合作与贸易关系

10 月 2 日，中国援建的几内亚广播电视中心举行奠基仪式。几内亚总统孔戴、总理西迪梅、议长布巴卡尔·比罗·迪亚洛和各部部长以及中国驻几内亚大使龚元兴等出席。

据中国海关总署统计，2001 年，中国同几内亚的贸易总额为 4410.3 万美元，其中中方出口额为 4406 万美元，进口额为 4.3 万美元。

三、文化交流及其他往来

8 月 7～12 日，应中国卫生部的邀请，几内亚卫生部长马马杜·萨利乌·迪亚洛对中国进行友好访问。卫生部长张文康与其会谈。

3 月 2 日，中国教育部向几内亚高教和科研部赠送草药实验仪器的交接仪式在几内亚杜布雷卡省举行。

2001 年，几内亚在华留学生共 46 人，中国援几内亚医疗队员 14 人。

四、军事往来

4 月 14～16 日，中国国防大学外训系主任姜普敏少将率中国人民解放军外训考察团访问几内亚。几内亚总统孔戴会见，几内亚总参谋长凯尔法拉·卡马拉上校与代表团举行会谈。

6 月 24～29 日，应中国国防部的邀请，几内亚国土管理、权力下放及安全部长穆萨·索拉诺率几内亚军事代表团对中国进行正式友好访问。国家副主席、中央军委副主席胡锦涛会见，中央军委副主席、国务委员兼国防部长迟浩田上将与索拉诺举行会谈。

第 32 节　中国同塞拉利昂的关系

2001 年，中华人民共和国同塞拉利昂共和国的友好合作关系顺利发展。

一、政治关系与重要往来

4月11~22日，应中共中央对外联络部的邀请，塞拉利昂人民党全国主席迈高·卡隆访华。中共中央政治局委员李铁映会见并宴请。

7月1日，塞拉利昂总统艾哈迈德·泰詹·卡巴致函中国国家主席江泽民，祝贺中国共产党建党80周年。

11月9日，中国新任驻塞拉利昂大使樊桂金向塞拉利昂总统卡巴递交国书。

二、经济技术合作与贸易往来

5月15~17日，应塞拉利昂政府的邀请，中国对外贸易经济合作部副部长张祥率政府经贸代表团访问塞拉利昂。塞拉利昂总统卡巴会见，外交和国际合作部长敦布亚与其会谈。张祥与敦布亚还分别代表各自政府签署了中塞两国政府投资保护协定、经济技术合作协定和中国政府免除塞拉利昂政府部分债务的议定书。

据中国海关总署统计，2001年，中国同塞拉利昂贸易总额为1199.6万美元，其中中方出口额为1199.3万美元，进口额为0.3万美元。

三、文化交流及其他往来

4月25日至5月6日，应中国人民对外友好协会的邀请，塞拉利昂土地、住房、国土规划和环境部长、塞拉利昂—中国友好协会主席阿尔弗雷德·鲍勃森·塞塞访华。全国人民代表大会常务委员会副委员长许嘉璐会见。

7月19~31日，应新华通讯社的邀请，塞拉利昂新闻社社长阿卜杜勒·卡里姆·贾洛访华。新华社社长田聪明会见。

2001年，塞拉利昂在华留学生49人。

第 33 节　中国同莫桑比克的关系

2001 年，中华人民共和国同莫桑比克共和国的关系继续顺利发展。

一、政治关系和重要往来

9 月 23~30 日，应全国人大常委会委员长李鹏邀请，莫桑比克议长爱德华多·若阿金·穆伦布韦对中国进行正式友好访问。李鹏委员长、许嘉璐副委员长分别会见。李鹏委员长表示，中莫关系长期友好，在各领域的合作卓有成效。中方感谢莫政府坚持一个中国的原则，愿与莫方密切合作，共同推动双边关系继续健康发展。穆伦布韦感谢中国长期以来给予莫的无私援助，高度评价中方倡议召开中非合作论坛会议，对中方积极实施会议后续行动、减免包括莫在内的非洲国家对华债务深表赞赏，重申将坚持一个中国立场，衷心祝愿中国人民早日实现祖国统一的目标。

4 月 21~30 日，应外交部副部长杨文昌邀请，莫桑比克外交与合作部副部长弗兰塞斯·罗德里格斯访华。国务院副总理钱其琛、对外贸易经济合作部部长助理何晓卫分别会见，杨文昌与罗举行会谈。罗德里格斯还在回国途中经停香港，并对澳门进行私人访问。外交部驻港公署特派员吉佩定和驻澳公署特派员原焘分别予以会见。

2 月 26 日，中国外交部长唐家璇致电莫桑比克外交与合作部长莱昂纳多·西芒，对莫中部四省遭受严重水灾表示慰问。2 月 27 日，中国红十字会向莫桑比克红十字会捐款 3 万美元。

3 月 21 日，莫桑比克驻华大使若泽·德莫赖斯代表莫政府对 2000 年中国北方部分地区遭受雪灾表示慰问，并捐款 5000 美元。3 月 27 日，中国外长唐家璇向莫桑比克外长西芒致电感谢。

6 月 29 日，莫桑比克解放阵线书记处致电中共中央，祝贺中国共产党建党 80 周年。

二、经济技术合作与贸易往来

7月9～11日，应莫桑比克外交与合作部副部长弗兰塞斯·罗德里格斯邀请，中国对外贸易经济合作部副部长孙振宇率领政府经贸代表团访莫。莫桑比克总理帕斯科亚尔·莫昆比、外长西芒、计划与财政部长路易莎·迪奥戈、工业贸易旅游部长卡洛斯·莫尔加多分别会见。访问期间，孙振宇和罗德里格斯共同主持召开了中莫经济贸易联合委员会第一次会议，并分别代表两国政府签署了投资保护协定、经济技术协定、中国政府免除莫桑比克政府部分债务的协议和第一次中莫经贸联委会会议纪要。

4月18～26日，应中国山东省省长李春亭邀请，莫桑比克渔业部长卡德米尔·穆腾巴访华。

7月17～26日，应中国建设部邀请，莫桑比克公共工程和住房部长罗伯托·怀特访华。建设部长俞正声会见。

12月17～22日，应中国信息产业部长吴基传邀请，莫桑比克交通邮电部长托比斯·萨洛芒访华。信息产业部长吴基传和铁道部长傅志寰分别会见。

据中国海关总署统计，2001 年，中国同莫桑比克贸易总额为3323.5 万美元，其中中方出口额为 2204.1 万美元，进口额为1119.4 万美元。

三、文化交流及其他往来

6月7～9日，应莫桑比克红十字会邀请，中国红十字会副秘书长汤声闻率领中国红十字会代表团访问莫桑比克。

11月17～22日，应莫桑比克劳动者组织——中央工会邀请，中华全国总工会副主席倪豪梅率中国工会代表团访问莫桑比克。

2001 年，莫桑比克在华留学生 8 人，中国在莫桑比克工作的医疗队员 15 人。

第 34 节　中国同赞比亚的关系

2001 年，中华人民共和国同赞比亚共和国的友好合作关系继续稳步向前发展。

一、政治关系与重要往来

1 月 4 日，赞比亚总统弗雷德里克·奇卢巴致函中国国家主席江泽民，对洛阳发生特大火灾表示慰问。

2 月 12～20 日，应中国外交部邀请，赞比亚总检察长博纳文土雷·穆塔勒率赞人权代表团访华，最高检察院副检察长赵虹和外交部部长助理张业遂分别会见。

5 月 21～29 日，应中国外交部邀请，赞比亚副外长史蒂文·奇隆波访华。国务委员司马义·艾买提会见。外交部副部长杨文昌会谈，并与奇签署了两国外交部建立政治磋商机制的协议。

7 月 8～12 日，中国外交部副部长杨文昌作为中国政府特使赴赞比亚出席第 37 届非洲统一组织首脑会议开幕式，并与赞外长凯利·瓦卢比塔共同主持了中非合作论坛后续行动磋商会议。

12 月 14 日，中国外交部长唐家璇致电赞比亚外长瓦卢比塔，对赞前总理马因萨·乔纳逝世表示哀悼。

二、经济技术合作与贸易关系

6 月 19 日，中国投资与贸易促进中心在赞比亚首都卢萨卡举行竣工暨揭牌开业仪式，赞副总统伊诺克·卡文德勒出席。

6 月 30 日至 7 月 4 日，应赞比亚财政部邀请，中国进出口银行行长羊子林访赞。

7 月 20～24 日，应赞比亚政府邀请，中国对外贸易经济合作部部长助理何晓卫率中国政府经贸代表团访赞。赞外长瓦卢比塔和工程部长戈登·曼丹迪分别会见。双方签署了《中华人民共和国政府和赞比亚共和国政府关于免除赞比亚政府部分债务议定书》和两国政府经济技术合作协定。

12月7日，中国红十字会向赞比亚政府捐赠3万美元的购粮援款。

据中国海关总署统计，2001年，中国同赞比亚贸易总额为7451.9万美元，其中中方出口额为3883.6万美元，进口额为3568.3万美元。

三、文化交流及其他往来

2001年，赞比亚在华留学生70人；中国在赞工作的医疗队员有31人，在赞比亚大学任教的教师3人。

四、军事往来

8月11～21日，应中国国防部邀请，赞比亚国防部常秘哈里·姆通加率赞军事代表团访华，中央军事委员会副主席、国务委员兼国防部长迟浩田上将会见，中国人民解放军副总参谋长张黎中中将举行会谈。

11月25～27日，应赞比亚国防部邀请，中央军事委员会委员、中国人民解放军总参谋长傅全有上将率解放军高级代表团访赞。赞总统奇卢巴、国防部长乔舒亚·西姆延迪和外长瓦卢比塔等分别会见。

第35节 中国同安哥拉的关系

2001年，中华人民共和国同安哥拉共和国的友好合作关系继续顺利发展。

一、政治关系与重要往来

5月10～21日，应全国人大常委会委员长李鹏邀请，安哥拉国民议会议长罗贝托·德·阿尔梅达率安议会代表团访华。李鹏委员长、蒋正华副委员长分别会见。李鹏表示，中安两国虽相距遥远，但两国人民之间有着深厚友谊。中国政府和人民感谢安政府和人民坚持一个中国原则以及在人权问题上给予中国的宝贵支持。阿尔梅达感谢中国长期以来向安独立斗争和经济建设所提供的宝贵帮助，重申安坚持一个中国的立场，表示安愿进一步加强与中国在各个领域的友好合作。

1 月 15～16 日，应安哥拉外交部长若昂·米兰达邀请，中国外交部长唐家璇对安进行正式访问。唐家璇同米兰达举行会谈，安哥拉总统若泽·多斯桑托斯会见。访问期间，唐家璇同米兰达签署了中国政府向安哥拉政府提供无偿援助的换文。

1 月 8 日，米兰达外长致电唐家璇外长，就中国河南洛阳发生火灾事故表示慰问。

3 月 12 日，米兰达外长致函唐家璇外长，就中国江西一小学发生爆炸事件表示慰问。

3 月 23 日，唐家璇外长致电米兰达外长，就安哥拉客机坠毁事件表示慰问。

4 月 24 日至 5 月 1 日，应安哥拉总检察院邀请，中国最高人民检察院副检察长张穹率团访安。

7 月 1 日，安哥拉人民解放运动总书记洛伦索致电中国共产党中央委员会，祝贺中国共产党建党 80 周年。

8 月 16 日，唐家璇外长致电米兰达外长，就安哥拉一列火车遭武装袭击事件表示慰问。

10 月 21～23 日，应安哥拉人民解放运动邀请，中共中央政治局委员李铁映率中国共产党代表团访安。李铁映同安人运总书记若昂·洛伦索举行工作会谈。安哥拉总统、安人运主席多斯桑托斯和安代议长儒里昂·保罗分别会见。

二、经济技术合作与贸易关系

1 月 11～13 日，中国进出口银行副行长赵文章应安哥拉中央银行邀请访安。

　　5月21～23日，应安哥拉政府邀请，中国对外贸易经济合作部副部长张祥率中国政府经贸代表团访安。访问期间，张祥与安哥拉副外长若热·希科蒂共同主持中安经济贸易混合委员会第二次会议，并代表各自政府签署《中安经贸混委会第二次会议纪要》、《中华人民共和国政府和安哥拉共和国政府经济技术合作协定》和《中华人民共和国政府和安哥拉共和国政府关于免除安哥拉政府部分债务议定书》。安哥拉代议长蒂诺·马特罗斯、财政部长儒利奥·贝萨、石油部长博特略·德瓦斯康塞洛斯和公共工程和城市规划部长安东尼奥·达席尔瓦等分别会见。

　　据中国海关总署统计，2001年，中国同安哥拉的贸易总额为7.68亿美元，其中中方出口4572万美元，进口7.22亿美元。

三、文化交流及其他往来

　　1月，中国成都杂技团赴安哥拉演出。

　　2月24日至3月2日，应中国民政部邀请，安哥拉老战士部部长佩德罗·范杜嫩访华。民政部部长多吉才让会见，杨衍银副部长与代表团会谈。

　　5月，中国红十字会向安哥拉红十字会提供2万美元救灾援款。

　　9月6日和9月26日，中国驻安哥拉大使蒋元德和安国防部长昆迪·帕亚马分别代表两国政府签署《中华人民共和国政府向安哥拉共和国政府捐赠扫雷器材的换文》。

　　2001年，安哥拉在华留学生共10人。

四、军事往来

　　6月27～29日，中国人民解放军副总参谋长吴铨叙上将率中国军事代表团访问安哥拉。吴铨叙与安武装部队总参谋长阿曼多·内图举行会谈，安议长阿尔梅达和国防部副部长加斯帕尔·鲁菲多分别会见。

第 36 节　中国同津巴布韦的关系

2001 年，中华人民共和国同津巴布韦共和国的友好合作关系继续顺利发展。

一、政治关系与重要往来

10 月 21～26 日，应中国全国人大常委会委员长李鹏的邀请，津巴布韦国民议会议长埃默森·穆南加格瓦率津议会代表团访华。李鹏委员长主持会谈，许嘉璐副委员长、外交部副部长杨文昌、中共中央对外联络部副部长张志军分别会见。除北京外，代表团还访问了成都和深圳。李鹏表示，中津两国传统友谊源远流长。建交21 年来，两国关系发展顺利，高层往来频繁，在政治、经济、文教等各个领域进行了富有成效的合作。两国人民都热爱和追求和平，致力于经济发展。我们愿与津方共同努力，进一步加强两国传统的友好合作关系。津巴布韦坚定支持一个中国政策，在国际事务中给予中国宝贵支持，我们对此表示感谢。作为津巴布韦人民的真诚朋友，中国始终关注津巴布韦的发展，并对津巴布韦独立以来在促进民族和解、发展经济方面取得的可喜成就感到高兴。穆南加格瓦说，津巴布韦十分珍惜与中国的友谊，津人民不会忘记中国人民给予的物质和道义支持。津中建交以来，两国关系的发展充分证明津中友谊基础牢固。津巴布韦议会愿与中国人大加强合作，为两国关系的不断发展做出贡献。

6 月 15～23 日，津巴布韦执政党非洲民族联盟（爱国阵线）全国主席约翰·恩科莫率民盟代表团访华。中共中央政治局常委尉健行会见，中共中央对外联络部副部长马文普与恩举行会谈。

6 月 27 日，津巴布韦民盟致电中共中央，祝贺中国共产党建党 80 周年。

二、经济技术合作与贸易关系

2月9～12日，中国国家电力总公司副总经理赵希正访问津巴布韦。

4月9日，中国政府向津巴布韦政府提供农业机械的交接仪式在哈拉雷举行。

6月14日，中国政府向津巴布韦政府提供办公设备的交接仪式在哈拉雷举行。

7月11～13日，中国对外贸易经济合作部副部长孙振宇率中国政府经贸代表团访问津巴布韦，会见了津财政和经济发展部长辛巴·马考尼，与津财政部副部长克里斯·库鲁奈里举行会谈，双方签署了两国政府经济技术合作协定。

8月14～19日，河北省副省长郭世昌率河北省经贸代表团访问津巴布韦，津总统穆加贝和津工业和国际贸易部长赫伯特·穆雷瓦分别会见。

8月18～21日，中国北方工业公司副总裁张国清率团访问津巴布韦。

8月26～31日，中国航空技术进出口总公司副总经理王大伟率团访问津巴布韦。

9月4～15日，应中国对外贸易经济合作部邀请，津巴布韦财政部副部长库鲁奈里赴华参加中非高级经济管理研修班部分活动。

据中国海关总署统计，2001年，中国同津巴布韦贸易总额为1.48亿美元，比2000年增长10%，其中中方出口3300万美元，进口1.15亿美元。

三、文化交流及其他往来

3月4～12日，应中国建设部邀请，津巴布韦地方政府、公共工程和全国住房部长伊格内修斯·乔姆波访华。

5月16日，中国红十字会向津巴布韦捐款1万美元，用于救助津水灾和旱灾灾民，津外长斯坦·穆登盖代表津政府接收捐款。

5月17～24日，应中华全国青年联合会邀请，津巴布韦青年发展、妇女和就业创造部青年发展司司长大卫·姆约罗访华。

6 月 4～11 日，津巴布韦马旬戈省省长约撒亚·洪韦访问中国江西省。

6 月 16～24 日，津巴布韦教育、体育和文化部长塞缪尔·穆本盖圭率津政府文化代表团访华。国务院副总理李岚清会见。

9 月 18～26 日，应中国外交部新闻司邀请，津巴布韦《先驱报》总编皮基拉伊·德克特克访华。

4 月和 10 月，云南省副省长程映萱和甘肃省副省长郭琨分别访问了津巴布韦。

10 月 15～20 日，中国吉林省民乐团赴津巴布韦访问演出。

12 月，应津巴布韦地方政府、公共工程和全国住房部邀请，中国人民对外友好协会代表团访问津巴布韦。

2001 年，津巴布韦在华留学生共 9 人；在津巴布韦工作的中国教师有 3 人，医疗队员有 5 人。

四、军事往来

6 月 10～17 日，应中国国防部邀请，津巴布韦代理国防部长乔伊斯·穆菊茹率军事代表团访华。中央军委副主席、国务委员兼国防部长迟浩田上将会见。中国人民解放军副总参谋长熊光楷上将主持会谈。穆一行还访问了青岛。

第 37 节　　中国同博茨瓦纳的关系

2001 年，中华人民共和国同博茨瓦纳共和国的友好关系继续稳定发展。

一、政治关系与重要往来

10 月 15～21 日，应中国全国人大常委会委员长李鹏邀请，博茨瓦纳国民议会议长马特拉彭·摩洛莫访华。访华期间，李鹏委员长、许嘉璐副委员长分别会见。李鹏委员长表示，中博建交20多年来，两国友好合作关系沿着健康的轨道持续稳定发展。在国际事务中，两国一贯相互支持，保持着良好合作。中国政府和人民感谢和赞赏博始终奉行一个中国政策以及在人权等问题上给予中国的宝贵支持。中国全国人大愿与博茨瓦纳国民议会之间开展多层次、多渠道的合作，以加深了解，增进两国人民的友谊，推动两国友好合作关系的进一步发展。摩洛莫高度评价博中关系，感谢中国在过去给予博的支持和帮助，表示希望进一步加强和扩大两国在各领域的合作。

3月9日，博茨瓦纳总统费斯图斯·莫哈埃致电中国国家主席江泽民，对中国江西省一小学发生爆炸表示慰问。

6月27日，博茨瓦纳民族阵线总裁肯尼斯·考马致电中共中央总书记江泽民，祝贺中国共产党建党80周年。

二、经济技术合作与贸易关系

5月30日至6月1日，中国对外贸易经济合作部副部长张祥率中国政府经贸代表团访博。访问期间，张祥分别会见了博总统莫哈埃、外交部长蒙帕蒂·梅拉费、工贸部长塞莱茨及财政部长白勒兹·哈沃莱齐，并同哈沃莱齐共同签署了中博经济技术合作协定。

据中国海关总署统计，2001年，中国同博茨瓦纳贸易总额为1422.8万美元，全部为中方出口。

三、文化交流及其他往来

5月9~17日，应中国人民对外友好协会邀请，博茨瓦纳国民议会前副议长爱迪逊·马西西夫妇访华。

8月11~24日，应中国文化部邀请，博茨瓦纳何地艺术团来华访问演出。

9月10~21日，应中国文化部邀请，博茨瓦纳来华举办工艺品展览。

10月16~20日，应博茨瓦纳妇女理事会邀请，全国妇联副主席华福周率中国妇女代表团访博。

2001 年，博茨瓦纳在华留学生有 5 名，中国在博茨瓦纳的医疗队员有 34 名。

第 38 节　中国同纳米比亚的关系

2001 年，中华人民共和国同纳米比亚共和国的友好合作关系继续稳定发展。

一、政治关系与重要往来

2 月 18～21 日，应纳米比亚外交、新闻与广播部邀请，中国外交部副部长吉佩定对纳米比亚进行工作访问。吉佩定副部长分别拜会纳总统萨姆·努乔马、总理哈格·根哥布、副总理亨得里克·维特布伊和国民议会议长莫斯·奇滕德罗，与纳副外长图里阿麦尼·卡洛莫举行会谈。吉佩定副部长介绍了中非合作论坛—北京 2000 年部长级会议的成果及其后续行动，表示中方愿利用两国外交部业已建立的部际磋商机制加强双方在国际事务中的合作。纳领导人高度评价纳中关系，表示愿进一步发展和加强两国在各领域的友好合作。

6 月 21 日，纳米比亚西南非洲人民组织总书记希菲凯普奈·波汉巴致电中共中央对外联络部部长戴秉国，祝贺中国共产党成立 80 周年。

6 月 25 日，纳米比亚西南非洲人民组织主席、总统努乔马致信中共中央总书记、国家主席江泽民，祝贺中国共产党成立 80 周年。

7 月 13～15 日，应纳米比亚国民议会议事规则与程序委员会邀请，中国全国人大内务司法委员会副主任委员万绍芬率团访问纳米比亚。纳总统努乔马、国民议会议长奇滕德罗和全国委员会副主席马格丽丝·蒙萨分别会见。

10 月 18~21 日，应纳米比亚西南非洲人民组织的邀请，中共中央政治局委员李铁映访问纳米比亚。李铁映分别会见纳总统兼人组主席努乔马、副总理兼人组副主席维特布伊，与人组总书记波汉巴举行会谈。李铁映感谢纳在人权、台湾等问题上给予中方的坚定支持，表示愿意扩大和深化双方多领域、多层次的交流与合作。纳领导人感谢中国给予纳的各种援助与支持，希望加强两党青年一代的交流。

二、经济技术合作与贸易关系

3 月 15 日，中国援建的纳米比亚奥森克灌溉项目二期工程竣工典礼在纳南部政府农场举行。

5 月 27~30 日，中国对外贸易经济合作部副部长张祥率中国政府经贸代表团访问纳米比亚。张祥分别拜会纳总统努乔马、总理根哥布，与纳贸易与工业部部长希迪波·哈穆滕尼亚举行对口会谈，双方签署了两国政府经济技术合作协定。

据中国海关总署统计，2001 年，中国同纳米比亚贸易总额为 3247.9 万美元，比 2000 年增长 173.5%。其中中方出口额为 2121.7 万美元，进口额为 1126.2 万美元。

三、文化交流及其他往来

7 月 24 日，中国驻纳米比亚大使陈来元与纳米比亚外交、新闻与广播部部长古里拉布分别代表两国政府签署了《中华人民共和国政府与纳米比亚共和国政府关于中国向纳米比亚捐赠扫雷器材物资的换文》。

7 月 24~31 日，应中国文化部邀请，纳米比亚基础教育、体育与文化部部长穆托尔瓦访华，全国人大常委会副委员长布赫、文化部长孙家正分别会见。双方签署了《中华人民共和国政府和纳米比亚共和国政府文化协定 2001~2004 年执行计划》。

9 月 4~10 日，应中国外交部新闻司邀请，纳米比亚新闻记者团一行 3 人访华。

2001 年，纳在华留学生 21 人；中国在纳教师 4 人，医疗队员 4 人。

第 39 节　中国同南非的关系

2001 年，中华人民共和国同南非共和国的友好合作关系进一步巩固和加强。

一、政治关系与重要往来

12 月 9～11 日，应国家主席江泽民的邀请，南非总统姆贝基对中国进行国事访问。南非外交、国防、公共企业、安全与公安、贸易与工业、司法与宪法发展、环境与旅游、矿业与能源等 8 位部长随同访问。期间，江泽民主席与姆贝基总统举行会谈，并共同主持召开中南"国家双边委员会"首次全体会议。江主席表示，此次会议的举行标志着中南"国家双边委员会"的正式启动，将两国全方位、多领域的友好合作推向一个新的阶段。中方赞赏南非政府坚持一个中国和支持中国统一大业的立场。姆贝基总统说，南中启动"国家双边委员会"是双边关系中的一个历史性时刻，它对促进两国在各个领域的合作将发挥重要作用。姆表示，南非政府将尽一切努力，巩固和发展双方在政治、经济等各个领域的合作关系。姆祝贺中国加入世贸组织以及北京申办 2008 年奥运会成功。两国元首还就非洲形势、非洲发展新伙伴计划、中非合作、可持续发展世界首脑会议、国际反恐合作等问题交换了意见。访问期间，中方宣布给予南非中国公民自费出境旅游目的地待遇。

全国人大常委会委员长李鹏、国务院总理朱镕基、国家副主席胡锦涛分别会见姆贝基总统。双方签署了《中华人民共和国与南非共和国引渡条约》和关于中南"国家双边委员会"组织形式的外长间换文。

外交部长唐家璇和南非外长祖马举行对口会谈并主持中南"国

家双边委员会"有关部长非正式会议。外经贸部部长石广生和南非贸工部长欧文主持召开两国经贸联委会暨双边委经贸分委会首次会议，并签署了会谈纪要。中方国防、公安、司法、科技、国土资源、环保、旅游等部委负责人与南方随访部长分别举行对口会谈或会见。姆贝基总统参观了清华大学核能研究院，并在清华大学发表演讲。姆还访问了上海，陈良宇代市长会见。访沪期间，姆出席了中南经贸研讨会并发表讲话。

4月19～25日，应南非国民议会议长金瓦拉的邀请，全国政协主席李瑞环对南非进行正式友好访问。期间，李瑞环主席会见了南非总统姆贝基、副总统祖马、国民议会议长金瓦拉和全国省级事务委员会主席潘多。双方就加强双边关系和中国全国政协与南非议会间的交流和合作交换了意见，就共同关心的国际问题进行了讨论。李主席表示，中国人民衷心祝愿南非在新的世纪里创造新的奇迹，也愿意与南非和非洲各国人民在共图"复兴"的伟业中交流经验，互相支持，共同前进。姆贝基总统高度评价中国举办的"中非合作论坛"有助于非洲国家认识面临的挑战，有助于非洲国家之间加强协调配合、共同应对挑战。

1月9～16日，应全国人大外委会的邀请，以议员帕罗·乔丹为团长的南非议会外委会代表团一行10人访华。许嘉璐副委员长会见，代表团拜会了外交部和中联部负责人。

2月26日至3月5日，应中国人民对外友好协会的邀请，南非传统领袖祖鲁王祖韦利蒂尼访华。国务院副总理温家宝礼节性会见，外交部副部长吉佩定、农业部副部长刘坚分别会见。代表团参观了北京、苏州、广州等地。

3月27～31日，国务委员兼国务院秘书长王忠禹率中国人事代表团对南非进行正式访问，人事部部长张学忠陪同。南非代总统祖马会见。

4月12日，中国新任驻南非大使刘贵今向南非总统姆贝基递交国书。

4月17日，南非在联合国第57届人权会上对中国提出的对西方反华提案不采取行动动议投弃权票。

7 月 25 日，南非中国友好协会在南非首都比勒陀利亚成立。南非前驻华大使戴克瑞任协会主席。

7 月 27 日，南非非国大总书记莫特兰蒂和南非共产党总书记恩齐曼迪出席中国驻南非使馆举行的纪念中国共产党建党 80 周年活动，莫特兰蒂还向江泽民总书记发贺函。

8 月 29 日，刘贵今大使作为中国共产党代表出席在德班举行的南非共产党建党 80 周年庆祝大会，宣读中共中央贺电。

8 月 31 日，中共中央致电非国大全国执委会和南非共中央委员会，对非国大老一辈领导人、姆贝基总统的父亲戈文·姆贝基逝世表示哀悼。

8 月 31 日至 9 月 4 日，外交部副部长王光亚率中国政府代表团出席在南非德班举行的联合国世界反对种族主义大会。期间，会见南非副外长帕哈德，双方就双边关系、反种大会合作交换意见。

10 月 23～29 日，应非国大的邀请，中共中央政治局委员、中国社会科学院院长李铁映率中共代表团访问南非。期间，李铁映会见非国大副主席、南非副总统祖马，与非国大、南非共领导人分别举行会谈，双方就加强执政党建设和开展党际交流，以及"9·11"事件对国际形势的影响等交换了意见。

11 月 8 日，南非新任驻华大使顾坦博向江泽民主席递交国书。

11 月 19～26 日，应全国人大常委会的邀请，南非国民议会副议长姆贝蒂访华，全国人大常委会委员长李鹏、副委员长田纪云分别会见。双方就加强中国人大与南非议会的交流与合作交换了意见。

12 月 11～17 日，应中国共产党的邀请，以总书记莫特兰蒂为团长的南非非国大代表团访华，南非政府公共企业部长拉迪拜随访。期间，全国人大常委会委员长李鹏和中共中央政治局委员李铁映分别会见，莫特兰蒂还会见了中联部部长戴秉国，并与中联部副部长蔡武进行会谈。双方就加强两党间交流和就重大国际问题协调立场交换了意见。代表团还访问了江苏和上海。

二、经济技术合作与贸易关系

2月16日，中国建设银行在南非约翰内斯堡开设分行。这是中国在南非开业的第二家银行。南非总统姆贝基出席开行仪式并讲话，称中国建行在南非开业，标志着两国在经济领域有着巨大的合作潜力。

5月18日，由16家中资企业发起的"南非中国工商会"在约翰内斯堡宣告成立。该会旨在团结所有在南非的中国企业和商家，对内加强交流与合作，对外加强与当地政府及有关部门的沟通，寻求合作，共同发展。

6月21日，"2001中国广东（非洲）贸易暨经济技术洽谈会"在南非约翰内斯堡举行。广东省省长卢瑞华率广东省政府和企业家代表400余人参加。洽谈会上协议成交额达10亿美元。

11月15～17日，外经贸部部长助理何晓卫率中国政府经贸代表团访问南非，分别会见南非住房部长桑基和贸工部长欧文，并出席了中国援建的伊登维尔经济住房项目的移交仪式。

据中国海关总署统计，2001年，中国同南非贸易总额为22.22亿美元，比2000年增长8.4%，其中中方出口10.49亿美元，进口11.73亿美元。

三、文化交流及其他往来

8月23～25日，应国家体育总局的邀请，南非体育部长鲍尔弗访华，与国家体育总局局长袁伟民签署两国《体育与健身合作备忘录》。

9月7～21日，中国航天科技集团公司总经理王礼恒率团访问南非，与南非通信部、斯泰伦博什大学等进行了交流。

9月9～14日，民政部部长多吉才让率团访问南非，与南非社会发展部长斯奎伊亚举行会谈，并参观了扶贫项目。

10月9～12日，文化部部长助理贾明如率中国政府文化代表团访问南非。

11 月 13 日，应南非《商报》邀请，中华全国新闻工作者协会副主席贾树枚率中国财经新闻代表团访问南非。

2001 年，中国同南非正式签署友好协议的省市有：黑龙江省大庆市与东开普省东伦敦市（2 月）、山东省青岛市与东开普省曼德拉市（4 月）、内蒙古包头市与姆普马兰加省内尔斯普雷特市（5 月）、四川省与姆普马兰加省（7 月）、黑龙江省哈尔滨市与豪登省东兰德市（8 月）。

2001 年，双方互访的重要团组还有：中方广电总局局长徐光春（6 月）、全国人大内务司法委员会代表团（7 月）、上海市长徐匡迪（8 月）、全国人大财经委主任委员陈光毅（11 月）；南方水利森林部长卡斯里尔斯（4 月）、夸祖鲁/纳塔尔省省长姆查利（5 月）、南非共副总书记克罗宁（8 月）、矿业与能源部长恩格库卡（9 月）、南非共总书记恩齐曼迪（9 月）。

2001 年，南非在华留学生共 31 人。

四、军事往来

8 月 19～25 日，应国防部的邀请，南非国防军司令尼扬达上将访华。中央军委副主席、国务委员兼国防部长迟浩田上将会见，中央军委委员、中国人民解放军总参谋长傅全有上将与其举行会谈。

11 月 20～25 日，应南非国防军司令尼扬达上将的邀请，中央军委委员、中国人民解放军总参谋长傅全有上将对南非进行正式访问。南非总统姆贝基会见。

10 月 21～26 日，应总参谋部的邀请，南非陆军司令罗曼诺中将访华。中央军委副主席、国务委员兼国防部长迟浩田上将、中央军委委员、中国人民解放军总参谋长傅全有上将分别会见，副总参谋长郭伯雄上将与其举行会谈。

第40节 中国同莱索托的关系

2001年，中华人民共和国同莱索托王国的友好合作进一步巩固。

一、政治关系与重要往来

12月2~7日，应中国国务院总理朱镕基邀请，莱索托王国首相帕卡里塔·莫西西里对中国进行正式访问，全国人民代表大会常务委员会委员长李鹏会见，朱镕基会谈。中国领导人积极评价两国关系，表示中莱复交以来，两国在政治、经济、军事、文教、卫生等各个领域的友好合作全面发展并取得积极成果。中国历来主张国家不分大小、强弱、贫富，都是国际社会中的平等一员。中方愿与莱方共建长期稳定、真诚友好、平等互利的友好合作关系。莫西西里说，长期以来，莱索托得到了中国的宝贵支持和援助，莱政府和人民获益匪浅。两国在经贸、文化、卫生等领域开展了很好的交流与合作，进一步密切了两国关系，增进了两国人民之间的友谊。莱政府正致力于发展经济、消除贫困和改善人民生活，这为两国间拓展新的合作领域提供了良机。莱索托欢迎中国企业到莱投资，开展合作。莫西西里重申，莱索托政府将坚定不移地奉行一个中国政策。

访问期间，外交部长唐家璇和对外贸易经济合作部副部长孙广相分别会见了莱外交大臣汤姆·塔巴尼，卫生部长张文康、中联部副部长马文普分别会见了莱卫生和社会福利大臣庞索·塞卡特里和自然资源大臣蒙尼亚·莫莱莱基。对外贸易经济合作部副部长孙广相与莱外交大臣塔巴尼签署了中莱经济技术合作协定和中莱免债议定书。除北京外，莫西西里首相一行还访问了南宁、上海。

6月28日，莱索托民主大会党领导人、首相莫西西里致电中共中央总书记江泽民，对中国共产党80年华诞表示祝贺。

二、经贸关系

据中国海关总署统计，2001 年，中国同莱索托贸易总额为1789.4 万美元，其中中方出口额为 1676.5 万美元，进口额为112.9 万美元。

三、文化交流及其他往来

10 月 4～9 日，中国吉林民乐团一行 20 人赴莱进行访问演出。

2001 年，莱索托在华留学生 14 人；中国在莱索托的医疗队员7 人，在莱索托工作的中国教师 2 人。

四、军事往来

8 月 26～31 日，应中央军委委员、中国人民解放军总参谋长傅全有上将邀请，莱索托国防军司令莫萨肯中将率军事代表团访华。国家副主席、中央军委副主席胡锦涛会见，傅全有会谈。

第六章

中国同东欧
中亚国家的关系

第 1 节　东欧中亚地区形势

　　2001 年，东欧中亚地区形势总体平稳。俄罗斯以总统为核心的政权体系进一步巩固，"统一"、"祖国"、"全俄罗斯"三党合并，组成新的政党"全俄罗斯统一和祖国党"，成为普京总统执政的力量依托。俄经济继续保持恢复性增长。独联体其他国家也普遍保持了社会稳定和经济回升。东欧剧变后长期执政的右翼政党在一些国家大选中败北，波兰、罗马尼亚、阿尔巴尼亚、保加利亚等国中派政治力量纷纷上台。各国"加盟"、"入约"政策稳步推进，经济形势日趋好转。巴尔干战火平息，地区热点逐步降温，但科索沃地位、黑山独立等问题依旧悬而未决。"9·11"事件后，俄为美打击恐怖主义开放领空，中亚一些国家向美提供军事基地，东欧国家召开反恐大会声援美国，有些国家表示愿出兵。美在中亚地区影响明显上升。

第 2 节　中国同东欧中亚国家关系综述

2001 年，中国同东欧中亚地区国家关系进一步发展，高层互访频繁，相互信任加深，合作领域拓宽，双边关系和友好合作稳步向前推进。

中俄战略协作伙伴关系呈现更加积极的发展势头。两国高层交往密切，各领域务实合作进一步深化，在重大国际问题上保持密切磋商与协作。江泽民主席访俄，与俄总统普京签署《中俄睦邻友好合作条约》，将两国和两国人民世代友好、永不为敌的和平思想用法律形式固定下来，对促进双方睦邻友好与互利合作关系长期稳定发展具有重要意义。朱镕基总理访俄，与俄总理卡西亚诺夫举行第六次定期会晤，双方签署七个重要合作文件，有力地推动了双边经贸关系的发展。胡锦涛副主席首次访俄。俄国家杜马主席谢列兹尼奥夫和副总理马特维延科也相继访华。

2001 年 6 月 15 日，中国、俄罗斯、哈萨克斯坦、吉尔吉斯斯坦、塔吉克斯坦、乌兹别克斯坦六国元首隆重聚会上海，宣布在"上海五国"基础上成立"上海合作组织"，并签署了《上海合作组织成立宣言》、《打击恐怖主义、分裂主义和极端主义上海公约》两个重要文件，在深化六国睦邻友好合作、维护地区安全与稳定、打击本地区三股势力方面迈出了历史性的一步。

中国同中亚五国睦邻友好关系继续稳步发展。哈、乌、吉、塔四国总统来华参加"上海合作组织"元首会晤期间，江泽民主席分别同其会晤。朱镕基总理赴哈萨克斯坦出席"上海合作组织"成员国总理会晤，会见哈、吉、塔总理，并与哈签署联合声明等文件。

中国同东欧国家关系进一步巩固和发展，各领域交流与合作不断扩大。吴仪国务委员、唐家璇外长分别对东欧国家进行访问，增进了相互了解和信任，扩大了在一系列重大国际问题上的共识，推动了各领域合作。马其顿外长访华，与唐家璇外长签署《中华人民共和国和马其顿共和国关于实现关系正常化的联合公报》，中马关系恢复正常。

2001 年，中国同该地区国家的贸易额大幅度增长。据中国海关总署统计，中国同东欧中亚地区的贸易总额达 174.39 亿美元，同比增长 26.6%。其中，中国同俄罗斯的贸易额为 106.7 亿美元，同比增长 33.3%；与独联体其他国家的贸易额为 24.5 亿美元，同比增长 24.4%；与东欧国家的贸易额为 39.3 亿美元，同比增长 27.1%；波罗的海国家的贸易额为 3.89 亿美元，同比增长 15.2%。

第3节　中国同俄罗斯的关系

2001 年，中华人民共和国同俄罗斯联邦的战略协作伙伴关系达到新水平。两国元首签署《中俄睦邻友好合作条约》，为双方睦邻友好与互利合作关系长期稳定发展奠定了坚实的法律基础，开辟了广阔前景。两国在政治、经贸、文化、科技、国际等领域的合作深入发展。

一、政治关系与重要往来

（一）高层互访与接触

5 月 28 日至 6 月 9 日，应江泽民主席邀请，俄前总统叶利钦夫妇来华休假。江主席和夫人王冶坪在京会见。

6 月 14 日，江泽民主席与普京总统在上海合作组织成员国元首上海首次会晤期间举行双边会见，就两国关系和共同关心的国际问题交换意见。

6 月 18 日，江泽民主席在上海应约与普京总统通电话。普京重点通报了俄美总统卢布尔雅那会晤情况。

7 月 15～18 日，应普京总统邀请，江泽民主席对俄进行国事访问。江主席与普京总统举行会谈，并会见俄总理卡西亚诺夫、联邦委员会主席斯特罗耶夫和国家杜马主席谢列兹尼奥夫。两国元首签署了《中华人民共和国和俄罗斯联邦睦邻友好合作条约》，并发表《中俄元首莫斯科联合声明》。除莫斯科外，江主席还访问了伏尔加格勒市。

7 月 26 日，江泽民主席应约与普京总统通电话，双方主要就反导、热那亚八国峰会等问题交换看法。

8 月 17 日，江泽民主席应约与普京总统通电话。普祝贺江主席 75 华诞。双方还重点就反导问题交换了意见。

9 月 18 日，江泽民主席就"9·11"恐怖事件与普京总统通电话。双方一致认为，恐怖主义对世界和平与稳定构成重大威胁，成为严重国际公害。在反恐问题上，国际合作非常必要，也非常紧迫，中俄应加强协调和沟通。

10 月 20 日，江泽民主席在上海会见出席 APEC 领导人非正式会议的普京总统，双方就双边关系、反恐、反导等问题深入交换意见。

11 月 19 日，江泽民主席应约与普京总统通电话。普向江主席通报访美情况。双方就反导、阿富汗局势、中俄加强反恐合作等问题交换意见。

12 月 13 日，江泽民主席应约与普京总统通电话，双方主要就美单方面宣布退出《反导条约》和中俄加强战略稳定磋商与合作等问题交换意见。

12 月 9～13 日，应全国人大常委会委员长李鹏邀请，俄国家杜马主席谢列兹尼奥夫访华。江泽民主席、朱镕基总理分别会见谢，李鹏委员长与谢举行会谈。除北京外，谢还访问了哈尔滨。黑龙江大学授予谢名誉教授称号。

10 月 27～28 日，应普京总统邀请，国家副主席胡锦涛对俄进行工作访问。胡副主席会见普京总统、卡西亚诺夫总理和克列巴诺夫副总理。双方主要就双边关系、反导、反恐等共同关心的国际问题深入交换意见。

7 月 10～14 日，李岚清副总理率北京申奥代表团在莫斯科出席国际奥委会第 112 次全体会议，赢得北京 2008 年奥运会主办权。李副总理还会见了俄副总理马特维延科和莫斯科市长卢日科夫。

2 月 19 日，唐家璇外长应约与伊万诺夫外长通电话。双方就反导、美英轰炸伊拉克、中东局势等问题交换意见。

4 月 29 日至 5 月 1 日，唐家璇外长对俄进行正式访问。唐会见普京总统并与伊万诺夫外长举行会谈。两国外长签署议定书，确认《中俄睦邻友好合作条约》协商一致的文本，并商定提交两国元首 7 月正式签署。

5 月 30 日，唐家璇外长应约与伊万诺夫外长通电话，双方主要就伊拉克及中东局势交换意见。

6 月 15 日，唐家璇外长与伊万诺夫外长在上海合作组织成员国元首会晤期间举行早餐会，就江泽民主席访俄准备工作及共同关心的国际问题交换意见。

7 月 26 日，唐家璇外长在河内出席第八届东盟地区论坛外长会议期间会见伊万诺夫外长，双方高度评价江主席访俄成果，并就下半年高层互访、中俄开展国际协作等问题交换意见。

7 月 30 日，唐家璇外长与伊万诺夫外长通电话，就双边关系及共同关心的国际问题交换意见。

8 月 22～24 日，应李岚清副总理邀请，俄副总理、中俄教文卫体合作委员会俄方主席马特维延科访华并出席委员会第二次会议。朱镕基总理会见马。

8 月 27 日，中国新任驻俄大使张德广在克里姆林宫向普京总统递交国书。

9 月 11 日，唐家璇外长在陪同朱镕基总理访俄期间会见伊万诺夫外长，双方就双边关系及共同关心的国际问题交换意见。

9 月 17～23 日，全国政协副主席马万祺访俄，会见俄国家杜马副主席罗曼诺夫。

10 月 9 日，唐家璇外长应约与伊万诺夫外长通电话，主要就美英对阿富汗实施军事打击、巴基斯坦国内局势、中俄加强反恐协作等问题交换意见。

10 月 17 日，唐家璇外长在上海会见前来参加 APEC 双部长会议的伊万诺夫外长，双方就中俄关系、本次 APEC 会议及共同关心的国际问题交换意见。

11 月 11 日，唐家璇外长在出席联大会议期间会见伊万诺夫外长，双方就双边关系、阿富汗局势、反恐等共同关心的国际问题交换意见。

（二）议会和党派交注

1 月 5～11 日，应全国人大财经委邀请，俄联邦委员会经济委员会主席科德拉德斯基访华。田纪云副委员长会见科。

4 月 9～15 日，全国人大常委会委员、全国人大中俄友好议员小组主席朱育理访俄，分别会见俄国家杜马主席谢列兹尼奥夫、副主席罗曼诺夫、外事委员会主席罗戈津和联邦委员会议员弗什尼科夫，双方就发展两国及两国议会关系等问题交换了意见。

4 月 19～26 日，公安部副部长赵永吉访俄，与俄边防总局、内务部、税警总局等执法部门领导人举行会谈，就双方关心的重大问题交换意见。

6 月 24～30 日，应中国国际交流协会邀请，俄国家杜马副主席、"右翼力量联盟"党联席主席绉田访华。全国政协副主席、国际交流协会会长李贵鲜、中联部部长戴秉国分别会见绉田。

7 月 3～10 日，应中国国际交流协会邀请，俄国家杜马副主席奇林加洛夫率俄国际战略和政治研究中心代表团访华。全国政协副主席、国际交流协会会长李贵鲜会见奇。

9 月 13～20 日，全国人大外事委员会副主任委员宋清渭访俄。俄国家杜马主席谢列兹尼奥夫、外委会主席罗戈津和俄共主席久加诺夫等分别会见宋。

9 月 17～22 日，全国政协副主席马万祺访俄，会见俄国家杜马副主席罗曼诺夫。

10 月 4～10 日，全国人大教科文卫委员会主任委员朱开轩访俄。俄国家杜马副主席卢金会见朱。

10 月 18～22 日，全国政协副主席孙孚凌访俄。

10 月 30 日至 11 月 8 日，应全国人大财经委邀请，俄国家杜马经济政策与企业经营委员会主席格拉济耶夫访华。布赫副委员长会见格。

11 月 19～24 日，俄共中央第一副主席库普佐夫访华。中共中央政治局常委、国务院副总理李岚清、中联部部长戴秉国分别会见库。

11 月 30 日至 12 月 2 日，应俄"团结"党邀请，西藏自治区党委常务副书记杨传堂率中共代表团出席"团结—祖国"两党合并大会并访俄。杨传堂向大会转交了中共中央的贺辞，表示愿与该党开展友好交往。

11 月 27 日至 12 月 2 日，公安部部长贾春旺访俄。双方就进一步加强两国公安和强力部门之间的交流与合作深入交换意见，特别是就共同打击恐怖主义、贩毒、偷渡等跨国犯罪活动，维护两国国家安全和边境地区社会稳定等问题达成共识。双方签署了《中国公安部和俄内务部合作协议》。

（三）重要信函往来

2 月 1 日，江泽民主席致电俄罗斯前总统叶利钦，祝贺叶 70 岁生日。叶随后复信江主席表示感谢。

4 月 21 日，俄外长伊万诺夫致信唐家璇外长，就"上海五国"加强合作阐述俄方看法和主张。

4 月 26 日，江泽民主席致信普京总统，邀请其出席 10 月上海 APEC 领导人非正式会议，并介绍会议有关安排。

5 月 24 日，朱镕基总理就勒拿河及伏尔加河沿岸部分地区严重水灾致俄总理卡西亚诺夫慰问电。

6 月 30 日，普京总统致信江泽民主席，对中方本月中旬成功举办上海合作组织成员国首次峰会表示感谢，并表示接受江主席邀请，出席今年 10 月的上海 APEC 领导人非正式会议。

9 月 15 日，江泽民主席就 APEC 领导人非正式会议议程安排等致函普京总统。

9 月 15 日，唐家璇外长和外经贸部部长石广生分别就 APEC

第 13 届部长级会议致函伊万诺夫外长和俄经济发展与贸易部长格列夫，通报中方对会议安排的设想。

9 月 25 日，江泽民主席就上海 APEC 领导人非正式会议讨论"9·11"事件事致函 APEC 各成员领导人。

9 月 27 日，伊万诺夫外长就 APEC 外长会议事复信唐家璇外长，同意中方提出的会议设想。

10 月 4 日，江泽民主席就俄一架图—154 客机在黑海海域失事致电普京总统，对遇难者表示哀悼，向遇难者家属表示慰问。

10 月 8 日，普京总统就 APEC 会议事复信江泽民主席，表示同意江主席提出的会议安排。

10 月 15 日，普京总统复函江泽民主席，表示完全同意江主席关于在 APEC 会议期间讨论反恐问题的建议。

12 月 6 日，李鹏委员长致电米罗诺夫，祝贺其当选俄联邦委员会主席。米复电致谢。

12 月 6 日，李鹏委员长致电卸任的俄联邦委员会前主席斯特罗耶夫，高度评价其为中俄两国和两国议会关系发展所作的重要贡献。

（四）两国外交部磋商

1 月 9 日，外交部国际司司长李保东与俄外交部国际组织局局长费多托夫在北京就伊拉克及联合国事务等问题举行磋商。

2 月 23 日，外交部部长助理刘古昌与俄副外长洛休科夫在莫斯科就 2001 年两国高层互访、签署睦邻友好合作条约等问题举行磋商。

3 月 28～30 日，俄副外长洛休科夫访华。外交部副部长张德广会见并宴请洛；刘古昌部长助理与洛就《中俄睦邻友好合作条约》、乌兹别克斯坦加入"上海五国"、唐家璇外长访俄、马其顿局势和中马关系等问题举行磋商。

4 月 2 日，外交部副部长王光亚与俄副外长奥尔忠尼启则在北京就伊拉克、人权、阿富汗、中东和平进程、联合国维和行动和联合国秘书长选举等问题举行磋商。

4月4日，外交部副部长张德广与俄副外长马梅多夫在北京举行第三轮中俄战略稳定磋商。

5月16日，外交部条法司司长薛捍勤与俄外交部条法局局长斯克托尼科夫在莫斯科就国际刑事法院、反恐等问题举行磋商。

5月21日，外交部军控司司长沙祖康在莫斯科与俄副外长马梅多夫、俄外交部裁军局代局长列先科就反导、裁军、军控等问题举行磋商。

7月8日，外交部部长助理刘古昌会见来访的俄副外长洛休科夫，双方主要就江泽民主席访俄的有关准备工作交换意见，并签署《中俄睦邻友好合作条约》文本核对纪要。

7月9日，外交部副部长王毅与俄副外长洛休科夫举行早餐会，就亚洲问题交换意见。

9月28日，外交部部长助理刘古昌同俄副外长洛休科夫在莫斯科举行反恐问题紧急专题磋商，就阿富汗及中亚局势、中俄加强反恐合作等问题交换意见，并协调立场。驻俄大使张德广等参加磋商。

10月11日，外交部部长助理刘古昌与俄副外长洛休科夫在北京就美英对阿富汗塔利班采取军事行动、巴基斯坦局势、加强中俄反恐协作、加强上海合作组织的作用、全球战略稳定与反导等问题交换意见。

11月5~8日，外交部部长助理张业遂与俄副外长费多托夫在北京就两国外交部干部问题举行磋商。外交部副部长王光亚会见费。双方签署了两国外交部关于相互培训高级翻译及外交官的合作议定书。

11月28~29日，外交部副部长李肇星与俄副外长萨福诺夫在北京举行中俄反恐工作组第一次会议。双方就国际反恐斗争、加强两国反恐合作和阿富汗局势等问题深入交换意见，达成广泛共识。唐家璇外长会见萨。

12月6日，外交部部长助理刘古昌在莫斯科与俄副外长洛休科夫就2002年两国高层交往、上海合作组织外长会议和阿富汗局势等问题举行磋商。

12月17日，外交部副部长王光亚在莫斯科与俄副外长马梅多夫举行第四轮中俄战略稳定磋商。双方主要就美宣布退出《反导条约》及中俄加强在军控和战略安全领域的合作等问题交换意见。

12月20日，外交部政研室主任崔天凯与俄外交部政策规划局局长库兹涅佐夫在北京就当前国际局势等问题举行磋商。

二、经济技术合作与贸易关系

9月3～5日，应俄副总理、中俄总理定期会晤委员会俄方主席克列巴诺夫邀请，国务委员吴仪率团出席在莫斯科举行的中俄总理定期会晤委员会第五次会议，为朱镕基总理访俄做准备。双方签署《2001～2002年中俄互供商品指导性清单的换文》和《关于成立中俄化肥生产商和进出口商联合会的协议》。

9月7～12日，应俄总理卡西亚诺夫邀请，国务院总理朱镕基在圣彼得堡出席中俄总理第六次定期会晤，并正式访俄。朱总理在圣市与卡西亚诺夫总理举行会谈，在莫斯科会见普京总统和联邦委员会主席斯特罗耶夫，并出席俄工商科技界人士午餐会。双方签署《中俄总理第六次定期会晤联合公报》、《中俄总理定期会晤委员会第五次会议纪要》、《中国航空器材进出口总公司与俄罗斯航空出口公司关于购买五架俄制图204—120型飞机的合同》、《中俄关于共同开展铺设俄罗斯至中国原油管道项目可行性研究工作的总协议》等七个文件。

2月15日，交通部部长黄镇东与俄驻华大使罗高寿分别代表两国政府在北京签署《中华人民共和国政府和俄罗斯联邦政府关于共同建设室韦—奥洛契额尔古纳河界河桥的协定》。

2月19～21日，俄经济发展与贸易部长格列夫访华，外经贸部部长石广生与格列夫在北京会谈。

3月31日至4月9日，铁道部副部长孙永福访俄，考察俄在冻土地区建设铁路情况。

4月3～4日，中俄总理定期会晤委员会经贸合作分委会森林资源开发和利用常设工作小组第一次会议在莫斯科召开。外经贸部部长助理何晓卫与俄工业科技部副部长乌索夫共同主持会议并签署会议纪要。

4月12～20日，科技部副部长马颂德访俄，与俄方就加强高新技术领域的合作问题进行探讨。

4月16～21日，人民银行副行长刘廷焕率团出席在莫斯科召开的"中俄金融合作论坛"第一次会议。俄副总理克列巴诺夫、中央银行行长格拉先科分别会见中方代表团。

5月18～22日，俄工业科技部副部长杰列申柯访华，参加在浙江衢州举行的"浙江巨化中俄科技园"揭幕仪式。

6月4日，中俄总理定期会晤委员会经贸合作分委会第四次会议在北京召开，外经贸部副部长周可仁与俄经济发展与贸易部副部长卡拉斯京共同主持会议并签署会议纪要。

6月12～15日，民航总局副局长杨元元访俄，考察俄研制和生产新型运输机情况。

6月26～28日，中俄总理定期会晤委员会银行合作分委会第二次会议在莫斯科举行。人民银行副行长、分委会第二次会议中方主席史纪良与俄方分委会主席、俄中央银行副行长梅里科夫共同主持会议并签署会议纪要。

6月28～29日，中俄电子信息科技合作工作组第一次会议在北京举行。会议由信息产业部副部长娄勤俭与俄系统管理署署长西蒙诺夫主持。

7月2～3日，中俄总理定期会晤委员会经贸合作分委会边境地方经贸合作常设工作小组第四次会议在俄哈巴罗夫斯克市举行。外经贸部副部长张祥与俄经济发展与贸易部副部长茨冈诺夫共同主持会议并签署会议纪要。

7月12～16日，中俄总理定期会晤委员会能源合作分委会第三次会议在莫斯科召开。双方分委会副主席、国家经贸委副主任张志刚与俄能源部副部长尼杰尔斯基主持会议。双方分委会主席、国家发展与计划委员会主任曾培炎和俄能源部长尤素福夫主持会议闭幕式，并签署会议纪要。

7月20日，中俄总理定期会晤委员会核问题分委会第五次会议在莫斯科召开。分委会中方主席、国防科工委主任刘积斌与俄方主席、俄原子能部部长鲁缅采夫共同主持会议。双方回顾了两国核领域合作情况，商定了今后工作方向，并签署会议纪要。

7月26日至8月2日，中俄总理定期会晤委员会科技合作分委会第五次会议在莫斯科召开。科技部副部长马颂德与俄工业科技部第一副部长基尔皮奇尼科夫主持会议。会议确定了一批新的科技合作项目，并签署会议纪要。

7月27～28日，铁道部副部长蔡庆华率团参加在莫斯科举行的庆祝西伯利亚大铁路建成100周年和俄第一条铁路，即圣彼得堡—莫斯科铁路开通150周年国际科学技术大会。

8月6～9日，国防科工委副主任兼国家航天局局长栾恩杰访俄，与俄航空航天局局长高普切夫共同主持中俄总理定期会晤委员会航天合作分委会第二次会议。双方就有关合作项目达成一致并签署会议纪要。

8月9～16日，国防科工委副主任张洪飚赴俄参观第五届莫斯科航空航天博览会，并与俄航空航天局局长高普切夫就两国在民用航空技术领域的合作进行会谈。

8月14～20日，民航总局局长刘剑锋访俄并参观第五届莫斯科航空航天博览会。俄副总理克列巴诺夫、航空航天局局长高普切夫等会见刘。

9月16～26日，俄工业科技部副部长奥萨金娜率团参加第四届APEC苏州技术博览会。

9月17～21日，中俄友好、和平与发展委员会俄方委员、俄工业企业家联盟副主席尼库林率俄企业家代表团一行69人访华。外经贸部副部长周可仁、北京市副市长张茅、贸促会副会长马跃分别会见代表团。

10月22日至11月1日，中俄"新材料与技术"研讨会在莫斯科举行。委员会中方科技分委会主席、中科院副院长白春礼率有关科研人员与俄专家举行多场学术交流活动。

9月18日，俄航空航天局第一副局长沃斯克波尼克夫访华。国防科工委副主任张洪飚与其会谈，双方就两国政府部门间民用航空领域的合作协议问题交换意见。

10月11~15日，中俄总理定期会晤委员会通讯与信息技术分委会第一次会议在莫斯科召开。信息产业部部长吴基传与俄通讯信息化部部长雷曼主持会议并签署会议纪要。

10月12~17日，俄工业科技部第一副部长基尔皮奇尼科夫率团参加深圳高新技术展览会。

11月12日，中俄合作建设的504厂铀浓缩500吨分离功/年工程建成投产。俄原子能部部长鲁缅采夫率团出席工程庆典仪式。

11月12~17日，俄中央银行副行长梅里科夫率团访华。人民银行副行长兼国家外汇管理局局长郭树清与其会谈。双方就外汇监管、反洗钱、外汇现钞管理及边贸结算等问题进行了交流和探讨。

12月21~27日，农业部副部长齐景发访俄，与俄渔业委员会副主席马斯卡里佐夫举行中俄渔业合作混委会第12次会议。

据中国海关总署统计，2001年中俄贸易总额达到106.7亿美元，创历史新高，同比增长33.3%。其中中方出口额27.1亿美元，增长21.4%；进口额79.6亿美元，增幅为37.9%。

三、文化交流及其他往来

2月20日，中俄教文卫体合作委员会卫生合作分委会第一次会议在北京召开。卫生部长张文康与俄卫生部长舍甫琴科共同主持会议。李岚清副总理会见舍。

4月，中国人民对外友好协会举行纪念加加林完成人类首次太空飞行40周年系列活动。17~21日，应对外友协邀请，俄宇航员托卡列夫及加加林宇航员培训中心专家鲁多欣娜访华。18日，友协举行"纪念加加林完成人类首次太空飞行40周年大会"。20日，"纪念加加林太空飞行40周年图片展"在中国科技馆开幕。

5月11~14日，国家体育总局副局长、中俄教文卫体合作委员会体育合作分委会中方主席于再清与俄国家体育运动和旅游委员会副主任霍托契金在莫斯科共同主持体育合作分委会第一次会议。

5 月 17 日，中俄教文卫体合作委员会教育合作分委会第一次会议在北京举行。会议由教育部长陈至立及俄教育部长菲利波夫主持。

5 月 18～20 日，俄高等教育展及中俄高校合作交流会在北京大学举行。

5 月 28 日至 6 月 1 日，应俄文化部邀请，文化部副部长潘震宙访俄。

6 月 4～11 日，国家文物局副局长郑欣淼访俄。

6 月 13～20 日，北京市政府在莫斯科成功举办"北京文化周"。

6 月 25 日，中国人民对外友好协会派全国政协委员、中俄友协理事、中国航天科技集团公司科技委副主席宣平赴莫斯科参加中俄高科技合作研讨会。

7 月 11～12 日，中国人民对外友好协会组派演出团在莫斯科举办两场"中俄友好之夜"大型歌舞晚会，支持北京申奥。

7 月 18～20 日，俄文化部长施维德科依访华。文化部副部长孟晓驷与其共同主持中俄教文卫体合作委员会文化合作分委会第一次会议。国务院副总理李岚清会见施。

8 月 24 日，"俄罗斯当代经典油画展"在中国美术展览馆开幕。文化部副部长周和平与俄文化部第一副部长戈卢特瓦共同出席开幕式。

9 月 19 日，中国人民对外友好协会举办"中俄 21 世纪经济发展及生态安全"研讨会。两国总理分别致函祝贺。全国人大常委会副委员长姜春云出席会议并讲话。俄联邦委员会副主席、莫斯科市杜马主席普拉托诺夫与会。全国人大常委会委员长李鹏会见普。

10 月 25～27 日，中国人民对外友好协会会长陈昊苏赴莫斯科出席中俄友好、和平与发展委员会第四次全体会议期间，参加了俄方举办的陈毅诞辰 100 周年纪念活动。

11月9日，中俄教文卫体合作委员会体育合作分委会第二次会议在广州召开。会议由国家体育总局副局长于再清与俄国家体育运动和旅游委员会副主任霍托契金共同主持。

11月15日，江泽民主席观看莫斯科大剧院芭蕾舞团在北京的首演。李岚清副总理陪同。

2001年互访的其他重要文化团组有：中国歌舞团（5月）、新疆歌舞团（5月）、中国作家代表团（6月）、北京梅兰芳京剧团（6月）、中国书画展（7月）、江苏省文化代表团（9月）、江南少林功夫表演团（10月）、中国军事作家代表团（10月）、湖南歌舞剧院大型民族歌舞剧《边城》表演团（10月）；俄罗斯小白桦舞蹈团（1月）、克里姆林宫芭蕾舞团（4月）、内务部红军歌舞团（5月）、新西伯利亚歌剧芭蕾剧院（6月）、莫斯科古典芭蕾舞团（9月）、俄罗斯绘画300年展览（9月）、圣彼得堡管弦乐团（11月）等。

2001年，俄在华留学生1056人。

四、中俄友好、和平与发展委员会活动

6月11～20日，应中俄友好、和平与发展委员会俄方主席沃尔斯基邀请，委员会中方主席黄毅诚访俄。黄同沃尔斯基举行会谈，并会见俄副外长洛休科夫。

6月26日至7月2日，中俄友好、和平与发展委员会俄方青年工作分委会主席谢利万诺夫率俄青年代表团访华。委员会中方主席黄毅诚，外交部副部长、委员会副主席兼秘书长张德广，委员会中方青年工作分委会主席、全国青联副主席黄丹华，上海市副市长周慕尧等分别会见代表团。

10月25～29日，中俄友好、和平与发展委员会第四次全体会议在莫斯科举行。江泽民主席和俄总统普京分别向大会致贺辞。俄副总理克列巴诺夫与会并讲话。双方委员围绕"如何贯彻落实《中俄睦邻友好合作条约》的精神"这一主题展开讨论并提出一系列具体建议。全会通过2002年工作计划。

五、地方往来

3月15~24日，应山东省政府邀请，俄奥伦堡州立法会议主席格里戈里耶夫访问山东省。

3月19~27日，应上海市人民政府邀请，萨马拉州副州长卡扎科夫访问深圳、上海、北京。

5月15~20日，应俄国际商务合作协会会长斯维斯图诺夫邀请，新疆维吾尔自治区党委副书记艾斯海提·克里木拜访问莫斯科市和莫斯科州。

5月16~20日，上海市副市长蒋以任访问圣彼得堡市。

5月31日至6月3日，广州市长林树森访问叶卡捷琳堡市。

6月5~7日，黑龙江省副省长王先民访问阿穆尔州。

6月19~23日，甘肃省省长陆浩访问莫斯科市和奔萨州，与奔萨州州长勃其卡廖夫签署《甘肃省与奔萨州关于经贸科技及教育文化合作协议书》。

7月16~18日，应乌里扬诺夫斯克州政府邀请，山西省政协主席、省政府顾问郑社奎访俄。双方签署了《山西省和乌里扬诺夫斯克州建立友好省州关系协议书》、《山西省、乌里扬诺夫斯克州2001~2003年合作交流计划》。

8月3~10日，应俄国际科技与文化合作中心副主任卡罗列夫邀请，浙江省副省长鲁松庭率科技代表团访俄。

9月2~8日，应圣彼得堡市立法会议主席塔拉索夫邀请，上海市人大常委会副主任刘伦贤访问该市。

9月17~23日，应俄文化部邀请，江苏省政协副主席、省文联主席顾浩访俄。

9月20~22日，应伏尔加格勒州州长马克休达邀请，吉林省省长洪虎访问该州。

10月12~15日，应萨拉托夫州政府邀请，湖北省人大常委会主任关广富率经济友好代表团访问该州，双方签署了《湖北省和萨拉托夫州建立友好省州关系的协议》。

10月14~18日，应列宁格勒州政府邀请，河北省省长钮茂生访问列宁格勒州和莫斯科州。

10月27日至11月3日，应哈巴罗夫斯克边疆区、犹太自治州和滨海边疆区政府邀请，黑龙江省省长宋法棠访问上述地区，与俄总统驻远东联邦区全权代表普利科夫斯基、第一副代表特列古博夫及当地领导人分别会谈，并签署会谈纪要。

11月27日至12月3日，应俄劳动与社会发展部邀请，辽宁省副省长刘克崮访问莫斯科和圣彼得堡两市。

六、军事往来

2月19~22日，中央军委副主席张万年上将访俄，与俄副总理克列巴诺夫共同主持中俄政府间军技合作混委会第八次会议。张副主席还分别会见普京总统、卡西亚诺夫总理和国防部长谢尔盖耶夫元帅。

5月10~17日，广州军区司令员陶伯钧上将率中国人民解放军友好参观团访俄。

5月20~27日，俄国家杜马工业委员会副主席科科申来华休假，中央军委副主席、国务委员兼国防部长迟浩田上将会见。

· 10月3~8日，俄国家杜马国防委员会主席尼古拉耶夫夫妇来华休假。中央军委副主席张万年上将礼节性会见。

10月20~23日，应中央军委委员、总参谋长傅全有上将邀请，俄武装力量总参谋长克瓦什宁大将访华。国家副主席、中央军委副主席胡锦涛，中央军委副主席张万年上将、中央军委副主席、国务委员兼国防部长迟浩田上将分别会见克。

11月23~27日，副总参谋长熊光楷上将赴俄，同俄武装力量第一副总长巴鲁耶夫斯基上将共同举行中俄两军总参谋部第五轮磋商。俄武装力量总参谋长克瓦什宁大将会见。

第 4 节 中国同阿塞拜疆的关系

2001 年，中华人民共和国同阿塞拜疆共和国的友好合作关系继续发展。

一、政治关系与重要往来

1 月 16～22 日，应李鹏委员长邀请，阿塞拜疆明盖恰乌尔市市长加拉巴格雷率代表团访华。全国人大常委会副委员长姜春云会见代表团。

7 月 17～21 日，应阿塞拜疆最高法院邀请，中国最高人民法院常务副院长祝铭山率团访阿。

7 月 18～21 日，应阿塞拜疆外交部邀请，中国国际交流协会高级顾问蔡武率团访阿。

12 月 7 日，中国驻阿塞拜疆使馆举行新馆舍启用典礼，阿塞拜疆总统阿利耶夫出席典礼并发表讲话。

二、经济技术合作与贸易关系

据中国海关总署统计，2001 年中阿双边贸易额为 1504 万美元，同比增长 143.9%，其中中方出口额为 1076 万美元，进口额为 428 万美元。

三、文化交流及其他往来

4 月 6～11 日，应阿塞拜疆经济工作者协会主席、前副总理萨梅德扎德邀请，中国人民外交学会会长梅兆荣率团访阿。

4 月 18～22 日，应国家体育总局邀请，阿塞拜疆青年、体育和旅游部第一副部长瓦·阿利耶夫率团访华。

5 月 23～25 日，应阿塞拜疆苏姆盖特市邀请，中国人民对外友好协会浙江省衢州市代表团访阿，双方签署两市建立友好交流关系的备忘录。

6月9~14日，应阿塞拜疆国家妇女问题委员会邀请，全国妇联副主席沈淑济率团访阿。

7月4~11日，应中华全国总工会邀请，阿塞拜疆工会联合会办公厅主任扎法罗夫率团访华。

9月14~21日，应中国国际交流协会邀请，阿塞拜疆图兰通讯社社长梅·阿利耶夫率新闻代表团访华。

9月23~29日，宁夏杂技团访阿进行演出。

10月30日至11月4日，应中国人民对外友好协会邀请，阿塞拜疆苏姆盖特市第一副市长纳比耶夫率团访问北京、上海和衢州市。在衢州访问期间，双方签署两市缔结友城关系意向书。

据中国教育部统计，2001年阿塞拜疆在华留学生19人。

四、军事往来

7月5~8日，应阿塞拜疆国防部邀请，新疆军区司令员邱衍汉少将率中国人民解放军代表团访阿。阿国防部长阿比耶夫上将会见代表团。

第5节　中国同亚美尼亚的关系

2001年，中华人民共和国同亚美尼亚共和国的友好合作关系继续顺利发展。

一、政治关系与重要往来

2月12~18日，应全国人大常委会委员长李鹏邀请，亚美尼亚国民议会主席哈恰特良正式访华。李鹏委员长会见代表团并表示，中亚建交九年来，双边关系发展顺利，高层交往不断。两国在经贸、科技、文教、卫生等领域的互利合作正逐步展开并取得一定成果。中国一贯重视发展同亚友好合作关系，愿在相互尊重、平等互利基础上与亚开展更加广泛深入的合作，推动两国关系不断向前发展。中国全国人大重视与亚国民议会的关系，愿发展两国议会间多层次、多形式的交往。哈表示，亚人民历来对中国人民怀有深厚情谊，希望与伟大的中国人民在政治、经济等领域进行合作。中国是亚值得信赖的朋友，是当前亚最优先发展的战略伙伴之一。亚中两国友好合作不仅符合两国的根本利益，而且可以造福两国人民及子孙后代。

5 月 12～19 日，应民政部邀请，亚美尼亚社会保障部长拉兹米克·马尔季罗相率团访华，民政部副部长徐瑞新会见代表团。

6 月 20 日和 26 日，亚美尼亚共产党中央第一书记达尔比尼扬、共和党理事会主席、总理马尔加良分别致信江泽民总书记，祝贺中国共产党建党 80 周年。

7 月 9～11 日，应亚美尼亚共产党邀请，中央纪律检查委员会副书记刘锡荣率中国共产党代表团访亚。亚总统科恰良、国民议会主席哈恰特良分别会见该团。

11 月 5～13 日，应外交学会邀请，亚美尼亚民族民主联盟主席马努基扬访华。全国人大常委会副委员长铁木尔·达瓦买提、中联部副部长蔡武、外交学会副会长辛福坦、中国国际战略学会副会长侯钢分别会见代表团。

二、经济技术合作与贸易关系

5 月 26～30 日，中国科技部代表团访问亚美尼亚并召开中亚科技合作委员会第一次会议。双方签署了第一届例会议定书和委员会章程。亚总理马尔加良、教育科技部长纳扎良等分别会见代表团。

9 月 20 日，中国新疆—亚美尼亚生物工程研发中心在乌鲁木齐成立。

10 月 12 日，山西合成橡胶集团公司与亚美尼亚纳依里特生产科研股份公司在北京签署关于在山西省建立中亚氯丁橡胶合资企业协议。该企业预计 2004 年 4 月投入运营。

据中国海关总署统计，2001 年，中亚双边贸易总额为 344 万美元，同比下降 34.3％，其中中方出口额为 227 万美元，进口额为 117 万美元。

三、文化交流及其他往来

5 月 29 日至 6 月 1 日，应亚美尼亚对外友协邀请，浙江省衢州市代表团访亚。亚议长哈恰特良会见代表团。代表团还访问了瓦纳佐尔市并与其签署两市友好合作备忘录。

9 月 30 日至 10 月 2 日，广东省人大常委会委员、广东省人大常委会农委会副主任委员吴驹贤率团访问亚美尼亚。亚议长哈恰特良会见代表团。双方还签署了广东省肇庆市与亚拉兹丹市建立友好城市的备忘录。

10 月 27 日至 11 月 4 日，国家体育总局党组书记兼国际武术联合会主席李志坚率中国武术代表团出席在亚美尼亚举行的第六届世界武术锦标赛。

据中国教育部统计，2001 年亚美尼亚在华留学生 23 人。

四、军事往来

6 月 27～30 日，新疆军区司令员邱衍汉少将率中国人民解放军代表团访问亚美尼亚。亚总理马尔加良、国防部长萨尔基相、国防部第一副部长兼总参谋长阿鲁秋尼扬中将分别与代表团举行会见、会谈。

10 月 16～20 日，应中央军委副主席、国务委员兼国防部长迟浩田上将的邀请，亚美尼亚国防部长萨尔基相访华。国家副主席、中央军委副主席胡锦涛会见谢一行。

第 6 节　中国同格鲁吉亚的关系

2001 年，中华人民共和国同格鲁吉亚的友好合作关系顺利发展。

一、政治关系与重要往来

11月12日，全国人大常委会委员长李鹏致电布尔扎纳泽，祝贺其当选格鲁吉亚议长。

9月20日，国务院总理朱镕基会见来华访问的格鲁吉亚国务部长阿尔谢尼什维利。朱总理表示，中国重视与格友好合作关系，愿在相互尊重、平等互利基础上与格进一步发展各领域合作，希望两国业已建立的良好合作关系在新时期和新的历史条件下得到进一步巩固和发展。阿说，格独立后，在维护国家领土完整和主权以及在振兴经济的过程中都得到中国的宝贵支持，格人民对此不会忘记。相信在两国领导人的共同关心下，格中关系将继续顺利发展。

4月12~14日，应格鲁吉亚政府邀请，国务院副总理李岚清对格鲁吉亚进行正式访问。李副总理分别会见谢瓦尔德纳泽总统、日瓦尼亚议长、阿尔谢尼什维利国务部长，就中格关系及共同关心的国际和地区问题深入交换意见。访问期间，中格签署了教育协定、文化合作和中国政府向格政府提供3000万元人民币无息贷款协议，并就中国政府向格政府提供500万元人民币无偿援助进行换文。

9月19~24日，应国务院副总理李岚清邀请，格鲁吉亚国务部长阿尔谢尼什维利对中国进行正式访问。中国国务院总理朱镕基、副总理李岚清分别会见阿尔谢尼什维利国务部长。中方表示，中国政府一贯重视发展中格关系，尊重格政府和人民根据本国国情选择的社会制度和发展道路，感谢格多年来在国际事务中给予中国的支持，希望在和平共处五项原则基础上同格发展平等互利的友好合作关系。阿说，建交以来，格中两国关系发展一直很好，经贸关系正在发生积极变化，格方对此表示满意。格政府把对华关系看作是其对外政策的优先发展方向之一，主张两国在政治、经济等各领域加强合作，不断深化和扩大两国关系。阿对中国政府在格独立10年来所一贯给予的政治支持和经济援助表示感谢。

5月14~20日，应广东省人大常委会邀请，格鲁吉亚副议长瓦赫丹克、科尔巴亚率团访华。全国人大常委会副委员长邹家华在京会见了科尔巴亚副议长。代表团访问广东省期间，双方签署了广东省汕尾市与格鲁吉亚波季市经济文化合作备忘录。

12月10~17日，应国家审计署邀请，格鲁吉亚监察委员会副主席德瓦利正式访华。李金华审计长和刘家义副审计长分别与德瓦利副主席举行会见和会谈。

二、经济技术合作与贸易关系

2月3日，由四川电力公司投资兴建的卡杜里水电站奠基仪式在格鲁吉亚卡赫吉州举行。格鲁吉亚总统谢瓦尔德纳泽、国务部长阿尔谢尼什维利出席仪式，高度评价卡杜里水电站是世界上大国与小国合作的典范。

2月17~25日，格鲁吉亚农业部副部长杜奇泽访华，会见中国农业部、海关总署、贸促会等有关部门领导并赴烟台实地考察。

9月19日，农业部副部长张宝文会见来华访问的格鲁吉亚国务部长阿尔谢尼什维利及农业和食品部长吉尔瓦利泽，双方就格向中国出口葡萄酒和在渔业养殖、种植业等领域开展合作交换意见。

据中国海关总署统计，中国同格鲁吉亚贸易总额为700万美元，同比增加80%，其中中方出口额为371万美元，进口额为329万美元。

三、文化交流及其他往来

3月7~13日，以总统代表布丘古利为首的格鲁吉亚姆茨赫塔—姆梯阿涅梯大区政府代表团对四川省内江市进行友好访问，双方签署建立友好合作关系的协议书和经济合作备忘录。

6月15~20日，应国家广播电视总局邀请，格鲁吉亚国家广播公司总裁申格利亚·扎则访华，考察中国广播电视发展现状和设备情况，并与中央电视台签署了合作意向书。

7月24~30日，应广东省政府的邀请，格鲁吉亚阿扎尔自治共和国领导人、最高苏维埃主席阿巴什泽一行对广州、深圳和珠海进行参观访问，了解中国经济特区建设和发展经验。

9月4~10 日，格鲁吉亚电台和报社联合记者团访问北京和天津。

2001 年，格鲁吉亚在华留学生共 6 人。

四、军事往来

6月20~27 日，应中央军委委员、总参谋长傅全有上将邀请，格鲁吉亚总参谋长皮尔兹哈拉伊什维利中将对中国进行正式友好访问。傅全有总长与皮进行会谈。中央军委副主席、国务委员兼国防部长迟浩田上将会见格一行。

6月30 日至 7月4 日，新疆军区司令员邱衍汉少将率领中国人民解放军代表团访问格鲁吉亚。格总统安全事务助理、国家安全会议秘书萨贾伊阿、国防部长捷夫扎泽中将、国防部副部长别茹阿什维利分别与邱衍汉司令员进行会见和会谈。

第 7 节　中国同哈萨克斯坦的关系

2001 年，中华人民共和国同哈萨克斯坦共和国睦邻友好与互利合作关系稳定发展

一、政治关系与重要往来

6月15 日，国家主席江泽民会见出席上海合作组织成员国元首会晤的哈萨克斯坦总统纳扎尔巴耶夫，双方就中哈关系及其他共同感兴趣的问题交换意见。

9月24 日，全国人大常委会委员长李鹏会见应邀访华的哈萨克斯坦"祖国党"代主席捷列先科。

9月13~15 日，应哈萨克斯坦总理托卡耶夫邀请，国务院总理朱镕基对哈进行正式访问并出席在阿拉木图举行的上海合作组织

成员国总理首次会晤。哈萨克斯坦总统纳扎尔巴耶夫、总理托卡耶夫、上院议长阿勃迪卡里莫夫和下院议长图亚克拜分别与朱镕基总理举行会见和会谈。双方签署中哈联合公报、中国向哈萨克斯坦提供无偿援助的换文、中哈关于利用和保护跨界河流的合作协定、中哈避免双重征税协定、中哈地震研究科学技术合作协议、中哈卫生和医学领域合作协定等文件。

2月14~16日，哈萨克斯坦外长伊德利索夫访华，向江泽民主席面交哈萨克斯坦总统纳扎尔巴耶夫邀请江主席出席"亚洲相互协作与信任措施会议"成员国元首会晤的信函，并与唐家璇外长举行会谈。

2月25~27日，哈萨克斯坦前总理捷列先科出席博鳌亚洲论坛成立大会，并向大会转交哈萨克斯坦总统纳扎尔巴耶夫的贺信。

2月27日，哈萨克斯坦总理托卡耶夫就中哈交通口岸分委会会议及交通部和海关机构负责人国际联合会议事致信朱镕基总理。

6月16~18日，哈萨克斯坦总统纳扎尔巴耶夫出席上海合作组织峰会后访问香港。董建华特首会见并宴请。

6月26日，哈萨克斯坦"祖国党"代主席捷列先科致信中共中央总书记江泽民，祝贺中国共产党建党80周年。

8月28日，全国政协常委、外事委员会主任田曾佩应邀出席在阿拉木图召开的"迎接21世纪无核武器世界"国际会议。哈萨克斯坦总统纳扎尔巴耶夫、外长伊德利索夫分别会见田曾佩主任。

9月24日，哈萨克斯坦"祖国党"代主席捷列先科应邀访华。中联部部长戴秉国会见捷一行。

11月9~19日，应最高人民检察院检察长韩杼滨的邀请，哈萨克斯坦检察长杜苏别科夫率团访华并出席在广州举行的亚欧总检察长会议。

二、经济技术合作与贸易关系

5月22~23日，中哈科技合作委员会第一次会议在阿拉木图举行，审批19个合作项目。新疆、甘肃、贵州代表与会。

6 月 18～22 日，应中国人民银行行长戴相龙的邀请，哈萨克斯坦国家银行行长马尔琴科率团访华。

6 月 27～29 日，中哈交通口岸分委会第一次会议在乌鲁木齐召开。交通部副部长胡希捷和哈交通运输部副部长兹维里科夫主持会议。双方签署《中哈政府间经贸合作委员会交通口岸分委会第一次会议纪要》。

8 月 14～17 日，应哈萨克斯坦阿拉木图州政府的邀请，四川省副省长、四川省开拓中亚五国市场领导小组组长李达昌访哈，签署四川省与阿拉木图州建立友好省州关系协议。哈萨克斯坦总理托卡耶夫会见李一行。

11 月 16～20 日，应哈萨克斯坦外长伊德利索夫的邀请，新疆维吾尔自治区书记王乐泉访哈。哈总理托卡耶夫、外长伊德里索夫分别与王会见、会谈，就经贸、交通运输合作等共同关心的问题交换意见。

据中国海关总署统计，2001 年中哈双边贸易额为 12.9 亿美元，同比下降 17.3%，其中中方出口额为 3.3 亿美元，进口额为 9.6 亿美元。

三、文化交流及其他往来

9 月 22～29 日，应文化部邀请，哈萨克斯坦文化信息社会协调部长穆赫塔尔率哈政府文化代表团访华。全国人大常委会副委员长何鲁丽、文化部长孙家正、中国人民对外友协会长陈昊苏、中国社会科学院副院长陈佳贵分别会见代表团。两国文化部长共同签署《中华人民共和国文化部和哈萨克斯坦文化信息社会协调部 2001～2002 年文化合作计划》。

10 月 19 日，哈萨克斯坦总理托卡耶夫著作《哈萨克斯坦：从中亚到世界》中译本首发式在哈驻华使馆举行，外交部领导成员武东和出席并致辞。

11 月 27 日至 12 月 4 日，哈萨克斯坦文化信息社会协调部新闻媒体局局长奥马罗夫率哈新闻代表团访华。

2001 年，哈萨克斯坦在华留学生共 109 人。

第 8 节　中国同乌兹别克斯坦的关系

2001 年，中华人民共和国同乌兹别克斯坦共和国友好合作关系继续稳定健康发展。

一、政治关系与重要往来

6 月 15 日，国家主席江泽民会见出席上海合作组织成员国元首会晤的乌兹别克斯坦总统卡里莫夫，双方就中乌关系及共同关心的问题交换了意见。

4 月 11～12 日，国务院副总理李岚清率中国政府代表团访问乌兹别克斯坦。李副总理分别与乌总统卡里莫夫、总理苏尔丹诺夫、议长哈利洛夫举行会见、会谈，就双边关系和共同关心的问题交换意见。双方签署中国向乌提供无偿援助的换文和提供无息贷款的政府协定。

3 月 31 日至 4 月 1 日，外交部部长助理刘古昌对乌兹别克斯坦进行工作访问。

5 月 7～11 日，中共中央政治局委员、社会科学院院长李铁映率团访乌。李会见乌兹别克斯坦议长哈利洛夫、副总理卡拉马托夫、科学院院长尤尔达舍夫等，双方就中乌科学领域合作问题交换了意见。

7 月 12～17 日，最高人民法院副院长祝铭山率团访问乌兹别克斯坦，会见乌议长哈利洛夫、最高法院院长明戈巴耶夫。

9 月 4 日，中国新任驻乌兹别克斯坦大使张志明向乌总统卡里莫夫递交国书。

11 月 11～18 日，乌兹别克斯坦副总检察长巴巴江诺夫访华并出席亚欧国家总检察长会议。

二、经济技术合作与贸易关系

5 月 28 日至 6 月 1 日，中国进出口银行副行长郭玉华访乌，就中乌合资生产拖拉机和煤气表项目与乌方交换意见。

据中国海关总署统计，2001 年中乌双边贸易额为 5830 万美元，同比增长 13.3％，其中中方出口额为 5068 万美元，进口额为 762 万美元。

三、文化交流及其他往来

7 月 30 日至 8 月 1 日，中国国际友好联络会副会长李长顺率团访问乌兹别克斯坦。乌友协主席伊布拉吉莫夫和乌国家科技委员会主席哈比布拉耶夫会见代表团一行。

2001 年，乌兹别克斯坦在华留学生共 58 人。

四、军事往来

6 月 14～16 日，乌兹别克斯坦国防部长古利亚莫夫参加上海合作组织成员国国防部长会晤。中央军委副主席、国务委员兼国防部长迟浩田上将会见古一行。

9 月 29 日至 10 月 2 日，兰州军区副司令邹庚壬中将率团访问乌兹别克斯坦。

第 9 节   中国同塔吉克斯坦的关系

2001 年，中华人民共和国同塔吉克斯坦共和国睦邻友好与互利合作关系稳步发展。

一、政治关系与重要往来

6 月 14 日，国家主席江泽民会见出席上海合作组织成员国元首会晤的塔吉克斯坦总统拉赫莫诺夫，双方就两国关系及共同关心的问题交换意见。

6月18日，全国人大常委会委员长李鹏会见应邀访华的塔吉克斯坦议会下院议长海鲁洛耶夫。

6月7日，国务院总理朱镕基会见应邀来访的塔吉克斯坦外长纳扎罗夫。

9月14日，朱镕基总理在阿拉木图出席上海合作组织成员国总理会晤期间会见塔吉克斯坦总理阿基洛夫，双方就两国关系及共同关心的问题交换意见。

2月26～27日，塔吉克斯坦前总理哈约耶夫应邀出席海南博鳌"亚洲论坛"成立大会。哈在会上宣读了塔总统拉赫莫诺夫致会议的贺函。

3月19日，中国新任驻塔吉克斯坦大使吴虹滨向塔总统拉赫莫诺夫递交国书。

4月4～5日，外交部部长助理刘古昌对塔吉克斯坦进行工作访问，分别与塔总统拉赫莫诺夫、外长纳扎罗夫举行会见和会谈。

6月7～12日，应唐家璇外长邀请，塔吉克斯坦外长纳扎罗夫正式访华。唐家璇外长与纳举行会谈。

6月16～23日，塔吉克斯坦议会下院议长海鲁洛耶夫率团访华。铁木尔·达瓦买提副委员长、唐家璇外长分别会见海一行。

11月7～18日，塔吉克斯坦总检察长巴巴汉诺夫访华，并出席亚欧国家总检察长会议。

二、经济技术合作与贸易关系

4月10～11日，中塔经贸混委会成立并在杜尚别召开第一次会议，外经贸部部长助理何晓卫与塔吉克斯坦经贸部副部长马赫穆多夫共同主持会议。塔总理阿基洛夫会见中方代表团。

8月17～24日，塔吉克斯坦交通部长萨利莫夫访华，与交通部长黄镇东举行会谈。双方签署两国运输协定实施细则和行车许可证制度协议。

12月16日，外经贸部副部长孙广相会见来访的塔吉克斯坦能源部副部长萨义德拉赫莫诺夫，双方就中塔经贸合作问题交换意见。

据中国海关总署统计，2001 年中塔双边贸易额为 1076 万美元，同比减少 37.3%，其中中方出口额为 531 万美元，进口额为 545 万美元。

三、文化交流

2001 年，塔吉克斯坦在华留学生共 20 人。

第 10 节　中国同吉尔吉斯斯坦的关系

2001 年，中华人民共和国同吉尔吉斯共和国的睦邻友好与互利合作关系稳步发展。

一、政治关系与重要往来

6 月 14 日，国家主席江泽民会见出席上海合作组织成员国元首会晤的吉尔吉斯斯坦总统阿卡耶夫，双方就两国关系及共同关心的国际和地区问题交换意见。

8 月 18～24 日，应全国人大常委会委员长李鹏邀请，吉尔吉斯斯坦议会人民代表会议主席博鲁巴耶夫率团访华。李鹏委员长、钱其琛副总理、唐家璇外长、铁道部部长傅志寰分别会见博一行。

6 月 13 日，国务院总理朱镕基会见在北京参加中、吉、乌（兹别克斯坦）铁路联合工作委员会第二次会议的吉、乌代表团主要成员。

9 月 14 日，朱镕基总理出席上海合作组织成员国总理阿拉木图会晤期间，同吉尔吉斯斯坦总理巴基耶夫举行双边会晤。双方就中吉经贸等具体领域合作交换意见。

11 月 23 日，国家副主席胡锦涛会见应邀访华的吉尔吉斯斯坦外长伊马纳利耶夫。

1 月 8 日，"上海五国"国家协调员北京会晤期间，外交部部长助理刘古昌与吉尔吉斯斯坦第一副外长阿勃德尔达耶夫举行双边磋商。

1月12~15日，应吉尔吉斯斯坦总检察长阿贝什卡耶夫邀请，最高人民检察院副检察长胡克惠率中国检察院代表团访吉。双方签署中国最高人民检察院和吉尔吉斯斯坦总检察院合作协议。

2月26~27日，吉尔吉斯斯坦总统特别代表萨当别科夫、吉驻华大使萨拉利诺夫应邀出席海南博鳌"亚洲论坛"成立大会。吉尔吉斯斯坦总统阿卡耶夫向大会致函祝贺。

3月20~27日，吉尔吉斯斯坦内务部长艾特巴耶夫访华。公安部部长贾春旺与其举行会谈。国务委员罗干会见艾。

4月2~3日，"上海五国"中方国家协调员、外交部部长助理刘古昌在比什凯克分别与吉外长伊马纳利耶夫、"上海五国"吉方国家协调员、第一副外长阿勃德尔达耶夫磋商。

5月12~19日，吉尔吉斯斯坦总检察长阿贝什卡耶夫访华，同最高人民检察院检察长韩杼滨举行会谈。

6月5日，江泽民主席接受吉尔吉斯斯坦新任驻华大使阿勃德尔达耶夫递交国书。

6月30日，吉尔吉斯斯坦总统阿卡耶夫就中国共产党建党80周年致电中共中央总书记、国家主席江泽民表示祝贺。

8月29日，中国新任驻吉尔吉斯斯坦大使宏九印向吉总统阿卡耶夫递交国书。

11月9~23日，吉尔吉斯斯坦总检察长阿贝什卡耶夫参加广州亚欧总检察长会议，并会见最高人民检察院副检察长梁国庆。

11月22~25日，应唐家璇外长邀请，吉尔吉斯斯坦外长伊马纳利耶夫对中国进行工作访问。唐家璇外长同伊会谈。伊还拜会外经贸部部长石广生和中联部部长戴秉国。中吉外长发表联合新闻公报。

二、经济技术合作与贸易关系

4 月 11～13 日，中吉政府间经济贸易合作委员会第五次会议在比什凯克举行。外经贸部部长助理何晓卫和吉尔吉斯斯坦外长伊马纳利耶夫共同主持会议。

6 月 12～13 日，中、吉、乌（兹别克斯坦）铁路联合工作委员会第二次会议在北京举行。

8 月 10～13 日，四川省副省长李达昌率团访问吉尔吉斯斯坦。

据中国海关总署统计，2001 年中吉双边贸易总额为 1.1886 亿美元，同比下降 33.1％，其中中方出口额为 7664 万美元，进口额为 4222 万美元。

三、文化交流及其他往来

5 月 19～26 日，吉尔吉斯斯坦教育文化部部长莎尔舍科耶娃访华，同教育部部长陈至立签署"中吉教育合作协议"。

11 月 23 日，吉尔吉斯斯坦比什凯克人文大学举行纪念中国唐代诗人李白诗歌晚会。吉总统阿卡耶夫、中国驻吉大使宏九印等 600 余人出席。阿卡耶夫总统发表题为《李白：生活与创作》的讲话。

2001 年，吉尔吉斯斯坦在华留学生 53 人。

四、军事往来

9 月 21～26 日，兰州军区副司令员邹庚壬中将率兰州军区训练考察团访问吉尔吉斯斯坦，同吉国防部长托波耶夫上将及国防部第一副部长兼总参谋长特纳利耶夫少将举行会谈。

12 月 11～18 日，吉尔吉斯斯坦国防部第一副部长兼总参谋长特纳利耶夫少将率团访华。中央军委副主席、国务委员兼国防部长迟浩田上将和中央军委委员、总参谋长傅全有上将分别与其会见、会谈。

第11节 中国同土库曼斯坦的关系

2001年，中华人民共和国同土库曼斯坦的友好合作关系顺利发展。

一、政治关系与重要往来

4月27日，国家主席江泽民接受土库曼斯坦新任驻华大使希赫穆拉多夫递交国书。

5月9日，全国人大常委会委员长李鹏致电祝贺梅列多夫当选土库曼斯坦国民议会主席。

2月26~27日，土库曼斯坦总统特别代表霍贾穆哈梅多夫、土驻华大使拉赫曼诺夫应邀出席海南博鳌"亚洲论坛"成立大会。土库曼斯坦总统尼亚佐夫向大会致函祝贺。

4月4日，中国新任驻土库曼斯坦大使高玉生向土库曼斯坦总统尼亚佐夫递交国书。

6月25日，土库曼斯坦总统、民主党主席尼亚佐夫就中国共产党建党80周年致信中共中央总书记、国家主席江泽民表示祝贺。

7月10日，李鹏委员长致函祝贺阿拉佐夫当选土库曼斯坦议长。唐家璇外长致函祝贺梅列多夫出任土外长。

11月23日，江泽民主席接受土库曼斯坦新任驻华大使卡瑟莫夫递交国书。

二、经济技术合作与贸易关系

8月18~22日，四川省副省长李达昌率团访问土库曼斯坦，双方签署四川省与阿哈尔州经贸合作（框架）协议。

12月1~10日，土库曼斯坦纺织工业部副部长阿依多格德耶夫率团访问江苏省，商谈双方在养蚕领域开展合作事宜。

据中国海关总署统计，2001年中土双边贸易总额为3271万美元，同比增长 102.4%，其中中方出口额为 3149 万美元，进口额为 122 万美元。

三、文化交流及其他往来

10 月 9～16 日，新疆维吾尔自治区歌舞团在土库曼斯坦访问演出，庆祝中华人民共和国成立 52 周年和土库曼斯坦独立 10 周年。

2001 年，土库曼斯坦在华留学生共 16 人。

第12节　中国同爱沙尼亚的关系

2001 年，中华人民共和国同爱沙尼亚共和国的友好合作关系稳步发展。

一、政治关系与重要往来

3 月 1～10 日，应国家主席江泽民邀请，爱沙尼亚总统伦纳特·梅里对中国进行非正式访问。江泽民主席、全国人大常委会委员长李鹏分别会见。中国领导人表示，中爱关系始终保持健康稳定的发展势头，这符合我们两国的根本利益，符合我们两国为维护国家独立和主权、发展各自经济而相互支持与合作的共同需要。中方始终支持爱为维护国家独立、主权和领土完整所作的努力。中国历来主张国家不分大小，一律平等。中国支持爱沙尼亚加入欧盟。中方对爱沙尼亚在台湾、西藏问题上坚持一个中国的原则表示赞赏。希望双方今后继续恪守这些原则，使两国关系发展的政治基础更加牢固。梅里总统对应邀再次访华表示感谢。他表示，爱中建交 10 年，两国政治、经济等各领域的关系取得了很大发展。爱沙尼亚政府将始终坚持一个中国的立场，这一政策不会发生任何变化。

4 月 3～9 日，应全国人大外事委员会邀请，爱沙尼亚议会外委会主席安德烈斯·塔兰德率团访华。全国人大常委会副委员长铁木尔·达瓦买提会见，全国人大外委会主任委员曾建徽同塔兰德举行工作会谈。塔兰德还会见了中国外交部副部长张德广。

7月4～14日，应全国人大中国爱沙尼亚友好小组邀请，爱沙尼亚议会爱中友好小组主席卡莱夫·凯洛率团访华。全国人大常委会副委员长铁木尔·达瓦买提，全国人大常委会委员、全国人大中爱友好小组主席虞云耀，全国人大外事委员会副主任委员郑义分别会见。

9月23日，江泽民主席致电祝贺阿诺尔德·吕特尔当选爱沙尼亚总统。

12月6日，中国新任驻爱沙尼亚大使丛军向爱沙尼亚总统吕特尔递交国书。

二、经济技术合作与贸易关系

7月30～31日，中国对外贸易经济合作部欧洲司司长施建新与爱沙尼亚外交部副部长普里特·帕鲁姆在塔林共同主持召开中爱政府间经贸合作委员会第四次会议。

10月17～20日，湖北省人大常委会主任关广富率湖北省经贸代表团访爱。

12月3～6日，应爱沙尼亚运输通信部部长托依沃·尤尔根松邀请，中国铁道部副部长刘志军访爱，双方签署《中华人民共和国铁道部和爱沙尼亚运输通信部关于铁路领域合作的协议》。

据中国海关总署统计，2001年中爱贸易总额为2.74亿美元，同比增长309.2%。其中中方出口额为2.63亿美元，进口额为0.11亿美元，分别增长325.5%和112.7%。

三、文化交流及其他往来

3月28日，中国文化部向爱沙尼亚国家图书馆赠送500余册图书。

5月28日至6月10日，"西藏一日"图片展在塔林国家图书馆展出。

6 月，少林寺武术团在塔林演出。

6 月 3～6 日，应爱沙尼亚民族事务部部长卡德琳·萨克斯邀请，中国藏学家代表团访爱。爱沙尼亚副议长彼得·克雷兹伯格、萨克斯及爱沙尼亚议会外委会部分议员分别会见代表团。

6 月 26～30 日，应爱沙尼亚民族事务部邀请，国家民委副主任李晋友率团访爱。

9 月 15～21 日，应爱沙尼亚外交部新闻司邀请，中国外交部新闻司代表团访爱。

9 月 26 日至 10 月 2 日，吉林省民乐团在爱沙尼亚访问演出。

2001 年，爱沙尼亚在华留学生共 7 人。

四、军事往来

8 月 13 日，中国人民解放军体育代表团参加在爱沙尼亚举办的"爱尔纳侦察兵国际大赛"。

第 13 节　中国同拉脱维亚的关系

2001 年，中华人民共和国同拉脱维亚共和国的友好合作关系顺利发展。

一、政治关系与重要往来

5 月 28 日至 6 月 5 日，应全国人大常委会委员长李鹏邀请，拉脱维亚议长雅·斯特拉乌梅对中国进行友好访问。李鹏委员长、唐家璇外长分别会见。李鹏委员长表示，中国全国人大愿意进一步加强同拉脱维亚议会的交往，增进了解，扩大共识，加深友谊，发展合作。斯表示拉脱维亚议会将为推动拉中友谊继续努力。

3 月 30 日至 4 月 7 日，应中国人民外交学会邀请，拉脱维亚议会拉台议员小组组长尤·辛卡率团访华。全国人大外委会副主任委员徐敦信、外交部副部长张德广分别会见。

7月25～28日，应拉脱维亚议会拉中议员友好小组邀请，中共中央对外联络部副部长蔡武率中国国际交流协会代表团访拉。

二、经济技术合作与贸易关系

7月27日，对外贸易经济合作部欧洲司司长施建新与拉脱维亚外交部对外经济司司长乌·维托林斯在里加共同主持中拉政府间经贸合作委员会第三次会议。

据中国海关总署统计，2001年中国同拉脱维亚贸易总额为5207万美元，同比增长79%，其中中方进口额为505万美元，出口额为4702万美元。

三、文化交流及其他往来

5月10～25日，应中国文化部邀请，拉脱维亚里加萨克斯四重奏乐团参加"相约北京"联欢活动。

6月6～9日，中国藏学家代表团访拉，与拉政界、新闻界、学术界人士举行座谈，介绍西藏的政治、经济、文化发展情况。

6月，中国民族服饰展在里加举行。

7月，第九届全国人大代表、中国女画家秦百兰在里加举办个人画展。

8月14～21日，应中国人民对外友好协会邀请，拉脱维亚前总理瓦·比尔卡夫斯访华。全国人大常委会副委员长布赫、中国人民对外友好协会会长陈昊苏分别会见。

8月29日至9月5日，应中国文化部邀请，拉脱维亚文化部国务秘书埃·盖利斯率民族演奏演唱团访华。

9月26～29日，应拉脱维亚科学院波罗的海战略研究中心邀请，中国人民外交学会会长梅兆荣访拉。

11月3～11日，应拉脱维亚文化部邀请，吉林省民乐团在拉脱维亚访问演出。

11月19～20日，应拉脱维亚电影中心邀请，山东电影制片厂厂长王坪率中国电影家协会代表团访拉。

11 月 20～27 日，应中华全国新闻工作者协会邀请，拉脱维亚记协主席莉·阿佐夫卡访华。

2001 年，拉脱维亚在华留学生 14 人。

第 14 节　中国同立陶宛的关系

2001 年，中华人民共和国同立陶宛共和国的友好合作关系继续保持良好发展势头。

一、政治关系与重要往来

9 月 24～30 日，应全国人大外事委员会邀请，立陶宛副议长维德尼斯·安德留凯季斯率团访华。全国人大常委会委员长李鹏、外交部部领导成员武东和、对外贸易经济合作部副部长孙振宇分别会见。全国人大外事委员会主任委员曾建徽与安德留凯季斯会谈。李鹏委员长表示，中国是最早承认立陶宛独立并与之建交的国家之一。中方一贯支持立陶宛的独立、主权和领土完整，尊重立陶宛人民选择的发展道路，理解立陶宛加入欧盟的愿望。中方对立陶宛政府坚持“一个中国”的立场表示赞赏。议会交往是两国政治交往的重要组成部分。中国全国人大愿意加强同立陶宛议会的联系。安德留凯季斯表示，中国是一个伟大的国家，改革开放取得了巨大成就。中国的稳定和发展是对全世界的贡献。立陶宛重视同中国发展关系，希望进一步加强双方在各个领域的合作。

7 月 9 日，朱镕基总理致电祝贺阿尔吉尔达斯·布拉藻斯卡斯就任立陶宛总理。

7 月 22～25 日，应立陶宛议会对华关系小组邀请，中共中央对外联络部副部长蔡武访立。

7 月 27 日，唐家璇外长致电祝贺安塔纳斯·瓦利奥尼斯连任立陶宛外长。

11 月 23 日，立陶宛新任驻华大使阿尔图拉斯·帕茹劳斯卡斯向国家主席江泽民递交国书。

12月4日，经中央人民政府授权，香港特别行政区政府保安局局长叶刘淑仪和立陶宛共和国外交部副部长埃瓦尔达斯·伊格纳塔维丘斯在香港签署《中华人民共和国香港特别行政区政府与立陶宛共和国政府互免签证的协定》。

12月6日，经中央人民政府授权，澳门特别行政区政府行政法务司司长陈丽敏与立陶宛共和国外交部副部长埃瓦尔达斯·伊格纳塔维丘斯在澳门签署《中华人民共和国澳门特别行政区政府与立陶宛共和国政府互免签证协定》。

12月6日，中国驻立陶宛大使关恒广与立陶宛外交部副部长达留斯·尤尔盖列维丘斯签署《中华人民共和国和立陶宛共和国民事和刑事司法协助条约》批准书的交换证书。该条约于2002年1月19日正式生效。

二、经济技术合作与贸易关系

10月14~20日，应国务院经济体制改革办公室邀请，立陶宛经济部长彼得拉斯·切斯纳访华。中国经济体制改革办公室副主任彭森、国家经济贸易委员会秘书长侯云春、对外贸易经济合作部副部长周可仁、全国人大财政经济委员会副主任委员姚振炎分别会见切斯纳。

据中国海关总署统计，2001年中立贸易总额为6332万美元，同比增长63.6％。其中中方出口额为5889万美元，增长103.0％，进口额为440万美元，下降54.3％。

三、文化交流及其他往来

3月7~11日，应厦门市政府邀请，立陶宛考纳斯市副市长普拉纳斯·帕斯凯维丘斯访问厦门。两市签署建立友好城市协议。

6月9~12日，应立陶宛议会对华关系小组的邀请，中国藏学家代表团访立。

7月5~15日，根据中国同立陶宛文化交流协议，第九届全国人大代表、中国女画家秦百兰在维尔纽斯举办个人画展。

7 月 9 日，福建省人大常委会副主任王双建率福建省人大代表团访立。

8 月，中国驻立陶宛大使馆在维尔纽斯、百浪港等市举办中国民族服装展。

10 月 30 日至 11 月 7 日，应中国外交部邀请，立陶宛议会新闻中心主任安德留斯·瓦伊什尼斯率新闻代表团访华。

11 月 5～10 日，应中国文化部邀请，立陶宛文化部长罗马·多维德涅率立政府文化代表团访华。全国人大常委会副委员长许嘉璐、文化部部长孙家正分别会见。两国文化部长签署《中华人民共和国文化部和立陶宛共和国文化部 2001～2003 年文化交流计划》。代表团在京举办了立陶宛琥珀展。

2001 年，立陶宛在华留学生共 10 人。

四、军事往来

8 月 21 日，立陶宛外交部正式照会中国驻立陶宛大使馆，同意徐文林大校为中国驻立陶宛大使馆首任陆、海、空军武官。

第 15 节　中国同乌克兰的关系

2001 年，中华人民共和国同乌克兰的友好合作关系持续深入发展。

一、政治关系与重要往来

7 月 20～23 日，应乌克兰总统列昂尼德·库奇马邀请，国家主席江泽民对乌克兰进行国事访问。江泽民主席同库奇马总统会谈。江主席还分别会见乌克兰最高苏维埃主席伊万·普柳希、总理阿纳托利·基纳赫。两国领导人就中乌关系及共同关心的国际和地区问题广泛深入交换意见，取得许多重要共识。江主席指出，中国一贯重视发展同乌克兰的关系。在双方的共同努力下，两国合作领域不断扩大，合作内容日益丰富。两国元首、议长、总理、外长均已实现互访，经贸、科技等合作机制相继建立，地区间交往也日趋活跃和务实。江主席对乌方恪守两国建交原则、不与台湾发展官方关系表示赞赏。乌克兰领导人表示，乌中已建立起建设性的、密切的友好合作关系。乌中经贸合作潜力很大，政府间也建立了有效的合作机制。乌克兰愿在各个领域开展同中方的紧密合作，并欢迎中国实业界更多地到乌投资。访问期间，双方签署《中华人民共和国与乌克兰关于在21世纪加强全面友好合作关系的联合声明》、《中华人民共和国和乌克兰关于移管被判刑人的条约》、《中国政府和乌克兰政府旅游合作协定》。

4月23～27日，应乌克兰外长阿纳托利·兹连科邀请，中国外交部长唐家璇访乌。乌克兰总统库奇马、最高苏维埃副主席斯捷潘·加夫里什、第一副总理尤里·叶哈努罗夫分别会见。唐家璇与兹连科举行会谈。

3月25～31日，应外交部邀请，乌克兰司法部副部长戈尔布诺娃访华，就商签两国移管被判刑人条约与中方进行谈判。

6月7～12日，应乌克兰最高苏维埃邀请，全国政协副主席、中国国际交流协会会长李贵鲜访乌。乌克兰最高苏维埃主席普柳希会见。

6月21日，中国外交部长唐家璇与乌克兰外长兹连科通电话，就中乌关系交换意见。

6月30日至7月7日，应乌克兰司法部邀请，中国外交部、最高人民法院、最高人民检察院、司法部、公安部代表联合组团访乌，与乌克兰司法部就两国移管被判刑人条约进行谈判。

7月10～14日，应乌克兰审计署邀请，中国审计署审计长李金华访乌。乌克兰最高苏维埃主席普柳希会见，乌克兰审计署主席瓦连京·西蒙年柯与李举行会谈。

11月7～14日，应最高人民检察院检察长韩杼滨邀请，乌克兰副总检察长亚·依·什那尔斯基对中国进行工作访问并出席亚欧国家总检察长会议。

11月8日，乌克兰新任驻华大使米哈伊尔·列兹尼克向国家主席江泽民递交国书。

二、经济技术合作与贸易关系

5月26日至6月2日，应中国国防科学技术工业委员会邀请，乌克兰国家工业政策委员会副主席瓦列里·卡扎科夫访华。国防科学技术工业委员会主任刘积斌、国家民航总局局长刘剑锋分别会见。

6月12日，应乌克兰工业家企业家联盟主席安纳托利·基纳赫邀请，中国国际贸易促进委员会副会长马跃率团访乌并参加在基辅举行的中乌经贸合作论坛。

6月13~16日，应乌克兰中央银行邀请，中国人民银行行长戴相龙访乌。乌克兰总理安纳托利·基纳赫会见。

8月21~27日，国家民航总局局长刘剑锋率团访乌。乌克兰总理基纳赫、交通部长瓦列里·普斯托沃伊坚科会见，乌克兰民航局长安德烈·什卡丘克与刘剑锋局长举行会谈。

10月29日至11月3日，乌克兰经济和欧洲一体化部第一副国务秘书安德烈·冈察鲁克与中国对外贸易经济合作部副部长张祥在北京共同主持中乌政府间经贸合作委员会第六次例会。中国国家计委、铁道部、信息产业部、建设部、民航总局等十家单位与乌克兰经济和欧洲一体化部、农业部、航天署、计量标准认证委员会代表以及部分中乌企业家代表出席会议。双方签署《中国和乌克兰政府间经贸合作委员会第六次会议备忘录》。会议期间，中国国际贸易促进委员会举办了"中乌企业家论坛"。

据中国海关总署统计，2001年中乌双边贸易额为8.57亿美元，同比增长45.1%。其中中方进口额为6.10亿美元，出口额为2.47亿美元，分别增长34.3%和81.2%。

三、文化交流及其他往来

3 月 26～30 日，国家外国专家局副局长杨汉炎访问乌克兰。

5 月 28 日至 6 月 2 日，国务院新闻办公室考察团访问乌克兰。

6 月 4～8 日，应乌克兰《政府信使报》编辑部的邀请，《人民日报》副总编江绍高访乌。

6 月 15～17 日，应基辅市长亚历山大·奥梅里琴科邀请，北京市长刘淇访乌。

6 月 20～27 日，应中华全国总工会邀请，乌克兰工会联合会第一副主席达仁达耶夫率团访华。全国总工会副主席、书记处第一书记张俊九会见，全国总工会书记处书记苏立清与达举行会谈。

9 月 24～29 日，应北京市人民政府邀请，基辅市副市长丹克维奇·彼得罗维奇访问北京。

10 月 15～17 日，应乌克兰紧急状态部的邀请，湖北省人大主任关广富率湖北经济友好代表团访乌。

11 月 22～23 日，上海市副市长冯国勤访问乌克兰。

12 月 17～22 日，应中国教育部邀请，乌克兰教育与科技部部长瓦西里·克列缅率团访华。国务院副总理李岚清、科技部副部长马颂德分别会见。教育部部长陈至立与克列缅举行工作会谈。

2001 年，乌克兰在华留学生共 69 人。

第 16 节　中国同白俄罗斯的关系

2001 年，中华人民共和国同白俄罗斯共和国友好合作关系进一步巩固。

一、政治关系与重要往来

4 月 23～24 日，应国家主席江泽民邀请，白俄罗斯总统亚·格·卢卡申科对中国进行国事访问。江泽民主席、全国人大常委会委员长李鹏和国务院总理朱镕基分别与卢举行会谈和会见。中国领导人高度评价中白关系，指出中白两国在许多国际和地区问题上有着广泛共识和共同利益，中方愿同白发展长期稳定、高度信任、相互协作的全面友好合作关系。卢表示白中友好合作关系有着坚实的基础，希望双方在经贸、科技、教育等领域的合作能进一步发展。访问期间，双方签署了《中华人民共和国和白俄罗斯共和国联合声明》、《中华人民共和国政府和白俄罗斯共和国政府关于保护知识产权的协定》、《中国人民银行与白俄罗斯共和国国民银行合作协议》、《中华人民共和国司法部和白俄罗斯共和国司法部合作协议》、《中华人民共和国文化部和白俄罗斯共和国文化部 2001～2003 年文化合作议定书》、《中华人民共和国公安部与白俄罗斯共和国内务部合作协议》等文件。访问适逢切尔诺贝利核事故发生 15 周年，江泽民主席代表中国政府向白俄罗斯政府提供 500 万元人民币无偿物资援助。

7 月 18～19 日，应白俄罗斯总统亚·格·卢卡申科邀请，国家主席江泽民对白俄罗斯进行国事访问。这是中白建交以来中国国家元首对白俄罗斯的首次国事访问。访问期间，江泽民主席分别与白俄罗斯总统卢卡申科、总理弗·瓦·叶尔莫申、国民会议共和国院主席亚·帕·沃伊托维奇和代表院主席瓦·亚·波波夫举行会谈、会见。江泽民主席表示，中国一贯高度重视同白俄罗斯的关系，赞赏白俄罗斯在台湾等问题上坚持一个中国的立场，愿与白方共同努力，将中白全面友好合作关系在 21 世纪发展到更高水平。白俄罗斯领导人表示，白将一如既往遵循两国多年来形成的相互关系准则，希望今后进一步加强在经贸合作及国际事务中的磋商与协调。访问结束时，双方发表了联合新闻公报。

11 月 14 日，外交部长唐家璇在第 56 届联大会议期间为中东欧国家外长举行早餐会，白俄罗斯外长米·米·赫沃斯托夫应邀出席。

二、经济技术合作与贸易关系

3月13~14日，应白俄罗斯国家科委邀请，黑龙江省副省长马淑洁率省科技代表团访白。

6月25~29日，应白俄罗斯卫生部邀请，卫生部副部长兼国家中医药管理局局长佘靖率团访白。

9月17~22日，应白俄罗斯交通部邀请，交通部副部长胡希捷率团访白。

11月5~9日，国家计委宏观经济研究院副院长刘福垣率团访白。白俄罗斯经济部长弗·尼·希莫夫会见。

11月2~10日，应科技部邀请，白俄罗斯国家科委第一副主席弗·彼·博伊科夫访华，同中方签署中白地区间科技合作备忘录。

据中国海关总署统计，2001年中白贸易总额为4326万美元，同比减少61.9%，其中中方出口额为875万美元，进口额为3451万美元。

三、文化交流及其他往来

4月9~13日，应白俄罗斯国家青年事务委员会邀请，全国人大常委会委员、共青团中央书记处第一书记周强率中国青年代表团访白。

9月4日至10月12日，白俄罗斯对外友协与中国驻白俄罗斯使馆联合举办"中白友好月"活动。

9月5日至10月12日，宁夏杂技团在明斯克访问演出。

11月20~21日，上海市副市长冯国勤率团访白。

12月3~10日，应外交部邀请，白俄罗斯国家新闻中心副主任斯维特洛夫率团访华。

2001年，白俄罗斯来华留学生共32人。

四、军事往来

12月11~17日，应中国人民解放军空军司令员刘顺尧中将邀请，白俄罗斯空军司令谢·库·布雷金少将率团访华。中央军委副主席、国务委员兼国防部长迟浩田上将会见。

第 17 节　中国同摩尔多瓦的关系

2001 年，中华人民共和国同摩尔多瓦共和国的友好合作关系进一步巩固和发展。

一、政治关系与重要往来

7 月 19～20 日，应摩总统弗拉迪米尔·沃罗宁的邀请，国家主席江泽民对摩进行国事访问。访问期间，江主席同沃罗宁总统会谈，并会见摩议长欧金尼娅·奥斯塔普丘克和总理瓦西里·塔尔列夫。两国元首签署了《中摩联合声明》，双方还签署了中国政府向摩政府提供无偿援助换文、两国政府教育合作协议和两国文化部 2002～2004 年文化合作计划。

4 月 5 日，江泽民主席电贺沃罗宁当选摩总统，朱镕基总理电贺塔尔列夫就任摩政府总理。

7 月 1 日，摩总统、共产党人党主席沃罗宁致电江泽民主席，祝贺中共建党 80 周年。

3 月 21 日，李鹏委员长电贺奥斯塔普丘克当选摩议长。

11 月 20～24 日，应朱镕基总理邀请，摩总理塔尔列夫正式访华。江泽民主席会见。两国总理进行了会谈，并签署了中摩两国政府开展葡萄种植和葡萄酒加工合作备忘录。

4 月 20～24 日，中联部副部长蔡武率中联部代表团出席摩尔多瓦共产党人党第四次代表大会。

10 月 22～24 日，全国政协副主席孙孚凌访摩，摩总统沃罗宁、议长奥斯塔普丘克、总理塔尔列夫分别会见。

二、经济贸易关系

据中国海关总署统计，2001 年，中摩贸易总额为 1479 万美元，同比增长 82.2%，其中中方出口额为 215 万美元，进口额为 1264 万美元。

三、文化交流及其他往来

4 月，摩文化部副部长尼奈拉·卡兰费尔率音乐家代表团来华参加第二届"相约北京"国际文化艺术节。

6 月，中国对外文化交流协会会长刘德有访摩。

9 月，应卫生部邀请，摩卫生部长盖尔曼访华。

2001 年，摩尔多瓦在华留学生共 16 人。

第 18 节　中国同波兰的关系

2001 年，中华人民共和国同波兰共和国在政治、经贸、科技、文化和军事等领域的友好合作关系继续平稳发展。

一、政治关系与重要往来

10 月 23 日，全国人大常委会委员长李鹏、国务院总理朱镕基、全国政协主席李瑞环和外交部长唐家璇分别致电祝贺马莱克·博罗夫斯基、莱舍克·米莱尔、隆金·帕斯图夏克和齐莫舍维奇就任波兰共和国众议长、部长会议主席、参议长和外交部长。

2 月 5～9 日，应外交部军控司司长沙祖康的邀请，波兰总统府国家安全局局长办公室主任安杰依·穆拉夫斯基率团来华就军控与安全问题进行磋商。外交部副部长张德广会见。

2 月 15～19 日，应波兰农民党邀请，中联部副部长蔡武率团访波，与波农民党主席雅罗斯瓦夫·卡利诺夫斯基进行了工作会谈。

3 月 20～25 日，应外交部长唐家璇的邀请，波兰外长弗瓦迪斯瓦夫·巴尔托舍夫斯基访华。国务院总理朱镕基和全国人大外事委员会主任委员曾建徽分别会见。两国外长举行了会谈。

3月28～31日，由宋宝瑞副主任率领的国务院体改办考察团访波。

4月5～6日，中国和波兰第五轮领事磋商在北京举行。外交部部领导成员武东和会见了双方代表团。

5月20～23日，应波兰众议院外事委员会邀请，由曾建徽主任委员率领的全国人大外事委员会代表团访波，并出席题为"社会、个人、国家"的第一轮双边研讨会。波众议长马切伊·普瓦任斯基、副总理兼经济部长雅努什·斯坦因霍夫和外交部长巴尔托舍夫斯基分别会见。

6月3～9日，应监察部邀请，以理沙德·格罗齐茨基院长顾问为团长的波兰最高监察院代表团访华。

6月18～22日，全国政协副主席、中国国际交流协会会长李贵鲜率团访波。波参议长阿利齐亚·格热希科维亚克、副众议长斯塔尼斯瓦夫·扎雍茨、副参议长塔德乌什·日梅科夫斯基、众议院波中友好小组主席采高尼克和经济部国务秘书贝尔纳德·布瓦什切克分别会见。

6月23～30日，应中国人民外交学会邀请，波兰副众议长扬·克鲁尔访华。全国人大常委会副委员长布赫、外事委员会主任委员曾建徽、外交部部长助理刘古昌和外交学会会长梅兆荣分别会见。

7月28日至8月4日，应中国人民对外友好协会邀请，由波兰副众议长扎雍茨率领的波议员代表团访华。国务院副总理钱其琛、全国人大外事委员会主任委员曾建徽和对外友协会长陈昊苏分别会见。

8月4～12日，应中国国际交流协会邀请，波兰前总理、众议院外事委员会和欧洲一体化委员会委员、民左联党全国理事会成员沃齐米日·齐莫舍维奇访华。全国政协副主席、国际交流协会副会长万国权和中联部副部长马文普等分别会见。

8月8～14日，应全国人大外事委员会邀请，由切斯瓦夫·别莱茨基主席率领的波兰众议院外事委员会代表团访华，并出席题为"社会、个人、国家"的第二轮双边研讨会。全国人大常委会委员长李鹏会见。

10月9～12日，波兰外交部非欧洲国家及联合国机构司司长维托尔特·索博库夫访华。外交部部长助理刘古昌会见。

二、经济技术合作与贸易关系

2月16～24日，应波兰农业部邀请，中国财政部副部长张佑才率团访波。

3月19～25日，中国人民银行代表团访波。波国家银行第一副行长耶日·斯托培拉会见。

4月23～25日，波兰证监会主席雅采克·索哈来京出席由北京与国际证监会组织新兴市场委员会第四工作小组共同举办的关于治理价格操纵的国际研讨会。

4月25～30日，应波兰科学院邀请，以中共中央政治局委员、社会科学院院长李铁映为团长的中国社会科学院代表团访波。波总统府办公厅主任尤兰塔·希马内克·德莱什代表亚历山大·克瓦希涅夫斯基总统、民左联党副主席伊文斯基等分别会见。两院领导重新签订了科学合作交流协议书。

5月26～30日，应波兰最高监察院院长雅努什·沃伊切霍夫斯基的邀请，中国审计署副审计长刘鹤章率团访波。

5月28～30日，应波兰华沙商业银行邀请，中国银行副行长周载群率团访波。

6月16～19日，应波兰全国经济协会邀请，中国贸促会副会长马跃率团访波。

6月17～21日，应交通部邀请，波兰运输和海洋经济部长耶日·维奇克访华。国务院副总理李岚清会见，交通部长黄镇东与其工作会谈。

6月18～22日，应财政部邀请，波兰财政部长雅罗斯瓦夫·巴乌茨率团访华。国务院副总理李岚清、财政部长项怀诚和外经贸部副部长张祥分别会见。

7 月 8～11 日，以省委副书记赵金铎为团长的河北省农业经贸合作代表团访波。

7 月 29 日至 8 月 2 日，应中国人民银行邀请，波兰国家银行行长莱舍克·巴尔采罗维奇访华。国务院副总理温家宝和中国人民银行行长戴相龙分别会见。

8 月 6～9 日，应波兰企业家俱乐部邀请，以郭世昌副省长为团长的河北省经济贸易合作代表团访波。

8 月 8～12 日，以鲁松庭副省长为团长的浙江省科技代表团访波。

9 月 1～4 日，交通部长黄镇东率团访波，与波运输和海洋经济部长维奇克进行了会谈。波副总理兼劳动和社会政策部长隆金·科莫沃夫斯基会见并向黄镇东部长颁发了由波总统签署的"波兰共和国十字骑士勋章"。

9 月 5～8 日，以省政协副主席何少川为团长的福建省经贸代表团访波。

据中国海关总署统计，2001 年中波贸易总额为 12.42 亿美元，其中中方出口额为 10.16 亿美元，进口额为 2.26 亿美元。

三、文化交流及其他往来

4 月 10～12 日，吉林省副省长魏敏学率团访波。

5 月 20～27 日，应波兰记者协会邀请，以《深圳商报》总编祁守成为团长的中国新闻代表团访波。

5 月 28 日至 6 月 3 日，以邓朴方主席为团长的中国残疾人联合会代表团访波。波总统夫人尤兰塔·克瓦希涅夫斯卡和民左联党主席米莱尔分别会见。

7 月 9～14 日，以钟启权副省长为团长的广东省代表团访波，同西滨海省签订了友好省市协议。

8 月 27～31 日，应波兰波兹南市邀请，广东省委副书记、深圳市委书记、市人大常委会主任张高丽率团访波。

9月15~22日，应国家体育总局邀请，波兰体育局副局长塔德乌什·弗鲁布莱夫斯基夫妇访华。

10月29日至11月4日，应外交部新闻司邀请，波兰《直言》周刊主编马莱克·克鲁尔率团访华。

11月19~25日，应外交部新闻司邀请，波兰《共和国报》主编沃伊切赫·乌卡谢维奇一行访华。外交部部长助理刘古昌、新华社副总编俱孟军等分别会见。

2001年，波兰在华留学生共83名。

四、军事往来

7月22~28日，由兰州军区政委刘冬冬中将率领的中国人民解放军友好参观团访波。波军代总参谋长约瑟夫·弗里斯中将和陆军代司令亚历山大·波涅维尔卡中将等分别会见。

7月30日至8月13日，由波兰国防部第一副部长顾问雅罗斯瓦夫·别莱茨基中将率领的波军友好代表团访华。中国人民解放军副总参谋长张黎中将会见。

第19节　中国同捷克的关系

2001年，中华人民共和国同捷克共和国的关系正常发展。

一、政治关系与重要往来

3月28日至4月1日，国务院台湾事务办公室主任陈云林率团访捷，分别会见了捷议会众议院副主席弗兰季谢克·布罗日克、捷外交部双边关系总司长亚库普·卡尔菲克，并举行演讲会，捷众议院外委会副主席扬·扎赫拉吉尔等出席。

4月21~23日，应捷克外长扬·卡万的邀请，唐家璇外长率团对捷进行正式访问。捷政府总理米洛什·泽曼、议会参议院主席彼得·皮特哈尔特分别会见。两国外长举行会谈，双方就进一步推动两国各领域友好合作关系稳步、健康发展以及共同关心的国际问题广泛交换了意见。

7月 11～17 日，捷克议会众议院外委会副主席伊日·派恩率议员代表团访华。全国人大常委会副委员长布赫、外交部部长助理刘古昌分别会见，人大外事委员会副主任委员李淑铮与代表团会谈。

9月 27 日，捷克新任驻华大使托马什·斯麦坦卡向江泽民主席递交了国书。

二、经济技术合作与贸易关系

2月 10～16 日，财政部副部长张佑才率支农考察团访捷。

3月 24～28 日，国务院体改办副主任宋宝瑞率考察团访捷。

3月 24～29 日，捷克农业部长扬·芬茨尔率团访华，与中国农业部、水利部领导人举行了会谈。

5月 24～27 日，全国政协常委、政协经济委员会副主任叶连松率河北省能源代表团访捷。

5月 27～30 日，全国工商联常务副主席张绪武率团访捷。

5月 30 日至 6 月 3 日，中国银行副行长周载群率团访捷。

6月 4～8 日，全国政协副主席、中华全国供销合作总社理事会主任白立忱率团访捷，会见了捷农业部长芬茨尔并重点考察了捷农业合作社情况。

6月 13～16 日，中国贸促会副会长马跃率经贸代表团访捷。

9月 16～19 日，上海市副市长蒋以任率 2010 年世博会申办团访捷。

9月 25 日，中国澳门特别行政区与捷克签署航空协定。

10 月 12～17 日，应深圳市政府邀请，捷克地方发展部副部长伊日·杜尔乔克访深，并参加在深举办的"第三届中国国际高新技术产品交易会"。

据中国海关总署统计，2001 年中捷贸易总额为 6.15 亿美元，其中中方出口额为 5.23 亿美元，进口额为 9213 万美元。

三、文化交流及其他往来

2月19~26日，捷克文化部副部长亚历山大·温朔娃率团访华。文化部长孙家正会见，文化部副部长孟晓驷与温朔娃举行会谈。

3月23~27日，中国人民对外友好协会会长陈昊苏率团访捷，分别与捷华协会、捷对外学会负责人就发展两国民间友好往来举行会谈。

4月4~12日，捷克新闻代表团访华。外交部部长助理刘古昌会见。

5月7~11日，中国社会科学院副院长王洛林率团访捷。

5月14~16日，中国奥委会副主席王宝良率中国体育代表团访捷。

6月4日，中国上海木偶剧团访捷，出席了布拉格国际木偶节。

8月6日，中国"京剧人物造型展"在布拉格开幕。

9月4~7日，广东省委副书记、深圳市委书记张高丽率团访捷，会见了捷地方发展部副部长伊日·杜尔乔克。

9月20~23日，中国人民外交学会会长梅兆荣访捷。

9月23~27日，江苏省政协副主席顾浩率江苏省文化代表团访捷。

10月3~10日，中国作家代表团访捷，与捷作家、汉学家、科学院东方研究所的学者进行了交流座谈。

10月8日，中国文化展在弗朗基谢克温泉城及赫布市开幕。

10月7~11日，中纪委副书记刘丽英率中纪委、最高检察院代表团赴捷出席第十届国际反贪大会。

10月8~16日，捷克议会众议院捷中友好小组主席伊日·马什塔尔卡夫妇应外交学会邀请访华。

10月10~13日，中共中央政治局委员、中国社会科学院院长李铁映率团过境捷克，向布拉格查理大学赠送600余册各类书籍。

10月18~22日，中共中央委员、吉林省委书记王云坤率中国共产党代表团访捷，会见了捷摩共主席米罗斯拉夫·格雷贝尼切克。

10 月 25～30 日，捷克斯洛伐克对外学会会长亚罗米尔·什拉博塔应全国对外友协邀请访华。

10 月 31 日，中国微型画展在布拉格亚非拉博物馆开幕。

11 月 3～10 日，捷克作家代表团访华，中国作家协会和上海作家协会负责人分别会见，京、沪两地的知名作家同代表团进行了座谈。

2001 年，中国有两名汉语教师在捷任教，捷克有一名捷语教师在华任教；捷在华留学人员共 37 名。

四、军事往来

4 月 23～28 日，捷克国防部长弗拉迪米尔·维特希率团访华。国家副主席、中央军委副主席胡锦涛会见。中央军委副主席、国务委员兼国防部长迟浩田上将与维特希举行会谈，双方就进一步发展两军友好合作关系等问题广泛深入地交换了意见。

7 月 28 日至 8 月 1 日，兰州军区政委刘冬冬中将率中国人民解放军友好参观团访捷，分别会见了捷国防部第一副部长什捷凡·菲列和第一副总长弗朗基谢克·帕杰列克中将。

11 月 19～24 日，捷克总参指挥和控制部部长兼通信兵主任弗拉斯迪米尔·皮采克准将率捷军官参观团访华。副总参谋长张黎中将会见。

第 20 节 中国同斯洛伐克的关系

2001 年，中华人民共和国同斯洛伐克共和国的关系继续稳定发展。

一、政治关系与重要往来

1 月 15～19 日，应斯洛伐克总检察院邀请，胡克惠副检察长率中国最高人民检察院代表团访斯，同斯总检察长米兰·汉泽尔进行了工作会谈，并分别会见斯国民议会副主席帕沃尔·赫鲁肖夫斯基、副总理卢博米尔·福加什。双方还签署了中国最高人民检察院与斯总检察院合作协议。

5月13～19日，应中国监察部邀请，斯洛伐克最高监察院院长约瑟夫·斯塔赫尔访华。全国人大常委会副委员长铁木尔·达瓦买提会见，监察部长何勇与其会谈。

5月29日至6月1日，应中国外交部邀请，斯洛伐克外交部双边合作总司长扬·肖特访华。外交部部长助理刘古昌会见。

5月30日至6月2日，应中国国际交流协会邀请，斯洛伐克方向党主席罗贝尔特·菲佐访华。全国人大常委会副委员长、交协顾问蒋正华、中联部副部长蔡武、外交部部长助理刘古昌分别会见。

11月6～13日，斯洛伐克总检察长汉泽尔率检察院代表团出席在中国广州举行的世界总检察长会议并访华。江泽民主席会见了全体与会总检察长。中国最高人民检察院检察长韩杼滨、副检察长胡克惠分别会见了汉泽尔一行。

11月17～26日，应中联部邀请，由副主席鲁道夫·亚克率领的争取民主斯洛伐克运动—人民党代表团访华。政治局委员、北京市委书记贾庆林、中联部部长戴秉国、副部长蔡武分别与其会见或会谈。

二、经济技术合作与贸易关系

2月11～14日，应斯洛伐克副总理伊万·米克洛什的邀请，国务委员吴仪率中国政府代表团对斯进行正式访问。吴仪国务委员与米克洛什副总理举行会谈，并分别会见斯总统鲁道夫·舒斯特、总理米库拉什·祖林达和外长爱德华·库坎。双方就进一步发展双边关系特别是经贸关系广泛、深入地交换了意见。访问期间，双方签署了中斯林业合作协定和动植物检疫协定。

7月1～4日，应斯洛伐克农业部邀请，国家林业总局局长周生贤率团访斯，同斯农业部长巴沃尔·孔佐什举行了会谈。

6 月 19～26 日，由杨柏龄副院长率领的中国科学院代表团访斯，同斯科学院负责人举行会谈并签署了两院 2001～2005 年合作议定书。

11 月 28～29 日，外经贸部欧洲司副司长须同凯率团访斯，出席中斯政府间经贸合作委员会第五次会议。

据中国海关总署统计，2001 年，中斯贸易总额为 7428 万美元，其中中方出口额为 6138 万美元，进口额为 1289 万美元。

三、文化交流及其他往来

2 月 23～28 日，应新华社邀请，斯洛伐克通讯社社长伊万·切雷杰耶夫访华，同新华社社长田聪明签署了两社合作协议。

3 月 27～30 日，中国人民对外友好协会会长陈昊苏率团访斯。斯副总理福加什、副议长马里扬·安杰尔分别会见。

5 月 16～18 日，中国奥委会副主席王宝良率中国体育代表团访斯，同斯教育、青年、体育部长米兰·弗塔奇尼克举行会谈并签署了合作协议。斯副议长布加尔会见。

6 月 27 日至 7 月 1 日，北京市政协主席陈广文率北京市代表团访斯。

7 月 23～28 日，斯洛伐克《劳动报》前总编伊万·别列克率新闻代表团访华。

9 月 21～26 日，由外交部和中央电视台、江苏电视台有关人员组成的中国新闻代表团访斯。

9 月 23～26 日，中国人民外交学会会长梅兆荣率团访斯。

10 月 18～25 日，由甘肃敦煌歌舞团和西藏象雄歌舞团组成的民族艺术团访斯。

11 月 8～14 日，斯洛伐克奥委会主席弗兰基谢克·赫梅拉尔率团访华并出席九运会开幕式。

12 月 21 日，中国驻斯大使苑桂森和斯教育、青年、体育部长弗塔奇尼克分别代表本国教育部签署两部 2001～2004 年教育合作计划。

2001 年，中国有一名汉语教师在斯洛伐克考门斯基大学任教，斯在华留学人员共 10 人。

四、军事往来

8 月 2～5 日，兰州军区政委刘冬冬中将率中国人民解放军友好参观团访斯。斯副总长扬·奇米兰斯基、陆军司令部作训部部长加尔什帕尔·霍兹曼少将分别会见。

第 21 节　中国同匈牙利的关系

2001 年，中华人民共和国同匈牙利共和国的友好合作关系稳步发展。

一、政治关系与重要往来

2 月 14～17 日，应匈牙利政府邀请，吴仪国务委员率中国政府代表团访匈。匈总统马德尔·弗兰茨、总理欧尔班·维克多尔、总理府部长什敦普夫·伊什特万分别会见，外交部长毛尔多尼·亚诺什与吴仪国务委员举行会谈。双方就进一步加强两国各领域，特别是经贸领域的友好合作关系深入交换了意见。

2 月 19～23 日，应匈牙利社会党、工人党邀请，中联部副部长蔡武率团访匈。匈社会党主席科瓦奇·拉斯洛、常务副主席西莉·高道琳、工人党主席蒂尔迈尔·久劳等分别与代表团进行了会见和会谈。

3 月 4～9 日，匈牙利外交部发言人霍尔瓦特·嘎博尔和文化、技术与新闻司司长骚博·捷尔吉访华。外交部部长助理马灿荣会见。

3 月 18～23 日，劳动和社会保障部副部长王东进率团访匈。

3 月 26～29 日，国务院台湾事务办公室主任陈云林率团访匈。匈副议长西莉、外交部政治国务秘书内迈特·柔尔特、主管副国务秘书多毛伊·戴奈什、国会外委会主席圣一伊瓦尼·伊什特万、国会匈中友好小组主席鲍尔绍依·伊什特万等分别与陈云林主任会见或会谈。

4 月 28 日至 5 月 9 日，匈牙利外交部亚太司司长盖里·捷尔吉和领事司司长藻瑙蒂妮·毛尔丁·捷尔季来华。外交部部长助理刘古昌会见。

5 月 7~12 日，应全国人大常委会邀请，匈牙利国会副主席、匈社会党常务副主席西莉率团访华。李鹏委员长、布赫副委员长、中联部部长戴秉国和外交部副部长张德广分别会见。

6 月 10~16 日，应全国人大法律委员会邀请，匈牙利宪法法院院长内迈特·亚诺什率团访华。李鹏委员长以及最高人民法院、最高人民检察院和司法部领导分别会见，人大法律委员会主任委员王维澄与其进行了工作会谈。

6 月 25 日至 7 月 1 日，应国家民委邀请，匈牙利司法部政治国务秘书汉戴·超鲍率少数民族事务代表团访华。全国人大少数民族事务委员会主任委员王朝文、国家民委副主任图道多吉分别会见，国家民委副主任江家福与其进行了工作会谈。

9 月 23~28 日，公安部部长助理兼国际刑警组织中国中心局局长朱恩涛率团参加在布达佩斯举行的国际刑警组织第 70 届全体大会并访匈。

10 月 30 日，中国澳门特别行政区行政法务司司长陈丽敏和匈牙利外交部副国务秘书多毛伊在澳门签署了《中华人民共和国澳门特别行政区政府与匈牙利共和国政府互免签证协定》。

11 月 1~4 日，匈牙利外交部副国务秘书多毛伊率团来华进行两国副外长级磋商。外交部长唐家璇和中联部副部长蔡武分别会见。外交部部长助理刘古昌与多毛伊举行会谈。

11 月 19~23 日，民政部副部长杨衍银率团访匈。

11 月 26~29 日，外交部国际司代表团访匈，与匈外交部人权与少数民族事务司领导举行中匈第二轮人权磋商。

二、经济技术合作与贸易关系

6 月 19～22 日，应匈牙利外交部邀请，中国贸促会副会长马跃率经贸代表团访匈。

7 月 26～30 日，山西省政协主席郑社奎率经贸考察团访匈。

10 月 14～20 日，应外经贸部邀请，匈牙利经济部副国务秘书查克瓦里率政府经贸代表团访华。

10 月 27 日至 11 月 1 日，应劳动部邀请，匈牙利经济部副国务秘书塞盖依率团访华，双方签署了两部合作协议。

11 月 6～10 日，匈牙利经济部副国务秘书布道依来华参加在昆明举行的中国国际旅游交易会。

11 月 26 日至 12 月 2 日，匈牙利交通和水利部副国务秘书豪尤什·贝劳率团访华。

据中国海关总署统计，2001 年，中国同匈牙利贸易总额为 11.6 亿美元，创历史最高水平。其中中方出口额为 10.3 亿美元，进口额为 1.3 亿美元。

三、文化交流及其他往来

1 月 11 日至 2 月 8 日，匈牙利施特劳斯圆舞曲舞蹈团一行 32 人来华演出。

6 月 3～6 日，中国残联主席邓朴方率团访匈。匈福利与家庭事务部政治国务秘书塞姆戈与代表团举行会谈，副国务秘书尼特劳依·伊姆莱会见。代表团还参观了匈国家残疾人中心和匈残疾人康复中心。

6 月 4～17 日，中国美术家协会副主席刘大为率团访匈。

6 月 11～15 日，国家文物局副局长郑欣淼率团访匈。

6 月，中国对外文化交流协会副会长刘德有率团访匈。

7 月 13～17 日，广东省副省长钟启权率团访匈。

8 月下旬至 9 月 4 日，匈牙利青年和体育部副国务秘书戴奈什·费兰茨率团来华参加第 21 届世界大学生运动会并访华。

8 月 31 日至 9 月 4 日，广东省委副书记、深圳市委书记兼市人大常委会主任张高丽率团访匈。

10 月 1～4 日，安徽省人大常委会副主任苏平凡率安徽省文化代表团和艺术团去匈举办"安徽文化周"活动。

10 月 16～21 日，云南省副省长陈勋儒率城市建设考察团访匈。

10 月，吉林省民乐团赴匈交流演出。

12 月 5～8 日，辽宁省副省长刘克崮率团访匈。

2001 年，中国有两名汉语专家在匈任教，匈牙利有一名匈语教师在华任教；匈在华留学人员共 38 名。

四、军事往来

3 月 11～15 日，应国防部邀请，匈牙利国防部长骚博·亚诺什率团访华。国家副主席、中央军委副主席胡锦涛、中央军委委员、总参谋长傅全有上将分别会见。中央军委副主席、国务委员兼国防部长迟浩田上将同亚举行会谈。

8 月 28 日至 9 月 2 日，济南军区政委张文台中将率中国人民解放军友好参观团访匈。匈国防部长骚博、国防军司令兼总参谋长佛多尔·劳尤什上将分别会见，布达佩斯卫戍区司令瑞吉·亚诺什少将和匈军国际关系局局长萨劳兹·捷尔吉准将接待了该团。代表团参观了匈国防大学、航空兵团和国防军训练中心。

11 月 1～9 日，应国防部邀请，匈牙利国防部副国务秘书法尔高什·蒂沃道尔少将率军官休假团访华。副总参谋长张黎中将会见该团。

11 月 25～30 日，中国人民解放军总政治部主任助理孙忠同少将率政工代表团访匈。匈国防部副国务秘书法尔高什少将和国防军副总参谋长豪夫里尔·安德拉什中将分别会见。

第22节　中国同罗马尼亚的关系

2001 年，中华人民共和国同罗马尼亚友好合作关系继续向前发展。

一、政治关系与重要往来

6 月，罗总理、社会民主党主席讷斯塔塞和社会劳动党主席萨苏分别致信江泽民总书记，祝贺中共建党 80 周年。

2 月 11～15 日，应罗社会民主主义党邀请，中联部副部长蔡武率中联部代表团访罗。

9 月 23～27 日，应罗众议院外委会邀请，全国人大外委会副主任委员宋清渭率人大外委会代表团访罗。

10 月 20～24 日，应外交部邀请，罗外交部国务秘书克里斯蒂安·迪亚科内斯库来华进行两国外交部磋商。唐家璇外长会见。

10 月 24～29 日，应罗参议院邀请，全国政协副主席孙孚凌访罗。罗总统伊利埃斯库、总理讷斯塔塞、参议长沃克罗尤、众议长多尔内亚努、外长杰瓦讷和参议院外委会主席普里瑟卡鲁分别会见。

11 月 9～15 日，应罗众议院邀请，全国人大内务司法委员会副主任委员顾金池率团访罗。

11 月 11 日，康家璇外长在联大会晤罗外长杰瓦讷。

11 月 24～25 日，罗参议长沃克罗尤过境北京。全国政协李瑞环主席、孙孚凌副主席分别会见。

二、经济技术合作与贸易关系

2 月 23 日，中罗政府经贸混委会中方主席、国家计委副主任王春正赴罗出席两国经贸混委会第 16 次会议。双方签署了关于解决两国政府协议账户项下遗留问题的议定书。

2 月 24～28 日，应罗政府邀请，国务委员吴仪访罗。罗总统扬·伊利埃斯库、总理阿德里安·讷斯塔塞会见，外长米尔恰·杰瓦讷主持会谈。访问期间，双方签署了两国政府经贸合作委员会第16 次会议议定书、解决两国政府协议账户项下遗留问题的议定书、中国政府向罗政府提供价值 500 万元人民币无偿援助换文和中国从罗进口 2000 辆罗产大宇轿车协议等文件。

11 月，上海市副市长冯国勤访罗。

据中国海关总署统计，2001 年，中国同罗马尼亚贸易总额为3.54 亿美元，同比增长 18.9%；其中中方出口额为 2.5 亿美元，进口额为 1.04 亿美元。

三、文化交流及其他往来

8 月，应罗国家广播电台邀请，中央人民广播电台台长杨波率团访罗。

9 月，应罗外交部主管外经贸的国务秘书科尔恰努邀请，浙江省副省长王永明率团访罗。

11 月 25 日至 12 月 9 日，应中国作家协会邀请，罗作家联合会副主席、科学院院士、《当代》报主编、小说家尼·亚·博列班访华。

2001 年，罗马尼亚在华留学生共 61 人。

四、军事往来

7 月，应罗宪兵司令恰拉平中将邀请，武警副司令员张进宝中将访罗。

8 月 23～27 日。应国防部邀请，罗国防部国务秘书乔治·马约尔访华。同月，应罗国防部邀请，济南军区政委张文台中将率友好参观团访罗。

10 月下旬，应中国人民解放军军事法院邀请，罗国防部长顾问约瑟夫·鲁斯访华。同月，应中国国际战略学会邀请，罗军副总参谋长考奈留·卢丹库海军中将率罗国防政策与军史研究所代表团访华。

11 月 19～22 日。总后勤部政委周坤仁上将率友好代表团访罗。

12 月，应总参谋部邀请，罗陆军参谋长尤金·伯德兰中将访华。

第 23 节　中国同保加利亚的关系

2001 年，中华人民共和国同保加利亚共和国的友好合作关系稳步发展。

一、政治关系与重要往来

11 月 19 日，江泽民主席和胡锦涛副主席分别电贺珀尔瓦诺夫和马林当选保总统、副总统。

7 月 6 日，李鹏委员长电贺格尔吉科夫就任保议长。

7 月 25 日，朱镕基总理和唐家璇外长分别电贺萨克斯科布尔戈茨基和帕西就任保总理和外长。

4 月 7～10 日，保加利亚副外长拉伊科夫来华进行两国外交部磋商。张德广副外长与其会谈，唐家璇外长会见。

9 月 20～23 日，应保议会外交、国防与安全委员会邀请，全国人大外事委员会副主任委员宋清渭率外委会代表团访保。

9 月 30 日，唐家璇外长应约与保外长帕西通电话，双方就反恐、阿富汗难民、双边关系等问题交换了意见。

10 月 13～18 日，中共中央委员、吉林省委书记王云坤率中国共产党代表团访保。

11 月 4～9 日，全国人大内务司法委员会副主任委员顾金池访保。

二、经贸关系

11 月 28 日至 12 月 1 日，上海市副市长冯国勤率上海世博会申办代表团访保。

据中国海关总署统计，2001 年中保贸易额为 1.1754 亿美元，同比增长 24.6%，其中中方出口额为 8908 万美元，进口额为 2846 万美元，同比分别增长 10.2% 和 111.3%。

三、文化交流及其他往来

4 月 21～30 日，保科教部长迪米特罗夫访华。

6 月 20～26 日，青海电视台台长白居璧率中国新闻代表团访保。

10 月 12～16 日，最高人民检察院检委会委员王克率最高人民检察院代表团访保。

2001 年，保加利亚在华留学生共 42 人。

第 24 节　中国同南斯拉夫的关系

2001 年，中华人民共和国同南斯拉夫联盟共和国的友好合作关系稳步发展。

一、政治关系与重要来往

2 月 5 日，南斯拉夫外长斯维拉诺维奇访问日本途经北京。外交部部长助理刘古昌在机场会见斯一行。

4 月 15～19 日，应吴仪国务委员的邀请，南斯拉夫副总理兼对外经济关系部长拉布斯访华。全国人大常委会委员长李鹏和外交部长唐家璇分别会见。吴仪国务委员与之会谈。

6 月 5 日，南斯拉夫新任驻华大使朱克奇向国家主席江泽民递交国书。

9月10日，联合国安理会一致通过关于解除对南斯拉夫武器禁运的第1367号决议。中国投了赞成票。

11月6～10日，应中联部的邀请，南斯拉夫联盟塞尔维亚共和国民主党政治顾问委员会主席波波维奇和最高委员会执行委员会主席托米奇访华。中共中央政治局委员李铁映和中联部部长戴秉国分别会见，中联部副部长蔡武与其会谈。

二、经济技术合作与贸易关系

6月3～8日，南斯拉夫联盟塞尔维亚共和国卫生与环保部长约克西莫维奇访华。外经贸部副部长孙广相会见。

据中国海关总署统计，2001年中南双边贸易总额为9740万美元，同比增长42.2%，其中中方出口额为8741万美元，中方进口额为999万美元。

三、文化交流及其他往来

10月15～20日，南斯拉夫联盟塞尔维亚共和国伏伊伏丁那自治省执委会主席焦尔杰·久基奇访问吉林省。

2001年，南斯拉夫在华留学生为48人。

四、军事往来

11月19～26日，应中央军委副主席、国务委员兼国防部长迟浩田上将的邀请，南斯拉夫国防部长克拉波维奇访华。国家副主席、中央军委副主席胡锦涛会见。迟浩田上将与克会谈。

第25节　中国同波斯尼亚和黑塞哥维那的关系

2001年，中华人民共和国同波斯尼亚和黑塞哥维那的友好关系稳步发展。

一、政治关系与重要来往

1 月 5 日，全国人大常委会委员长李鹏电贺阿弗迪奇就任波黑议会代表院主席。

3 月 27 日，全国人大常委会委员长李鹏电贺希米奇就任波黑议会民族院主席。

2 月 27 日，国务院总理朱镕基电贺马蒂奇就任波黑部长会议主席。

7 月 20 日，国务院总理朱镕基电贺拉古姆吉亚出任波黑部长会议主席。

2 月 27 日，外交部长唐家璇电贺拉古姆季亚就任波黑外长。

8 月 14 日，中国新任驻波黑特命全权大使李书元向波黑主席团主席克里扎诺维奇递交国书。

9 月 3～6 日，中国外交部条法司代表团访问波黑，与波黑外交部官员就清理双边条约问题举行了磋商，并签署会谈纪要。

12 月 5～9 日，应河北省省长钮茂生的邀请，波黑塞族共和国总理伊万尼奇率团访问河北省，在京期间，钱其琛副总理会见伊一行。

二、经济技术合作与贸易关系

5 月 15～18 日，外经贸部部长助理何晓卫访问波黑，并出席首次中波政府间经贸混委会会议。波黑部长会议主席马蒂奇、波黑联邦贸易部长尤尔科维奇、塞族共和国对外经济部长杜巴利奇和贸易旅游部长达蒂奇分别会见。波黑对外贸易与经济关系部副部长普尔利奇与之会谈。

6 月 18～22 日，河北省贸促会副会长硕晶忱访问波黑。

10 月 10～16 日，应中国国际贸易促进委员会的邀请，波黑商会会长马希尔·哈季阿赫梅托维奇访华。

10 月 15～17 日，波黑塞族共和国商会会长苏基奇访问河北省。

据中国海关总署统计，2001 年，中波黑双边贸易总额为 222

万美元，同比下降 45.4％，其中中方出口额为 154 万美元，进口额为 67 万美元。

三、文化交流及其他往来

6 月 24 日至 7 月 4 日，波黑萨拉热窝市市长穆希丁·哈马姆基奇访问天津。

2001 年，波黑在华留学生 4 人。

第 26 节　中国同克罗地亚的关系

2001 年，中华人民共和国同克罗地亚共和国的友好合作关系稳步发展。

一、政治关系与重要往来

2 月 18～21 日，应克罗地亚第一副总理格拉尼奇的邀请，国务委员吴仪率中国政府代表团访克。克总统梅西奇、议长托姆契奇和总理拉昌分别会见，格拉尼奇副总理与吴仪国务委员举行会谈。双方就两国关系，特别是经贸关系，地区形势和共同关心的国际问题交换了意见。

3 月 18～23 日，应外交部长唐家璇的邀请，克罗地亚外长皮楚拉访华。国务院总理朱镕基和全国人大常委会副委员长姜春云分别会见。唐家璇外长与其会谈，双方就两国关系、地区形势和共同关心的国际问题交换了意见。

7 月 11 日，联合国安理会一致通过第 1362 号决议，决定将联合国克罗地亚普雷维拉卡军事观察团的任期延至 2002 年 1 月 15日。中国投了赞成票。

二、经济技术合作与贸易关系

11 月 3～10 日，应科技部部长徐冠华的邀请，克罗地亚科技部长克拉列维奇访华。徐冠华部长与克会谈。

11 月 5～6 日，中国与克罗地亚政府间经贸混委会第七次会议在萨格勒布举行。

据中国海关总署统计，2001 年中克贸易总额为 1.47 亿美元，同比增长 73%。其中中方出口额为 1.42 亿美元，同比增长 77.7%，进口额为 512 万，同比增长 1.1%。

三、文化交流及其他往来

3 月 4～7 日，应克罗地亚萨格勒布市市长班迪奇的邀请，北京市副市长张茅访问萨格勒布。萨市市长班迪奇与张进行会谈。克外长皮楚拉会见张一行。

3 月，克罗地亚国家电视台台长加利奇访华。

5 月 10～15 日，应卫生部长张文康的邀请，克罗地亚卫生部长鲁卡维娜访华。期间，张文康部长与鲁会谈。

5 月，克罗地亚《看时间》摄影图片展在京举行。

6 月 19～22 日，应克罗地亚"克中友协"的邀请，中国人民对外友好协会副会长苏光访克。克副议长帕弗莱蒂奇和外长助理科哈罗维奇分别会见。克对外友好联合会秘书长卡拉菲利波维奇与苏会谈。

7 月 24～28 日，应萨格勒布市的邀请，上海市市长代表张惠新访问萨格勒布。克副议长托马茨会见该团。萨市市长班迪奇与张会谈。

8 月 29 日至 9 月 3 日，应克罗地亚卫生部的邀请，卫生部副部长彭玉访克。克卫生部长鲁卡维娜与彭会谈。

10 月，中国吉林省民乐团在克罗地亚演出。

2001 年，中国在克罗地亚汉语教师 1 名；克在华留学人员 14 名。

四、军事往来

5 月 19～23 日，应克罗地亚国防部的邀请，广州军区司令员陶伯钧上将率领中国人民解放军友好参观团访克。克国防部长拉多什会见。

10月15~21日，应中央军委副主席、国务委员兼国防部长迟浩田上将的邀请，克罗地亚国防部长拉多什访华。全国人大常委会副委员长姜春云和中国人民解放军总参谋长傅全有上将分别会见。迟浩田上将与拉会谈。

第27节　中国同斯洛文尼亚的关系

2001年，中华人民共和国同斯洛文尼亚共和国的友好关系稳步发展。

一、政治关系与重要往来

2月21~24日，应斯洛文尼亚总理德尔诺夫舍克的邀请，吴仪国务委员率中国政府代表团访问斯洛文尼亚。斯总统库昌和总理德尔诺夫舍克分别会见。经济部长佩特琳与吴就发展两国关系，特别是经贸关系进行了会谈。

6月3~12日，应全国人大外事委员会的邀请，斯洛文尼亚议会外事委员会主席卡钦率团访华。全国人大常委会副委员长姜春云、中联部副部长蔡武和外交部部长助理刘古昌分别会见。人大外委会主任委员曾建徽与其会谈。

7月6~15日，应中国国际交流协会的邀请，斯洛文尼亚新斯洛文尼亚基督教人民党执委会委员佩泰尔莱访华。全国政协副主席、中国国际交流协会副会长万国权、中联部部长戴秉国和全国人大外委会主任委员曾建徽分别会见。国际交流协会副总干事何连生与其会谈。

二、经济技术合作与贸易关系

6月25~26日，斯洛文尼亚经济部副国务秘书斯科达访华，并与混委会中方主席、外经贸部欧洲司副司长吴明新共同主持第六次中斯政府间经贸混委会会议。

10 月 20～24 日，应外经贸部部长石广生的邀请，斯洛文尼亚经济部长佩特琳访华，并参加成都市与卢布尔雅那市缔结友好城市 20 周年的庆典。吴仪国务委员会见。石广生部长与其会谈。

10 月 22～27 日，斯洛文尼亚卫生部长卡贝尔来华出席斯洛文尼亚莱克医药化学公司驻北京代表处的开业仪式，卫生部部长张文康会见。

据中国海关总署统计，2001 年中斯双边贸易总额为 8987 万美元，同比增长 28.5%，其中中方出口额 7717 万美元，进口额 1270 万美元。

三、文化交流及其他往来

5 月 7～11 日，中国国家民委民族问题研究中心总干事文精访问斯洛文尼亚。斯议会外委会主席卡饮和外交部国务秘书日博加尔分别会见。政府民族事务局局长奥博列兹与文精会谈。

5 月 23～27 日，中国文化部副部长潘震宙率政府文化代表团访问斯洛文尼亚。

10 月 8～10 日，中国民族歌舞团访问斯洛文尼亚。

2001 年，斯洛文尼亚在华留学生共 26 人。

第 28 节　　中国同马其顿的关系

2001 年 6 月 18 日，中华人民共和国同马其顿共和国实现关系正常化。

一、政治关系与重要交往

6 月 18～21 日，马其顿外交部长米特雷娃应邀来华，同外交部长唐家璇正式签署《中华人民共和国和马其顿共和国关于实现关系正常化的联合公报》。国务院总理朱镕基会见。唐家璇外长与其举行会谈。中方表示，中马关系正常化符合两国和两国人民的根本利益，中方愿以两国关系正常化为起点，与马方在联合公报的原则基础上重建新的中马关系。马方重申，马政府承认世界上只有一个中国，中华人民共和国政府是代表全中国的惟一合法政府，台湾是中国领土不可分割的一部分，马不与台建立任何形式的官方关系或进行任何官方性质的往来。

6月18日，中国外交部发言人就中马实现关系正常化发表谈话指出：中马关系正常化将成为两国关系发展的新起点。中方相信，中马友好合作关系在《联合公报》的基础上必将迅速得到全面恢复和发展。中马关系正常化的事实再次表明，中国的主权和领土完整是不可分割的，中国政府关于一个中国的原则立场得到绝大多数国家和国际社会的理解和支持，任何企图分裂中国的图谋和做法都是徒劳的。

3月21日，联合国安理会就马其顿问题通过第1345号决议，中国投了赞成票。

3月23日，中国外交部发言人就马其顿局势发表谈话指出，马其顿共和国及其周边地区的安全局势恶化，中方强烈谴责极端分子的武装暴力行动，认为科索沃危机向南斯拉夫境外蔓延将给该地区的和平、稳定造成严重后果。中方支持联合国安理会1345号决议，理解马其顿和南斯拉夫政府对当前局势的担忧和对国家主权和领土完整的关切。中方欢迎马、南及有关国家为解决紧张局势所作的努力。中国政府一贯主张尊重包括马其顿和南斯拉夫在内的该地区各国的主权和领土完整，保障各民族的合法权益，在全国执行安理会1244号决议的基础上，妥善解决相关问题。中国将为问题的妥善解决做出应有的努力。

8月15日，中国外交部发言人就马其顿签署和平协议发表谈话指出，中方一直十分关注马其顿局势的发展，一贯支持马政府为维护国家主权和领土完整所做的不懈努力。中方高兴地看到，马有关各方能以国家利益为重，努力寻求有关问题的政治解决，并最终达成协议。希望马有关各方能够认真履行协议，早日实现国家稳定，经济发展，民族和解。

9 月 5 日，中国新任驻马其顿共和国特命全权大使张万学向马其顿总统特拉伊科夫斯基递交国书。

11 月 13～21 日，应中国全国人大外委会邀请，马其顿议会外委会主席博什科夫访华。国务院副总理钱其琛和全国人大常委会副委员长许嘉璐分别会见。人大外委会副主任委员李淑铮同博会谈。

11 月 14 日，外交部长唐家璇出席第 56 届联大期间与马其顿外长米特雷娃举行双边会晤。

二、经济技术合作与贸易关系

7 月 28～30 日，外经贸部部长助理何晓卫率领中国政府经贸代表团访问马其顿。

12 月 10～15 日，马其顿经济部副部长别克夫斯基访华并参加第三次中马政府间经贸混委会会议。

12 月 9～13 日，应中国政府邀请，马其顿副总理克尔斯泰夫斯基访华并出席第三次中马政府间经贸混委会会议。国务院总理朱镕基和外交部长唐家璇分别会见，国务委员吴仪同克会谈。

据中国海关总署统计，2001 年中马贸易总额为 1041 万美元，同比增长 46.7%。其中中方出口额为 1026 万美元，同比增长 63.9%，进口额为 15 万美元，同比下降 82.1%。

三、文化交流及其他往来

2001 年，马其顿在华留学人员 1 名。

第 29 节　　中国同阿尔巴尼亚关系

2001 年，中华人民共和国同阿尔巴尼亚的关系发展平稳、正常。

一、政治关系与重要交往

3 月 18～22 日，应全国人大常委会委员长李鹏的邀请，阿尔巴尼亚议长吉努什率阿议会代表团访问中国。李鹏委员长、胡锦涛副主席、唐家璇外长分别会见。李鹏委员长在会见时表示，阿尔巴尼亚是最早同中国建交的国家之一，两国间保持着传统友好合作关系。阿为恢复中国在联合国的合法席位做出了重要贡献。尽管几十年来国际形势和两国国内都发生了很大变化，但两国和两国人民之间的友谊没有改变。吉努什议长说，近年来阿中两国关系有了很大发展，两国领导人之间保持着正常的交往，这些交往有助于促进两国在各个领域的合作。我们对中国发生的巨大变化留下了深刻印象，对中国改革开放取得的成就表示钦佩。

9 月 5 日，李鹏委员长电贺多克莱当选阿议长；6 日，朱镕基总理电贺梅塔连任阿总理；12 日，唐家璇外长电贺达戴任阿外长。

12 月 21 日，中国新任驻阿尔巴尼亚大使田长春向阿总统迈达尼递交了国书。

二、经济技术合作与贸易关系

2 月 8～11 日，阿尔巴尼亚财政部长安杰利和公共经济部长穆奇访华，与中国进出口银行签署由中方承建布沙特水电站项目贷款协议和抵押协议。吴邦国副总理会见了阿两部长。

4 月 21～24 日，对外经济贸易部部长助理何晓卫率中国贸易代表团访阿。

12 月 19～21 日，中国和阿尔巴尼亚政府间经济技术合作混合委员会第三次会议在北京召开。外经贸部副部长张祥会见了混委会阿方主席、阿尔巴尼亚公共经济和私有化部副部长贝洛率领的代表团，并代表中国政府签署了中华人民共和国政府向阿尔巴尼亚共和国政府提供无偿援助的换文。

据中国海关总署统计，2001 年中阿贸易总额为 1611 万美元，全部为中方出口。

三、文化交流及其他往来

3 月 22～28 日，应新华社社长田聪明的邀请，阿尔巴尼亚通讯社社长丘比访华。

2001 年，阿尔巴尼亚在华留学生 18 名。

四、军事往来

12 月 16～23 日，应中央军委委员、中国人民解放军总参谋长傅全有上将邀请，阿尔巴尼亚总参谋长恰齐米少将一行对中国进行友好访问。副总参谋长吴铨叙上将代表傅全有总长与恰进行会谈。外交部长唐家璇会见了阿一行。

2001 年，阿尔巴尼亚在华留学生共有 18 人，在华任教教员 1 人。

第 30 节　　中国同上海合作组织的关系

上海合作组织的前身是"上海五国"机制，是从中国与俄罗斯、哈萨克斯坦、吉尔吉斯斯坦、塔吉克斯坦四国加强边境地区军事领域的信任和裁军发展起来的。

1996 年至 2000 年，"上海五国"共召开五次元首会晤，分别签署《关于在边境地区加强军事领域信任的协定》、《关于在边境地区相互裁减军事力量的协定》、《阿拉木图联合声明》、《比什凯克声明》和《杜尚别声明》。2000 年，杜尚别元首会晤上，江泽民主席提出充实和完善"上海五国"机制、深化安全领域合作、推动双边和多边经贸合作及加强在国际舞台上的合作四点倡议，得到俄、哈、吉、塔四方的积极响应。

2001 年 6 月 15 日，中国国家主席江泽民、俄罗斯总统普京、哈萨克斯坦总统纳扎尔巴耶夫、吉尔吉斯斯坦总统阿卡耶夫、塔吉克斯坦总统拉赫莫诺夫和乌兹别克斯坦总统卡里莫夫六国元首在上海会晤，先发表联合声明，吸收乌加入"上海五国"，之后签署《上海合作组织成立宣言》，宣告在"上海五国"基础上成立上海合作组织。六国元首还签署《打击恐怖主义、分裂主义和极端主义上海公约》。

该组织宗旨是：加强各成员国之间的相互信任与睦邻友好；鼓励各成员国在政治、经贸、科技、文化、教育、能源、交通、环保及其他领域的有效合作；共同致力于维护和保障地区的和平、安全与稳定；建立民主、公正、合理的国际政治经济新秩序。"上海五国"进程中形成的以"互信、互利、平等、协商、尊重多样文明、谋求共同发展"为基本内容的"上海精神"，是成员国之间相互关系的准则。各成员国将严格遵循《联合国宪章》的宗旨与原则，相互尊重独立、主权和领土完整，互不干涉内政，互不使用或威胁使用武力，平等互利，通过相互协商解决所有问题，不谋求在相毗邻地区的单方面军事优势。组织奉行不结盟、不针对其他国家和地区及对外开放的原则。

江泽民主席在会上提出增强开拓意识、坚持务实态度、弘扬团结精神、贯彻开放原则四项主张，对上海合作组织发展具有重要意义。

9月14日，上海合作组织成员国总理首次会晤在阿拉木图举行。朱镕基总理率团与会，并与各方签署《上海合作组织成员国政府间关于区域经济合作的基本目标和方向及启动贸易和投资便利化进程的备忘录》，启动多边经贸合作进程，宣布建立总理和经贸部长定期会晤机制。六国总理就"9·11"事件发表声明，谴责一切形式的恐怖主义，表示愿与所有国际组织密切配合，采取有效措施，为根除恐怖主义威胁进行毫不妥协的斗争。

2001年，中国还积极参加了"上海五国"和上海合作组织框架内的其他会议和活动，包括外长会议、国防部长会议、"比什凯克小组"会议、经贸部长非例行会议、国家协调员会议及各领域专家会议等，并在其中发挥了重要作用。

第七章

中国同西欧国家的关系

第 1 节　西欧地区形势

　　2001 年西欧各国政局稳定，但经济增速明显放缓，社会矛盾有所上升。"9·11"事件后，欧盟大力推进内联外扩，调整与美、俄、中等大国的关系，在地区和国际事务中努力发挥独特作用。

　　一、关于西欧政局。中左政党仍在多数西欧国家执政，但中右力量有所回升。西班牙、爱尔兰的中右翼政党继续执政；在年底的葡萄牙市镇选举中，执政的社会党遭遇重挫；在法国市镇议会选举和省议会部分改选后，右翼在政治格局中的地位有所增强；在意大利选举中，以意大利力量党为主的"自由之家"中右联盟取得胜利；在挪威大选中，由保守党、基人党和自由党组成的中右翼联合政府上台；在丹麦大选中，左翼执政党惨败，由自由党和保守党组成右翼联合政府；但在英国大选中，工党以压倒优势再次击败保守党。总的看，右翼力量的上升对中左力量执政地位形成不小的冲击，但中左力量仍主导西欧特别是英、法、德三大国政坛。

二、关于西欧经济和欧元。2001 年，欧盟经济增长势头减缓。2001 年欧盟及欧元区经济增长率仅为 1.6% 和 1.5%，只有 2000 年增速的一半。工业生产持续下跌。出口大幅下滑，全年出口仅增长 4.2%，远低于 2000 年的 11.8%。欧盟和欧元区就业形势近年来持续改善的势头中止，2001 年失业率分别高达 7.8% 和 8.5%，全年通胀率均达 2.5%，超过欧洲央行的中期控制目标。财政赤字有所抬头，欧元区财政赤字占国内生产总值的比重由 2000 年的 0.6% 上升到 1.0%。欧盟经济大幅下滑的主要外因是全球经济紧缩导致出口增长放缓，造成欧盟经济增长外部动力不足，而消费需求、投资需求大幅萎缩则是欧盟经济减速的主要内因，加之 "9·11" 事件严重冲击欧洲投资和消费者的信心，更令欧盟经济雪上加霜。

欧元在外汇市场上表现疲软，对美元比价上半年一路下滑，下半年回升乏力，一直在 1∶0.8～1∶0.9 之间徘徊。欧元区各国积极采取应对措施，确保 2002 年 1 月欧元现钞正式流通顺利进行。在国际债券市场、外汇储备和贸易结算方面，欧元仍占据重要位置，作为世界第二大货币的地位依然稳固。

三、关于一体化建设。在共同外交与防务方面，6 月，欧盟哥德堡首脑会议通过了《防止弹道导弹扩散的声明》，强调欧盟要在裁军和不扩散领域发挥重要作用，在反导问题上采取一致立场。12 月，欧盟拉肯首脑会议加紧落实欧洲快速反应部队的筹建工作，宣布欧盟已初步拥有处理危机的行动能力。法、德、英等八国为提高远程投放能力，决定订购近 200 架欧洲生产的大型军用运输机。关于机制改革，拉肯会议决定 2002 年 3 月 1 日成立由各国政府、议会及欧盟委员会、欧洲议会代表组成为期一年的欧盟制宪筹备委员会，任命法国前总统德斯坦为主席、意大利前总理阿马托和比利时前首相德阿纳为副主席，就制定欧洲宪法、简化决策机制进行研究，并向 2004 年的欧盟政府间会议提交具体方案。在司法与内政合作方面，"9·11" 事件后，欧盟在布鲁塞尔举行首次反恐怖特别首脑会议，决定成立共同调查机构，强化欧盟各国情报部门之间的合作，10 月，欧盟根特首脑会议通过欧盟反恐怖行动计划，加大打击洗钱力度，加强税务监管，强化航空安全措施。12 月，拉肯会议决定 2004 年起就 32 项犯罪实行欧盟共同逮捕令制度，简化欧盟内部司法引渡制度，并首次在欧盟范围内统一了对恐怖主义的定义和量刑标准，酝酿建立共同的签证鉴别系统，加强边界管理。在东扩问题上，拉肯会议正式宣布除保加利亚和罗马尼亚以外的 10 个入盟候选国已基本达标，决定 2002 年上半年开始入盟条约的起草工作，以确保首轮东扩按既定时间表顺利实现。在经济金融方面，3 月，欧盟斯德哥尔摩首脑会议决定于 2003 年建立统一证券市场，2005 年全面实现欧盟金融市场的一体化。

欧盟深化一体化建设面临的主要问题是：首先，西欧大国间围绕欧洲建设未来模式仍有较大分歧；其次，随着欧盟一体化深化，成员国在涉及主权让渡和国家利益等问题上的深层次矛盾增多，协调难度加大；第三，东扩候选国与成员国经济差距较大，为东扩谈判带来不少困难，爱尔兰 6 月进行的全民公决否决了《尼斯条约》，也为东扩进程蒙上一层阴影。

四、关于欧美俄关系。欧美互为最重要的盟友，注意在重大国际问题上加强协调，保持一致。但随着欧盟一体化的深入，西欧谋求在国际事务中发挥更大作用，欧美矛盾呈上升趋势。西欧对美推进导弹防御计划、撕毁《京都议定书》、退出反导条约等单边主义行为不满，双方在中东、巴尔干、朝鲜等国际问题上意见相左。6 月，美总统布什访问西欧，欧美间气氛有所改善，但在解决欧美重大分歧方面未有实质进展。双方围绕欧安事务主导权的明争暗斗进一步发展。美对欧盟发展独立防务心态矛盾，既希望欧盟分担责任，又对其离心倾向疑虑重重，强调欧盟应建立与北约完全一体化的快速反应部队，北约对快速反应部队的行动享有优先否决权。"9·11"事件后，欧美关系由紧趋缓。欧盟坚决支持并积极配合美的反恐军事行动，推动建立广泛的国际反恐怖联盟。但欧美在打恐问题上的立场不尽相同，欧盟反对将恐怖主义和阿拉伯伊斯兰世界混为一谈，不赞成美任意扩大军事打击范围，并力图在阿富汗战后安排和推动中东和平进程问题上发挥独特作用。

欧俄间高层交往频繁。3月，俄罗斯总统普京应邀参加欧盟斯德哥尔摩首脑会议。这是欧盟峰会首次邀请俄首脑与会，使欧俄因车臣问题一度冷淡的关系得到修复。5月，欧俄在莫斯科举行第七次峰会，就未来5～10年建立"统一经济空间"达成协议，并成立联合工作组，拟在2003年10月前制订具体方案。7月，普京又提出在欧洲建立"统一安全空间"的主张。10月，在欧俄布鲁塞尔第八次峰会上，双方协调了在反恐问题上的立场。12月，在北约中的欧洲盟国的倡议下，北约首脑会议决定，与俄建立新型合作机制，在2002年5月前成立"北约—俄罗斯理事会"，在反恐、防扩散和维和等方面加强合作。欧俄双边经济关系发展迅速，2001年双边贸易额达749.17亿欧元。

五、西欧以更积极主动的姿态参与地区和国际事务。欧盟与美、俄、日、中、印等国及非洲、地中海等区域的战略伙伴关系持续发展；与北约一起参与科索沃、马其顿等巴尔干问题的处理，并在马其顿维和行动中首次接掌北约维和部队指挥权，发挥主导作用；9月，欧盟通过了加强欧亚伙伴关系战略框架文件，强调与亚洲开展全方位、多层次的合作；积极参与朝鲜半岛事务，派高级代表团访问朝、韩，并与朝建立了外交关系；加大对中东和平进程的介入；在"9·11"事件后，迅速提出阿富汗战后安排方案，并向阿派遣维和部队，借机扩大对中亚和穆斯林世界的影响。

第2节　中国同西欧国家关系综述

2001年，中华人民共和国与西欧国家关系保持良好的发展势头，各个领域的互利合作扩大。

西欧国家更加重视中国的大国地位和影响，希望进一步发展同中国在政治、经贸、科技、文教等各领域的合作。2001年5月，欧盟发表第四份对华政策文件，强调发展中欧关系的重要性，提出了全面扩大合作的具体措施。9 月，在布鲁塞尔举行的第四次中欧领导人会晤圆满成功，双方决定建立全面伙伴关系，就推动中欧全方位合作达成广泛共识。中欧在联合国、亚欧会议等多边场合的协商合作加强，在反对恐怖主义、环境保护及联合国作用等重大国际问题上的共识扩大。

中欧高层往来频繁，政治对话加强。江泽民主席、朱镕基总理、胡锦涛副主席及李岚清、吴邦国副总理等分别出访西欧国家；奥、马、德、意、卢等国国家元首和政府首脑先后访华。中国领导人就"9·11"事件与西欧领导人开展频繁的电话外交，就共同关心的问题深入交换看法。中国与西欧国家及欧盟的各级政治磋商加强，对话的领域扩大，层次提高。

中国与西欧经贸关系发展势头良好。西欧已成为中国的第一大技术供给方、第二大实际投资方和第三大贸易伙伴。据统计，2001年中国从欧盟技术引进合同数为 1050 个，合同金额为 44.22 亿美元，占中国当年引进技术总额的 48.95%；欧盟来华直接投资项目数为 1214 个，比 2000 年增长 9.2%，协议金额 51.53 亿美元，实际投入 41.83 亿美元；中国同西欧国家进出口贸易总额为 802.1 亿美元，同比增长 10.7%，其中中方出口额 420.9 亿美元，同比增长 3.7%，进口额 381.2 亿美元，同比增长 6.5%。西欧国家政府和官方金融机构向中国提供各类贷款协议金额 5.46 亿美元，实际生效金额 3.64 亿美元。

中欧在科技、能源、通信、环保等领域的交流继续深入，就一系列合作项目达成协议。中欧文化交往丰富多彩，在法、德举办的"中国文化周"和"亚太周"取得良好效果，增强了西欧公众对中国文化的兴趣和对中国国情的了解。中国与马耳他签署了两国政府关于互设文化中心的谅解备忘录。中欧教育合作取得积极进展。2001 年，西欧国家各类来华留学生共 5131 人，其中公费生 739人；中国赴西欧国家公派留学生 918 人。

中欧军事交往继续开展，双方军界高层人士互访频繁。2001年 9～10 月，中国海军舰队出访德、英、法、意四国，这是中国海军编队首次出访西欧。

2001 年，中国与西欧国家新建友好省、市 14 对。

第 3 节　中国同挪威的关系

2001 年，中华人民共和国同挪威王国的关系发展顺利。

一、政治关系与重要往来

2 月 26 日，外交部长唐家璇应约与挪威外交大臣图尔比约恩·亚格兰就联合国制裁伊拉克等问题通电话。

6 月 14～16 日，外交部副部长王光亚赴挪出席中挪第五次人权与法治圆桌会议并与挪威外交部国务秘书约翰森举行政治磋商。

6 月 27～28 日，应唐家璇外长邀请，挪威外交大臣亚格兰正式访华。胡锦涛副主席、中联部部长戴秉国分别会见，唐外长会谈并宴请。双方积极评价了两国关系的良好发展，表示愿继续保持双方高层互访势头，推进中挪在各领域的友好合作。

9 月 25 日，外交部副部长王光亚应约与挪威外交部国务秘书约翰森就反对恐怖主义等问题通电话。

10 月 12～17 日，应国家环保总局邀请，挪威外交部国务秘书扬·伯勒来华出席"第二届中国环境与发展国际合作委员会第五次会议"，国务院副总理温家宝会见了全体与会国代表。

10 月 18～23 日，应挪威社会部邀请，国务委员司马义·艾买提率残联代表团访挪，分别会见了挪首相谢尔·马格纳·邦德维克、社会大臣英耶德·斯科。

10 月 21～27 日，应最高人民法院邀请，挪威最高法院院长卡斯滕·斯米特访华。李鹏委员长、最高人民法院院长肖扬分别会见。

此外，挪威贸工和信息、科技大臣格蕾特·克努森（1 月），文化大臣艾伦·霍恩（5 月），教育、科研和宗教事务大臣特隆德·吉斯克（7 月），奥斯陆市市长西蒙森（11 月）也相继应邀访华，文化大臣与云南民族学院续签了《挪威国王奖学金协议》、西蒙森市长与徐匡迪市长共同签署了《上海市与奥斯陆市建立友好城市协议书》。

二、经济技术合作与贸易关系

5 月 8～12 日，应外经贸部邀请，挪威外援署副署长科尔·斯德克劳恩访华并出席中挪发展合作 2001 年会。外经贸部副部长龙永图、国家环保总局局长解振华分别会见。访问期间，双方签署了《中挪发展合作谅解备忘录》和"山西省煤烟型大气污染控制总体规划"项目的政府间协议。根据协议规定，挪方将向中方提供约 140 万美元的无偿援助，执行期为三年。

6 月，挪威外交部同意拨款 2900 万克朗（约合 360 万美元）与中国科技促进发展研究中心合作开展"中国西部社会和经济发展监测研究"项目。

7 月 12 日，农业部副部长齐景发与挪威驻华大使叶德宏分别代表中国农业部和挪威渔业部在京签署了《中华人民共和国农业部和挪威王国渔业部渔业合作协议》。

11 月，中国进出口银行与挪美合资 SOMARGAS 公司签署外方购买中方 4 艘液化石油气运输船买方信贷贷款协议，涉及金额 6250 万美元。

据中国海关总署统计，2001 年中挪贸易总额为 9.82 亿美元，同比下降 10.5％；其中中方进口额为 4.11 亿美元，出口额为 5.71 亿美元，分别比 2000 年下降 15.5％和 6.5％。截至 2001 年底，中挪共签订技术设备引进合同 119 个，合同金额 2.5 亿美元。挪共向中方提供政府贷款 2.3 亿美元，用于 62 个项目。中挪共有合资项目 111 个，协议挪资金额 2.68 亿美元。

三、文化交流及其他交往

3 月 4～11 日，应国务院新闻办公室邀请，挪威报业协会会长西蒙内斯率团访华。

3月25~31日，应国家体育总局邀请，挪威反兴奋剂及质量标准专家代表团来华协助中国建立兴奋剂控制国际质量标准体系。

3月30日，中央电视台台长赵化勇访挪，与挪威电信公司和环球世观媒体公司签署了《关于在欧洲转播中国中央电视台节目的合作协议书》。

4月29日至5月1日，应挪威政府药品监督管理部门邀请，国家药品监督管理局局长郑筱萸访挪。

9月19~27日，应挪威"奥斯陆各宗教联合体"邀请，国家宗教局副局长杨同祥率五大宗教团体代表团访挪。

10月16日至11月2日，"中国伊力特—沐林北极科学探险考察队"赴挪斯瓦尔巴群岛考察，并选定北极附近的朗伊尔城为科考站站址。

12月1~8日，应挪威外交部邀请，中国记者代表团访挪，分别采访了挪威国王哈拉尔五世及首相谢尔·马格纳·邦德维克。

2001年，挪威在华留学生为97人。

第4节 中国同瑞典的关系

2001年，中华人民共和国同瑞典王国的关系继续发展。

一、政治关系与重要往来

5月5~10日，应瑞典外交部国务秘书汉斯·达尔格林的邀请，外交部部长助理马灿荣赴瑞磋商。

5月9日，吴邦国副总理会见 ABB 集团总裁兼首席执行官约根·森特曼。

5月23~26日，瑞典外交大臣安娜·林德来华出席第三届亚欧外长会议，并参加欧盟三驾马车与唐家璇外长会晤。

7月9日~13日，全国政协副主席陈锦华顺访瑞典。

9月7~12日，应马尔默海事大学邀请，全国人大常委会副委员长成思危访瑞并参观了乌普萨拉大学、瑞典农业大学、斯德哥尔摩经济学院、皇家理工学院、斯德哥尔摩大学等。

11 月 2 日，吴邦国副总理会见来华出席上海市长顾问委员会年会的瑞典瓦伦堡集团负责人、斯安银行董事长雅库布·瓦伦堡和 Investor 投资公司总经理兼首席执行官马库斯·瓦伦堡，并转交了江泽民主席致彼得·瓦伦堡的信。

12 月 7 日，中国新任驻瑞典大使邹明榕向瑞典国王卡尔十六世·古斯塔夫递交国书。

12 月 12 日，温家宝副总理会见来华出席"养老保险制度改革——瑞典经验国际研讨会"的瑞典前首相英格瓦·卡尔松。

中方对瑞的重要访问还有：国家计委主任曾培炎（3 月），教育部部长陈至立（6 月），江苏省委书记回良玉（6 月），黑龙江省委书记徐有芳（7 月），交通部部长黄镇东（9 月），全国政协常委、民建中央副主席路明、全国人大财经委员会副主任委员周正庆（10 月），全国政协外事委员会主任田曾佩、国务院发展研究中心王梦奎、国务院侨务办公室主任郭东坡、《人民日报》总编许中田等。

瑞方访华的还有：瑞典环境大臣谢尔·拉松（4 月），瑞典工业、就业和通讯大臣比约·罗森格林（民航局长劳斯·列戈、铁路局长英格玛·斯古约、交通局长布·比龙德随访，11 月），哥德堡市政委员会主席约然·约翰松（8 月），瑞典移民局局长列娜·艾力克松女士（9 月）等。

二、经济技术合作与贸易关系

3 月 20～23 日，国土资源部副部长蒋承松率团访瑞，同瑞典地质调查局签署了《中瑞地质调查科技合作谅解备忘录》。

4 月 16～21 日，外经贸部副部长孙广相率团访瑞，分别同外贸大臣帕格罗茨基和外贸国务秘书索德会见、会谈。

5 月 5～8 日，中国科协副主席、中科院院士胡启恒赴瑞典斯德哥尔摩参加 INET 2001 大会。

5 月 23～31 日，中科院副院长江绵恒访瑞。

6月19日至7月4日，国有金融机构监事会主席刘洪、朱元樑、刘自强率政策性银行监事会代表团访问瑞典。

6月23～29日，中国证监会主席周小川赴瑞出席国际证监会组织2001年年会。

7月1～5日，国家海关总署副署长刘文杰率团赴瑞参加亚欧海关署长会议。

8月11～28日，中国林业科学研究院院长江泽慧访瑞。

8月13日，全国人大农业与农村事务委员会副主任委员、中国水土保持学会理事长、原水利部部长杨振怀赴瑞参加"全球水伙伴第六次成员大会。"

9月2～6日，全国政协常委、中国机械工程学会理事长何光远访瑞。

9月16～20日，国家知识产权局局长王景川访瑞。

10月17～23日，瑞典外交部国务秘书斯文·埃立克·索德率工商代表团访华。

11月1～6日，国有企业监事会主席朱焘访瑞。

据中国海关总署统计，2001年中瑞贸易额为31.05亿美元，比2000年减少11.4%。其中中方出口额为9.32亿美元，比2000年增长12.5%；进口额为21.73亿美元，同比减少18.8%。瑞对华投资有大幅增加，全年签署投资项目48个，合同外资金额3869万美元，实际使用外资金额9433万美元。

三、文化交流及其他往来

4月3～7日，西藏自治区副主席次仁卓嘎率中国西藏对外文化交流代表团访瑞。

9月7～18日，劳动和社会保障部副部长王建伦赴斯德哥尔摩参加第27届全球社会保障大会。

9月21～25日，文化部副部长潘振宙顺访瑞典。

10月2～9日，中华慈善总会会长阎明复访瑞。

11月19～23日，瑞典卫生与社会事务部国务秘书迈克尔·斯乔伯格应中国残联邀请访华，国务委员司马义·艾买提、残联主席邓朴方分别会见。

2001 年，瑞典在华留学生为 176 名。

四、军事关系

5 月 17～19 日，副总参谋长钱树根上将、广州军区司令员陶伯钧上将经停瑞典。

10 月 20～26 日，瑞典国防学院院长纳瑞特·尼克斯少将率军官学院团访华，副总参谋长熊光楷上将会见。

第 5 节　中国同芬兰的关系

2001 年，中华人民共和国同芬兰共和国的关系有了新的发展。

一、政治关系与重要往来

2 月 27 日至 3 月 1 日，外交部部长助理马灿荣访问芬兰，与芬兰外交部国务秘书尤卡·瓦尔塔萨里进行了政治磋商。

4 月 9～12 日，芬兰前总理、现任第 55 届联大主席哈里·霍尔克里应唐家璇外长邀请正式访华，朱镕基总理和唐家璇外长分别与其会见、会谈。

5 月 14～17 日，芬兰第一副议长西尔卡·莉莎·安蒂拉来华参加芬兰广州凯米拉公司开幕仪式。

5 月 24～25 日，芬兰外长埃尔基·图奥米奥亚来华出席第三届亚欧外长会议，钱其琛副总理和唐家璇外长会见。

6 月 14～18 日，全国政协副主席、中国国际交流协会会长李贵鲜访芬。芬兰第一副议长西尔卡·莉莎·安蒂拉会见。

10 月 27 日至 11 月 3 日，应中联部邀请，芬兰财政部长萨乌里·尼尼斯托作为欧洲民主联盟主席率欧民盟代表团访华。温家宝副总理、财政部长项怀诚和中联部长戴秉国分别会见。

11 月 23 日，江泽民主席接受芬兰新任驻华大使巴鑫递交国书。

12 月 20 日，芬兰诺基亚公司董事长兼首席执行官约玛·奥里拉来华参加星网工业园开幕仪式，江泽民主席、国家计委主任曾培炎和信息产业部部长吴基传分别会见。

中方访芬的还有：国家计委主任曾培炎（3 月），教育部长陈至立（6 月），民航总局局长刘剑锋、黑龙江省委书记、省人大主任徐有芳（7 月），全国政协常委、民建中央副主席路明（8 月），全国人大教科文卫委员会主任委员朱开轩、全国人大财经委员会副主任委员周正庆（10 月）。

芬方访华的还有：芬兰第二财政部长、左翼联盟主席苏维—安娜·茜麦斯（3 月），芬贸工部长西妮卡·蒙凯雷（4 月），芬兰拉毕省省长娜丽·玻卡（12 月），芬财政部长尼尼斯托（12，月作为芬政府代表再次来京参加星网工业园开幕式）等。

二、经济技术合作与贸易关系

6 月 11～15 日，中国工程院副院长沈国航出席在芬兰举行的"国际工程与技术科学院理事会年会。"

8 月 18～24 日，中国林业科学研究院院长江泽慧访问芬兰。芬兰总统塔里娅·哈洛宁和贸工部长西妮卡·蒙凯雷分别会见。

9 月 10 日，在越南河内出席第三届亚欧经济部长会议的外经贸部副部长孙振宇会见芬兰外贸和欧洲事务部长基莫·萨西。

10 月 25～31 日，国有证券监事会主席朱焘访芬，芬兰贸工部长西妮卡·蒙凯雷会见。

据中国海关总署统计，2001 年中芬贸易总额为 32.86 亿美元，同比增长 3.0%，其中中方出口额为 9.10 亿美元，进口额为 23.76 亿美元，同比分别增长 8.8% 和 1.0%。芬对华投资也有大幅增加，全年签署投资项目 18 个，合同外资金额 2820 万美元，实际利用外资金额 6631 万美元。

三、文化交流及其他往来

4 月 21～27 日，中国司法代表团赴芬兰参加中芬关于"通过监禁预防重新犯罪和犯人重入社会"的研讨会。

5 月 10～14 日，江苏省省长季允石访问芬兰，与南芬兰省省长林南玛共同签署了《江苏省与南芬兰省缔结友好省关系的协议》。

6 月 21～25 日，《光明日报》主编袁志发赴芬兰考察。

8 月 12～18 日，对外友协副会长苏光和山东省副省长吴爱英访芬并参加芬中协会在芬举行的庆祝活动。

8 月 21～25 日，芬兰文化部部长苏微·林登率团赴北京参加第 21 届世界大学生运动会，文化部部长孙家正会见。

10 月 6～13 日，全国政协外事委员会副主任齐怀远访芬，芬外长图奥米奥亚会见。

10 月，芬兰《商报》总编汉努·雷诺宁访华。

11 月 6～17 日，芬兰副总检察长马尔蒂·加蒂宁访华并出席中芬刑事司法制度研讨会、亚欧执法机构保护儿童福利会议及亚欧国家总检察长会议。

2001 年，芬兰在华留学生为 155 名。

四、军事往来

4 月 8～13 日，中国人民解放军国防大学校长邢世忠上将访芬。

4 月 15～20 日，中国人民解放军军事科学院副院长许根初中将访芬。

5 月 12～19 日，芬兰国防军国防参谋部国际局局长海依基·霍尔玛准将访华。

11 月 10～17 日，芬兰国防军国防参谋部作战部长耶毕莱中将访华，中央军委委员、总参谋长傅全有上将会见。

第6节　中国同丹麦的关系

2001年，中华人民共和国同丹麦王国的关系继续平稳发展。

一、政治关系与重要往来

2月25～27日，外交部部长助理马灿荣赴丹麦政治磋商，分别与丹麦外交部常务秘书彼得森和副常务秘书罗伊会见和会谈，并与丹麦外交政策研究所所长尼瑞林等座谈。

5月19～25日，应唐家璇外长邀请，丹麦外交大臣莫恩斯·吕克托夫特来京出席第三届亚欧外长会议并访华。21日和24日，钱其琛副总理、唐家璇外长和外经贸部部长石广生分别会见和会谈。双方积极评价了中丹关系的发展，表示将共同努力，继续发展双边友好合作。

9月24～29日，丹麦最高法院院长雅克·赫尔曼访华。李鹏委员长、最高人民法院院长肖扬、司法部部长张福森分别会见。

9月27日，丹麦新任驻华大使龙博深向江泽民主席递交国书。

10月9～13日，国务委员、国务院残疾人工作协调委员会主任司马义·艾买提访丹。11日，丹麦副首相兼经济大臣玛丽安娜·耶尔韦和社会事务大臣亨里克·达姆·克里斯滕森分别会见。

10月23日，外交部副部长王光亚会见来华磋商的丹麦亚欧会议高官马德森大使。

11月10～15日，丹麦总检察长赫宁·弗德赴广州出席亚欧国家总检察长会议。

中方访丹的还有：全国人大外事委员会主任委员曾建徽（5月）。

丹方访华的还有：丹麦社民党副主席莱娜·延森（5月）。

二、经济技术合作与贸易关系

4月22～25日，外经贸部副部长孙广相访丹并出席中丹第18

届经贸混委会。

6 月 2～7 日，丹麦食品、农业和渔业部常务秘书长保罗·奥特森应农业部邀请访华。双方签署了《中华人民共和国政府和丹麦王国政府关于动物检疫动物卫生的合作协定》和《中华人民共和国政府和丹麦王国政府关于植物检疫的合作协定》。

6 月 17～21 日，丹麦埃·彼·穆勒—马士基集团董事长马士基·麦克—凯尼·穆勒访华。18 日，朱镕基总理会见；吴仪国务委员出席了在钓鱼台举行的庆祝马士基集团公司在华订造 25 艘总值超过 8 亿美元的船舶招待会。穆在华期间还分别会见了外经贸部部长石广生、交通部部长黄镇东、上海市委书记黄菊和市长徐匡迪。

6 月 17～22 日，全国政协副主席、中华全国供销合作总社理事会主任白立忱访丹，考察丹麦农业及农业组织等情况。

据中国海关总署统计，2001 年中丹贸易总额为 15.25 亿美元，同比增长 14.3％；其中中方出口额为 8.99 亿美元，进口额为 6.26 亿美元，同比分别增长 14.9％和 13.3％。2001 年丹麦对华直接投资项目 24 个，合同丹资金额 8397 万美元，实际利用金额 5312 万美元，比 2000 年增长 15.43％。

三、文化交流及其他往来

3 月 13～22 日，丹麦文化大臣埃尔塞贝特·格尔纳·尼尔森应文化部邀请访华，与文化部部长孙家正、广电总局副局长赵实、体育总局副局长李富荣分别进行了会见和会谈。

6 月 7～14 日，丹麦议会卫生委员会主席安德森率团访华，会见了全国人大常委会副委员长彭珮云。

6 月 11～15 日，《人民日报》总编许中田访丹，分别采访了丹麦首相拉斯穆森和文化大臣尼尔森。

6 月 24～30 日，丹麦议会监察专员汉斯·加梅尔托夫特·汉森应监察部邀请访华，分别会见了监察部部长何勇和黑龙江省省长宋法棠。

10 月 8～12 日，广东省人大常委会主任张帼英访丹，会见了丹环境和能源大臣斯文·奥肯。

2001 年，丹麦在华留学生为 135 人。

第 7 节　中国同冰岛的关系

2001 年是中华人民共和国同冰岛共和国建交 30 周年，两国关系有新的发展。

一、政治关系与重要往来

10 月 27～31 日，冰岛外交兼外贸部长哈尔多尔·奥斯格里姆松应唐家璇外长邀请访华。国务院总理朱镕基、国务委员吴仪和唐外长分别会见和会谈。双方积极评价了两国关系的发展，表示愿共同努力，进一步加强和扩大双边在政治、经贸、渔业、造船、地热等领域的友好合作。全国人大常委会副委员长布赫、对外友协会长陈昊苏与奥共同出席了庆祝中冰建交 30 周年招待会。

11 月 8～16 日，应最高人民检察院邀请，冰岛总检察长博吉·尼尔松率团访华，并参加了 12～14 日在广州举行的亚欧国家总检察长会议。总检察长韩杼滨、深圳市人大常委会副主任刘秋容分别会见尼一行。

冰方访华的重要来宾还有：冰岛渔业部长奥德尼·马西埃森（11 月），冰首都雷克雅未克市市长英吉比约克·吉斯拉多蒂尔（11 月）。

二、经济技术合作与贸易关系

5 月 1～6 日，国家药品监督管理局局长郑筱萸率团访冰，会见了冰岛卫生和社会保障部部长约恩·克里斯唐松。

6 月 17～30 日，中国气象局副局长李黄率团出席在冰岛举行的联合国海洋学和海洋气象学委员会第一届会议。

7 月 2～13 日，应冰岛环境部邀请，国家环保总局副局长宋瑞祥率团访冰，分别会见了冰工商部长瓦尔盖尔德·斯威里多蒂尔和环境部常务秘书马格努斯·约翰内松。

据中国海关总署统计，2001 年中冰贸易总额达 5256 万美元，比 2000 年增长 65.5%；其中中方出口额 3397 万美元，进口额 1859 万美元，分别增长 92.9% 和 31.4%。

三、文化交流及其他往来

7 月 2 日，《人民日报》副总编辑李仁臣率团访冰，分别采访了冰岛总理达维兹·奥德松和外交兼外贸部长奥斯格里姆松。

7 月 5~11 日，"中国电影周"在冰举行。冰岛总统格里姆松会见了中国电影代表团团长、国家广电总局电影局副局长吴克。

8 月 18~22 日，山东省政府高级顾问、省经济委员会主任吴爱英率山东省友好代表团访冰，会见了冰岛司法部常务秘书弗里德芬松。

10 月 10~13 日，国家档案局局长毛福民率团赴冰参加"第 35 届国际档案圆桌会议"。

12 月 7 日，中冰建交 30 周年特种纪念封发行仪式在京举行。

2001 年，冰岛在华留学生为 5 人。

第 8 节　中国同德国的关系

2001 年，中华人民共和国同德意志联邦共和国关系继续保持良好发展。两国领导人互访频繁，经贸和科技关系不断加强，在各领域的合作得到进一步发展。国家副主席胡锦涛、国务院副总理吴邦国访德，德国总理施罗德访华。

一、政治交往与重要往来

11 月 8~11 日，应德国总理施罗德邀请，胡锦涛副主席对德国进行正式访问。胡副主席与德总理施罗德举行会谈，双方就双边关系及反恐等共同关心的国际问题交换了意见，并达成广泛共识。胡副主席还会见了德总统劳、副总理兼外长菲舍尔、议长蒂尔泽、联盟党议会党团主席梅尔茨、自民党主席韦斯特韦勒、勃兰登堡州州长施托尔佩和巴伐利亚州州长施托伊伯。9日，菲舍尔外长出席了中国驻德使馆新馆正式开馆仪式。

10月31日至11月2日，应朱镕基总理邀请，德国总理施罗德率大型经贸代表团对中国进行正式访问。江泽民主席会见，朱总理与施举行会谈，双方主要就双边关系、反恐及当前国际经济形势等问题深入交换了意见。两国总理共同出席了德国拜耳公司在上海化学工业区投资建设一体化化工基地和中石化等公司与德国巴斯夫等公司"关于共同上报上海联合异氰酸脂项目联合可行性研究报告"的两项协议的签字仪式。朱总理还陪同施罗德总理访问了大连和上海，在上海共同出席了上海磁悬浮示范线轨道梁启运仪式和拜耳公司漕泾一体化基地奠基与上海聚合物研发中心开幕仪式。

访问期间，施罗德总理和李岚清副总理出席了在北京召开的"中德高技术对话论坛第二次会议"并致辞，国家计委主任曾培炎和德国经济部长米勒分别作主旨发言。双方签署了29个项目合作协议。随同施罗德访华的德国联邦议院副议长福尔默会见了全国人大外委会主任委员曾建徽，德内政部长席利同公安部长贾春旺举行了对口会谈，经济部长米勒拜会了国家计委主任曾培炎、经贸委主任李荣融和国家旅游局局长何光暐。随访的德国企业家代表团拜会了北京市长刘淇。

6月17～23日，应德联邦政府邀请，国务院副总理吴邦国访德，会见了德总理施罗德、副总理兼外长菲舍尔，与德经济部长米勒举行会谈，双方就进一步加强两国关系、特别是经济技术合作交换了意见，取得重要共识。吴副总理还会见了汉堡市市长伦德，勃兰登堡州州长施托尔佩，巴伐利亚州经济部长维斯豪伊及西门子、拜耳、巴斯夫、大众、戴姆勒—克莱斯勒、宝马、多尼尔、德国ABB、庞巴迪、空客集团的负责人。

5月24～25日，德副总理兼外长菲舍尔出席在北京举行的第三届亚欧外长会议，钱其琛副总理会见。菲与唐家璇外长共进早餐。

1 月 8～14 日，应外交学会邀请，德国青年政治家代表团一行6 人访华，全国人大副委员长许嘉璐、全国人大中德友好小组主席李道豫、中联部副部长张志军和外交部部长助理马灿荣分别会见。

4 月 29 日至 5 月 4 日，应中信欧洲公司邀请，全国政协副主席赵南起访德。

5 月 3～7 日，应德意志研究联合会邀请，中共中央政治局委员、中国社会科学院院长李铁映率中国社会科学代表团对德进行学术访问并出席了在柏林举办的第四届"欧亚论坛"。李会见了德司法部长格梅林和社民党总书记明特费林，并与德方签署了新的合作意向书。

5 月 18～24 日，应交通部和科技部邀请，德交通部长博德维希访华。朱镕基总理会见，交通部长黄镇东与其进行了工作会谈。科技部和德交通部签署了有关在磁悬浮技术领域交换信息的合作备忘录并建立了代表会晤机制。

6 月 18～22 日，应德国司法部长格梅林邀请，国务院法制办主任杨景宇访德。施罗德总理会见，杨与格梅林部长正式签署了《中德法律交流与合作协议两年实施计划》。杨还会见了德联邦议院人权和人道主义援助委员会主席尼克尔斯，并访问了德国联邦宪法法院和联邦法院。

7 月 12～17 日，应劳动和社会保障部邀请，德联邦劳动与社会事务部长里斯特访华。吴邦国副总理会见，张左己部长主持会谈，双方签署了《中华人民共和国与德意志联邦共和国社会保险协定》，这是中国在社会保险领域对外签署的第一个社会保险双边协定。里还拜会了全国总工会常务副主席张俊九。

7 月 13～17 日，应外交部邀请，德外交部国务秘书普吕格尔访华，分别与王光亚和王毅副外长举行中德安全磋商。唐家璇外长会见了普。

9 月 6 日，江泽民主席接受德国新任驻华大使薄德磊递交国书。

9月8～13日，应外交学会邀请，德国前总理科尔来京参加外交学会举办的"21世纪的中国与世界"论坛，并做题为《21世纪的中国与欧洲》报告。江泽民主席、李鹏委员长和胡锦涛副主席分别会见了科尔。

9月17日，以中国为"主宾国"的第三届柏林"亚太周"开幕，来自国务院8个部委、4个省市的共500多人赴德参加各项活动。德国总理施罗德、中共中央政治局委员、书记处书记丁关根、柏林市长沃沃莱特、国务院新闻办主任赵启正出席开幕式并讲话。丁关根还分别会见了施罗德总理、社民党总书记明特费林、柏林市长沃沃莱特等。

9月25日，朱镕基总理应约与施罗德总理就美遭恐怖袭击事件后的国际形势通电话。

10月8～9日，中德"市场经济条件下的政府规制和对公民、法人及其他组织合法权益的保护"研讨会在柏林召开。应德司法部长格梅林邀请，中德法律交流与合作项目中方协调人、国务院法制办主任杨景宇率团参加。

中方访德的还有：外交学会会长梅兆荣（2月），全国人大中德友好小组主席李道豫（4月），辽宁省省长薄熙来（4月），国家统计局局长朱之鑫（5月），中共中央党校常务副校长郑必坚（5月），黑龙江省省长宋法棠（9月），上海市市长徐匡迪（9月），全国政协外委会副主任齐怀远（10月）。

德方访华的还有：德国民社党前议会党团主席居西（1月，过境中国），德国民社党主席齐默尔（3月），德联盟党议会党团干事长格伦特（4月），德联盟党议会党团第一副主席格洛斯（4月），柏林市长迪普根（4月），德联邦议院人权和人道主义援助委员会主席尼克尔斯（4月），德前总理施密特（5月），德联盟党议会党团主席梅尔茨（5月），汉堡市前市长福舍劳（5月），德联邦议院外委会副主席、前经合部长施普朗格（6月），德社民党党员、联邦议院外委会成员恩斯特贝格和普夫鲁格（6月），德国司法部长格梅林（7 月，中德人权问题研讨会），德联邦议院旅游委员会副主席辛斯肯（7 月），德社民党联邦干事长马赫尼希（8 月），不莱梅州州长谢尔夫（9 月），德绿党主席罗特（11 月），德国勃兰登堡州州长施托尔佩（11 月），德国下萨克森州州长加布里尔（12 月）。

二、经济技术合作与贸易关系

1 月 9 日和 21 日，朱镕基总理两次会见来华的德国西门子公司总裁冯·皮勒。

1 月 23 日，上海磁悬浮快速列车工程设备供货及服务合同在上海正式签署，并于 3 月 1 日正式开工。

3 月 24～26 日，国家计委主任曾培炎访德，主持中德基础设施合作指导委员会会议。

5 月 21～22 日，中德发展合作混合委员会第 19 次会议在波恩召开，德政府承诺 2002 年度共向中国提供 1.69 亿马克发展援助。

5 月 22～26 日，应德国财政部长埃歇尔邀请，财政部长项怀诚对德国进行工作访问。施罗德总理、德经合部长维克措雷克—措伊尔会见。

5 月下旬，中国国际信托投资公司董事长王军访德。

5 月 31 日，德驻华大使于倍寿就高速铁路技术转让（即上海磁悬浮项目）事正式照会唐家璇部长，代表德国政府向中方追加提供 1 亿德国马克财政援助。6 月 29 日，唐家璇部长复照确认于倍寿大使所致唐部长的照会内容，并以此构成两国协议。

6 月 11～12 日，应欧洲中央银行、德意志联邦银行邀请，中国人民银行行长戴相龙访德。

6 月 23～25 日，应德交通部邀请，民航总局局长刘剑峰访德。

10 月中旬，交通银行行长方诚国访德。

10 月 23～25 日，应德国工业联合会邀请，中国工业经济联合会会长林宗棠访德。

10 月 24～25 日，应中国机械工业联合会邀请，德国宝马集团董事长约阿希姆·米尔贝格访华，朱镕基总理会见。

2001 年，中德贸易总额达 235.35 亿美元，增长 19.5%，其中中方进口额 137.7 亿美元，出口额 97.8 亿美元，分别增长 32.3% 和 5.1%。截至 2001 年底，德在华直接投资项目 2701 个，协议金额 134 亿美元，实际投入 71.1 亿美元。其中 2001 年德在华直接投资项目 275 个，协议金额 9.76 亿美元，实际投入 12.6 亿美元。

三、文化交流及其他往来

3 月 13～21 日，德国学术交流中心主任贝尔希姆访华。

5 月 4～8 日，外交学会会长梅兆荣在柏林出席由柯万特基金会、新加坡政策研究所和亚欧基金会联合举办的第四届"欧亚论坛"。

6 月 3～9 日，应科技部邀请，德教育与研究部国务秘书卡藤胡森来京参加中德科技合作联委会第 16 次会次。

9 月 15～28 日，教育部副部长王湛访德。

10 月，科技部通讯信息代表团访问德国，提出双方分别在对方国家建立海外研究所的倡议。

11 月，应科技部邀请，德联邦交通部国务秘书维特林访华，徐冠华部长与维就磁悬浮问题及双边能源交通合作举行了会谈。

11 月 25～29 日，应德政府文化国务部长邀请，文化部部长孙家正访德。这是中国文化部长首次应德联邦政府邀请访德。德联邦议院副议长福尔默、总理府文化事务国务部长吕梅林、外交部国务部长福尔默分别会见。

2001 年，德国在华留学生有 1321 名。

四、军事往来

2 月 18～21 日，德国防部长、社民党副主席沙尔平应邀访华，江泽民主席、中共中央政治局常委、书记处书记尉健行、傅全有总长、唐家璇外长、中联部部长戴秉国分别会见，中央军委副主席张万年上将举行欢迎仪式并主持会谈。

5 月 19～25 日，应德国防部邀请，中央军委委员、总后勤部长王克上将访德并会见了德国防部国务秘书毕德尔比克、联邦国防军联合保障部监察长贝尔恩德、海泽海军中将和德军联合保障部后勤局局长施瓦德准将等。

8 月 6～9 日，应德国防部邀请，国防部外办副主任李东辉少将赴德出席第五届中德总参谋部会谈。

9 月 25～27 日，由海军"深圳"号导弹驱逐舰和"丰仓"号大型补给舰组成的中国海军舰艇编队访问德国海军威廉军港。德国是中国海军舰艇编队首次出访欧洲（德、英、法、意四国）的第一站。

第 9 节　中国同荷兰的关系

2001 年，中华人民共和国同荷兰王国的关系继续稳步发展。

一、政治关系与重要往来

1 月 4 日，荷兰女王贝娅特丽克丝致函江泽民主席，就 2000 年 12 月中国洛阳商厦发生特大火灾事故表示慰问。

1 月 23 日，江泽民主席致函荷兰女王，就荷兰福伦丹镇发生火灾事故表示慰问。

3 月 7 日，中国新任驻荷大使朱祖寿向荷兰女王递交国书。

4 月 17～22 日，应全国人大常委会李鹏委员长的邀请，荷兰议会一院议长阿尔特斯偕夫人率荷兰议会代表团访华。李鹏委员长予以会见，姜春云副委员长会见并宴请，全国人大外委会主任委员曾建徽同荷方举行工作会谈。

4 月 18～25 日，全国政协副主席、中华全国工商业联合会主席经叔平应荷中商会邀请访荷，会见荷议会二院经济委员会主席彼施霍夫。

5 月 26 日，唐家璇外长会见来京参加亚欧外长会议的荷兰外交大臣范阿尔森。

7月3～7日，应荷兰经社理事会邀请，全国政协副主席陈锦华率中国经社研究会代表团出席经社理事会和类似组织国际协会第七次国际会议。

9月6日，荷兰新任驻华大使贺飞烈向江泽民主席递交国书。

10月13～18日，应荷卫生、福利与体育部邀请，国务委员司马义·艾买提率中国政府代表团正式访荷，会见了荷兰首相科克，并同荷卫生、福利与体育国务秘书弗里亨特哈特就残疾人政策和立法等问题交换了意见。

11月11日，唐家璇外长在出席第56届联大期间，再次会见荷外交大臣范阿尔森。

中方访荷的还有：交通部长黄镇东（9月，"泛欧内陆航运会议"）、上海市长徐匡迪（9月）、全国人大环境与资源保护委员会副主任叶如棠（10月），农业部长杜青林（11月）等。

荷方访华的还有：荷议会二院经济委员会代表团（1月），荷兰联协副会长巴布丝·德克勒克（5月），荷兰自由党议员、自由党国际副主席范巴伦（7月），荷一院资深议员范艾克伦（8月）等。

二、经济技术合作与贸易关系

11月25日至12月1日，应国务委员吴仪邀请，荷副首相兼经济大臣尤里茨玛率大型经贸代表团访华。李岚清副总理、吴仪国务委员、外经贸部长石广生、科技部长徐冠华、北京市长刘淇、国土资源部副部长寿嘉华、水利部副部长张基尧等分别予以会见。石广生部长与尤签署了重新修订的《中荷双边投资保护协定》。

2月18～24日，荷教科文大臣赫尔曼斯应中国科技部邀请访华，李岚清副总理予以会见，科技部长朱丽兰同赫签署了《中荷建立战略科学联盟计划的科技备忘录》。赫还拜会了教育部长陈至立、中科院院长路甬祥。

荷兰为中国在西欧的第三大贸易伙伴。据中国海关总署统计，2001年中荷贸易额达87.38亿美元，中方出口额72.81亿美元，进口额14.57亿美元，分别比2000年增长8.9%和17.8%。

三、文化交流及其他往来

6 月 19～23 日，中国法学会常务副会长孙琬钟率团赴阿姆斯特丹出席国际法哲学与社会哲学协会第 20 届世界大会。

7 月 29 日至 8 月 1 日，中国奥委会副主席兼国家体育总局副局长李富荣率体育代表团访荷，与荷奥委会商谈中荷体育合作事宜。

11 月 18～22 日，中科院院长路甬祥率团访荷。

2001 年，荷兰在华留学生共 183 人。

四、军事往来

3 月 11 日，中国人民解放军空军司令员刘顺尧上将访荷并会见荷兰空军司令员狄克·柏林中将。

9 月 26～28 日，应荷兰陆军邀请，南京军区司令员梁光烈中将率中国军事代表团访荷，会见荷国防大臣德赫拉夫、陆军司令等高级官员，并参观荷陆军设施。

12 月 4～7 日，解放军总参谋长傅全有上将过境荷兰，会见了荷国防大臣德赫拉夫及荷国防部秘书长科隆海军上将。

12 月 9～15 日，荷兰国防大臣德赫拉夫访华。中央军委副主席、国防部长迟浩田上将与德举行会谈并宴请，国务院副总理温家宝及中央军委委员、总参谋长傅全有上将分别予以会见。

第 10 节　中国同比利时的关系

2001 年，中华人民共和国同比利时王国的关系继续保持良好发展势头。

一、政治关系与重要往来

9 月 5～7 日，朱镕基总理出席第四次中欧领导人会晤并对比利时进行正式访问，参加中比建交 30 周年庆祝活动。期间，朱总理会见了比国王阿尔贝二世，并与比首相伏思达（原译韦尔霍夫斯达特）举行会谈。陪同朱总理访比的文化部部长孙家正、外经贸部部长石广生也分别与比方进行了对口会谈。

3 月 29 日，朱镕基总理就比利时火车相撞事件向比首相伏思达致慰问电。

5 月 18~26 日，应唐家璇外长邀请，比副首相兼外交大臣米歇尔参加在京举行的第三届亚欧外长会议并访华。访问期间，钱其琛副总理会见了米一行，唐外长与其会谈并宴请。

6 月 17~21 日，应比法语社会党主席迪吕波邀请，中联部部长戴秉国访比，会见了比副首相兼就业大臣翁克林克斯、众议院外委会主席谢瓦利埃、法语革新自由党主席杜卡姆等。

6 月 18~22 日，澳门特别行政区行政长官何厚铧访比，会见了比众议院议长德克罗、王储菲力普和外交国务秘书奈茨。

中方访比的还有：全国人大外委会主任委员曾建徽（5 月），外经贸部副部长孙广相（5 月，联合国第三届最不发达国家问题大会）。

比方访华的还有：比参议员里赞夫人（3 月，比法语区妇女代表团），比议会党团主席代表团（8 月）。

二、经济技术合作与贸易关系

3 月 5~8 日，应比瓦隆大区政府邀请，国务院三峡办副主任张德楠访比，考察升船机技术和设备。

4 月 16~19 日，上海市人大副主任沙麟访比，考察安特卫普港化工开发区。

9 月 22 日，国家旅游局副局长孙钢访比，参加中国旅游布鲁塞尔推介活动。

11 月 3~11 日，应全国人大财经委员会邀请，比众议院财经委员会代表团访华。

11 月 4~8 日，劳动和社会保障部部长张左己访比，会见了比副首相兼就业大臣翁克林克斯、社会大臣范登布鲁克等。

据中国海关总署统计，2001 年中比贸易额达 42.5 亿美元，同比增长 15.3%，其中中方出口额 25.3 亿美元，进口额 17.2 亿美元，分别比 2000 年增长 10% 和 24.2%，比利时是中国在西欧的第六大贸易伙伴。

三、文化交流及其他往来

2 月 27～28 日，中国人民对外友好协会会长陈昊苏赴比参加在根特举办的地方政府国际联盟世界执委会会议。

4 月 30 日至 5 月 2 日，应比利时鲁汶大学邀请，中国社会科学院院长李铁映访比，会见了比经济与科研大臣毕盖和欧盟委员会对外关系委员彭定康。

5 月 17 日，天津市委副书记刘峰岩访比，出席天津文化节开幕式。

6 月 6～17 日，应 2001 年国际邮票展组委会邀请，中华全国集邮联合会会长常延廷赴比参加有关活动。

9 月 11～13 日，国务院新闻办主任赵启正访比，会见了比法语区新闻大臣。

11 月 12～16 日，应比公职大臣邀请，人事部副部长尹蔚民访比。

12 月 13～20 日，应世界劳工联合会邀请，中华全国总工会副主席张俊九访比。

2001 年，比利时在华留学生为 163 名。

四、军事往来

3 月 12～15 日，空军司令刘顺尧上将访比，会见了比国防大臣弗拉奥和空军参谋长曼德尔中将。

9 月 21～25 日，南京军区司令梁光烈中将率中国军事代表团访比，比陆军参谋长宴请了代表团。

第11节 中国同卢森堡的关系

2001年，中华人民共和国同卢森堡大公国的关系继续顺利发展。

一、政治关系与重要往来

4月10～15日，应唐家璇外长邀请，卢森堡副首相兼外交外贸大臣波尔芙率团访华，教育大臣布拉瑟随访。朱镕基总理和吴仪国务委员分别予以会见，唐外长及外经贸部副部长张祥与波举行工作会谈。

5月23～24日，卢副首相兼外交大臣波尔芙对香港特别行政区进行工作访问，会见了特区行政长官董建华及卢在港经贸人士。

5月24～25日，卢副首相兼外交大臣波尔芙赴京参加第三届亚欧外长会议。

6月27～29日，中联部代表团访卢，分别与卢共、卢社工党、基社党、民主党负责人进行了会谈。

11月23日，香港政务司曾荫权访卢，分别会晤卢首相容克、议长施鲍茨、副首相兼外交大臣波尔芙、司法、预算大臣弗里登和经济大臣格雷腾，并参观了卢证券交易所。

中方访卢的还有：全国总工会副主席、书记处第一书记张俊九。

卢方访华的还有：卢前首相桑特（9月）、前副首相普斯（4月）。

二、经贸关系

据中国海关总署统计，2001年中卢贸易额达9694万美元，同比下降2.3%。其中中方出口额3894万美元，下降27.4%，进口额5800万美元，增长27%。

三、文化交流及其他往来

4 月 9~10 日，卢教育大臣应中国教育部邀请访华，陈至立部长会见。

9 月 20 日，卢森堡大公国立历史艺术博物馆藏品展在京开幕，在华访问的卢文化大臣埃尼科·舍普戈斯夫人为展览揭幕。埃还在访问期间与中国文化部长孙家正就深化两国文化交流与合作进行了会谈。

10 月 26 日至 11 月 4 日，中国文化部参加了卢森堡国际儿童书展，展出了儿童书籍、玩具和工艺品。

2001 年，卢森堡在华留学生为 5 名。

第 12 节　中国同英国的关系

2001 年，中华人民共和国同大不列颠及北爱尔兰联合王国的关系总体继续保持良好发展。胡锦涛副主席对英国进行了成功的访问，双方在政治、经贸、军事、文化、教育领域的交流与合作十分活跃。

一、政治关系与重要往来

4 月 10 日，英首相布莱尔致函江泽民主席，对在中美撞机事件中遇难的中国飞行员表示哀悼和慰问。

9 月 18 日，江泽民主席应约与布莱尔首相通电话，就美遭恐怖袭击事件交换意见。

10 月 28 日至 11 月 1 日，应布莱尔首相邀请，胡锦涛副主席对英国进行正式访问。访英期间，胡副主席分别与布莱尔首相、女王伊丽莎白二世、副首相普雷斯科特、上院议长兼大法官欧文勋爵、保守党领袖邓肯—史密斯、英格兰银行行长埃迪·乔治、前首相希思和前副首相赫塞尔廷等举行会谈会见，出席了布莱尔首相、普雷斯科特副首相及英中贸协分别举行的欢迎宴会并在英中贸协晚宴上发表演讲，参观了伦敦帝国理工大学并与留英学者、学生代表座谈。除伦敦外，胡副主席还赴苏格兰首府爱丁堡参观访问，会见了苏格兰地方政府首席部长麦克利什、英国石油集团公司总裁约翰·布朗，并出席了麦举行的欢迎晚宴。陪同胡副主席访问的外交部副部长李肇星、外经贸部副部长周可仁分别与英外交部政务次官麦克沙恩、英外交兼贸易国务大臣西蒙斯女男爵举行对口会谈。

7月2日，唐家璇外长应约与英外交大臣斯特劳通话，就中英关系和伊拉克问题交换看法。双方积极评价中英关系，并互邀对方来访。斯表示，英愿加强与中方在伊拉克及其他国际事务中的磋商与合作。

7月5～8日，英副首相普雷斯科特对华进行工作访问，与中方就气候变化问题进行磋商，分别会见了朱镕基总理、国家环保总局局长解振华和科技部副部长邓楠，并出席了《中英气候变化科学和技术研究双边合作联合声明》签字仪式。双方主要就京都议定书问题深入交换了意见。

10月3日，唐家璇外长致函斯特劳外交大臣，通报中国向联合国难民署提供价值约100万元人民币的物资捐赠用于安置巴基斯坦境内的阿富汗难民事。16日，斯复函感谢中国向阿难民捐赠，并表示希望在联大期间与唐外长会面。

10月10日，唐家璇外长应约与斯特劳外交大臣通话，就英美对阿富汗实施军事打击后的国际形势等问题交换意见。

10月24～25日，"中英论坛"第三次会议在英举行，两国各界约100名知名人士出席，就在经济全球化形势下进一步加强双边合作问题进行了探讨和交流。论坛中方主席、全国政协副主席宋健与英方主席、前副首相赫塞尔廷共同主持开幕式并致词。会前，布莱尔首相会见了宋健和科技部部长徐冠华等中方主要与会代表。

11月12日，唐家璇外长在纽约第56届联大期间会见英外交大臣斯特劳，双方就中英关系和阿富汗等问题交换了看法。

12月31日，唐家璇外长致函英外交大臣斯特劳，通报其访问中东情况，并就中东和平进程问题阐述了中方原则立场。2002 年 1 月 3 日，斯在与唐外长通话时，感谢唐外长的信，并称赞同中方在此问题上的看法。

其他重要往来还有：

1 月 8 日，英外交部全球事务部主任布兰顿来华参加在上海举行的联合国安理会五常外交部国际司司长级磋商。五国就安理会五常首脑会晤的后续行动、伊拉克问题、安理会改革、人道主义干预、普拉希米报告、切断武装冲突的外部支持等问题交换了看法。杨洁篪副外长会见了与会来宾。

2 月 12～14 日，中英第六次人权对话在京举行。外交部国际司司长李保东率团与英外交部助理次官玛丝黛举行会谈，马灿荣部长助理会见了英方代表团。

2 月 28 日至 3 月 5 日，香港特区政府律政司长梁爱诗访英，拜会了英上院议长兼大法官欧文勋爵、总检察长威廉姆斯勋爵和外交国务大臣巴特尔等。

3 月 5～9 日，外交部国际司副司长刘结一率团赴英，与英外交部负责全球事务的助理次官布鲁顿等就联合国维和行动等问题举行磋商。

3 月 9 日，外交部副部长王光亚与英外交部常务次官克尔在京进行磋商。双方积极评价了中英关系，并就双边关系中的一些具体问题及共同关心的国际和地区问题交换了意见。

3 月 12～14 日，英外交国务大臣巴特尔访问香港，会见了特区行政长官董建华、政务司长陈方安生、财政司长曾荫权、候任财政司长梁锦松、保安局长叶刘淑仪以及香港的非政府组织，并在香港中文大学作了题为"世界环境何去何从"的演讲。

3 月 16 日，常驻联合国代表王英凡大使与英常驻联合国代表格林斯托克就伊拉克问题举行双边磋商。

4 月 7～14 日，应外交学会邀请，英上院议员艾哈迈德访华。外交部部长助理马灿荣、国家宗教局局长叶小文、国家民委有关司负责人等分别会见。

5月20～26日，英外交部政务次官斯格特兰女男爵来华出席亚欧外长会议。在京期间，外交部部长助理马灿荣予以会见。

6月20日，外交部副部长王光亚会见了来华磋商的英外交部副次官威斯特玛科特，就双边关系、中美关系、伊拉克、阿富汗、巴基斯坦和苏丹等问题交换了意见。

6月22日，中联部部长戴秉国经停伦敦时，分别会见英外交大臣斯特劳、英下院主席库克及工党议会党团主席索利，双方主要就双边关系等问题交换了意见。

7月3日，应外交部邀请，英出席联合国人权会代表团团长格拉芙来华参加中国与联合国人权高专办公室合作举办的"人权与警察问题研讨会"并访华。

7月12日，英外交部全球事务部主任布鲁尔来华磋商，会见了外交部副部长王光亚。

7月13～14日，中英人权两公约工作组第一次会议在京举行。双方专家就提交履行《经济、社会及文化权利国际公约》报告和工人及工会权等问题进行了交流。

9月21～24日，应外交部副部长王光亚邀请，英外交部政务次官麦克沙恩访华。王副部长与麦会谈并宴请，双方就中英关系和国际反恐合作等问题深入交换了意见。

11月6日，外交部军控司司长刘结一在伦敦与英外交部负责国际安全问题的助理次官欧威廉举行军控磋商。

11月13～15日，英外交部候任常务次官迈克尔·杰伊访华。外交部副部长王光亚与其会谈并宴请，双方就双边关系和国际反恐合作等问题深入交换了意见。

11月17日，香港特别行政区政务司长曾荫权访英，拜会了普雷斯科特副首相。

11月19～21日，中英第七次人权对话在伦敦举行。

英方访华的还有苏格兰副首席部长兼司法部长詹姆斯·华莱士（7月）、英工党议员、前贸工大臣曼德尔森、前副首相赫塞尔廷（9月）。

二、经济技术合作与贸易关系

2月4~9日，英贸工国务大臣卡伯恩访华，会见了外经贸部部长石广生、副部长张祥，双方就西部大开发、中英投资促进机制等问题交换了看法。卡还拜会了国家计委、经贸委有关负责人。

3月20日，应世界银行和英国文化委员会邀请，科技部副部长马颂德出席在英举行的"知识促进发展"政策论坛，发表题为"挑战、机遇和战略"的专题演讲，此外，还会见了英贸工部科技国务部长盛博理勋爵。

4月25~27日，应英阿莫鲜公司和罗氏公司邀请，国家药品监督管理局局长郑筱萸访英，拜访了英药品管理局。

5月7~15日，应中国人民银行邀请，英格兰银行常务副行长莫文金访华。戴相龙行长予以会见。

5月15~19日，中国工商银行副行长田瑞璋访英。

5月19~25日，应英中贸协苏格兰协会和英摩托罗拉 GSM 系统部邀请，浙江省副省长叶荣宝访英。

5月20~24日，英威尔士工商发展局主席罗贝多爵士访华。

9月4~9日，英中贸协主席鲍威尔勋爵访华。在京期间，国家副主席胡锦涛、贸促会会长俞晓松、北京市长刘淇、信息产业部副部长娄勤俭和国家经贸委副主任陈光复等分别予以会见。7日，鲍出席厦门国际投资洽谈会期间，吴邦国副总理予以会见。外经贸部副部长龙永图与鲍共同主持中英投资研讨会，双方宣布成立"中英投资促进机构"。

9月24日，中方批准英商联保险公司在华经营寿险业务，皇家太阳联合保险公司在上海开设分公司。

10月25日，吴邦国副总理会见罗尔斯·罗伊斯公司首席执行官罗世杰。

11月6日，中共中央政治局委员、北京市委书记贾庆林会见英汇丰集团董事长庞约翰爵士。

11月10~16日，英威尔士发展局主席大卫·罗贝多爵士访华。

国家计委副主任兼国务院西部开发办副主任李子彬予以会见。

11月12日，应上海市、广东省政府邀请，英荷壳牌集团董事长罗贺利来华参加两地顾问委员会会议。在京期间，吴邦国副总理予以会见。

11月28日，英前首相希思致函朱镕基总理，祝贺中国成功发行首家开放式共同基金，并希望中国对怡富资产管理公司申请在华设立首家合资基金管理公司许可事予以支持。

11月25～29日，应财政部邀请，英财政国务大臣保罗·波腾访华，与财政部副部长金立群共同主持中英财金对话机制第二次会议。在京期间，李岚清副总理和财政部长项怀成分别会见或宴请。波还拜会了保监会、国家计委、海关总署和人民银行等单位负责人。

12月11～14日，应湖北省政府邀请，英下院副议长弗兰克·库克访华，参加第七届中国食品博览会。

据中国海关总署统计，2001年，中英贸易额达103亿美元，比2000年增长4.1%。其中中方出口额为67.8亿美元，比2000年增长7.5%，进口额为35.2亿美元，比2000年减少1.8%。截至2001年12月，英国对华投资项目共计3072个，实际使用金额98.4亿美元，居欧盟国家首位。其中2001年英对华投资项目为269个，合同金额15.66亿，比2000年增加95.3%，实际使用资金10.61亿，比2000年下降8%。

三、文化交流及其他往来

1月27日，中科院院士、复旦大学前校长杨福家被英诺丁汉大学聘为第五任校长。教育部长陈至立发贺信。英国著名的诺丁汉大学聘请中国教育家担任校长在历史上是首次。

2月23日至3月4日，应中华全国总工会邀请，英职工大会总书记蒙柯斯率团访华。全国人大副委员长何鲁丽、劳动和社会保障部部长张左己予以会见，全总副主席、书记处书记徐锡澄主持会谈。

3 月 18～22 日，应教育部邀请，英教育就业国务大臣布莱克斯通率高教代表团访华。教育部副部长韦钰、科技部副部长吴忠泽予以会见。

3 月 20 日，应世界银行和英国文化委员会邀请，科技部副部长马颂德出席在英举行的"知识促进发展"政策论坛。

3 月 24～31 日，应英铁路集团公司邀请，铁道部副部长刘志军访英。

4 月 1～4 日，国务院台办主任陈云林率团访英，会见了英外交部常务次官克尔。

4 月 8～14 日，应英外交部邀请，公安部总督察长、副总警监祝春林访英。

4 月 18～23 日，中科院副院长陈竺赴英参加第六届人类基因大会。

4 月 24～28 日，应中国国际交流协会邀请，新英共总书记安迪·布鲁克斯访华。

5 月 7～11 日，全国人大常委会委员、华侨委员会副主任委员徐惠滋访问英国。

5 月 19～24 日，应英卫生部邀请，卫生部副部长朱庆生赴英考察。

6 月 7 日，国家自然科学基金委员会为江泽民主席给英《自然》杂志论文集《腾飞之龙》题写中文书名举行交接仪式，陈佳洱主任和英驻华大使高德年等出席。

9 月 30 日至 10 月 3 日，应英工党邀请，中国国际交流协会代表团赴英出席工党年会。

10 月 7 日，中英城市社区服务与贫困救助项目启动。这是中国在城市社区卫生领域接受无偿援助规模最大的国际项目。

10 月 7～14 日，驻英使馆成功举办"山东文化周"活动。

11 月 6 日，应英议会和科学委员会主席伊恩·吉布森的邀请，全国政协教科文卫体委员会主任孙隆春率团访英。

11 月 19 日至 12 月 7 日，中英区域维和民警培训班在北京成功举办。乔宗准副外长出席了培训班闭幕式。

12 月 4～7 日，中组部副部长赵洪祝率中国高级人员管理代表团访英。

12 月 12～17 日，应大英博物馆邀请，河北省副省长刘健生率河北省文物代表团访英。

2001 年，英国在华留学生共 699 名。

四、军事交往

5 月 14～17 日，应英国常务副国防参谋长阿伯特海军上将邀请，中央军委委员、总后勤部长王克上将率团访英。期间，与阿伯特举行了会谈，会见了英国防后勤部长科恩陆军上将，参观了维顿英军空中装备保障部、皇家司礼炮兵部队并听取了英国防卫生署的情况介绍。

6 月 16～21 日，应海军司令员石云生上将邀请，英海军参谋长奈杰尔·埃森海上将一行访华。中央军委副主席、国务委员兼国防部长迟浩田上将予以会见，石云生与埃会谈。

8 月 12～16 日，应英国防部邀请，总参外办詹懋海主任访英，期间，会晤了英国防副参谋长巴格尔内空军上将，助理国防参谋长霍伯特空军少将和外交部中国司副司长魏儒德等。双方均表示愿进一步加强两国、两军关系。巴格尔内上将邀请熊光楷副总参谋长明年访英。

9 月 30 日至 10 月 3 日，应英皇家海军邀请，东海舰队参谋长吴福春少将率中国海军舰艇编队访问英国朴茨茅斯军港，会见了英海军参谋长埃森海上将等。

10 月 17～21 日，应空军司令员刘顺尧上将邀请，英空军参谋长斯夸尔上将访华。中央军委副主席、国务委员兼国防部长迟浩田上将予以会见，刘顺尧司令员与斯会谈并主持欢迎宴会。

第 13 节　中国同爱尔兰的关系

2001 年，中华人民共和国同爱尔兰的友好合作关系取得重要进展。

一、政治关系与重要往来

9 月 2～5 日，应爱总理埃亨邀请，国务院总理朱镕基对爱尔兰进行正式访问，这是中国总理首次访问爱尔兰。朱总理与埃亨总理举行了会谈，分别会见了爱总统麦卡利斯、众议长帕蒂森和参议长马鲁里，双方就加强双边合作以及共同关心的国际和地区问题交换了意见。两国总理共同出席了两国文化合作谅解备忘录签字仪式。朱总理还出席了埃亨总理举行的欢迎宴会以及爱经济界人士早餐会并讲话，赴凯里参观访问，听取了香农开发署和法思科金融电子服务公司情况介绍并出席了科恩外长举行的晚宴。

2 月 22～25 日，外交部部长助理马灿荣赴爱尔兰与爱外交部秘书长麦坎南举行了政治磋商。

4 月 17 日，全国人大"中国—爱尔兰友好小组"成立，全国人大常委会委员贾志杰任主席，广东省人大常委会主任张帼英（女）任副主席。

5 月 28 日至 6 月 2 日，全国政协副主席宋健赴爱参加联合国"不同文明对话知名人士小组"第三次会议。

10 月 9～14 日，应爱尔兰国家妇女协会的邀请，全国人大常委会副委员长、全国妇联主席彭珮云率中国妇女代表团访爱，会见了爱副总理哈尼、众议长帕蒂森和司法部国务部长华莱士，并出席了国防部长史密斯在其选区举行的晚宴。

爱方访华的还有：爱财政部国务部长马丁·卡伦（3 月），参议员詹姆斯·沃尔什（5 月），都柏林市市长埃亨（5 月），爱农业部国务部长诺埃尔·戴文（5 月）。

二、经济技术合作与贸易关系

4月9日，中爱第七届经贸科技混委会在北京召开，双方就两国经贸关系和促进双向投资、劳务合作、欧盟对华反倾销等具体问题交换了意见。会前，外经贸部副部长张祥会见了爱方代表团成员。

7月1～5日，应爱尔兰中央银行邀请，中国证监会主席周小川访爱。

10月23～28日，"爱—中协会"主席、IONA公司总裁克瑞斯·霍恩访华。

11月8日，中国国际贸易促进委员会成立"中—爱商业协会"，秘书处设在贸促会国际联络部。

据中国海关总署统计，2001年，中国同爱尔兰的贸易总额为11.43亿美元，其中中方出口额为5.30亿美元，进口额为6.13亿美元，分别比去年增长57.7%和62.3%。

三、文化交流及其他往来

1月15～20日，爱尔兰文化部长德瓦勒拉女士访华。期间，文化部长孙家正予以会见。双方同意积极推动两国在文化、艺术、影视等方面的交流与合作。

2月16～23日，爱尔兰教育科学部长伍兹访华，会见了陈至立部长，中爱正式签署了《教育合作协定》。

2001年，爱尔兰在华留学生52名。

第14节　中国同奥地利的关系

2001年是中华人民共和国同奥地利共和国建立外交关系30周年。两国关系发展顺利，势头良好。

一、政治关系与重要往来

5 月 15～19 日，应江泽民主席邀请，奥地利总统克莱斯蒂尔访华。江主席、钱其琛副总理分别会见。17 日，克莱斯蒂尔总统和全国人大常委会副委员长田纪云共同出席了庆祝中奥建交 30 周年招待会。克一行还访问了上海。

3 月 1～4 日，外交部部长助理马灿荣赴奥进行政治磋商。

4 月 19～29 日，应全国对外友协邀请，奥地利国民议会第三议长、前国防部长法斯尔阿本德访华。全国人大常委会委员长李鹏、副委员长布赫及中央军委副主席、国务委员兼国防部长迟浩田上将分别会见。

5 月 26 日，外交部长唐家璇会见来京出席第三届亚欧外长会议的奥地利外长费蕾罗·瓦尔德纳，并共同出席了中奥建交 30 周年特种纪念封发行仪式。

7 月 10～15 日，奥地利内政部长施特拉瑟尔应公安部邀请访华，并签署了两部合作协议。国务委员罗干会见。

中方访奥的还有：中共中央党校副校长郑必坚（5 月），教育部长陈至立（6 月），中央统战部副部长刘延东、中科院院长路甬祥、中国侨联主席林兆枢、外交学会会长梅兆荣（10 月）。

奥方访华的还有：奥地利工会联合会、欧洲工会联合会主席维尔策特尼茨（7 月），奥地利社民党主席古森鲍尔（8 月），奥地利国民议会人民党议会党团主席科尔（8 月），奥地利教育、科学和文化部长格勒（8 月），奥地利联邦新闻局局长施托帕赫（9 月）。

二、经济技术合作与贸易关系

5 月 16～17 日，国家环保总局局长解振华、外经贸部副部长安民、铁道部部长傅志寰、水利部部长汪恕诚分别与随同总统访华的奥地利经济部长巴尔滕施泰因进行工作会谈。随总统访华的奥企业家代表团与中方共签署了合同、协议和议向书 27 个，金额近 3 亿美元。

9 月 3～4 日，中奥科技合作混合委员会第六次会议在北京举行。

2001 年，奥地利在华投资项目 47 个，协议金额 3.30 亿美元，实际利用 5758 万美元。从奥技术引进合同 49 个，合同金额 2.92 亿美元。

据中国海关总署统计，2001 年，中国同奥地利贸易总额为 10.1 亿美元，比 2000 年增加 30%。其中中方出口额为 3.5 亿美元，进口额为 6.6 亿美元，分别比 2000 年增加 14.5% 和 40%。

三、文化交流及其他往来

1 月 7 日，中央电视台和中国广播民乐团在奥地利维也纳金色大厅举办中国民族交响音乐会。奥外长费蕾罗—瓦尔德纳、国民议会第三议长法斯尔阿本德等多位政要出席。

3 月 19~23 日，全国对外友协会长陈昊苏访奥，并参加奥中友协、苏海文—中国基金会联合奥外交部、教科文部及联邦商会和华人委员会在维也纳举办的“中奥伙伴关系”研讨会。

5 月 26 日，文化部副部长孟晓驷和奥地利外长费蕾罗—瓦尔德纳共同出席奥地利画家费西庭尔和旅奥中国画家李彦平在北京举办的《中奥友谊的桥梁》作品展开幕式。

7~9 月，文化部在奥地利举办《中国现代水墨画和雕塑展》。

10 月 31 日至 11 月 3 日，奥地利联邦总理府国务秘书莫拉克率团参加第三届上海国际艺术节。

11 月 30 日，文化部长孙家正访奥，与奥地利外长瓦尔德纳分别代表两国政府签署了《中华人民共和国政府和奥地利共和国政府文化合作协定》。奥总统克莱斯蒂尔会见。

此外，上海民乐团赴奥访演，奥地利维也纳广播交响乐团、萨尔茨堡青年爱乐乐团、施特劳斯交响乐团先后来华演出。

2001 年，奥地利在华留学生为 143 名。

四、军事往来

5 月，奥地利国防部第四部部长科利爱里上将应总后勤部邀请访华。

10 月，奥地利政治战略学会会长麦岑访华。

11 月，总后勤部政委周坤仁上将率中国人民解放军友好代表团访奥。

第 15 节　中国同列支敦士登的关系

近年来，中国同列支敦士登的关系发展平稳。

一、政治关系与重要往来

1994 年 5 月 28 日，列亲王菲力浦来北京进行私人公务旅行。

1995 年 9 月，列外长安德丽娅·维利来华参加第四届世界妇女大会。

1996 年 10 月 7～19 日，列王子马克西里米安随旅游团赴西藏旅游，西藏自治区副主席次仁卓嘎会见并宴请列王子。

1997 年 3 月 3 日，应列外长安德丽娅·维利邀请，外交部副部长王英凡对列进行正式友好访问，与列首相马里奥·弗里克、副首相托马斯·比谢尔会晤，并与维利外长进行工作会谈。这是中列建交以来中方对列的最高级别的访问。

1998 年 1 月 21～23 日，列国家元首、公爵汉斯·亚当二世来华作私人旅行，并以美国德克萨斯水稻技术公司资助人身份与湖南省水稻研究中心草签了建立合资公司的合同。

2000 年 9 月，中列建交 50 周年，国家主席江泽民和列国家元首、公爵汉斯·亚当二世以及外交部长唐家璇与列外长安德丽娅·维利互致贺电。

二、经贸关系

据中国海关总署统计，2001 年中列贸易总额为 154 万美元，比 2000 年增长 19.2%，其中中方出口额为 112 万美元，增长 399.8%，进口额为 42 万美元，减少 60.7%。

以生产建筑业系列工具产品著名的列最大工业企业希尔弟公司已在北京、上海、广东等地设立了 20 多个销售中心，并于 1995 年 5 月在广东省湛江市建立了工厂。

三、文化交流

1996 年 7 月，根据浙江省文化厅与列阿特拉纳基金会达成的画家交流协议，浙江省官明等三位画家画展在列举行。

1996 年 5 月，中国集邮总公司与列邮票局合作在京首次举办列国邮票展。

1997 年 8 月，中国集邮总公司与列邮票局合作在列举办中国邮票展。

1998 年 10 月，列埃琛市光谱摄影俱乐部在列举办中国摄影艺术展。

2000 年 9 月，中国集邮总公司与列邮票局联合发行纪念中列建交 50 周年纪念封。

第 16 节　中国同瑞士的关系

2001 年，中华人民共和国同瑞士联邦政治关系发展平稳。

一、政治关系与重要往来

4 月 5~7 日，瑞士外交部国务秘书冯·达尼肯访华并与王光亚副部长就双边关系和共同关心的国际问题举行政治磋商，唐家璇外长会见。

9 月 7 日，中央军委副主席、国务委员兼国防部长迟浩田上将过境瑞士，瑞国防部长施密特礼节性会见。

9 月 28 日，江泽民主席致电瑞士联邦主席洛伊恩贝格，对瑞士楚格州州议会发生暴力事件表示慰问。洛伊恩贝格主席复电感谢。

12 月 14 日，应瑞士外交部国务秘书冯·达尼肯的邀请，外交部副部长王光亚访瑞并与其进行政治磋商，瑞士外长戴斯会见。

中方访瑞的还有：全国人大外委会主任委员曾建徽（5 月），国务院新闻办主任赵启正（9 月），北京市长刘淇、江苏省委书记回良玉、甘肃省省长陆浩、民航总局局长刘剑峰、河北省省长钮茂生、全国人大常委会委员盛华仁（10 月），上海市委副书记罗世谦（9 月，上海申办 2010 世博会代表团）。

瑞方访华的还有：欧盟委员会前副主席、瑞银华宝全球执行总裁布里坦（3 月），苏黎世第一副市长瓦格纳（10 月）。

二、经贸关系

5 月 8～13 日，中瑞中小企业招商洽谈会在瑞士举行。

9 月 16～21 日，中瑞经贸混委会第十五次会议在北京举行。

据中国海关总署统计，2001 年中国同瑞士贸易总额为 23.81 亿美元，比 2000 年增加 7.8％，其中中方出口额为 6.51 亿美元，下降 12.8％，进口额为 17.3 亿美元，增加 18.4％。

三、文化交往和其他往来

3 月 18～25 日，傅铁山主教率中国基督教协会代表团访瑞。

4 月，应上海大剧院邀请，日内瓦室内乐团在上海举办音乐会。

9 月，国家文物局局长张文彬访问苏黎世，并同里特贝格博物馆签署了 2002 年在苏黎世举行青州石刻展协议。

10 月 10～21 日，瑞士阿彭策尔州原州长、现联邦议员洛普弗率民间艺术团访华，在北京举行了中瑞民间艺术展。

11 月 7～9 日，应上海演出公司邀请，瑞士洛桑贝嘉芭蕾舞团在北京、上海两地演出，并参加了上海第三届国际艺术节。

2001 年，瑞士在华留学生为 201 人。

第 17 节　中国同法国的关系

2001 年，中华人民共和国同法兰西共和国的关系发展势头良好，两国在各领域的友好合作进一步加强。

一、政治关系与重要往来

4 月 4 日，中国国家主席江泽民出访拉美途经法属波利尼西亚的塔希提岛，法国总统希拉克致函问候江主席，并对中法关系的发展势头表示满意。江主席复函希拉克总统，对在塔希提受到的热情接待向希拉克致谢，并表示愿继续推动中法关系进一步发展。

11 月 1～6 日，中国国家副主席胡锦涛对法国进行正式访问，会见了法国总统希拉克、总理若斯潘、参议长蓬斯莱、国民议会议长伏尔尼、国防部长里夏尔、外交部长韦德里纳等人，与他们就双边关系和共同关心的重大国际问题交换了意见，并在法国际关系研究所发表了演讲。

4 月 14～21 日，国务院副总理李岚清应法政府邀请对法国进行正式访问，分别会见了法国总统希拉克、总理若斯潘、外长韦德里纳、宪法委员会主席盖纳、文化部长塔斯嘉、法中委员会主席德鲁瓦耶等人。访问期间，双方签署了关于中法两国互设文化中心的会谈纪要。

6 月 23～27 日，国务院副总理吴邦国应法国政府邀请对法国进行正式访问，会见了法总统希拉克，并与法经济、财政和工业部长法比尤斯会谈。双方主要就两国关系及加强经贸合作交换了意见。

1 月 10 日，江泽民主席致函法国总统希拉克，感谢其 2000 年底来函通报欧盟尼斯首脑会议的成果和对欧洲建设进程的看法，希望欧盟建设的进展能进一步推动中国与欧盟建立在平等互利基础上的友好合作关系。

1月12日，钱其琛副总理会见来访的法国参议院外交、国防和军队委员会主席维乐彬。11日，外交部部长助理马灿荣亦会见了维。

3月31日至4月2日，唐家璇外长应邀对法国进行正式访问。唐外长会见了希拉克总统，与韦德里纳外长举行会谈，就中法关系及共同关心的重大国际问题交换了意见。

5月25日，钱其琛副总理会见了来华参加第三届亚欧外长会议的法外长韦德里纳。同日，唐家璇外长亦会见了韦。双方就双边关系和共同关心的国际问题交换了意见。

6月2日，全国人大常委会副委员长彭珮云会见了访华的法共国际部长西雷拉一行。

6月8日，唐家璇外长与法外长韦德里纳通话，就伊拉克和中东等问题交换了看法。

6月29日至7月5日，全国人大常委会副委员长何鲁丽率人大代表团访法，会见了法国参议院议长蓬斯莱、法国国民议会议长伏尔尼。

7月2～3日，中法元首热线第三轮磋商在京举行，双方签署了《中华人民共和国中南海电信局与法兰西共和国总统特别参谋部关于建立两国元首间热线的技术议定书》。外交部部长助理马灿荣出席了签字仪式并会见了双方代表团全体成员。

7月25日，法总统希拉克致函李岚清副总理，就李副总理此前应索赠其《李白研究论文集》表示感谢。

9月6日，胡锦涛副主席会见了应中联部邀请访华的法国保卫共和联盟（戴党）主席阿利奥·玛丽。5日，外交部部长助理周文重亦会见了阿。

9月18日晚，江泽民主席与法国总统希拉克通话，就美遭恐怖袭击事件后的国际形势问题交换意见。9月20日晚，希拉克访美结束后与江主席通话，通报其访美有关情况。

9月23日，江泽民主席就法国图卢兹市发生石油化工厂爆炸事向法国总统希拉克发慰问电，希拉克于27日回信致谢。

10月23日晚，江泽民主席与法国总统希拉克通电话，江主席向对方通报了上海APEC会议及中美首脑会晤的有关情况，双方还就双边关系和阿富汗局势等问题交换了意见。

11月24日，李鹏委员长会见来华访问的法国前国务部长、上塞纳省议长夏尔·帕斯瓜。

12月6日，法国外长韦德里纳致函唐家璇外长，通报法在阿富汗实施《波恩协议》问题上的考虑。

12月18日，法外长韦德里纳致函唐家璇外长，邀请中国参加即将在巴黎举行的关于"防止弹道导弹扩散国际行为准则（ICOC）"草案的第一轮谈判。

12月31日，唐家璇外长致函法外长韦德里纳，通报访问中东四国的有关情况。

二、经济技术合作与贸易关系

3月22日，朱镕基总理会见来华参加第七届中法经济研讨会的法前总统德斯坦一行。同日，由中国贸促会和法国法中委员会联合举办的第七届中法经济研讨会在京开幕。国务委员吴仪、法前总统德斯坦出席并致开幕词。

5月26日至6月2日，财政部部长项怀诚应法国经济、财政和工业部部长法比尤斯邀请访法，双方签署了中法财政合作议定书。

6月3～10日，法国经社理事会主席戴尔马涅率团访华，李鹏委员长予以会见。

10月17日，中法经济贸易混合委员会第十四次会议在巴黎召开。外经贸部副部长张祥与法外贸国务秘书于瓦尔共同主持了混委会。

10月18日，第七次中法国企改革与农业问题研讨会在西安召开，全国人大常委会副委员长邹家华会见了来华与会的法国经社理事会主席戴尔马涅，并出席了开幕式。

10月28日，李岚清副总理在四川成都会见了来华参加中法经济研讨会的法国前总理雷蒙·巴尔。研讨会于10月29日在成都举行，主题为"西部开发与城市发展"。

11月6～9日，法国经济、财政和工业部部长法比尤斯访华。江泽民主席予以会见，财政部长项怀诚与之举行会谈。

11月20～21日，法国外贸国务秘书于瓦尔率团访华，出席在京举行的"新千年——法国高新技术博览会"揭幕仪式。

据中国海关总署统计，2001年中法双边贸易总额为77.9亿美元，同比增长1.8%，其中中方出口额为36.9亿美元，同比下降0.5%，进口额为41亿美元，同比增长3.9%。

据外经贸部统计，截至2001年底，法在华直接投资项目1869个，协议投资额约62.6亿美元，实际投入50.7亿美元，在欧盟国家中居英国和德国之后列第三位。

三、文化交流及其他往来

1月11日，中国现代水墨画与雕塑展在巴黎卡丹艺术中心开幕。

2月7～10日，应法研究部长斯瓦森伯格和世界生命科学论坛的邀请，科技部部长朱丽兰对法进行正式访问并出席在法举行的世界生命科学论坛。

3月24～30日，中国反邪教协会秘书长王渝生率反邪教协会工作小组赴法考察访问。

4月10～16日，应法国研技部长斯瓦森伯格邀请，科技部徐冠华部长率科技代表团访法。

4月18～20日，中共中央政治局委员、中国社会科学院院长李铁映应法国科研中心的邀请，率中国社科院学者代表团访问法国。

5月14～21日，全国政协副主席陈锦华应邀赴法出席国际能源署2001年成员国部长级年会，并应法经社理事会邀请顺访里昂。

5 月 25 日，希拉克总统参观法国电力公司资助的塔克拉玛干克里雅河中法考古发现展。

6 月 18 日，唐家璇外长会见了前来参加中法互办文化年混委会第一次会议的法方组委会主席安格勒米一行。

7 月 24 日，法农业科学研究院院长艾尔维与深圳市东江环保技术有限公司签署了建立中法环境生物科技研究实验室的合作协议。

9 月 17～22 日，全国人大常委会副委员长、自然科学基金委管理科学部主任成思危赴法出席"中法管理与决策分析研讨会"和中法复杂性科学研讨会。

2001 年，法国在华留学生 1057 名。

四、军事往来

4 月 22～27 日，海军司令员石云生上将应法海军参谋长德洛奈上将的邀请，率领中国人民解放军海军代表团访法，会见了法三军参谋长凯勒什上将和国防部长外事顾问勒谢尔维，并与法海军参谋长德洛奈上将会谈。

10 月 4～7 日，吴福春少将率中国海军舰艇编队访法。

11 月 5～10 日，法国海军"葡月"号轻型护卫舰访问广州。

第 18 节　中国同摩纳哥的关系

2001 年，中华人民共和国同摩纳哥公国的关系顺利发展。

一、政治关系与重要往来

4 月 1 日，外交部部长唐家璇访问法国期间赴摩纳哥出席摩国务大臣勒克莱尔举行的午宴。

6 月 5 日，中国驻马赛兼驻摩纳哥公国总领事陈美芬会见摩君主兰尼埃三世和王储阿尔贝，并转达中国领导人对摩君主 78 寿辰的良好祝愿。

11 月 27 日至 12 月 3 日，上海市市长徐匡迪赴法参加国展局第 130 次大会期间顺访摩纳哥。

二、经贸关系

据中国海关总署统计，2001 年中国同摩纳哥的贸易总额约为 368 万美元，同比增长 27.8%，其中中方出口额约为 221 万美元，增长 40.9%，进口额约为 147 万美元，增长 4.6%。

三、文化交流及其他往来

7 月 17 日，西安秦兵马俑展在摩纳哥格里马尔迪宫举行。

第 19 节　中国同安道尔的关系

2001 年，中华人民共和国同安道尔公国的关系发展良好。

一、政治关系与重要往来

3 月 8 日，朱镕基总理致电安道尔首相福尔内，祝贺其再次当选连任。

4 月 5 日，全国人大常委会委员长李鹏和唐家璇外长分别致电安道尔议长阿雷尼和新任外交大臣米诺韦斯，对其连任和就任表示祝贺。

二、经贸往来

据中国海关总署统计，2001 年中国同安道尔贸易总额为 17.3 万美元，全部为中方出口，2000 年下降 54.5%。

第 20 节　中国同意大利的关系

2001 年，中华人民共和国同意大利共和国关系发展平稳，各个领域友好合作取得新进展。

一、政治关系与重要往来

1 月 15～17 日，应朱镕基总理的邀请，意总理阿马托对中国进行正式访问。朱总理同阿马托总理举行了会谈，江泽民主席和钱其琛副总理分别予以会见。除北京外，阿马托总理还赴上海参观访问，上海市长徐匡迪会见并宴请了阿马托总理一行。

3 月 20 日，意外长迪尼访日回国途经北京，唐家璇外长应邀同其共进工作午餐。

4 月 2～8 日，应意内政部邀请，中国公安部督察长祝春林率团访意，与意内政部部长比安科举行会谈，并签署了《中华人民共和国政府和意大利共和国政府关于打击犯罪的合作协议》。

4 月 11～19 日，应最高人民检察院检察长韩杼滨的邀请，意总检察长法瓦拉访华。

5 月 23～25 日，意外长迪尼来华参加第三届亚欧外长会议。期间，唐家璇外长与迪尼外长进行了双边会晤。

6 月 10～13 日，应意左民党邀请，中联部部长戴秉国访意。

7 月 8～14 日，应意议会邀请，全国人大常委会副委员长何鲁丽访意。期间，会见了意众议院议长卡西尼和副总理菲尼。

9 月 16～23 日，公安部长贾春旺与意内政部长斯卡约拉在北京共同主持了亚欧执法机构打击跨国犯罪研讨会。

11 月 11 日，唐家璇外长在纽约出席联大会议期间会晤了意外长鲁杰罗，双方就双边关系和共同关心的国际问题交换了意见。

意方访华的还有：意众议院农业委员会主席费拉里（1 月），意左民党主席、前总理达莱马（7 月），意民社党执委、众议院党团主席英蒂尼（8 月），意劳盟农业食品工会代表团（9 月）。

二、经济技术合作与贸易关系

2 月 21～25 日，应贸促会邀请，意菲亚特集团总裁兼首席执行官保罗·康瑞纳访华，江泽民主席、李岚清副总理分别予以会见。

2 月 22～28 日，应意国家科研委员会邀请，林科院院长江泽慧率团访意。期间，江院长同意国家科研委员会主席比安科举行会谈并签署了《中国林科院与意大利国家科研委员会 2001～2003 年科技合作协议》。

4 月 7～9 日，应意新技术能源和环境委员会主席、诺贝尔物理奖获得者鲁比亚的邀请，科技部部长徐冠华率团访意。

6 月 7～13 日，应意奥利维蒂公司邀请，信息产业部副部长曲维枝访意。

7 月 2～7 日，科技部副部长程津培访意并出席在米兰举办的"今日中国科技"展。

7 月 28 日至 8 月 12 日，应意第三世界科学院执行主任邀请，中科院副院长许智宏访意。

9 月 10～15 日，应意环境部长邀请，国家环保总局局长解振华访意。

10 月 3～11 日，应意政府邀请，财政部部长项怀诚率团访意。

10 月 11～12 日，应意工业企业联合会邀请，全国人大常委会委员盛华仁赴意参加意—中中小企业论坛。

11 月 24～30 日，外经贸部副部长周可仁率经贸代表团访意并参加了中意经济合作混委会第六次会议。

11 月 27～30 日，应国家环保总局邀请，意环境部部长马特利访华。

据中国海关总署统计，2001 年，中意双边贸易总额为 77.82 亿美元，同比增长 13.1%。其中中方出口额为 39.93 亿美元，进口额为 37.89 亿美元，同比增长 5% 和 23.1%。

三、文化交流及其他往来

4月6~8日，应意联合国教科文全国委员会主席邀请，教育部副部长韦钰访意。

5月24~26日，意公共事务部部长巴萨尼尼出席在上海举办的第二届亚太地区城市信息化高级论坛。

6月23日，帕瓦罗蒂等世界三大男高音应邀联袂在故宫演出，支持北京申办2008年奥运会。

2001年，意大利在华留学生共502名。

四、军事往来

5月28日，在北京航空博物馆举行了意空军向中国空军赠送退役F-104飞机的交接仪式。

6月2~9日，应总参通信部邀请，意国防通信部部长罗伯托中将率团访华。

8月20~24日，意海军"圣·朱斯托"号两栖登陆舰访问上海。

9月20~24日，应中央军委委员、总装备部部长曹刚川上将的邀请，意国防秘书长兼国家装备主任迪保拉海军中将率团访华。

7月11~16日，应意宪兵司令西拉库萨中将的邀请，武警部队副司令员张进宝中将率团访意。

10月13~17日，应意海军邀请，中国海军舰艇编队对意进行了正式友好访问。

12月12~14日，应意国防副参谋长邀请，中央军委委员、常务副总参谋长郭伯雄上将访意。

第21节　中国同圣马力诺的关系

2001年，中华人民共和国同圣马力诺共和国的关系发展良好。

为庆祝中圣建交30周年，中圣联合发行了"中圣建交30周年纪念封"。

据中国海关总署统计，2001 年中国和圣马力诺双边贸易总额为 40 万美元，比 2000 年增长 33.9%，其中中方出口额为 38 万美元，进口额为 2 万美元。

第 22 节　中国同梵蒂冈的关系

中华人民共和国同梵蒂冈城国无外交关系，梵与台湾当局保持所谓"外交关系"。

中华人民共和国成立后，梵蒂冈拒不承认，并对中国内政进行粗暴干涉，反对中国天主教徒的爱国运动。中国广大爱国天主教徒对此予以强烈谴责，并决心走独立自主自办教会的道路。近年来，梵蒂冈表示希望同中国改善关系，但仍同台湾省保持着"外交关系"，继续干涉中国内政。尤其严重的是，2000 年 10 月 1 日，梵蒂冈不顾中方的强烈反对，将近代史上曾经在中国犯下丑恶罪行的一些外国传教士及其追随者封为"圣人"，引起中国政府和人民以及中国天主教会极大愤慨。2001 年 10 月 24 日，教皇在有关利玛窦的研讨会上发表书面致词，就教廷在历史上及近期对中国天主教会犯下的错误表示某种程度的歉意，但未就"封圣"事件给中国人民造成的严重伤害作出明确道歉。中国政府对此表示遗憾。

中国政府对同梵蒂冈改善关系的基本立场是：一、梵蒂冈必须断绝同台湾的所谓"外交关系"，承认中华人民共和国政府是中国惟一合法政府，台湾是中国领土不可分割的一部分；二、梵蒂冈不得干涉中国的内政，包括不以宗教事务为名干涉中国的内部事务。

第 23 节　中国同西班牙的关系

2001 年，中华人民共和国同西班牙王国的关系发展良好。

一、政治关系与重要往来

4月18日，江泽民主席在访问拉美六国后经停西班牙大加那利岛，与胡安·卡洛斯一世国王和阿斯纳尔首相分别通了电话。

11月6～8日，应西首相阿斯纳尔邀请，胡锦涛副主席对西进行正式访问。访问期间，胡副主席会见了胡安·卡洛斯一世国王，与阿斯纳尔首相举行了会谈，并在西企业家组织联合会发表了讲话。胡副主席还访问了巴塞罗那，会见了加泰罗尼亚自治区政府主席普约尔和巴塞罗那市长克洛斯。

4月21～24日，应西马德里自治大学邀请，中共中央政治局委员、社会科学院院长李铁映率团访西，会见了胡安·卡洛斯一世国王和科技大臣比鲁雷斯并与马德里自治大学签署了合作交流协议。

4月25～30日，应西政府邀请，中共中央政治局委员、上海市委书记黄菊访西，与拉托副首相兼经济大臣进行了会谈，会见了阿斯纳尔首相、加泰罗尼亚自治区政府主席普约尔和巴塞罗那市长克洛斯。

5月20～23日，应唐家璇外长邀请，西外交大臣皮克出席北京亚欧外长会议前顺访中国。钱其琛副总理会见，唐外长与皮举行了双边会谈。

6月5～6日，应外交部部长助理马灿荣邀请，西外交国务秘书纳达尔访华。马部长助理与纳进行了会谈，唐家璇外长会见。

6月12～17日，应西第二副首相兼经济大臣拉托的邀请，国务院副总理吴邦国对西进行正式访问。访问期间，吴副总理会见了胡安·卡洛斯一世国王和费利佩王储，与拉托副首相进行了会谈。除马德里外，吴副总理还访问了巴塞罗那和帕尔马。

11月13～14日，应外交部邀请，西班牙外交国务秘书纳达尔访华，与马灿荣部长助理进行了磋商，并出席李肇星副部长举行的晚宴。

中方访问西班牙的还有：中央机构编制委员会办公室主任张志坚（5月），重庆市长包叙定（6月），陕西省省长程安东、海南省省长汪啸风、中央机构编制委员会办公室副主任王澜明（9 月，中共代表团参加西班牙共产党第 26 届党节）。

西方访华的还有：西参议院外委会主席埃洛里亚加（7 月），西众议院外委会主席托西诺（7 月）。

二、经济技术合作与贸易往来

6 月 4～10 日，应西国家工业参股公司邀请，国防科工委副主任张洪飚率团访西。

9 月 10 日，在越南河内第三届亚欧经济部长会议期间，外经贸部副部长孙振宇与西经济部外贸秘书长乌切拉进行了双边会晤，双方就两国经贸关系、世贸组织新一轮谈判、上海申办 2010 年世博会等问题交换了意见。

10 月 22～24 日，外经贸部副部长张祥率经贸代表团访问西班牙并参加在马德里举行的中西经贸混委会第 17 次会议。张祥副部长会见了西财政大臣蒙特罗，并与西经济部国务秘书科斯塔共同主持了混委会会议，双方就加强两国经贸财政合作问题交换了意见。

11 月 7～8 日，应广东省委书记李长春的邀请，西第二副首相兼经济大臣拉托访问广东并出席了"中西企业合作交流会"的开幕式。

据中国海关总署统计，2001 年中国同西班牙的贸易总额为 29.76 亿美元，比 2000 年增长 8.3％。其中中方出口额 22.62 亿美元，进口额 7.14 亿美元，分别比 2000 年增长 6.5％和 14.7％。

2001 年，中国使用西政府贷款 5000 万美元，用于 9 个项目；从西引进技术合同 24 个，总金额为 5016 万美元；西在华投资 65 个项目，合同金额 5781 万美元，实际利用 3377 万美元。

三、文化交流及其他往来

12 月 4～7 日，应西政府邀请，文化部长孙家正访西，会见了西参议院副议长、西外交部国务秘书和巴塞罗那市长。

12 月 6 日，中西科技混委会第六次会议和文化、教育混委会第七次会议在北京召开，西外交部国务秘书科尔特斯率团访华并与会。唐家璇外长会见了科一行。

2001年，西班牙在华留学生为132名。

四、军事往来

10月19～24日，应西国民警卫部队邀请，中国武警后勤部部长刘世民少将率团访西。

12月14～18日，应西国防参谋长邀请，中国人民解放军副总参谋长郭伯雄上将率团访西。

第24节　中国同葡萄牙的关系

2001年，中华人民共和国同葡萄牙共和国的友好合作关系继续平稳发展。

一、政治关系与重要往来

4月30日至5月2日，应葡社会党邀请，中共中央政治局委员、上海市委书记黄菊访葡，会见了葡总统桑帕约、总理古特雷斯和议长桑托斯，与社会党国际书记拉梅戈举行了会谈。

5月21日，葡外交部对外政策总司长卡洛斯来华同中国外交部进行政治磋商。外交部部长助理马灿荣与卡举行会谈，王光亚副部长会见。

5月23日，应澳门特区行政长官何厚铧邀请，葡外长伽马访澳，何特首与伽会见。

5月24～26日，葡国务部长兼外长伽马来华参加第三届亚欧外长会议。25日，唐家璇外长与伽举行了双边会晤。

6月16～20日，应葡总检察长德莫拉的邀请，最高人民检察院总检察长韩杼滨访问葡萄牙，与德举行会谈并签署两国最高检察院合作协议，与葡总统桑帕约、议长桑托斯、宪法法院院长科斯塔和司法部长科斯塔举行会谈。

7月9～11日，葡萄牙外交部秘书长萨尔盖罗访华，外交部部长助理张业遂与萨举行了会谈，唐家璇外长会见。

7月27日至8月2日，新华社副社长张宝顺访葡，与葡卢萨社社长马尔克斯举行了会谈，签署《新华社与卢萨社新闻合作协议补充协定》。

9月4～6日，应葡萄牙政府邀请，中共中央政治局委员、书记处书记丁关根访问葡萄牙，分别会见了葡议长桑托斯、文化国务秘书罗德里格斯和新闻国务秘书卡尔瓦略。

中方访葡的还有：证券监督管理委员会副主席史美伦（3月）、中直机关工委副书记王景茂（5月，中共代表团出席葡萄牙社会党第12次全国代表大会）、重庆市长包叙定（6月）等。

二、经济技术合作与贸易关系

据中国海关总署统计，2001 年中葡贸易额为 3.33 亿美元，同比增长 7.9%，其中中方出口额 2.61 亿美元，下降 0.1%，进口额 0.72 亿美元，增长 52.2%。2001 年葡在华投资项目共 6 个，协议金额 2848 万美元，实际使用 2602 万美元。

三、文化交流及其他往来

7月10～12日，葡科技部长伽戈访华，科技部长徐冠华主持会谈，全国政协副主席宋健会见。

10月1～4日，应葡萄牙葡中世代友好联合会邀请，全国政协外事委员会副主任、中葡友好协会会长李景上将率团访葡。

11月3～11日，葡萄牙邮政代表团访华。8日，中国和葡萄牙两国在福建省泉州市联合举行了"古代帆船"特种邮票首发式。

11月25～29日，教育部党组成员张天保应邀访葡，与葡教育部长佩德罗萨举行了会谈。

2001 年，葡萄牙在华留学生 56 名。

四、军事往来

12月18~22日，应葡军队总参谋长阿尔瓦伦加上将邀请，中央军委委员、常务副总参谋长郭伯雄上将访葡，会见了葡国防部长贝纳、总参谋长阿尔瓦伦加及海军参谋长马蒂亚斯。

第25节　中国同希腊的关系

2001年，中华人民共和国同希腊共和国的关系发展顺利，两国在各个领域的友好合作进一步扩大。

一、政治关系与重要往来

12月18~21日，应泛希腊社会主义运动的邀请，中共中央政治局常委、书记处书记尉健行访希。访问期间，泛希社运主席和政府总理西米蒂斯、议长卡克拉马尼斯分别会见。泛希社运中央执委帕普齐斯同尉健行就进一步加强两党和两国关系进行了深入会谈。

5月23日，应外交部邀请，希腊副外长帕帕佐伊访华。王光亚副外长同帕进行了会谈。

6月11~15日，最高人民检察院总检察长韩杼滨应邀访希，与希总检察长伊·迪莫普洛斯举行工作会谈并签署了《中华人民共和国最高人民检察院与希腊共和国最高检察院合作备忘录》。希议长卡克拉马尼斯会见了韩一行。

6月29日，希总理西米蒂斯致电朱镕基总理，对中国东南部地区遭受台风袭击表示慰问。

8月24~29日，应卫生部长张文康邀请，希卫生部长帕帕多普洛斯率团访华。双方就进一步发展两国在卫生领域的合作进行了深入会谈并签署了《中华人民共和国政府和希腊共和国政府关于在卫生领域合作的协议》。

中方访希的还有：安徽省省长田维谦（3月），中共中央党校副校长郑必坚（5月），广东省省长卢瑞华（6月），劳动和社会保障部部长张左己（7 月）。

希方访华的还有：希议会外事及国防委员会主席帕普利亚斯（6 月），希前总理、新民主党名誉主席米措塔基斯（10 月）。

二、经济技术合作与贸易关系

6 月 11～14 日，北京市副市长刘海燕应邀出席在雅典举办的雅典—北京经贸论坛。

6 月 25～29 日，外经贸部副部长张祥同希腊国民经济部副部长扎菲罗普洛斯共同主持召开了第七届中希经贸混委会。

5 月 29 日至 6 月 2 日，信息产业部副部长曲维枝和国务院发展研究中心副主任孙晓郁应邀出席中国驻希大使馆和希中商会联合举办的“中国经济发展和加入世贸组织后的作用”研讨会。

据中国海关总署统计，2001 年中希双边贸易总额为 7.523 亿美元，比 2000 年增长 20％，其中中方出口额 6.938 亿美元，进口额 0.585 亿美元，分别比 2000 年增长 19.8％和 21.8％。2001 年，希腊在华投资项目 8 个，协议投资金额 4090 万美元，同比增长 311％，但实际投资 731 万美元，同比下降 67％。

三、文化交流及其他往来

2 月 22～24 日，应希雅典音乐节的邀请，中国歌剧舞剧院副院长赵宝智率领中国民族音乐团对希进行了友好访问。

4 月 2～6 日，应希发展部和国家旅游组织邀请，以国家计划和发展委员会副主任郝建秀为团长，国家旅游局副局长顾朝曦和国家文物局副局长董保华为副团长的代表团访问希腊。

4 月 5～9 日，中央电视台台长赵化勇应邀访希。

10 月 3 日，由中国中央电视台和上海东方电视台联合主办的大型歌舞晚会“为中国喝彩”在雅典卫城哈罗德露天剧场举行。

11 月 15～20 日，应希红十字会的邀请，中国红十字会常务副会长王立忠率团访希。

2001 年，希腊在华留学生为 45 名。

四、军事往来

8月30日至9月2日，应中央军委委员、总参谋长傅全有上将的邀请，希国防总参谋长帕拉伊乌扎基斯上将访华。在京期间，傅全有总参谋长主持欢迎仪式并举行工作会谈。双方有关方面领导还签署了《中希两军在军训领域合作协议》。国务院副总理钱其琛会见了代表团全体成员。

9月3日，中国人民武装警察部队政治部主任李栋恒中将率工作考察团访希。

第26节　中国同马耳他的关系

2001年，中华人民共和国同马耳他友好合作关系持续发展。两国元首实现互访，双边贸易持续快速增长，各领域的交流有所加强。

一、政治关系与重要往来

7月1～8日，马耳他总统德马科对中国进行工作访问。访问期间，德与江泽民主席举行会谈，并分别会见了朱镕基总理和公安部部长贾春旺，双方就双边关系和共同关心的国际和地区问题交换了意见，德邀请江主席尽快访马，江主席接受了邀请。双方还签署了《中国政府向马耳他政府提供300万元人民币无偿援助的换文》、《中华人民共和国外交部和马耳他外交部关于磋商的谅解备忘录》和《中国外交学院与马耳他地中海外交学院合作协议》。德在外交学院就联合国问题发表演讲并接受了该院授予的"名誉博士"学位。此外，德还出席了马驻华使馆新馆开馆仪式。德一行还赴上海、香港参观访问，分别会见了上海市长徐匡迪和香港特区行政长官董建华。

7月23～25日，应德马科总统邀请，江泽民主席对马耳他进行国事访问。江主席与德马科总统会晤，与阿达米总理举行会谈，并会见了反对党领袖桑特，就两国关系进一步深入交换了意见。双方签署了《中华人民共和国政府与马耳他政府关于设立文化中心的谅解备忘录》、《中华人民共和国政府与马耳他政府 2001～2003 年度文化合作执行计划》和《中华人民共和国旅游局和马耳他旅游部关于中国公民有组织地赴马耳他旅游实施方案的谅解备忘录》，此外，江主席参观了马大港、哈扎伊姆神庙和姆迪纳博物馆。

5 月 3～5 日，应马耳他国民党邀请，中共中央政治局委员、上海市委书记黄菊率中共代表团访问马耳他。期间，马国民党领袖、政府总理阿达米予以会见，国民党副领袖、政府副总理兼社会政策部长冈奇与黄菊举行会谈。双方就进一步加强中马两党关系，扩大两国在各个领域的合作以及其他共同关心的国际、国内问题交换了意见。此外，马外长博奇、财长达里、经济部长鲍尼其、工党领袖桑特及企业界代表分别会见代表团。

10 月 20～27 日，应公安部邀请，马内政部长托尼奥·博奇访华。公安部部长贾春旺与其会谈，并分别代表两国政府签署了《中华人民共和国政府和马耳他政府关于禁止非法贩运和滥用麻醉药品和精神药物的合作协议》。

马方访华的还有：马议会外委会主席克里斯蒂娜。

二、经济技术合作与贸易关系

4 月 20 日，重庆市人大常委会副主任康纲有率重庆招商经贸代表团访马。

10 月 7～10 日，马经济服务部长约瑟夫·鲍尼其率团访华，与外经贸部周可仁副部长共同主持第三届中国—马耳他经贸混委会会议。

据中国海关总署统计，2001 年中国同马耳他贸易总额为 1.5 亿美元，比 2000 年增长 60.3%。其中中方出口额为 8028 万美元，进口额为 7149 万美元，分别比上年增长 5.4% 和 286.5%。

三、文化交流及其他往来

2月25日至3月1日，应马内政部邀请，文化部派出考察组赴马考察在马建立中国文化中心事宜。

11月9日，苏州市金阊区与马耳他桑塔露西亚市在马正式签署缔结友城协议。

12月11日，德马科总统会见赴马参加联合国国际老龄研究所培训班的浙江省老龄委培训团。

2001年，马耳他在华留学生4名。

四、军事往来

6月3~9日，应中央军委委员、中国人民解放军总参谋长傅全有上将邀请，马武装部队司令蒙塔纳罗准将访华。期间，中央军委副主席兼国防部长迟浩田上将会见蒙一行，傅全有总参谋长与蒙举行正式会谈。

7月27日，中国驻马使馆武官张昌泰在马举行首次建军节招待会。马武装部队司令蒙塔那罗准将、财政部长达利和旅游部长莱法罗等应邀出席。

第27节　中国同欧洲联盟的关系

2001年，中华人民共和国与欧洲联盟的关系得到更加积极的发展，双方政治对话进一步加强，全方位合作不断深化，中欧全面伙伴关系呈良好发展势头。

一、政治关系

（一）高层接触和重要注来

5月1日，中共中央政治局委员、中国社科院院长李铁映访问欧盟总部并会见欧盟委员会对外关系委员彭定康。双方就中欧关系等共同关心的问题交换了意见。

6 月 18~22 日，澳门特区行政长官何厚铧访问欧盟总部，分别会见欧盟委员会主席普罗迪、对外关系委员彭定康、司法内政委员韦托里诺。双方表示应进一步加强澳门与欧盟的关系，发挥澳门的桥梁作用。

9 月 5 日，朱镕基总理与欧盟轮值主席国比利时首相伏思达、欧盟委员会主席普罗迪在布鲁塞尔举行第四次中欧领导人会晤。朱总理对欧盟对华政策新文件做出了积极具体回应。双方表示将进一步扩大平等互利合作，加强政治、安全对话，维护世界和平与稳定；扩大贸易、信息产业、环境、能源、文化、教育等领域的交流与合作，形成全方位的良好合作势头。欧方明确宣布坚持"一个中国立场"，不支持台湾独立，并表示尽管双方在人权问题上有分歧，但将继续在"平等和相互尊重的基础上"开展对话。双方还就共同关心的地区与国际问题深入交换了意见。会晤后，中欧发表了联合新闻公报，强调中欧将加强政治对话，深化各领域的合作，推动中欧全面伙伴关系向前发展。随同朱总理访问的唐家璇外长与欧盟对外关系委员彭定康举行了对口会谈，就落实领导人会晤后续行动等问题进行了商谈。

(二) 政治对话与磋商

2 月 20 日，中欧合作打击非法移民活动第二次磋商在京举行。外交部领事司钟建华司长与欧盟主席国瑞典外交部主管移民与避难事务的司长斯普林费尔特率领的欧盟代表团进行了会谈。

2 月 22~23 日，外交部国际司李保东司长率团赴瑞典斯德哥尔摩，与欧盟主席国瑞典外交部国际法与人权司哈马贝里大使率领的欧盟代表团举行中欧第 11 次人权对话。

3 月 9 日，应欧盟轮值主席国瑞典驻华大使凌希乐的邀请，唐家璇外长出席欧盟驻华使节举行的工作晚宴。双方就中欧关系、亚欧外长会议、合作打击非法移民及其他共同关心的国际和地区问题交换了意见。

4 月 17 日，王光亚副外长在北京会见欧盟轮值主席国瑞典环境大臣拉松率领的欧盟"三驾马车"环境代表团，双方就气候变化及美国拒绝批准《京都议定书》问题交换了意见。

5月8日，外交部马灿荣部长助理率团赴斯德哥尔摩，与欧盟轮值主席国瑞典外交部政治总司长彼得松为首的欧盟"三驾马车"代表团举行第九次中欧政治磋商。

5月10～12日，中欧第六次人权与司法研讨会在北京举行，会议讨论了教育权和死刑等问题。

5月24日，唐家璇外长会见来华出席第三届亚欧外长会议的欧盟"三驾马车"外长（欧盟轮值主席国瑞典外交大臣林德、比利时副首相兼外交大臣米歇尔和欧盟委员会对外关系委员彭定康），就中欧关系等共同关心的问题交换了意见。

11月30日，外交部马灿荣部长助理在北京与欧盟主席国比利时外交部政治总司长范·默文为首的欧盟"三驾马车"代表团举行政治磋商。

12月4日，应欧盟主席国比利时驻华大使马利国的邀请，唐家璇外长出席欧盟驻华使节举行的工作晚宴。双方就中欧关系、合作打击非法移民、中国加入世界贸易组织、打击恐怖主义等问题交换了意见。

12月6～7日，中欧第七次司法研讨会在比利时布鲁塞尔举行。会议讨论了教育权和酷刑等问题。

12月10日，外交部军控司副司长顾子平在比利时布鲁塞尔与欧盟"三驾马车"代表团就军控和不扩散问题举行双边磋商。

二、经济合作与贸易关系

1月11日，欧盟委员会主席普罗迪致函朱镕基总理，希欧洲的投资银行能够成为香港中银集团上市承销商。3月24日，朱镕基总理复函普罗迪主席，欢迎欧洲银行参与竞争。

2月2日，外经贸部条法司尚明副司长与欧盟委员会驻华代表团经济和商务参赞叶森签署了《关于药品和农业化学物质在中国给予行政保护的纪要》。

6月19～20日，外经贸部石广生部长在比利时布鲁塞尔与欧盟委员会贸易委员拉米就中国加入世贸组织多边谈判遗留问题达成全面共识。

9 月 5 日，随同朱镕基总理出席第四次中欧领导人会晤的外经贸部石广生部长与欧盟委员会贸易委员拉米举行对口会谈。双方就中国加入世贸组织、新一轮世贸谈判、双边经贸关系等问题进行了广泛讨论。

12 月 3～4 日，应外经贸部石广生部长邀请，欧盟委员会贸易委员拉米访问上海、北京两地。石广生部长会见并宴请了拉米委员及其一行，双方就中欧经贸合作、中国加入世界贸易组织等共同关心的问题交换了意见。

2001 年，中欧进出口贸易总额为 766.3 亿美元，同比增长 11%；其中，中方进口额 357.1 亿美元，同比增长 15.8%，中方出口额 409.1 亿美元，同比增长 7.1%。中国从欧盟引进技术项目总数 1050 个，合同总金额 44.22 亿美元，占当年引进技术总额的 48.95%。欧盟来华直接投资项目数为 1214 个，比 2000 年增长 9.2%，协议金额 51.53 亿美元，实际投入 41.83 亿美元。

三、科技、教育等领域的合作

3 月 21～22 日，科技部组成中欧能源合作代表团赴比利时布鲁塞尔出席第五次中欧能源合作工作组会，并访问了欧盟委员会研究总司、信息社会总司、对外关系总司等机构，同欧方就中欧科技、信息、能源与环境等领域合作广泛地交换了意见。

5 月 21 日，教育部陈至立部长会见了来华出席亚欧外长会议的欧盟委员会对外关系委员彭定康，双方就中欧教育合作与交流深入交换了意见。

6 月 18 日，应科技部徐冠华部长邀请，欧盟委员会副主席德帕拉西奥来华出席第四次中欧能源合作大会。大会期间，中欧有关专家分别就能源发展战略、能源供给安全、核能与电力等议题作了报告，并就加强中欧在该领域的合作进行了讨论。朱镕基总理会见了德帕拉西奥一行，高度评价了中欧能源领域的合作，并鼓励双方进一步加强合作。

6月20日，教育部长陈至立访问欧盟总部，并会见了欧盟委员会对外关系委员彭定康和教育委员雷丁。双方表示愿进一步加强教育领域的合作。

6月20日，中欧科技指导委员会第二次会议在北京举行。

9月6日，随同朱镕基总理出席第四次中欧领导人会晤的国家环保总局解振华局长与欧盟委员会环境委员瓦尔斯特伦举行对口会谈。双方讨论了气候变化、国际环境管理、建立中欧高层环境对话机制等问题。

9月6日，随同朱镕基总理出席第四次中欧领导人会晤的科技部徐冠华部长分别与欧盟委员会副主席德帕拉西奥、信息社会和企业事务委员利卡宁举行对口会谈，就中欧能源、信息合作深入交换了意见。

四、与欧洲议会的交往

4月15～18日，应中国国际交流协会邀请，欧洲议会民族联盟党团第一副主席考林斯率团访华。交协总干事姜述贤与代表团举行工作会谈。全国人大外委会副主任委员、全国人大中国—欧洲议会友好小组主席李淑铮、中联部副部长张志军等会见。

5月22日，应中联部邀请，欧洲议会社会党党团主席巴隆率团访华。全国人大外事委员会副主任委员、全国人大中国—欧洲议会友好小组主席李淑铮、外交部部长助理马灿荣会见巴隆一行。

5月25日，应中联部邀请，欧洲议会左翼联盟党团主席弗朗西斯·乌尔茨率团访华。全国人大外事委员会副主任委员、全国人大中国—欧洲议会友好小组主席李淑铮、外交部部长助理马灿荣会见乌尔茨一行。

9月17～18日，全国人大外事委员会副主任委员、全国人大中国—欧洲议会友好小组主席李淑铮与欧洲议会对华关系代表团团长加尔彤在比利时布鲁塞尔共同主持了第18次工作会谈。双方就中欧关系、加强中欧议会交流及其他共同关心的问题交换了意见。

10 月 23 日，欧洲议会通过了欧委会有关中国及中国台北（台、澎、金、马单独关税区）加入世贸组织的决定文本，建议欧盟在中国及中国台北加入世贸组织问题上采取共同立场。

10 月 24 日，应欧洲议会议长方丹邀请，达赖访问欧洲议会，会见了议会及各党团领导人，并在全会上发表演讲，攻击中国有关政策，否定西藏在政治、经济、文化等各领域取得的巨大进步。中方对达赖访问欧洲议会并演讲事向欧方多次提出交涉。

2001 年，欧洲议会先后通过了《欧洲议会关于即将召开的日内瓦联合国人权会欧盟优先问题暨建议的决议》、《中国宗教自由决议》、《亚欧会议进程决议》、《世界新闻自由决议》等，在人权、西藏、台湾等问题上干涉中国内政。中方对此多次提出严正交涉。

五、欧盟重要涉华决议、报告、声明等

1 月 22 日，欧盟外长理事会通过《欧盟理事会关于中欧人权对话的结论》，对中国人权状况进行指责。

3 月 15 日，欧盟司法及内政部长会议正式通过决定，除英国、爱尔兰外，其余 13 个欧盟国家及冰岛、挪威将给予澳门特别行政区护照 90 天免签证待遇。会议还决定欧盟将给予香港特别行政区护照 90 天免签证待遇。

3 月 19 日，欧盟外长理事会通过涉华人权结论，攻击中国人权状况，但决定不联署美反华人权提案。

5 月 15 日，欧盟委员会通过了题为《欧盟对华战略：1998 年文件实施情况及进一步加强欧盟政策的措施》的政策文件，进一步肯定了中国日益上升的国际地位和政治经济实力，希望与中国发展更为密切的关系，提出了加强对华合作的具体措施。同时，文件也对中国人权状况等表示严重关注和批评。6 月 25 日，欧盟理事会通过结论，赞同欧委会文件的分析及建议，重申对华政策的一致性和连续性，提出了加强对华合作的主要领域，并希望调整中欧政治对话结构。结论还对中国人权状况表示严重关注。

　　7月25日，欧盟发表第三份香港问题年度报告，对香港 2000 年度发展情况及香港与欧盟关系做出评估。同日，欧盟委员会发表了由欧盟对外关系委员彭定康起草的澳门报告。

第八章

中国同北美洲大洋洲国家的关系

第 1 节 美大地区形势

2001 年，美国内外形势发生重大变化。加拿大、澳大利亚、新西兰形势基本平稳。南太平洋地区安全形势有所改善，经济困难加重。

美国布什政府上台后将施政重点放在减税、教育、能源等国内问题上，推动国会通过了减税、教育改革等议案。"9·11"事件使布什政府施政重点发生变化。布将反恐定为压倒性目标，采取了一系列稳定人心、加强本土安全的措施，促使国会通过《反恐法》、为反恐救援紧急拨款 400 亿美元等议案。共和、民主两党党争相对沉寂。布什支持率基本维持在 85％以上的高水平。

美国经济在上半年低速增长，下半年由于"9·11"事件影响，经济进一步下滑，第三季度增长率为－1.3％，第四季度为 1.7％。当年国内生产总值为 93323 亿美元（按 1996 年不变价格计算），增长率 1.2％。年通货膨胀率 1.6％，失业率 4.7％。2001 财年联邦财政盈余 1247 亿美元。美联储全年 11 次降息，联邦基金利率和贴现率分别降至 1.75％和 1.25％，降幅均达 4.75 个百分点。

布什政府执政初期，对外政策中单边主义、保守主义和实用主义色彩突出，拒绝《京都议定书》和《全面禁止核试验条约》等多项国际公约，执意推进导弹防御计划。美与欧洲盟国关系不顺，与俄罗斯和中国关系紧张。对以巴冲突"超脱"，对朝鲜政策趋硬。

"9·11"事件后，美对外以反恐划线，组建国际反恐联合阵线，对在阿富汗的本·拉登"基地"组织和塔利班政权实施军事打击。与大国磋商和合作增加，关系总体改善；大幅调整对南亚政策，重新介入调解以巴冲突。

美俄高层交往频繁，在导弹防御系统、反恐等问题上寻求与俄对话与合作。上半年，布什与俄总统普京先后两次举行会晤。"9·11"事件后，布什多次与普京通话。11 月，普京访美，美俄双方就美俄新型关系、反恐合作、地区问题等发表声明，双方宣布将大幅削减各自的核武器，两国关系进一步改善。12 月，布什正式宣布美将在六个月后退出《反导条约》，俄反应平淡。

美在推进导弹防御计划、打恐及阿富汗重建等方面寻求欧洲盟国支持。布什分别于 6 月和 7 月出访欧洲。美国务卿和国防部长先后访欧。"9·11"事件后，美欧反恐合作加强。

美继续加大对亚太地区的投入。"9·11"事件后，出于反恐需要，加强与印度关系，改善与巴基斯坦关系，解除因印巴核试验对两国的制裁。同时努力防止印巴紧张局势升级；强化与日本、韩国等盟国的关系；对朝鲜实行强硬政策；与东南亚国家加强反恐合作。

美加强与中亚各国的安全合作，大力争取乌兹别克斯坦、塔吉克斯坦等国配合美对阿富汗军事行动。美国防部长和国务卿先后访问中亚。美与部分中亚国家签订军事合作协定。中亚多国同意向美开放领空，美军事力量进入中亚。

美对巴以冲突由"超脱"转为介入，但继续祖以压巴，导致以巴冲突愈演愈烈。同时，美加大对伊拉克打压。"9·11"事件后多次对伊发出动武威胁，扬言推翻萨达姆政权。

美加强与拉美国家的反恐合作，推动建立美洲自由贸易区；继续关注非洲地区冲突及"民主化"等问题，将索马里作为反恐目标之一。

加拿大政局稳定，执政党地位牢固。受美经济减速影响，经济增速明显减缓，失业率上升，出口和企业盈利下降，股市不稳，加元贬值。加继续将促进经济发展置于外交政策首位，积极推行贸易多元化政策，在发展与美、欧传统贸易伙伴关系的同时，大力开拓亚太、拉美、俄罗斯等新兴市场。支持美建立反恐联合阵线，出兵支援美在阿富汗的军事行动。

澳大利亚、新西兰政局稳定。澳自由党—国家党联盟在联邦大选中蝉联执政，自由党领袖霍华德连任总理，反对党工党则在州（区）选举中接连获胜。新克拉克政府支持率遥遥领先。

澳新经济发展基本平稳，国内生产总值分别增长 1.9％和 2.3％，通货膨胀率和失业率维持较低水平。受国际经济下滑影响，国内投资和消费信心一度下降，出口面临压力。

澳新继续重视在南太事务中发挥领导作用，改善并加强与美关系。"9·11"事件后，两国支持并配合美对阿富汗军事打击。重视发展与亚洲国家关系，积极推动签订双边或次区域自由贸易协定。新还与朝鲜建交，并与缅甸恢复接触。

南太地区形势相对稳定，地区热点问题继续降温，安全形势进一步改善。帕劳、萨摩亚、斐济顺利举行大选。巴布亚新几内亚布干维尔问题实现政治解决。受世界经济放缓影响，岛国经济困难加重。太平洋岛国论坛成员通过了《太平洋紧密经济关系协定》和《太平洋岛国贸易协定》，南太地区在经济合作和建立自由贸易区方面取得突破性进展。

第 2 节　中国同美国的关系

2001 年，中美关系上半年出现波折，经过双方努力，下半年逐步得到改善和发展。中美元首上海会晤后，中美关系出现积极发展势头。两国高层交往增多，在经贸、能源、环保等领域的交流与合作不断扩大，在反恐等重大国际和地区问题上保持了密切磋商与合作。中美双方在台湾、人权、宗教、防扩散等问题上的分歧仍然存在。

一、政治关系与重要往来

2001 年 10 月 19 日，江泽民主席与布什总统在上海出席亚太经合组织（APEC）领导人非正式会议期间首次举行会晤。双方就中美关系、反恐等重大问题深入交换意见，达成重要共识。两国元首一致同意共同致力于发展中美建设性合作关系，建立两国高层战略对话机制和中美中长期反恐交流与合作机制。

3 月 13 日，中国新任驻美国大使杨洁篪向布什总统递交国书。

3 月 18～24 日，钱其琛副总理应邀访问美国，分别会见了布什总统、切尼副总统、鲍威尔国务卿、拉姆斯菲尔德国防部长和总统国家安全事务助理赖斯等，就中美关系、台湾问题及重大国际和地区问题深入交换了意见。

5 月 15 日，美助理国务卿凯利访华。

6 月 19～25 日，外交部部长助理周文重对美国进行工作访问。

6 月 28 日，唐家璇外长应约与美国务卿鲍威尔通电话，双方就中美关系和伊拉克等问题交换看法。

7 月 2～4 日，美国务院政策规划司司长哈斯来华举行中美外交部政策规划部门对口政策磋商。

7 月 5 日，江泽民主席应约与布什总统通电话，就中美关系等问题交换了意见。

7 月 25 日，唐家璇外长在越南河内出席东盟地区论坛外长会议期间与美国国务卿鲍威尔举行会晤。

7 月 28 日，江泽民主席接受美国新任驻华大使雷德递交国书。

7 月 28～29 日，美国务卿鲍威尔应邀访华。江泽民主席、朱镕基总理、钱其琛副总理分别会见，唐家璇外长与鲍举行会谈。鲍表示，中国不是美国的敌人，美中之间存在着广泛的共同利益，美国希望与中国发展建设性关系。

9 月 11 日，江泽民主席致电布什总统，就当日美国纽约和华盛顿地区遭受恐怖暴力袭击事件（"9·11"事件），向美国政府和人民表示深切慰问，并重申中国反对一切恐怖主义暴力活动的一贯立场。唐家璇外长致电鲍威尔国务卿表示慰问。

9 月 12 日，江主席应约与布什总统通电话。布什感谢江主席对美国人民的关心，表示期待着与江主席和其他国家领导人一道，共同打击国际恐怖主义活动。江主席表示中方愿与美方及国际社会加强对话，开展合作，共同打击一切恐怖主义暴力活动。

9 月 13 日，钱其琛副总理应约就"9·11"事件与鲍威尔国务卿通电话。鲍再次对中方的支持和慰问表示感谢。

9 月 20～21 日，唐家璇外长应鲍威尔国务卿邀请访问美国。

9 月 25 日，中美反恐专家磋商在华盛顿举行。

10 月 8 日，江主席应约与布什总统通电话。布什感谢中国政府就反对国际恐怖主义所发表的声明，期待着与江主席在上海举行的亚太经济组织会议期间会晤。江主席重申中国政府历来反对一切形式的恐怖主义，强调中方愿与美方一道，为世界和平、稳定与发展做出努力。

10 月 9～10 日，美负责东亚及太平洋事务的助理国务卿凯利访华。

11 月 12 日，江主席与布什总统通电话，双方就中美关系、中国入世和反对恐怖主义等问题交换看法。

11 月 13 日，江主席就美国美洲航空公司 587 航班失事致电布什总统表示慰问。

12月4~6日，美国务院反恐事务协调员泰勒大使率团访华，与中国外交部就反恐问题举行磋商。

12月13日，布什总统打电话给正在缅甸访问的江主席，通报美方将退出《反导条约》。江主席阐明了中方有关立场。同日，唐家璇外长也应约就此与鲍威尔国务卿通电话。

双边关系有关问题

（一）台湾问题

2001年，美国政府继续与台湾当局开展官方往来，并向台湾出售武器。陈水扁、李登辉和吕秀莲等台政要在美"过境"或访美。4月，美宣布向台出售"基德级"驱逐舰、"P—3C"反潜巡逻机及潜艇等。7月以来，美先后宣布售台"联合战术资讯传输系统"、"小牛"空对地导弹及"标枪"反坦克导弹系统等先进武器装备。美国会通过支持台湾参与世界卫生组织的议案，并在《2002财年国防授权法》、《2002财年国防拨款法》等议案中含有大量亲台反华条款。中国政府就美方上述行径向美方进行了严正交涉。

（二）撞机事件

4月1日上午，美国一架EP—3型军用侦察机抵中国海南岛东南海域上空活动，中方两架军用飞机对其进行跟踪监视。9时07分，在距海南岛东南104公里处，美机突然大角度转向，撞毁对其进行跟踪监视的一架中方军用飞机，致使中方飞行员失踪。美机肇事后未经中方许可进入中国领空，并于9时33分降落在海南岛陵水机场。

当日晚，外交部部长助理周文重紧急召见美驻华大使普理赫，就美国军用侦察机撞毁中国军用飞机事向美方提出严正交涉和抗议。同日，外交部发言人就美国侦察机撞毁中国军用飞机事件发表谈话，指出发生这一事件的责任完全在美方。4月4日，唐家璇外长召见美驻华大使普理赫，就美国军用侦察机撞毁中国军用飞机事再次向美方提出交涉，要求美方向中方做出满意的交代。

4月11日，美驻华大使普理赫致函唐家璇外长，代表美国政府就美军用侦察机撞毁中国军用飞机事向中方致歉。4 月 12 日，中方允许 24 名美机上人员在中国有关部门的监管下离境。4 月 18～19 日，以中国外交部北美大洋洲司司长卢树民为团长的中方代表团与以美国国防部副部长帮办维尔加为团长的美方代表团在北京就"撞机事件"及其他相关问题举行谈判。6 月 15 日，美方人员飞抵海南陵水，开始美机拆解工作。7 月 3 日，美机拆解完毕，并由美国政府租用的"安—124"运输机运回美国。

8 月 15 日，中国外交部发言人就中美撞机支付问题发表谈话，指出美方关于撞机事件支付问题的所谓决定，无论其内容还是形式，都是中方不能接受的，强烈敦促美方纠正错误决定，早日就支付问题向中方做出应有的交待，以利于该问题的妥善解决。

（三）人权问题

2 月 27 日，美国务院发表所谓 2000 年度"国别人权报告"，其涉华部分继续对中国人权状况进行恶毒歪曲和攻击。2 月 28 日，中国外交部发言人答记者问时对此表示强烈不满和坚决反对，要求美方遵守国际关系基本准则，停止利用所谓人权问题干涉中国内政。

4 月 18 日，在联合国人权委员会第 57 届会议上，美提出旨在干涉中国内政的决议案，中国提出对该提案"不采取行动"的动议。会议以 23 票赞成、17 票反对、12 票弃权通过了中国的动议。这是中国自 1990 年以来第十次挫败美反华提案。

10 月 9 日，中美政府间人权对话在华盛顿举行。

（四）宗教问题

5 月 1 日，美国国际宗教自由委员会发表所谓 2001 年度报告，其涉华部分歪曲事实，对中国的宗教政策和中国政府依法取缔"法轮功"邪教组织等进行肆意攻击。5 月 2 日，外交部发言人就此发表谈话，对该委员会上述做法表示强烈愤慨和反对，要求美国政府尊重事实，反对上述报告，采取切实措施，消除其恶劣影响。

10 月 26 日，美国务院发表所谓 2001 年度国际宗教自由报告，其涉华部分歪曲事实，无端攻击中国的宗教政策和中国政府依法取缔"法轮功"邪教组织的活动。10月30日，中国外交部发言人发表谈话，对此表示强烈不满和坚决反对，要求美方遵守相互尊重、互不干涉内政等国际关系基本准则，停止利用宗教问题干涉中国内政。

二、经济技术合作和贸易关系

（一）中美双边贸易和投资

2001年，中美双边贸易、投资以及经济技术合作保持良好发展势头。据中国海关总署统计，2001年中美双边贸易额为804.8亿美元，比上年增长8.1%；中方出口额542.8亿美元，比上年增长4.2%，中方进口额262亿美元，比上年增长17.2%；中方顺差280.8亿美元。美国是中国第二大贸易伙伴，中国是美国第四大贸易伙伴。至2001年底，美对华投资项目累计达33734项，合同投资额677.74亿美元，实际投入350.3亿美元。

（二）经贸领域高层交流

6月，在上海APEC贸易部长会议期间，中美就中国加入世贸组织多边谈判主要遗留问题达成全面共识。

7月，中国外经贸部副部长孙振宇与美国贸易发展署署长特里玛·阿斯奇分别代表两国政府在北京签署中美贸易发展合作框架协议。

9月11日，中国国家计委和美国能源部、商务部在北京召开第三次中美油气论坛。

9月12日，中美联合经济委员会第14次会议在北京举行，财政部长项怀诚和美财政部长奥尼尔主持会议。

（三）对华永久正常贸易关系

12月27日，布什总统发表声明，决定从2002年1月1日起给予中国永久正常贸易关系待遇（PNTR）。布什的决定结束了美国会每年根据《杰克逊—瓦尼克法案》就对华正常贸易关系进行年度审议的历史。

（四）科技交流与合作

3 月 28 日，中国地震局、中国国家自然科学基金委员会和美国地质调查局、美国国家科学基金会四方在华盛顿共同签署延长《中美地震研究科技合作议定书》。

4 月 25 日，中国驻美大使杨洁篪同美国国务院代理助理国务卿肯尼斯·布里欧以换文形式延长《中美政府间科学技术合作协定》。

11 月 29 日，国家林业局和美国内政部以换文形式将《中美自然保护交流与合作议定书》有效期延长至 2006 年 11 月。

三、文化交流

4 月 13～25 日，中国教育部副部长吕福源访美。

5 月 7 日，江泽民主席会见来华访问的美国耶鲁大学校长理查德·李文。

2001 年，中美两国在文化领域的互访达 170 起，3542 人次，其中访华 65 起，2031 人次；访美 105 起，1511 人次。

2001 年，美国在华留学生为 5413 人。

四、军事往来

2001 年 1～3 月，中美两军关系发展比较平稳。中国人民解放军军事环保代表团（2 月 12～22 日）、军法代表团（3 月 5～15 日）先后访美。美国空军大学校长（2 月 10～16 日）、美国国防大学 2000～2001 将官班（2 月 14～17 日）、美国空军战争学院代表团（3 月 6～13 日）、美军太平洋总部司令布莱尔海军上将（3 月 13～18 日）先后访华。

4 月 1 日中美发生"撞机事件"，两军交往随之停顿。

9 月 14～15 日，中美海上军事安全磋商机制专门会议在美国关岛举行。

12 月 5～7 日，中美海上军事安全磋商机制年度工作小组会议在北京举行。

第3节　中国同加拿大的关系

2001年，中华人民共和国同加拿大的关系继续保持稳定发展的势头，各个领域的友好交流与合作不断扩大。

一、政治关系与重要往来

10月20日，江泽民主席在上海会见了前来出席亚太经合组织（APEC）领导人非正式会议的加拿大总理克雷蒂安。双方就两国关系、上海APEC会议及反恐等问题交换了意见。22日，应中国政府邀请，克赴浙江参观了中加合作的秦山核电站。

2月10～18日，加拿大总理克雷蒂安应朱镕基总理邀请，率"加拿大国家队"访华。江泽民主席和李鹏委员长分别会见，朱镕基总理与克举行正式会谈，双方就中加关系和共同关心的国际及地区问题交换了意见。访问期间，双方签署了《中华人民共和国国家发展计划委员会和加拿大自然资源部关于能源领域合作的谅解备忘录》、《中华人民共和国政府和加拿大政府在环境与气候变化、司法改革、西部大开发和加入世贸组织领域的中加发展合作项目意向书》、《中加学者交换项目谅解备忘录》。此外，中加双方签署了总值约57亿加元的协议、商业合同及意向书。

10月13～18日，应李鹏委员长邀请，加参议长丹·海斯率加议会代表团访华。访问期间，李鹏委员长、全国政协主席李瑞环、全国人大外事委员会主任委员曾建徽、外交部副部长李肇星等会见了该团。

1月12日，外交部副部长王光亚在加就2001年上海APEC会议、中加关系及两国在多边领域的合作等问题与加方进行了磋商。

1月28、30日，李鹏委员长分别致电加新任参议长丹·海斯及新任众议长彼得·米利肯，对其就任表示祝贺。

2月15～20日，外交部军控司司长沙祖康访加，与加外交部国际安全局局长梅耶举行了双边军控磋商。

3 月 1 日，李鹏委员长致电加参议长海斯，就加前参议长莫尔格特逝世表示哀悼。

3 月 8~16 日，应全国人大中加议会协会邀请，加拿大加中议会协会两主席参议员奥斯汀和众议员沃尔普率加中议会协会代表团访华。在京期间，李鹏委员长礼节性会见了代表团。该团旁听了九届全国人大四次会议第四次大会。9 日，外交部副部长李肇星会见该团。

6 月 12~18 日，应加国际贸易部长佩蒂格鲁邀请，国务委员司马义·艾买提率中国政府经贸代表团访加，访问期间会见了加参议长海斯、副总理格雷、国际贸易部长佩蒂格鲁、魁北克省长兰德瑞等，并出席了中国华源加拿大公司针织项目竣工仪式。

7 月 26 日，外交部长唐家璇在出席东盟与对话国会议期间会见加外长曼利，就双边关系和地区问题等交换了意见。

9 月 6 日，江泽民主席在人民大会堂接受了加新任驻华大使柯傑递交的国书。

9 月 14、25 日，江泽民主席两次就上海 APEC 领导人非正式会议有关事宜致函加总理克雷蒂安。

9 月 20 日，正在美国访问的外交部长唐家璇应约与加外长曼利通电话，就"9·11"事件及双边关系中的一些问题交换了意见。

9 月 21 日，外交部副部长王光亚应约会见加新任驻华大使兼 APEC 高官柯傑，就"9·11"事件对 APEC 会议的影响等问题交换了看法。

10 月 19~27 日，应加拿大加中议会协会邀请，全国人大常委会委员、中加议会协会主席蒋心雄率中加议会协会代表团访加。

12 月 3 日，外交部副部长李肇星与加副外长加埃唐·拉韦尔蒂在京举行两国外交部官员第九次政治与安全磋商，双方就双边关系和共同关心的国际、地区问题交换了意见。4 日，唐家璇外长会见了拉一行。

中方访加的团组还有：河北省人大主任程维高（3 月），河南省省长李克强（4月），山西省委书记田成平（5月），全国侨联主席林兆枢（5月），广西壮族自治区党委书记曹伯纯（5月），深圳市长于幼军（6月），内蒙古自治区党委书记、人大主任刘明祖（6月），湖北省政协主席杨永良（6月），宁夏回族自治区党委书记毛如柏（7月），全国人大华侨委员会主任甘子玉（8月），甘肃省政协主席杨振杰（8月），新疆维吾尔自治区主席阿布来提（9月），黑龙江省省长宋法棠（9月），吉林省省长洪虎（9月），北京市长刘淇（10月）。

中加主要在台湾、西藏、人权、"法轮功"等问题上存在分歧。

二、经济技术合作与贸易关系

7月9～14日，加税收部长马丁·科雄率团出席由中加共同倡导、分别在北京和上海举行的APEC青年领导人和企业家论坛。在华期间，胡锦涛副主席会见科一行。

9月6～9日，加财长保罗·马丁应邀出席在苏州举行的APEC财长会议。

10月31日，中国国务院副总理吴邦国会见了来访的加拿大庞巴迪公司总裁兼首席执行官罗伯特·布朗一行。

11月12日，加国际发展署（CIDA）副署长谢孝旌与外经贸部副部长龙永图在京举行了中加发展合作年会。

中方访加的团组还有：贸促会副会长马跃（3月），国家经贸委副主任张志刚、国家计委副主任李子彬（4月），交通银行董事长殷介炎（5月），中国生产力学会主席张赛、国家环保总局副局长江纪戎（6月），国家统计局局长朱之鑫（8月），中国气象局局长秦大河、国有企业监事会主席谢钟毓（10月）。

加方访华的团组还有：国库委员会副总审计长理查德·内维尔（5月），不列颠哥伦比亚省省长戈登·坎贝尔（10月），农业和农业食品部副部长塞米·沃特森博士（11月）等。

中加双边贸易和投资在2001年继续保持增长势头。据中国海关总署统计，2001年中加双边贸易总额为73.74亿美元，同比增长 6.7%；中方出口额为 33.46 亿美元，同比增长 6%，中方进口额为 40.28 亿美元，同比增长 7.4%。

三、文化交流及其他往来

2 月 4~12 日，中国藏学研究中心总干事拉巴平措率中国藏学家代表团访加。

4 月 19 日至 9 月 23 日，由中国展览交流中心主办的"荒野之地——加拿大风景画及七人画派作品展"在北京、上海、广州、深圳举行。

6 月 20~29 日，应加自然工程咨询委员会邀请，国家自然科学基金委员会主任陈佳洱访加。

10 月 11~21 日，由北京市政府和加蒙特利尔市政府共同主办的"北京文化周"在蒙特利尔市举办。北京市市长刘淇率市政府代表团参加有关活动。

10 月 14~22 日，应加自然资源部邀请，中科院院长路甬祥访加。

2001 年，加拿大在华留学生为 570 名。

四、军事关系

5 月 21~25 日，应中央军委委员、中国人民解放军总参谋长傅全有上将邀请，加拿大国防参谋长巴利尔上将率团访华。中央军委副主席张万年上将、中央军委副主席、国务委员兼国防部长迟浩田上将和总参谋长傅全有上将分别会见了巴一行。

11 月 30 日至 12 月 4 日，加拿大海军"温哥华"号护卫舰在香港停靠休整。

第 4 节　中国同澳大利亚的关系

2001 年，中华人民共和国同澳大利亚联邦的关系继续保持良好发展势头。

一、政治关系与重要往来

10月20日，国家主席江泽民在上海锦江小礼堂会见来华参加APEC领导人非正式会议的澳大利亚总理霍华德。

3月12～14日，2001年亚太经合组织（APEC）高官会主席、外交部副部长王光亚访问澳大利亚，与澳APEC高官就2001年APEC会议事进行磋商，并分别会见了澳外交部长唐纳和外交贸易部秘书长卡尔弗特。

3月26～29日，应澳大利亚司法和海关事务部长埃利森邀请，监察部长何勇率中国监察部代表团访澳，分别会见了澳副总理兼运输和地区服务部长安德森、众议院议长安德鲁、参议院议长里德、司法和海关事务部长埃利森，考察了澳政府廉政建设、公务员管理和相关立法情况。

4月8～12日，应国务院副总理吴邦国邀请，澳大利亚副总理兼运输和地区服务部长约翰·安德森正式访华，访问了深圳、广州、北京。国务院总理朱镕基、副总理吴邦国分别与安会见和会谈。安与国家计委、铁道部、交通部、民航总局分别签署《中华人民共和国国家发展计划委员会与澳大利亚运输和地区服务部关于交通运输领域合作的谅解备忘录》、《中华人民共和国铁道部与澳大利亚运输和地区服务部铁路运输合作谅解备忘录》、《中华人民共和国交通部与澳大利亚运输和地区服务部公路水路交通合作谅解备忘录》、《中华人民共和国民用航空总局航空安全办公室与澳大利亚运输安全局关于航空安全调查与培训合作的谅解备忘录》。

4月17～20日，应中国人民外交学会邀请，澳大利亚反对党工党外交事务发言人布里尔顿访华。国务委员吴仪、国务院台办副主任周明伟、中联部副部长张志军、外交部部长助理周文重分别会见。

5月14日，应国家环保总局邀请，澳大利亚环境和遗产部部长、政府在参议院领袖罗伯特·希尔访华。国家环保总局局长解振华与希会谈。

6 月 1 日，澳大利亚外交部长唐纳对中国香港特别行政区进行工作访问。特区行政长官董建华会见。

6 月 15 日，首次中澳领事磋商在堪培拉举行。

6 月 17~24 日，应澳大利亚参、众两院邀请，全国人大外事委员会副主任委员李淑铮率团访澳。澳参议长里德、众议长安德鲁、外交部长唐纳、反对党外交事务发言人布里尔顿及贸易事务发言人库克等分别会见，澳议会两院外交、国防和贸易联合委员会主席与代表团会谈。

6 月 25~27 日，澳大利亚外交贸易部秘书长卡尔弗特率团访华，与外交部副部长李肇星举行第 15 次中澳外交部官员政治磋商。外交部长唐家璇、中央外事办公室主任刘华秋、对外贸易经济合作部副部长张祥分别会见。

6 月 29 日，国家主席江泽民致电澳大利亚新任总督彼得·霍林沃思，祝贺其就任。

7 月 26 日，唐家璇外长在越南河内出席东盟地区论坛外长会议期间会见澳大利亚外长唐纳。

8 月 23 日，中国驻澳大利亚大使武韬向澳大利亚总督霍林沃思递交国书。

8 月 27 日至 9 月 2 日，应澳大利亚政府邀请，中国司法部长张福森率团访澳。

10 月 29 日至 11 月 2 日，外交部副部长王光亚和澳大利亚外交贸易部副秘书长托马斯在北京共同主持第五次中澳人权对话。

11 月 11 日，国务院总理朱镕基致电澳大利亚总理霍华德，祝贺其再次当选。

11 月 15 日，国务院副总理钱其琛会见来京参加中澳双边关系研讨会的澳大利亚财政和行政管理部长约翰·费伊。

11 月 23 日，李岚清副总理和唐家璇外长分别致电澳大利亚副总理兼运输和地区服务部长安德森、外长唐纳，祝贺其连任。

11 月 29 日至 12 月 4 日，全国人大常委会副委员长布赫率全国人大代表团顺访澳大利亚，澳参议长里德会见。

中方访澳的还有：财政部副部长高强（1月），中国证监会副主席耿亮、农业部副部长齐景发（3月），国家广电总局副局长张海涛（4月），国家邮政总局局长刘立清、最高人民检察院副检察长赵登举、交通部副部长张春贤（9月），国家审计署副审计长刘家义（10月），水利部副部长翟浩辉、民航总局副局长高宏峰、国家税务总局局长金人庆、国家环保总局副局长祝光耀（11月），中国气象局局长秦大河（12月）等。

澳方访华的还有：澳大利亚联邦众议员斯利珀、福肖、莫里斯、澳大利亚议会澳中友好小组主席纽金特、澳大利亚前总理霍克（4月），澳大利亚政治交流理事会代表团（7月），澳大利亚前总理基廷、霍克（9月）等。

两国关系中存在的主要问题：

台湾问题：1月，澳大利亚允许台所谓"外交部长"田弘茂赴澳"度假"。2月，澳贸易部长维尔访台。7月，澳同意台"农委会主委"陈希煌赴澳活动。

中方就上述问题向澳方提出了严正交涉。

二、经济技术合作与贸易关系

2月4日，应国家发展计划委员会邀请，澳大利亚自由党全国主席斯通访华，与中方就在液化天然气（LNG）领域加强合作交换意见。

5月28日至6月1日，应外经贸部邀请，澳大利亚国际发展署署长大卫·布鲁斯访华，考察青海省社区发展项目和林业资源管理项目。

6月5日，澳大利亚贸易部长维尔来上海参加APEC贸易部长会议。外经贸部部长石广生会见。

6月12~14日，中澳科技合作联委会第四次会议在澳举行。

7月1~7日，应国家计委邀请，澳大利亚西澳州总理杰夫·盖洛普访华。国务院总理朱镕基、国家计委主任曾培炎、副主任张国宝等分别会见。

11 月 26～30 日，应澳大利亚外交贸易部邀请，对外贸易经济合作部副部长张祥访澳。

据中国海关总署统计，2001 年，中澳双边贸易总额为 89.97 亿美元，比 2000 年同期增长 6.5%，其中中方出口额为 35.70 亿美元，增长 4.1%，进口额为 54.26 亿美元，增长 8%。双向投资取得较快发展。据对外贸易经济合作部统计，2001 年，澳在华新增直接投资项目 439 个，协议金额 6.75 亿美元，澳方实际投入 3.36 亿美元。截至 2001 年底，中方在澳投资项目累计达 200 个，协议金额 3.82 亿美元。

三、文化交流及其他往来

2 月 14～23 日，应卫生部长张文康邀请，澳大利亚卫生和老年保健部长伍尔德里奇访华。

4 月 12～15 日，应中国人民对外友好协会邀请，澳大利亚联邦参议员、澳奥委会委员沙特访华。

4 月 21～26 日，应北京奥申委邀请，悉尼奥运会组委会首席执行官桑迪·霍韦率团对北京进行工作访问。

9 月 15～19 日，应澳大利亚圣经公会邀请，国家宗教局局长叶小文率中国宗教工作者代表团访澳。

11 月 20～30 日，中国对外文化交流协会、西藏自治区对外文化交流协会在墨尔本和悉尼举行"中国西藏文化周"。

截至 2001 年底，中国和澳大利亚已建立 50 对友好省市关系。中国地方领导人访澳的有：甘肃省省委书记宋照肃、青海省省长赵乐际（1 月），河南省副省长王明义（2 月），广东省副省长游宁丰、湖北省副省长张洪祥、浙江省副省长王永明、山西省副省长杨志明、甘肃省副省长吴碧莲、北京市副市长岳福洪（3 月），山东省副省长陈延明、广西壮族自治区副主席袁凤兰、江西省副省长朱英培、重庆市副市长程贻举（4 月），宁夏回族自治区主席马启智、安徽省副省长黄岳忠（5 月），福建省副省长潘心城、河北省副省长刘健生（6月）等。

澳大利亚地方领导人访华的有：首都地区首席部长汉弗莱斯（5月），塔斯马尼亚州总理吉姆·培根（9月），新南威尔士州总理鲍勃·卡尔（12月）等。

2001年，澳大利亚来华留学生为971人。

2001年，澳大利亚来华旅游人数为254600人次。

四、军事往来

3月1～3日，应中央军委副主席、国务委员兼国防部长迟浩田上将邀请，澳大利亚国防部长彼得·里思率团访华。迟浩田副主席主持会谈，国家副主席、中央军委副主席胡锦涛、中央军委副主席张万年上将和外交部副部长李肇星分别会见。

3月29日至4月6日，中央军委副主席张万年上将应邀率团访问澳大利亚，分别会见了澳总理霍华德、外交部长唐纳、国防部长里思、国防部秘书长霍克、国防军司令巴利上将。

9月4～11日，澳大利亚海军少将盖茨率澳国防学院代表团访华，国防大学校长邢世忠上将会见。

10月2～7日，由"宜昌"号导弹护卫舰和"太仓"号综合补给舰组成的中国海军舰艇编队访问澳大利亚悉尼港。

10月21～27日，澳大利亚国防军副司令米勒中将率团访华，与中国人民解放军副总参谋长熊光楷上将举行中澳第五次年度防务战略磋商。中央军委副主席迟浩田上将礼节性会见。

第5节　中国同新西兰的关系

2001年，中华人民共和国同新西兰的友好合作关系发展顺利。

一、政治关系与重要往来

4月4日，江泽民主席致电西尔维娅·卡特赖特夫人，祝贺其就任新西兰总督。

4 月 18～20 日，应中国国务院总理朱镕基邀请，新西兰总理海伦·克拉克正式访华。这是克拉克自 1999 年就任总理以来首次访华。访问期间，江泽民主席和朱镕基总理分别会见和会谈。中方指出，1999 年，江泽民主席对新西兰首次进行国事访问，两国领导人一致同意建立面向 21 世纪的长期稳定、健康发展的中新全面合作关系，为中新关系在新世纪的发展指明了方向。中新发展友好合作关系不仅符合两国人民的共同愿望和根本利益，也有助于维护和促进地区和全球的和平、稳定与发展。克拉克总理表示，新西兰高度重视并积极致力于发展新中全面合作关系。克高度评价中国的经济建设成就，表示新西兰支持中国早日加入世贸组织。

10 月 19 日，江泽民主席在上海 APEC 领导人第九次非正式会议期间会见新西兰总理克拉克。

3 月 16 日，外交部副部长王光亚访新，与新外交贸易部 APEC 司司长、新 APEC 高官特鲁普举行磋商。

3 月 29 日，唐家璇外长在智利首都圣地亚哥出席东亚—拉美首次外长会议期间与新外长戈夫会晤。

3 月 30 日至 4 月 6 日，中国监察部部长何勇访新，会见了新西兰国家服务部长马拉德、监察专员埃尔伍德和审计长麦克唐纳等。

中共中央政治局常委、书记处书记、中华全国总工会主席尉健行、国务委员吴仪分别会见了克一行。克拉克还访问了中国香港特别行政区和上海市，香港特别行政区行政长官董建华和上海市市长徐匡迪分别会见和宴请。

5 月 17～21 日，中共中央政治局委员、北京市委书记贾庆林访新，会见了新代总理、副总理安德顿、外长戈夫、毛利事务部长霍罗米亚和反对党国家党副领袖英格利希等。

5 月 29 日至 6 月 3 日，应唐家璇外长邀请，新西兰外长戈夫对西藏自治区进行了工作访问。

7 月 25 日，唐家璇外长与新西兰外交贸易部长戈夫在越南河内出席东盟地区论坛外长会议期间进行会晤。

9月1~7日，应新司法部长兼外交贸易部长戈夫邀请，司法部长张福森率中国司法代表团访新，会见了戈夫部长、裁军和军控部长罗布森、监察专员埃尔伍德、上诉法院院长理查森等。

10月16日，唐家璇外长在上海APEC双部长会议期间会见了新西兰外交贸易部长戈夫。

11月22日，新西兰外交贸易部秘书长沃尔特访华，与外交部副部长李肇星举行第13次中新外交部官员政治磋商。

12月4~9日，全国人大常委会副委员长布赫访新，分别会见了新议长亨特、副总理安德顿、协理外交贸易部长、裁军和军控部长罗布森和反对党国家党代领袖索里等。

中方访新的团组还有：中共中央统战部副部长朱维群（2月），全国人大财经委员会副主任蒋心雄、全国人大外委会副主任李淑铮（6月），中国侨联副主席林明江（7月），全国人大华侨委员会副主任、台盟中央副主席刘亦铭，中联部副部长张志军（9月），最高人民法院副院长李国光、国务院台湾事务办公室副主任王富卿（10月），中央机构编制委员会办公室副主任崔占福、水利部副部长翟浩辉、国家环保总局副局长祝光耀、海关总署副署长赵荣（11月）等。

中方访新的地方重要团组有：甘肃省委书记宋照肃、青海省省长赵乐际（1月），福建省省长习近平、河南省副省长王明义（2月），湖北省副省长张洪祥、甘肃省副省长吴碧莲（3月），山东省副省长陈延明、江西省副省长朱英培、广西壮族自治区副主席袁凤兰、重庆市副市长程贻举（4月），河北省副省长刘健生（5月），贵州省副省长莫时仁、青海省委书记白恩培、重庆市副市长甘宇平、浙江省副省长章猛进（10月），安徽省副省长卢家丰、陕西省副省长王寿森、江苏省副省长王荣炳（11月）等。

两国关系中存在的主要问题：

4月和7月，新联合未来党5名议员、国家党3名议员分别访台并会见台当局政要。7月和8月，新政府允许台"侨委会主委"

张富美和"总统府资政"、"中研院院长"李远哲到新活动。对此中方均提出交涉。

二、经济技术合作与贸易关系

3 月，中国农业部副部长齐景发访新，中新农业联委会成立并举行第一次会议。

3 月中旬，中国证监会副主席耿亮赴新出席国际证监会组织亚太地区会议并考察。

3 月 21 日，中新经贸联委会第 22 次会议在惠灵顿举行，外经贸部副部长孙振宇和新外交贸易部副秘书长约翰·伍德共同主持会议。

4 月 26 日，APEC 中国企业联席会议主席、原国家经济贸易委员会副主任陈邦柱率团访新。

5 月，国家林业局副局长李育才访新，中新林业联委会成立并举行第一次会议。

6 月 5～16 日，新贸易谈判部长吉姆·萨顿率团出席在上海举行的 APEC 贸易部长会议，2001 年 APEC 贸易部长会议主席、外经贸部部长石广生会见。

7 月下旬，中国人民银行副行长刘廷焕访新。

9 月 9 日，2001 年 APEC 财长会议主席、中国财政部长项怀诚在苏州会见新财政部长迈克尔·卡伦。

10 月 16 日，外经贸部部长石广生在上海会见出席 APEC 第 13 届部长级会议的新贸易谈判部长萨顿。

11 月，外经贸部副部长张祥率中国技术贸易促进团访新。

11 月 4～11 日，国家质量监督检验检疫局副局长葛志荣访新，会见了新农业部长萨顿，并签署了有关新西兰肉制品对华出口议定书和备忘录。

11 月 7～11 日，国家税务总局局长金人庆访新，会见了新商业部长、协理财政部长保罗·斯温。

据中国海关总署统计，2001 年，中新双边贸易总额达 11.72

亿美元，比上年增长 11.2%。其中中方出口额 4.35 亿美元，同比增长 4.5%，进口额 7.37 亿美元，同比增长 15.4%。中国和新西兰之间的经贸关系已从单一商品贸易发展成为多层次、多领域、多形式的合作。2001 年，新西兰在华新增投资项目 61 个，协议金额为 8800 万美元，实际投入 4900 万美元。中国在新投资项目累计24 个，投资额超过 4787 万美元。

三、文化交流及其他往来

4 月，国家广播电影电视总局副局长张海涛访新。

4 月，中国文联副主席赵志宏率中国文联代表团访新。

4 月，新华社副社长马胜荣访新。

6 月，国家体育总局副局长于再清访新。

9 月 12～13 日，国家宗教事务局局长叶小文率中国宗教工作者代表团访新。

9 月 23～28 日，新西兰社会服务和就业部长、协理教育部长马哈雷访华。

12 月 3～13 日，国务院新闻办公室副主任李刚、西藏自治区副主席次仁卓嘎访新，主持首届"西藏文化周"开幕式。

截至 2001 年底，中新已建立 17 对友城（2001 年新增加 3 对友城：江苏吴县—罗托鲁阿；辽宁省—远北地区；河南濮阳—阿什伯顿）和 1 对友好港口关系。

2001 年，新西兰在华留学生为 76 人。

四、军事往来

中新军事交往进一步发展，军方高层互访频繁。

4 月 5～11 日，中共中央政治局委员、中央军委副主席张万年上将访新，分别会见了新总理克拉克、外交贸易部长兼代理国防部长戈夫以及国防军司令亚当森中将和国防部秘书长福琼，并参观了新陆、海、空三军基地。

9 月 9～15 日，新国防部秘书长福琼访问广州、青岛、北京。

张万年副主席和熊光楷副总长分别与其会见和会谈。

10 月 11～14 日，海军南海舰队副司令员杨福成海军少将率领由"宜昌"号导弹护卫舰和"太仓"号综合补给舰组成的中国人民解放军海军舰艇编队访问新西兰奥克兰港。这是中国海军舰艇编队继 1998 年 4 月首次访新后对新西兰进行的第二次访问。

11 月 4～7 日，新西兰国防部长马克·伯顿访华，钱其琛副总理、军委副主席张万年上将分别会见，国防部长迟浩田上将与其会谈。

第 6 节　　中国同基里巴斯的关系

2001 年，中华人民共和国同基里巴斯共和国的友好合作关系继续发展。

一、政治关系与重要往来

5 月 7～14 日，应中国外交部邀请，基里巴斯内阁常秘兼秘书长塞陶阿·塔伊塔伊访华。在京期间，外交部部长唐家璇、部长助理周文重分别会见。

5 月 14～16 日，基里巴斯环境和社会发展部长卡塔奥斯卡·塞凯埃来京出席东亚及太平洋地区儿童发展部长级磋商。

8 月 21 日，外交部部长助理周文重在瑙鲁出席太平洋岛国论坛对话会期间与基总统塞布罗罗·斯托举行工作早餐，双方就双边关系和地区问题交换了意见。

9 月 21 日，中国新任驻基里巴斯大使马书学向基里巴斯总统斯托递交国书。

二、经贸关系

据中国海关总署统计，2001 年，中国同基里巴斯贸易总额为50 万美元，均为中方出口，无进口。

三、文化交流

2001 年，基里巴斯在华留学生共 8 人。

第7节　中国同萨摩亚的关系

2001 年，中华人民共和国同萨摩亚独立国的友好合作关系继续发展。

一、政治关系与重要往来

9 月 17～22 日，应外交部邀请，萨摩亚内阁秘书长西蒙·波多伊访华。

9 月 22～27 日，应国家环境保护总局邀请，萨摩亚环境部长图瓦拉·塞尔·塔加洛阿访华。

10 月 21～28 日，应卫生部邀请，萨摩亚卫生部卫生总监埃蒂·伊诺萨访华。

二、经贸关系

7 月 15～19 日，萨摩亚交通部长帕卢萨卢埃·法阿波二世赴上海参加由上海市机械公司出口的"太平洋岛国论坛萨摩亚二号"集装箱船交接仪式，并顺访北京。

据中国海关总署统计，2001 年，中国同萨摩亚贸易总额为 232 万美元，其中中方出口额为 232 万美元，无进口。

三、文化交流

9 月 21～26 日，萨摩亚国家电视台与中国驻萨摩亚大使馆共同举办了"中国电视周"。

2001 年，萨摩亚来华留学生 2 名。

第 8 节　中国同库克群岛的关系

2001 年，中华人民共和国同库克群岛的友好关系稳步发展。

一、政治关系与重要往来

2 月 9 日，江泽民主席致电库克群岛新任女王代表弗雷德里克·古德温，祝贺其就职。

3 月 19～22 日，中国驻库克群岛大使陈明明赴库克群岛，向库女王代表古德温递交国书。

二、经贸关系

2 月 19～20 日，外经贸部部长助理何晓卫率中国政府经贸代表团访问库克群岛，与库外长温顿签署《中库经济技术合作协定》。根据该协定，中方将向库方提供 1000 万元人民币无偿援助。

据中国海关总署统计，2001 年中库双边贸易额为 38 万美元，同比增长 52%。其中中方对库出口额为 27 万美元，同比增长 8%，以鞋类和服装为主；从库进口额为 11 万美元，同比增长约 179 倍，以羊毛为主，

三、文化交流

10 月 12～28 日，库克群岛歌舞团来华参加"第五届中国国际民间艺术节"活动，获得艺术节组委会颁发的"国际和平友谊奖"。

第 9 节　中国同瓦努阿图的关系

2001 年，中华人民共和国同瓦努阿图共和国的友好关系继续发展。

一、政治关系与重要往来

2 月 25～28 日，对外贸易经济部部长助理何晓卫访问瓦努阿图。

3 月 19 日，中国新任驻瓦努阿图大使吴祖荣向瓦总统约翰·巴尼递交国书。

7 月 4～10 日，应中联部邀请，瓦执政党瓦努阿库党副主席赛拉斯·黑克瓦访华。在京期间，中共中央政治局委员、北京市委书记贾庆林、中联部部长戴秉国、外交部副部长李肇星分别会见黑一行，中联部副部长张志军同黑举行了工作会谈。

8 月 23～25 日，外交部部长助理周文重对瓦努阿图进行工作访问。访问期间，周分别会见了瓦总理爱德华·纳塔佩、副总理瑟奇·沃霍尔、外交部长让·阿兰·马埃、反对党领袖巴拉克·索佩等。

9 月 20～27 日，应中联部邀请，瓦努阿图副总理兼贸商部长、温和党联盟领袖沃霍尔访华。访问期间，中共中央政治局委员、全国人大常委会副委员长姜春云、中联部部长戴秉国、外交部副部长李肇星、对外贸易经济部副部长孙振宇、农业部副部长韩长赋等分别会见沃一行。中联部副部长张志军主持了工作会谈，温和党联盟与中国共产党签署了建立党际关系谅解备忘录。

12 月 17～22 日，应唐家璇外长邀请，瓦努阿图外交部长马埃访华。访问期间，国务院副总理钱其琛会见、外交部长唐家璇同马埃举行了会谈。两国外长还签署了关于中华人民共和国政府向瓦努阿图共和国政府提供援助的换文。

二、经贸关系

8 月 9～12 日，农业部副部长万宝瑞访问瓦努阿图。访问期间，双方签署了两国农业部合作谅解备忘录。

10 月 8～14 日，应农业部邀请，瓦努阿图农业、检疫、林业及渔业部长威利·波森访华。农业部部长杜青林、外交部部长助理周文重、国家林业局局长周生贤分别会见。

据中国海关总署统计，2001 年，中国同瓦努阿图贸易总额为
147 万美元，其中中方出口额为 115 万美元，进口额为 32 万美元。

4 月 5 日，中国红十字会向瓦红十字会捐赠 500 袋大米。

三、文化交流

9 月 23～27 日，瓦艺术代表团出席了在北京举行的国际旅游
文化节。

2001 年，瓦努阿图在华留学生 2 名。

第 10 节　中国同斐济的关系

2001 年，中华人民共和国同斐济群岛共和国的友好合作关系
继续发展。

一、政治关系与重要往来

4 月 27 日，国家主席江泽民接受斐济首任常任驻华大使鲁凯·
拉图沃凯递交的国书。

11 月 11～15 日，应斐济政府邀请，全国政协主席李瑞环率全
国政协代表团对斐济进行正式友好访问。其间，李主席会见了斐济
总统约瑟法·伊洛伊洛、代总统约佩·塞尼洛利、总理莱塞尼亚·恩
加拉塞、众议长埃佩利·奈拉蒂考、参议长泰托·万加瓦卡通加、大
酋长委员会主席埃佩利·加尼劳、外长卡利奥帕特·塔沃拉，并与斐
领导人就中斐双边关系和共同关心的问题深入交换了意见。李主席
还出席了中国援斐的多功能体育馆项目开工典礼和《中华人民共和
国政府和斐济群岛共和国政府经济技术合作协定》签字仪式。

5 月 27 日至 6 月 4 日，斐济青年、就业和体育部长凯尼·达库
伊德雷凯蒂访华。

7 月 9～12 日，中国侨联副主席林明江访问斐济。

7 月 10～12 日，应唐家璇外长邀请，斐济外交、外贸和糖业

部长塔沃拉访华，唐家璇外长与塔举行会谈。塔在京主持了斐济驻华使馆开馆仪式。国务院副总理钱其琛、对外贸易经济合作部部长石广生、民航总局局长刘剑锋、农业部副部长刘坚、国家旅游局局长何光晔分别会见了塔。

7月11日，斐济驻华使馆正式开馆。外交部部长助理周文重和斐济外交、外贸和糖业部长塔沃拉出席开馆仪式。

10月9~15日，斐济青年、就业和体育部长伊西雷利·莱韦宁吉拉访华。

二、经贸关系

8月5~8日，中国农业部副部长万宝瑞率农业代表团访问斐济。其间，斐济看守政府副总理埃佩利·奈拉蒂考、外交部长塔沃拉和农业部常务副部长玛丽亚特·里格莫托等分别会见。双方签署了《中华人民共和国农业部和斐济群岛共和国农业、林业及渔业部关于农业合作的谅解备忘录》。

据中国海关总署统计，2001年中国同斐济贸易总额为2633万美元，比上年增长70.6%，其中中方出口额为2608万美元，进口额为25万美元。

三、文化交流

2001年，斐济在华留学生7人。

第11节 中国同巴布亚新几内亚的关系

2001年，中华人民共和国同巴布亚新几内亚独立国的友好关系取得积极进展。

一、政治关系与重要往来

9月25日，江泽民主席就2001年亚太经合组织领导人非正式会议有关事宜致函莫劳塔总理，建议将打击恐怖主义的内容写入会后发表的 APEC "领导人宣言" 或专门发表一个简短声明。

10 月 21 日，中国国家主席江泽民会见来华出席在上海举行的第九届亚太经合组织领导人非正式会议的巴新总理莫劳塔。

11 月 15～18 日，应巴新政府邀请，全国政协主席李瑞环率全国政协代表团对巴新进行正式友好访问。访问期间，李主席分别会见巴新总督西拉斯·阿托帕尔、总理莫劳塔、议长伯纳德·纳罗科比、外长约翰·瓦伊科等领导人，并就双边关系和共同关心的问题深入交换了意见。

5 月 28 日至 6 月 3 日，应朱镕基总理邀请，巴新总理梅克雷·莫劳塔对中国进行正式访问。在京期间，江泽民主席和李鹏委员长分别会见，朱镕基总理与莫劳塔举行了会谈。双方就进一步发展两国政治和经贸关系深入交换了意见，并签署了《中华人民共和国政府和巴布亚新几内亚独立国政府经济技术合作协定》。

3 月 18～20 日，中国外交部副部长、2001 年亚太经合组织（APEC）高官会主席王光亚访问巴新，与巴新外交部代秘书长罗纳德·洛马、副秘书长梅姆·拉卡诺等就 2001 年亚太经合组织会议等问题举行了工作会谈。

3 月 25～28 日，中国对外贸易经济部副部长孙振宇率政府经贸代表团访问巴新。

5 月 22～27 日，巴新外交部副秘书长拉卡诺来华出席中国、巴新外交部官员第八次磋商。外交部副部长李肇星予以会见，外交部部长助理周文重与拉卡诺举行了磋商。

9 月 16～23 日，应国家林业局邀请，巴新副总理兼林业部长迈克尔·奥吉奥访华。在京期间，国务院副总理温家宝、外交部部长助理张业遂分别会见，国家林业局局长周生贤与奥举行了工作会谈。

11 月 14～22 日，应中联部邀请，巴新前总理、国民联盟党领袖迈克尔·索马雷访华。访华期间，巴新国民联盟党与中国共产党签署了建立党际关系谅解备忘录。

二、经贸关系

据中国海关总署统计，2001 年，中国同巴新贸易总额为 1.41
亿美元，其中中方出口额为 1913 万美元，进口额为 1.22 亿美元。

三、军事往来

7 月 4～10 日，应中共中央军委副主席、国务委员兼国防部长
迟浩田上将邀请，巴新国防部长基尔罗伊·吉尼亚访华。

第 12 节　中国同密克罗尼西亚的关系

2001 年，中华人民共和国同密克罗尼西亚联邦的友好合作关
系顺利发展。

一、政治关系与重要往来

10 月 1 日，密克罗尼西亚联邦总统利奥·法尔卡姆致电国家主
席江泽民，祝贺中华人民共和国成立 52 周年。

11 月 3 日，国家主席江泽民致电密克罗尼西亚联邦总统法尔
卡姆，祝贺密克罗尼西亚独立 15 周年。

二、经贸关系

据中国海关总署统计，2001 年，中密贸易总额为 187 万美元，
同比增长 13.5%。其中中方出口额为 186 万美元，进口额为 1 万
美元。

第 13 节　中国同汤加的关系

2001 年，中华人民共和国同汤加王国的友好合作关系继续

发展。

一、政治关系与重要往来

1月14～22日，应中国政府邀请，汤加王储图普托阿对中国进行正式访问。访问期间，朱镕基总理、外交部副部长杨洁篪予以会见。

2月22～23日，对外贸易经济合作部部长助理何晓卫率中国政府经贸代表团访问汤加。汤加国王陶法阿豪·图普四世等予以会见。

4月1～9日，应外交部邀请，汤加外交部秘书长阿科茜塔·菲尼昂甘诺福访华。外交部副部长王光亚、外经贸部副部长龙永图和全国妇联主席刘海荣分别会见。

9月2～13日，应全国妇联邀请，汤加首相夫人、汤天主教妇女协会主席、汤妇女儿童中心主席、泛太平洋及东南亚妇女协会主席娜娜茜帕乌·土库阿豪王妃率汤加妇女代表团访华。

二、经贸关系

据中国海关总署统计，2001年中国同汤加贸易总额为118万美元，其中中方出口额为117万美元，进口额为1万美元。

三、文化交流及其他往来

9月16～23日，汤加教育大臣图托阿塔西·法卡法努阿访华，教育部副部长章新胜、外交部部长助理张业遂分别会见。

2001年，汤加在华留学生4人。

四、军事往来

3月29～31日，应汤加国防军邀请，中国人民解放军副总参谋长隗福临上将率军事代表团访问汤加。在汤期间，汤国王陶法阿豪·图普四世和首相兼外交和国防大臣乌卢卡拉拉·阿塔王子分别会见了隗福临副总长，隗福临副总长与汤加国防军司令陶埃卡·乌塔阿图举行了会谈。

　　5 月 13～19 日，应中国人民解放军总参谋长傅全有上将邀请，汤加国防军司令陶埃卡·乌塔阿图中校率汤加军事代表团访华。中共中央军委副主席、国务委员兼国防部长迟浩田上将会见了乌塔阿图，傅全有总参谋长与乌塔阿图举行了会谈。

第九章

中国同拉丁美洲
和加勒比国家的关系

第 1 节　拉丁美洲和加勒比地区形势

2001 年，拉美政局总体保持稳定，个别国家出现动荡。圭亚那、秘鲁和尼加拉瓜等国顺利举行大选，墨西哥新政府平稳过渡。海地政治危机逐步解决，厄瓜多尔政局趋于平静。阿根廷经济危机引发社会骚乱，德拉鲁阿总统被迫辞职，政局一时陷入动荡；委内瑞拉全国工商界大罢工增加了社会不安定因素，但两国局势均未失控。拉美国家签署《美洲民主宪章》，进一步巩固了现行民主体制，体现了各国维护政治稳定与促进经济发展的共同意愿。但拉美社会经济发展失衡，贫富分化、社会不公等问题依然严重，成为影响稳定和发展的主要因素。

受世界经济特别是美国经济下滑、阿根廷经济连年衰退以及"9·11"事件和自然灾害等影响，拉美市场信心受挫，内需不振，股市动荡，外贸下降，地区经济增速明显放慢，各大国经济增长情况均大大低于预计水平。据联合国拉丁美洲和加勒比经济委员会估计，地区国内生产总值增长率从 2000 年的 4.2% 下降至 2001 年的 0.5%。2001 年拉美主要国家的经济增长率约为：巴西 1.51%，墨西哥 - 0.1%，阿根廷 - 4%，智利 3%，秘鲁 - 0.5%，乌拉圭 - 2.5%，厄瓜多尔 5%，委内瑞拉 2.8%，哥伦比亚 1.5%，巴拉圭 1.5%，多米尼加 3%。与去年相比，地区进出口贸易下降，预计总额为 8050 亿美元，其中出口额 3914 亿美元，进口额 4136 亿美元，同比分别下降了 3.5% 和 1.5%。但除南方共同体市场外，安第斯共同体、中美洲共同市场等小地区内贸易有所增长。全年拉美吸引外资有所下降，为 583 亿美元。地区失业率达 8.4%。外债负担依然沉重，余额达 7260 亿美元。外汇储备减至 1505 亿美元。

地区一体化续有进展，但遇到不少困难。南共市制定了逐步降低平均关税计划，并决定建立地区贸易纠纷仲裁法庭。巴西与阿根廷贸易纠纷缓解，汽车贸易问题取得进展。安共体加强了宏观经济政策协调，决定逐步实行区内人员自由流动，加勒比共同体成立加勒比法院，旨在排除加共体一体化进程中的司法障碍。南共市与安共体保持联合意愿，重申将于 2002 年建立两集团间自由贸易区。但地区经济衰退使一体化的基础被削弱，特别是阿根廷严重的经济危机对南共市以及对南共市与安共体双方的联合进程造成较大负面影响。

外交多元化取得一定成效，与欧盟和亚洲的关系明显加强。拉美和欧洲国家高层互访频繁，南共市与欧盟就农产品贸易问题的磋商取得进展。巴西、墨西哥、委内瑞拉、智利 4 国总统、古巴主席和牙买加总理访问了亚洲国家；东亚—拉美合作论坛首届外长会议在智利举行，确立了两地区加强合作与对话的基本框架。拉美与欧亚关系的发展，扩大了其在世界多极化进程中的回旋余地。

对美关系仍是拉美国家外交的重点。在 4 月举行的第三届美洲国家首脑会议上，与会国领导人达成了在 2005 年建成美洲自由贸易区的共识。美拉在经贸、缉毒、移民等领域加强了合作。"9·11"事件发生后，美拉关系进一步加强，双边合作重点转移到反恐斗争上。大多数拉美国家对美的反恐斗争给予道义和情报等方面的支持。美借机推动拉美国家签署《美洲民主宪章》和重新启动《泛美互助条约》。美拉在谈判建立美洲自由贸易区和如何消除恐怖主义等问题上存在分歧，双方仍有矛盾与斗争。

第 2 节　中国同拉丁美洲和加勒比国家关系综述

2001 年，中国同拉美和加勒比国家的关系取得较大发展。

中拉高层交往频繁，政治关系日益巩固和深化。4 月，江泽民主席对智利、阿根廷、乌拉圭、古巴、委内瑞拉和巴西 6 国进行了历史性访问，达到了"加强交流、增进信任、促进合作、共同发展"的目的，为新世纪中拉关系的发展明确了方向，有力推动了中拉友好合作关系的全面发展。10 月，江主席在上海 APEC 领导人非正式会议期间会见了墨西哥总统福克斯和秘鲁总统托莱多。李鹏委员长 11 月访问古巴、阿根廷和乌拉圭，再次体现了中国对拉美的重视，促进了中拉关系发展。中共中央政治局委员、北京市委书记贾庆林 5 月访问阿根廷和巴西。国务委员司马义·艾买提 5~6 月访问墨西哥和巴西。全国政协副主席、中国工程院院长宋健 6 月访问阿根廷、古巴和秘鲁。中国政府特使、教育部长陈至立 7 月出席秘鲁新任总统的就职典礼并访问哥伦比亚和阿根廷。卫生部长张文康（6 月）、铁道部长傅志寰（7 月）和水利部长汪恕诚（10 月）分别访问玻利维亚、阿根廷和委内瑞拉。中纪委常务副书记曹庆泽 8 月率监察部代表团访问巴西。

拉美国家重要来访有：委内瑞拉总统查维斯（5 月）、墨西哥总统福克斯（6 月）、智利总统拉戈斯（10 月）、哥伦比亚副总统兼国防部长贝尔（6 月）、古巴外长佩雷斯（2 月）及古巴共产党中央政治局委员、奥尔金省委第一书记谢拉（4 月）。

中拉政治磋商与对话不断加强。6 月，外交部部长助理周文重访问了特立尼达和多巴哥、牙买加和圭亚那，与圭举行了政治磋商。厄瓜多尔（1月）、秘鲁（11月）和哥伦比亚副外长（12月）、巴西外交部政治事务副秘书长（11月）来华进行了政治磋商。

中国同拉美地区组织的关系不断密切。3月，唐家璇外长出席了在智利召开的首届东亚—拉美合作论坛外长会议，并会晤智利、墨西哥、厄瓜多尔、秘鲁外长和哥伦比亚副外长；11月，唐家璇外长同里约集团外长在第56届联大期间举行了第11次外长级政治对话。3月，中国人民银行行长助理李若谷作为观察员出席了在智利圣地亚哥举行的美洲开发银行第42届年会。

中拉在国际事务中的合作不断加强。9月，中国与墨西哥就中国加入世贸组织签署双边协议，从而结束了中国与世界贸易组织所有成员国的谈判。在人权问题上，多数拉美国家同情或支持中国的立场。在联合国第57届人权会上，拉美成员国的支持对中国第10次挫败反华提案起到重要作用。拉美多数国家奉行一个中国的政策，支持中国"一国两制，和平统一"的原则立场，反对台湾"重返联合国"。在中美"撞机事件"上，许多拉美国家以不同方式对中国表示了支持和理解。拉美国家还积极支持北京申办奥运会，热烈祝贺中国申奥成功和加入WTO。

中国全国人大与拉美各国议会的友好关系进一步发展。李鹏委员长11月出访古巴、阿根廷、乌拉圭三国。此外，中国全国人大法律委员会副主任张绪武5月访问古巴和巴西；全国人大民族委员会副主任尹克升6月访问墨西哥和古巴；全国人大财经委员会副主任蒋心雄和人大预算工作委员会副主任苏宁分别于5月和9月访问巴西。来访的拉美国家议会代表团有：乌拉圭众议长阿夫达拉（1月）、智利参议长萨尔迪瓦（4月）、海地众议院外委会主席孔顿（5月）、墨西哥众议院第一副议长坎图（5月）、墨西哥众议院土改委主席卡斯蒂亚诺斯（5月）、玻利维亚众议长梅尔加尔（6月）、智利众院外委会主席阿韦尔（6月）、巴拿马议会外委会主席阿莱曼（7月）、巴西众议员阿鲁达（7月）、巴西参议院副议长古安内斯（7月）、乌拉圭众议院外委会副主席拉维尼亚（10月）。

中国共产党同拉美各国政党间交流与合作不断加强。中共中央政治局委员贾庆林和陕西省委副书记艾丕善分别率中共友好代表团访问阿根廷、巴西（5月）和古巴（1月）。拉美党派来访的有：巴西共产党皮奥伊州州委领导人德阿尔梅达（3月）、委内瑞拉争取社会主义运动党主席穆希卡（4月）、墨西哥国家行动党主席布拉沃（4月）、哥伦比亚自由党主席塞尔帕（5月）、巴西劳工党名誉主席卢拉（5月）、古巴共产党中央国际部副部长马丁内斯（6月）、萨尔瓦多法拉本多·马蒂民族解放阵线领导人希尔瓦（7月）、墨西哥革命制度党主席绍里（8月）、圭亚那人民进步党总书记拉莫塔（8月）、多米尼加革命党副主席阿里斯蒂（9月）、古共中央委员卡莉达（10月）、洪都拉斯国民党领导成员卡丹（12月）、墨西哥民主革命党主席加西亚（12月）等。

中拉军事交往不断发展。中央军委副主席、国务委员兼国防部长迟浩田上将8月访问了哥伦比亚、委内瑞拉、特立尼达和多巴哥。国防科工委副主任张维民（3月）、总参军训部长冷承槐少将（3月）、武警部队参谋长陈传阔少将（5月）、空军政委乔清晨中将（7月）、总政治部副主任袁守芳上将（8月）、总参谋长助理李玉少将（11月）先后访问了厄瓜多尔、墨西哥、委内瑞拉、巴西、智利、阿根廷、古巴和玻利维亚。拉美国家军界来访的主要有：委内瑞拉海军司令谢拉尔塔（2月）、巴西国防部长金唐（4月）、苏里南国防部长阿森（4月）、委内瑞拉空军司令加西亚中将（5月）、古巴革命武装力量部副部长兼总参谋长洛佩斯上将（6月）、厄瓜多尔武装力量联合指挥部司令萨奥纳海军上将（8月）、哥伦比亚空军司令贝拉斯科上将（9月）、智利空军司令里奥斯（10月）、圭亚那总参谋长阿瑟利准将（10月）、乌拉圭国防部副部长亚瓦罗内（10月）和玻利维亚空军司令卡马乔上将（11月）等。智利海军"埃斯梅达拉"号训练舰访问上海。

中拉经贸合作持续扩大，贸易额保持增长势头。除司马义·艾买提国务委员访问墨西哥和巴西外，国家经贸委副主任蒋黔贵3月访问阿根廷和巴西；外经贸部副部长孙广相8月率中国政府经贸代表团访问苏里南、安提瓜和巴布达、圣卢西亚。2001年，中拉双边贸易总额达 149 亿美元，同比增长 18.6%，其中中方出口额 82 亿美元，进口额 67 亿美元，同比分别增长 14.6% 和 23.9%。对华贸易居前 10 位的拉美国家依次是：巴西、墨西哥、智利、阿根廷、巴拿马、秘鲁、委内瑞拉、古巴、乌拉圭和哥伦比亚，中国与其贸易额占中拉贸易总额的 90%。中方分别与墨西哥和巴西投资建设的华源集团纺织厂及空调生产线大型项目全面投产。

此外，中国同拉美各国在文化、卫生、新闻、教育和体育等领域的友好往来也日益增多。除教育部长陈至立、卫生部长张文康访问拉美外，文化部副部长孟晓驷访问古巴和巴西（6 月），中国藏学研究中心总干事拉巴平措率中国藏学家代表团访问墨西哥（2 月），西藏自治区党委常委、宣传部长肖怀远率西藏对外文化交流代表团访问智利、阿根廷、巴西和墨西哥（4 月），卫生部副部长王陇德访问巴西（10 月），中央电视台台长赵化勇访问秘鲁和巴西（11 月），教育部副部长张保庆访问阿根廷和墨西哥（3 月），中国杂技代表团对苏里南、法属圭亚那、巴拿马、委内瑞拉和哥伦比亚进行了友好访问演出（9~10 月）。拉美来访的除古巴体育运动委员会主任罗德里格斯、苏里南教育部长桑德里曼、墨西哥全国文化艺术委员会主任贝尔穆德斯外，还有：厄瓜多尔政治副外长加列戈斯率领的厄政府文化代表团、古巴高教部副部长克鲁斯、巴哈马新闻俱乐部主席贝瑟尔、由 11 国新闻界知名人士组成的拉美新闻记者访华团和巴拿马新闻记者代表团等。

第 3 节　中国同墨西哥的关系

2001 年，中华人民共和国同墨西哥合众国的友好合作关系稳步发展。

一、政治关系与重要往来

6 月 6~9 日，应国家主席江泽民邀请，墨西哥总统福克斯对中国进行国事访问。江主席与福举行正式会谈，李鹏委员长、朱镕基总理分别会见。两国领导人就双边关系和共同关心的其他问题深入交换了意见并达成广泛共识。两国政府签署了《中华人民共和国最高人民检察院和墨西哥合众国总检察院合作协议》，江主席和福克斯总统出席了签字仪式。

1 月 8 日，王光亚副外长访问墨西哥，与墨外交部主管国际经济事务的副外长哈金及墨 APEC 高官贝尔纳尔大使进行磋商，并会见马林副外长。

3 月 28 日，在智利圣地亚哥出席东亚—拉美合作论坛的唐家璇外长会见了墨西哥外长卡斯塔涅达。双方就双边关系和共同关心的国际问题交换了看法。

5 月 8～10 日，墨西哥副外长马林对中国进行工作访问。司马义·艾买提国务委员、唐家璇外长、李肇星副外长、周文重部长助理分别会见。双方就双边关系及重大国际问题深入交换了意见。

5 月 11 日，江泽民主席在中南海会见墨西哥《太阳报》报业集团董事长巴斯克斯，就中国对重大国际和地区问题的看法及中拉关系、双边关系等回答了提问。

5 月 29 日，中国新任驻墨大使李金章向福克斯总统递交国书。

5 月 27～31 日，国务委员司马义·艾买提率中国政府经贸代表团访墨。

9 月 6 日，全国人民代表大会常务委员会委员长李鹏分别电贺迭戈·费尔南德斯和比阿特丽斯·帕雷德斯·兰赫尔当选墨西哥联邦议会参、众议长。

10 月 19～21 日，墨西哥总统福克斯出席在上海召开的 APEC 第九次领导人非正式会议，并与江泽民主席举行双边会晤。

11 月 23 日，墨西哥新任驻华大使李子文向江泽民主席递交国书。

此外，全国人大副委员长成思危出席智利亚太议会年会时在墨西哥过境（1 月），全国人大常委、人大民族委员会副主任委员尹克升访墨（6 月）。

墨方来华访问的有：墨西哥国家行动党主席布拉沃（4 月）、墨西哥众议院第一副议长埃洛伊·坎图（5 月）、墨西哥前总统埃切维利亚（6 月）、墨西哥革命制度党主席杜尔塞·绍里（8 月）、墨西哥审计长圭莱罗（10 月）。

二、经济技术合作与贸易关系

9 月 13 日，中国与墨西哥就中国加入 WTO 达成双边协议。

据中国海关总署统计，2001 年，中墨贸易总额为 25.51 亿美元，其中中方出口额 17.9 亿美元，进口额 7.61 亿美元，同比分别增长 34.1% 和 55.9%。

三、文化交流及其他往来

2 月 18～22 日，中国藏学研究中心总干事拉巴平措率藏学家代表团访墨。

4 月 25 日至 5 月 1 日，西藏自治区党委常委、宣传部部长肖怀远率中国西藏对外文化交流代表团访墨。

2001 年，墨西哥在华留学生 92 人。

四、军事往来

3 月 23～27 日，国防科工委副主任张维民率团访墨。墨国防部办公厅主任阿尔瓦雷斯上将、海军部部长佩罗特上将分别会见。

7 月 19～24 日，应墨国防部邀请，中国空军政委乔清晨中将率团访墨。墨国防部长维加、空军司令阿尔克斯中将分别会见。

第 4 节 中国同危地马拉的关系

中华人民共和国同危地马拉共和国没有外交关系。危与台湾保持"外交关系"。

6 月 12～18 日，应中国国际交流协会邀请，危地马拉最高法院院长雨果·毛尔夫妇访华。

7 月 1～8 日，应中国国际交流协会邀请，危地马拉圣卡洛斯大学校长埃弗拉因·梅迪纳夫妇访华。

危地马拉在 2001 年联合国人权会上对中国提出的动议投了反对票。

危地马拉在 2001 年联合国大会上未参与提案和联署支持台湾"重返"联合国，但在总务委员会上为台湾说项。

据中国海关总署统计，2001 年，中国同危地马拉贸易总额为 1.631 亿美元，其中中方出口额为 1.629 亿美元，进口额为 21 万美元。

2001 年，危地马拉来华留学人员 1 人。

第 5 节　中国同洪都拉斯的关系

中华人民共和国同洪都拉斯没有外交关系，洪与台湾保持"外交关系"。

11 月 21～27 日，应洪都拉斯国民党领导成员、国会议员卡丹的邀请，中联部拉美局局长李连甫一行 4 人访洪。

12 月 3～11 日，应中国国际交流协会邀请，洪都拉斯国民党领导成员、国会议员卡丹访华。全国政协副主席万国权、全国人大外委会副主任委员李淑铮、中联部副部长蔡武和交流协会副会长李北海会见。

洪都拉斯在第 54 届世界卫生组织大会上作为提案国之一支持给予台湾世界卫生组织观察员地位；在 9 月召开的联大会议上未提案亦未联署支持台"参与"联合国的提案。

据中国海关总署统计，2001 年，中国与洪都拉斯贸易总额为 6495 万美元，其中中方出口额 6484 万美元，进口额 11 万美元。

第6节　中国同萨尔瓦多的关系

中华人民共和国同萨尔瓦多共和国没有外交关系。萨与台湾保持"外交关系"。

1月14日，萨尔瓦多发生强烈地震，造成严重生命财产损失。中国国家主席江泽民向萨尔瓦多总统弗朗西斯科·弗洛雷斯致电表示慰问。中国红十字会紧急向萨红十字会提供3万美元现汇的赈灾援助。

7月5～9日，萨尔瓦多首都圣萨尔瓦多市市长法拉本多·马蒂、民族解放阵线领导人之一埃克多·希尔瓦来华进行商务考察。

在2001年联合国大会上，萨尔瓦多作为提案国支持台湾"重返"联合国。

据中国海关总署统计，2001年，中国同萨尔瓦多贸易总额为1.0003亿美元，其中中方出口额为9960万美元，进口额为43万美元。

第7节　中国同尼加拉瓜的关系

1985年12月7日，中华人民共和国同尼加拉瓜共和国建立外交关系。1990年11月9日，由于尼宣布同台湾"复交"，中国政府中止了同尼的外交关系。自1993年以来，尼连续9年在联合国提案支持台湾"重返联合国"。

9月21～26日，应中联部邀请，尼加拉瓜桑地诺民族解放阵线副总书记托马斯·博尔赫以特使身份访华。中共中央政治局委员、国务院副总理钱其琛会见，中联部部长戴秉国会见，副部长蔡武主持工作会谈。

据中国海关总署统计，2001年，中尼贸易总额为3464万美元，同比减少 20.3％。其中中方出口额 3455 万美元，进口额 9 万美元。

第 8 节　中国同哥斯达黎加的关系

中华人民共和国同哥斯达黎加共和国没有外交关系。哥与台湾保持"外交关系"。

5 月 2～16 日，世界银行布拉格年会主席、哥斯达黎加中央银行行长爱德华多·利扎诺对中国进行私人访问。中国人民银行行长戴相龙及财政部副部长楼继伟分别会见。

6 月 25～30 日，应中国国际问题研究所邀请，哥斯达黎加国际法研究所所长贝罗加尔博士一行 4 人访华。全国政协副主席罗豪才、外交部副部长李肇星、全国政协外委会主任田曾佩、副主任委员秦华孙分别会见。

11 月 12 日，第 56 届联大会议期间，哥斯达黎加外长罗伯特·罗哈斯应邀出席了唐家璇外长为部分拉美国家外长举行的早餐会。

12 月 7～8 日，中国国际贸易促进委员会副会长马跃等访哥。

在 2001 年联大会议上，哥没有联署支持台湾"重返联合国"的提案。

哥是联合国人权委员会（2001～2003 年）成员国，在 2001 年人权会上对中国"不采取行动"动议投反对票。

据中国海关总署统计，2001 年中哥贸易总额为 8959 万美元，同比增长 18.7％，其中中方出口额 6308 万美元，进口额 2651 万美元。

2001 年，哥斯达黎加来华留学生 3 人。

第 9 节　中国同巴拿马的关系

中华人民共和国同巴拿马共和国没有外交关系，巴与台湾保持"外交关系"。

4 月 2 日，全国人大常委会副委员长蒋正华在哈瓦那出席各国议会联盟第 105 届大会时，会见巴拿马议会第一副主席特雷西塔，就加强两国议会之间的来往和促进双边关系等问题交换了意见。

6 月 28 日，巴拿马议会外委会主席埃克托·阿莱曼致函全国人大外委会主任委员曾建徽，祝贺中国共产党成立 80 周年。

7 月 10～19 日，应全国人大外委会邀请，巴拿马议会外委会主席埃克托·阿莱曼率团访华。全国人大常委会委员长李鹏、外交部副部长李肇星、中联部副部长蔡武等分别会见。

巴方访华的还有：巴拿马经贸大使费尔德曼访华（9 月）、巴拿马新闻记者代表团（11 月）。

巴拿马在 4 月召开的世界卫生组织大会上，以"人道主义"为托辞牵头提案支持台作为观察员"加入"世界卫生组织，在 9 月召开的联大会议上又作为提案国之一支持台湾"重返联合国"。

12 月，中华人民共和国第五届经贸博览会在巴拿马城举行。

据中国海关总署统计，2001 年中国和巴拿马贸易总额为 12.41 亿美元（同比下降 3.8%），其中中方出口额 12.39 亿美元（下降 3.9%），进口额 0.02 亿美元（增长 91.3%）。

2001 年，巴拿马来华留学生 8 人。

第 10 节　中国同多米尼加的关系

中华人民共和国同多米尼加共和国没有外交关系，多与台湾保持"外交关系"。

3 月 8 日，中国新任驻多米尼加贸易发展办事处代表徐庆向多第一副外长皮查多·奥利维尔递交代表介绍信。

4 月 23~29 日，应中联部邀请，多米尼加众议长拉斐拉·阿尔武凯克率众议院多党议员团访华，全国人大常委会副委员长何鲁丽、全国人大外委会副主任委员李淑铮等分别会见。

9 月 21~28 日，应中联部邀请，多米尼加劳动党总书记安东尼奥·弗洛里安访华。

多方访华的还有：多米尼加中国友好协会会长罗伯托·桑塔纳（4 月）、劳动党妇女书记洛乌雷德斯·梅塞德斯（6 月）、革命党副主席阿里斯蒂·佩雷拉（9 月）。

多米尼加在第 54 届世界卫生组织大会上作为提案国之一支持给予台湾世界卫生组织观察员地位；在 9 月召开的联大会议上未提案亦未联署支持台湾"参与"联合国，但为台说项。

据中国海关总署统计，2001 年，中国与多米尼加共和国贸易总额为 3843 万美元，其中中方出口额 3821 万美元，进口额 22 万美元。

2001 年，多米尼加来华留学人员 5 名。

第 11 节　中国同海地的关系

中华人民共和国同海地共和国没有外交关系，海与台湾保持"外交关系"。

5 月 9~18 日，海地众议院外委会主席孔顿率代表团访华。全国人大常委会副委员长铁木尔·达瓦买提、外交部部长助理周文重分别会见，全国人大外事委员会副主任委员蔡方柏与代表团进行了工作会谈。

11 月 20~21 日，应海地外交部邀请，外交学会会长梅兆荣访问海地。

12 月 28 日，海地总统阿里斯蒂德夫妇分别向江泽民主席和胡锦涛副主席发新年贺卡。

海地在第 56 届联大总务会上未联属支持台湾"重返联合国"的有关提案。

据中国海关总署统计，2001 年，中国与海地贸易总额为 1448 万美元，同比减少了 7.8%。其中中方出口额 1445 万美元，进口额 3 万美元。

2001 年，海地来华留学生 4 人。

第 12 节　中国同哥伦比亚的关系

2001 年，中华人民共和国同哥伦比亚共和国的友好合作关系继续稳步发展。

一、政治关系与重要往来

1 月 8~14 日，应国务委员兼国务院秘书长王忠禹邀请，哥总统府秘书长爱德华多·皮萨诺访华。

3 月 29 日，唐家璇外长在智利圣地亚哥出席东亚—拉美合作论坛会议期间会见与会的哥副外长克莱门西亚·福雷罗。

6 月 1~8 日，应胡锦涛副主席邀请，哥副总统兼国防部长古斯塔沃·贝尔·莱穆斯正式访华。江泽民主席和中央军委副主席、国务委员兼国防部长迟浩田上将分别会见，胡副主席同贝会谈。访问期间，江苏省和南京市分别同哥大洋省和巴兰基亚市签署结好协议。

7 月 24 日，李鹏委员长分别致电哥新任参议长卡洛斯·加西亚和新任众议长吉列尔莫·加维里亚，祝贺其当选。

8 月 27~30 日，应哥副总统兼国防部长古斯塔沃·贝尔·莱穆斯邀请，中共中央军委副主席、国务委员兼国防部长迟浩田上将对哥进行正式友好访问。哥总统安德烈斯·帕斯特拉纳·阿朗戈和副总统兼国防部长贝尔分别会见。

12 月 2～9 日，应李肇星副外长邀请，哥副外长克莱门西亚·福雷罗·乌克罗斯访华。

中方访哥的还有：教育部长陈至立（7 月）。

哥方访华的还有：哥自由党领袖奥拉西奥·塞尔帕（5 月）。

二、经济技术合作与贸易关系

4 月 18～27 日，哥经济发展部副部长平托访华，出席了在北京举行的"网络经济与经济治理国际研讨会"和在宁波举行的"政府与电子商务发展国际研讨会"。

10 月 20～24 日，应哥外贸部邀请，中国国际贸易促进委员会副会长钟敏率企业家代表团访哥。中哥企业家理事会正式成立。

据中国海关总署统计，2001 年，中哥贸易总额为 2.32 亿美元，其中中方出口额为 2.05 亿美元，进口额为 2693 万美元。

三、文化交流及其他往来

4 月 17～21 日，国家体育总局副局长、国际奥委会委员于再清访哥。

4 月～7 月，中国河南京剧团两度访哥。

10 月 27～31 日，应国家审计署邀请，哥国家审计署副审计长何塞·拉法乌列埃访华。李金华审计长会见，审计长助理项俊波主持会谈。

2001 年，哥伦比亚在华留学人员 25 人。

四、军事往来

9 月 3～9 日，应空军司令员刘顺尧上将的邀请，哥空军司令埃克托尔·贝拉斯科上将对中国进行正式友好访问。中央军委委员、总参谋长傅全有上将会见。

第 13 节　中国同委内瑞拉的关系

2001 年，中华人民共和国同委内瑞拉玻利瓦尔共和国的友好合作关系继续深入发展。

一、政治关系与重要往来

4 月 15～17 日，应委内瑞拉总统乌戈·查韦斯·弗里亚斯邀请，江泽民主席对委进行国事访问。此系中国国家元首对委进行的首次国事访问。访问期间，江主席同查韦斯总统举行会谈，确立了中委在新世纪"共同发展的战略伙伴关系"，并会见了委全国代表大会主席威廉·拉腊。查韦斯总统授予江主席委最高勋章——大项链级"解放者勋章"。双方还签署了《中华人民共和国政府和委内瑞拉玻利瓦尔共和国政府关于成立高级混合委员会的谅解备忘录》、《中华人民共和国政府和委内瑞拉玻利瓦尔共和国政府关于对所得税和财产避免双重征税和防止偷漏税的协定》和《中华人民共和国政府和委内瑞拉玻利瓦尔共和国政府关于中国向委内瑞拉提供优惠贷款的框架协议》等 7 个文件。

5 月 24～28 日，应江泽民主席邀请，委内瑞拉总统查韦斯对中国进行第二次国事访问。江主席同查举行会谈，国务院总理朱镕基、全国政协主席李瑞环分别会见。查韦斯总统会见中国社科院院长李铁映、中国工程院院长宋健和中国科学院副院长白春礼，并接受对外经济贸易大学授予的"经济学博士"名誉学位。访问期间，双方签署了《中华人民共和国政府和委内瑞拉玻利瓦尔共和国政府高级混合委员会章程》、《中华人民共和国国家发展计划委员会和委内瑞拉玻利瓦尔共和国能源矿产部关于能源十年合作谅解备忘录》和《中华人民共和国农业部和委内瑞拉玻利瓦尔共和国生产和贸易部关于农业长期合作谅解备忘录》等 6 个文件，并举行两国政府高级混合委员会首次会议。

2 月 13 日，全国人大常委会委员长李鹏致电委内瑞拉全国代表大会主席拉腊，祝贺新一届委中议员友好小组成立。

2 月 16 日，国家主席江泽民接受委新任驻华大使胡安·德赫苏斯·蒙蒂利亚·萨尔迪维亚递交的国书。

4 月 18 日，委在联合国第 57 届人权会上对中国就美国反华提案提出的"不采取行动"动议投赞成票。

7 月 11～16 日，应最高人民法院院长肖扬邀请，委最高法院院长伊万·林孔·乌达内塔访华。

8 月 30 日至 9 月 2 日，应委国防部长何塞·比森特·兰赫尔·巴莱邀请，中央军委副主席、国务委员兼国防部长迟浩田上将访委。委总统查韦斯、武装力量司令兼总监卢卡斯·林孔·罗梅罗上将分别会见，迟副主席同兰赫尔国防部长举行会谈。

中方访委的还有：水利部长汪恕诚（10 月）。

委方访华的还有：委争取社会主义运动党主席费利佩·穆希卡（4 月）。

二、经济技术合作与贸易关系

5 月 9 日，委查韦斯总统、计划和发展部长希奥尔达尼和中国驻委大使王珍出席在委马拉凯市举行的中国工程与农业机械进出口总公司向委出口首批拖拉机和农用机械的运抵仪式。

5 月 31 日至 6 月 9 日，应委财政部长何塞·亚历杭德罗·罗哈斯邀请，财政部副部长金淑莲率财政部考察团对委进行工作访问。

7 月 7 日，由中国成套设备进出口总公司承建首批 242 套经济住房在委拉腊州巴西梅托市举行移交仪式。

7 月 15～27 日，应委政府邀请，以农业部副部长刘坚为团长的中国农业代表团访委。

10 月 11 日，中委经贸混委会第五次会议在北京举行。外经贸部副部长孙振宇和委生产贸易部副部长路易斯·贝拉斯克斯共同主持会议。

10 月 25～27 日，应委科技部长卡洛斯·赫纳蒂奥斯邀请，科技部副部长马颂德率团访委。

11 月 18～21 日，应委生产和贸易部长路易莎·罗梅罗邀请，外经贸部部长助理魏建国率中国政府经贸代表团访委。

11 月 27 日至 12 月 4 日，应委内瑞拉计划和发展部长希奥尔达尼邀请，中国工程院院士袁隆平率中国水稻专家代表团访委。

12 月 27 日，中委乳化油合资生产协议和兖矿集团承揽委铁路旧线改建工程合同等签字仪式在委内瑞拉总统府举行。

据中国海关总署统计，2001 年，中委贸易总额为 5.89 亿美元，其中中方出口额为 4.43 亿美元，进口额为 1.46 亿美元。

三、文化交流及其他往来

4 月 4～30 日，由委外交部、国防部、国家石油公司、国家电视台和电台、律师协会和中国驻委大使馆联合举办的"中国文化月"活动在加拉加斯举行。

4 月 12～24 日，应加拉加斯国际戏剧节组委会邀请，河南省京剧团赴委访问演出。

6 月 18～29 日，应外交部新闻司邀请，委《国民报》总编阿尔瓦·桑切斯作为拉美新闻团成员访华。

2001 年，委内瑞拉在华留学人员 30 人。

四、军事往来

2 月 20～24 日，应海军司令员石云生上将邀请，委海军司令谢拉尔塔中将访华。中国人民解放军总参谋长傅全有上将和海军司令员石云生上将分别会见。

3 月 28 日至 4 月 1 日，应委国防部邀请，中国人民解放军总参谋部军训部部长冷承槐少将访委。委陆军司令卢卡斯·林孔·罗梅罗上将会见。

5 月 21～27 日，应国防部邀请，委空军司令阿图罗·何塞·加西亚中将访华。中央军委副主席、国务委员兼国防部长迟浩田上将会见，空军司令员刘顺尧上将同加举行会谈。

7 月 14～19 日，应委空军司令雷古洛·安塞尔米·埃斯平中将邀请，空军政委乔清晨中将访委。委总统查韦斯、国防部长兰赫尔、武装力量司令兼总监林孔上将、武装力量联合参谋长卡雷多中将分别会见，委空军司令安塞尔米中将同乔政委举行会谈。

第 14 节　中国同厄瓜多尔的关系

2001 年，中华人民共和国同厄瓜多尔共和国的友好合作关系继续发展。

一、政治关系与重要往来

1 月 15～21 日，应中国外交部副部长杨洁篪邀请，厄外交部副部长保利娜·加西亚访华。钱其琛副总理和最高人民检察院副检察长赵虹分别会见，杨洁篪副外长与加举行会谈。

3 月 28 日，中国外长唐家璇在智利首都圣地亚哥出席东亚—拉美合作论坛会议期间，会见与会的厄外长海因茨·莫埃列尔。

7 月 4 日，国家主席江泽民接受厄新任驻华大使何塞·拉斐尔·塞拉诺·埃雷拉递交的国书。

二、经济技术合作与贸易关系

据中国海关总署统计，2001 年，中厄贸易总额为 1.62 亿美元，其中中方出口额 1.34 亿美元，进口额 2810 万美元。

三、文化交流及其他往来

3 月 13～18 日，应联合国人居中心邀请，中国城市规划设计研究院院长王静霞率中国城市规划代表团访厄。

7 月 5～9 日，应厄瓜亚基尔市长海梅·内沃特邀请，上海市政协主席王力平率上海市代表团访厄。6 日，王力平代表上海市长与内沃特签署《中华人民共和国上海市和厄瓜多尔共和国瓜亚基尔市建立友好城市关系协议书》。

9月11～20日，应中国文化部邀请，厄政治副外长路易斯·加耶戈斯·奇里沃加率厄政府文化代表团访华。文化部长孙家正、外交部副部长李肇星、部长助理周文重分别会见，文化部部长助理贾明如和外经贸部部长助理何晓卫分别与加举行会谈。

2001年，厄瓜多尔在华留学人员20人。

四、军事往来

3月20～23日，应厄武装力量联合指挥部邀请，国防科工委副主任张维民访厄。

8月19～31日，应中央军委委员、总参谋长傅全有上将邀请，厄武装力量联合指挥部司令米格尔·萨奥纳上将访华。中央军委副主席、国务委员兼国防部长迟浩田上将会见，傅全有总参谋长与萨举行会谈。

11月30日至12月4日，应厄武装力量联合指挥部邀请，总参谋长助理李玉少将率军事友好代表团访厄。

第15节　中国同秘鲁的关系

2001年，中华人民共和国同秘鲁共和国的友好合作关系继续稳步发展。

一、政治关系与重要往来

10月20日，江泽民主席在上海会见出席亚太经合组织（APEC）第九次领导人非正式会议的秘鲁总统亚历杭德罗·托莱多·曼里克。江主席积极评价中秘关系，表示中方重视两国经贸合作，愿与包括秘在内的各经济体一起，为推进APEC进程做出贡献。托莱多总统表示，与江主席的会晤是加强两国关系的重要契机，并对秘中经贸、科技、文化等领域的合作前景充满信心。

3 月 12 日，江泽民主席致电秘总统巴伦廷·帕尼亚瓜·科拉萨奥，对秘南部普诺省遭受水灾表示慰问。4 月 2 日，帕尼亚瓜总统复函江主席表示感谢。

3 月 29 日，唐家璇外长在智利首都圣地亚哥出席东亚—拉美合作论坛会议期间，会见秘部长会议主席兼外长哈维尔·佩雷斯·德奎利亚尔。

4 月 25～27 日，外交部副部长、APEC 2001 年高官会主席王光亚访秘。秘部长会议主席兼外长德奎利亚尔等会见。

6 月 4 日，江泽民主席致电托莱多，祝贺其当选秘总统。胡锦涛副主席分别致电劳尔·迭斯·坎塞科·德利和戴维·魏斯曼·拉文斯蒂，祝贺他们当选秘第一和第二副总统。6 月 22 日，秘当选总统托莱多致函江泽民主席表示感谢。

6 月 25 日，江泽民主席致电秘总统帕尼亚瓜，对秘南方发生强烈地震表示慰问。7 月 3 日，帕尼亚瓜总统复电致谢。

7 月 26 日，全国人大常委会委员长李鹏致电卡洛斯·费雷罗·科斯塔，祝贺他当选秘国会主席。

7 月 27～29 日，应秘政府邀请，中国政府特使、教育部长陈至立出席秘总统权力交接仪式。

7 月 28 日，朱镕基总理和唐家璇外长分别致电祝贺秘部长会议主席罗伯托·达尼诺·萨帕塔和外长迭戈·加西亚—萨扬·拉腊武雷就任。

10 月 21 日，唐家璇外长在上海会见出席 APEC 会议的秘外长加西亚—萨扬。

11 月 4～9 日，应外交部部长助理周文重邀请，秘副外长罗德里格斯访华。国务委员司马义·艾买提和外经贸部副部长孙振宇分别会见。周文重部长助理同罗德里格斯副外长共同主持两国外交部间第四次政治磋商，并分别代表两国签署《中华人民共和国和秘鲁共和国引渡条约》。

12 月 31 日，江泽民主席致电秘总统托莱多，就利马发生特大火灾造成重大人员伤亡和财产损失表示慰问。

中方访秘的还有：全国政协副主席、中国工程院院长宋健（6月）、政协港澳台侨委员会主任委员朱训（11月）。

秘方访华的还有：秘工业、旅游、一体化和国际贸易谈判部副部长费雷罗（6月，出席在上海举行的 APEC 贸易部长会议）。

二、经济技术合作与贸易关系

3月26～29日，应秘交通、通讯、住房和建筑部副部长胡利奥·梅尔卡邀请，铁道部副部长孙永福率团访秘。

10月14～20日，应秘中商会和利马商会邀请，中国国际贸易促进委员会副会长兼中国国际商会副会长钟敏率中国企业家代表团访秘。

据中国海关总署统计，2001年，中秘贸易总额为 6.75 亿美元，其中中方出口额为 1.77 亿美元，进口额为 4.98 亿美元。

三、文化交流及其他往来

3月16日，中国驻秘大使麦国彦向秘红十字会主席埃德加多·卡尔德隆·帕雷德斯转交中国红十字会向秘南方水灾地区捐赠的 5 万美元赈灾款。

3月19～23日，广东省杂技团访问利马。

5月13～20日，河南省京剧团在秘访问演出。

6月27日，中国驻秘使馆临时代办赵五一向秘红十字会副主席奥古斯托·德尔拉索尔·加马拉转交中国红十字会向秘南方地震灾区捐赠的 5 万美元赈灾款。

10月11日，"在中国的人类文化自然遗产"图片展在秘国家博物馆开幕。

11月2～7日，应利马市政府邀请，北京市人民政府顾问程世娥率北京市政府代表团访秘，参加在利马举行的北京文化周活动。

11月15～17日，应秘广播电视委员会邀请，中央电视台台长赵化勇率中央电视台代表团访秘。秘广播电视委员会主席卡洛斯·乌鲁蒂·博罗纳会见。

11 月 19～25 日，应秘总工会邀请，中华全国总工会书记处书记李永安率团访秘。

2001 年，秘鲁在华留学人员 27 人。

四、军事往来

3 月 25～28 日，应秘国防部邀请，中国人民解放军总参谋部军训部部长冷承槐少将率总参军训代表团访秘。秘陆军司令卡洛斯·塔夫·加诺萨上将和参谋长何塞·卡乔·贝尔加斯中将分别会见。

第 16 节　中国同玻利维亚的关系

2001 年，中华人民共和国同玻利维亚共和国友好合作关系继续发展。

一、政治关系与重要往来

8 月 8 日，江泽民主席致电玻总统豪尔赫·费尔南多·基罗加，祝贺其就任玻总统。

4 月 1～8 日，应最高人民法院邀请，玻最高法院首席大法官吉列尔莫·阿兰西维亚·洛佩斯访华。

5 月 29 日，中国驻玻大使王永占和玻副外长费尔南多·梅斯梅尔·特里戈分别代表两国政府签署《中华人民共和国政府和玻利维亚共和国政府经济技术合作协定》。

6 月 11～19 日，应李鹏委员长邀请，以众议长哈里尔·梅尔加尔·穆斯塔法为团长的玻国会代表团访华。李鹏委员长、李肇星副外长和中联部副部长蔡武分别会见。

8 月 9 日，唐家璇外长致电玻外长古斯塔沃·费尔南德斯·萨阿韦德拉，祝贺其就任玻外长。

二、经济技术合作与贸易关系

6月11～17日，应财政部邀请，玻财政部长何塞·路易斯·卢波访华。财政部长项怀诚同卢波举行会谈。

据中国海关总署统计，2001年，中玻贸易总额为1725.2万美元，其中中方出口额为773.7万美元，进口额为951.5万美元。

三、文化交流及其他往来

6月19～23日，应玻卫生部邀请，卫生部长张文康访玻。玻总统乌戈·班塞尔·苏亚雷斯和卫生部长吉列尔莫·昆塔斯·亚涅斯分别会见。双方签署了两国卫生部门开展友好合作的《圣克鲁斯会谈纪要》。

2001年，玻利维亚在华留学人员14人。

四、军事往来

11月12～19日，应空军司令员刘顺尧上将邀请，玻空军司令埃尔兰达·卡马乔·曼西利亚上将访华。中央军委副主席、国务委员兼国防部长迟浩田上将和中国人民解放军总参谋长助理李玉少将分别会见。

12月4～7日，应玻国防部邀请，中国人民解放军总参谋长助理李玉少将访玻。玻国防部长奥斯卡·吉拉尔德·卢汉主持欢迎仪式，并同李总长助理举行会谈。

第17节　中国同智利的关系

2001年，中华人民共和国同智利共和国的友好合作关系取得较大发展。

一、政治关系与重要往来

4月5～7日，应智利总统里卡多·拉戈斯·埃斯科瓦尔邀请，国家主席江泽民对智利进行国事访问。江主席同拉戈斯就双边关系及共同关心的地区和国际问题交换了意见。双方高度评价两国关系，就发展中智面向 21 世纪长期稳定、平等互利的全面合作伙伴关系达成共识。江主席还分别会见了智参议长安德烈斯·萨尔迪瓦、最高法院院长埃尔南·阿尔瓦雷斯·加西亚和前总统爱德华多·弗雷·鲁伊斯—塔格莱，接受了圣地亚哥市政府授予的"城市贵宾"称号，并在联合国拉丁美洲和加勒比经济委员会发表了题为《共同开创中拉友好合作的新世纪》的演讲。

访问期间，双方签署了《中华人民共和国和智利共和国保护和收复文化财产协定》、《中华人民共和国农业部和智利共和国农业部关于农村经济发展合作的谅解备忘录》和《中华人民共和国地震局和智利国家科学技术委员会合作协定》等合作文件。

10 月 19～21 日，智利总统拉戈斯出席在上海举行的亚太经济合作组织（APEC）第九次领导人非正式会议。

10 月 22～24 日，应江泽民主席邀请，智利总统拉戈斯对中国进行国事访问。江主席同拉戈斯会谈，李鹏委员长和朱镕基总理分别会见。双方领导人就双边关系及共同关心的地区和国际问题交换了意见，达成广泛共识。访问期间，拉戈斯还出席了双边经贸研讨会开幕式、双边铜工业研讨会开幕式、智利政府为纪念中智建交30 周年向中国政府赠送雕塑的揭幕仪式及中智示范农场滴灌设备启用仪式。

访问期间，双方签署了《中华人民共和国和智利共和国关于植物检疫的合作协定》、《中国农业科学院和智利农牧研究院农业科技合作协定》和《中国地震局向智利国家科学技术委员会赠送强震仪交接证书》等合作文件。

1 月 14～19 日，全国人大常委会副委员长成思危率团出席在智利瓦尔帕莱索市举行的亚太议会论坛第九届年会。

2 月 26 日至 3 月 2 日，应全国人大常委会和河北省政府邀请，智利第一副众议长莱昂和第七大区主席诺尔曼·梅查克·阿浦西一行访华。人大常委会副委员长成思危、河北省省长钮茂生等会见。

3月29~30日，应智利外长索莱达·阿尔韦亚尔邀请，唐家璇外长赴智首都圣地亚哥出席东亚—拉美合作论坛首次外长会议。唐外长就论坛发展和全球化等问题做了发言。

4月23~24日，应智利外交部邀请，外交部副部长、中国APEC高官会主席王光亚访智，就2001年APEC会议与智方进行磋商。

4月25日至5月1日，应李鹏委员长邀请，智利参议长萨尔迪瓦访华。江泽民主席、李鹏委员长、成思危副委员长分别会见。

4月25日至5月1日，应李鹏委员长邀请，智利参议长萨尔迪瓦访华。江泽民主席、李鹏委员长、成思危副委员长分别会见。

5月17日，应劳动部邀请，国际劳工局局长胡安·索马维亚访华。外交部副部长李肇星会见，对索在担任智常驻联合国代表期间为促进中智友好所作的努力表示赞赏。

9月6日，江泽民主席接受智利新任驻华大使本尼·波拉克·埃斯克纳齐递交的国书。

10月17~18日，智外长阿尔韦亚尔和经济、矿业和能源部长豪尔赫·罗德里格斯参加在上海举行的2001年亚太经合组织（APEC）第13届部长级会议。

11月10~18日，应最高人民法院院长肖扬邀请，智利最高法院院长阿尔瓦雷斯率团访华。

中方访智的还有：最高人民法院副院长沈德咏（8月）。

智方访华的还有：智众院外委会主席卡洛斯·阿韦尔·哈尔帕（6月）。

二、经济技术合作与贸易关系

4月22~24日，应智利国家科学技术委员会邀请，科技部副部长李学勇率团访智。

6月6~7日，应亚太经合组织秘书处邀请，智经济、矿业和能源部长德格雷戈里奥来华出席亚太经合组织贸易部长会议，外经贸部部长石广生与德格雷戈里奥举行会谈。

8 月 26~31 日，智利生产发展委员会执行副主席贡萨罗·里瓦斯来华参加第八届亚太经合组织中小企业部长会议。

9 月 22~26 日，应智中商会邀请，国务院经济体制改革办公室副主任潘岳赴智考察外资、外贸与产业政策。

11 月 10~12 日，应智利外交部邀请，外经贸部部长助理魏建国率中国政府经贸代表团访智。双方就经贸合作交换了意见。魏建国还出席了中智双边经贸洽谈会。

据中国海关总署统计，2001 年，中国同智利贸易总额为 21.18 亿美元，其中中国出口额 8.15 亿美元，进口额 13.03 亿美元。

三、文化交流及其他往来

2 月 3~13 日，国家海洋局局长王曙光率中国政府南极视察慰问团赴中国南极长城站前经停智利。

4 月 17~20 日，应智利社会民主激进党议员团邀请，西藏自治区党委常委、宣传部长肖怀远率中国西藏对外文化交流代表团访智。

5 月 22 日至 6 月 1 日，应智利外交部邀请，河南省京剧团赴智利首都圣地亚哥和瓦尔帕莱索等市进行访问演出。

6 月 19~29 日，应外交部新闻司邀请，智《民族报》社长吉烈尔莫·奥马萨瓦尔随拉美新闻团访华。外交部副部长李肇星会见。

7 月 10~12 日，应智利瓦尔帕莱索市政府邀请，上海市政协主席王力平率团访智。双方签署了《上海市与瓦尔帕莱索市建立友好城市关系协议书》。

8 月 13~17 日，应外交部拉美司邀请，智利《信使报》记者弗朗西斯科·席尔瓦访华。外交部副部长王毅会见。

8 月 30 日至 9 月 3 日，应智利国家电视台邀请，中国广播电影电视总局副局长王德新率团访智。

2001 年，智利在华留学人员 5 名。

四、军事往来

5月25~29日，应智利武警总局局长曼努埃尔·乌加尔特·索托上将邀请，武警参谋长陈传阔少将率考察团访智。

10月7~13日，应中国人民解放军总后勤部邀请，智利国防参谋长里卡多·古铁雷斯中将率后勤代表团访华。中央军委副主席、国务委员兼国防部长迟浩田上将会见，中央军委委员、总后勤部部长王克上将与古铁雷斯举行会谈。

10月8~14日，应空军司令员刘顺尧上将邀请，智利空军司令帕特里西奥·里奥斯·庞塞上将访华。中央军委副主席迟浩田上将会见，刘顺尧司令员与里奥斯举行工作会谈。

10月22日，应海军司令部邀请，智利海军"埃斯梅拉达"号训练舰访问上海，正在中国访问的拉戈斯总统登舰参观。

第18节　中国同阿根廷的关系

2001年，中华人民共和国同阿根廷共和国的友好合作关系继续稳步发展。

一、政治关系与重要往来

4月7~10日，应阿根廷总统费尔南多·德拉鲁阿邀请，国家主席江泽民对阿进行国事访问。江主席同德拉鲁阿总统举行了会谈，分别会见了临时参议长阿尼瓦尔·洛萨达、众议长曼努埃尔·帕斯夸尔和最高法院院长萨尔瓦多·纳萨雷诺。两国领导人就双边关系及共同关心的地区和国际问题深入交换了意见，并就建立"中阿21世纪全面合作伙伴关系"达成共识。江主席还会见了阿前总统卡洛斯·梅内姆、国际关系委员会领导成员和各界友好人士。布宜诺斯艾利斯市市长阿尼瓦尔·伊瓦拉授予江主席"城市贵宾"称号并赠予城市钥匙。访问期间，双方签署了《中华人民共和国和阿根廷共和国关于民事和商事司法协助条约》、《中华人民共和国同阿根廷共和国生物技术和生物安全协议》和《中国国际广播电台与阿根廷因特网公司合作协议》等。

11 月 7～12 日，应阿根廷国会邀请，全国人大常委会委员长李鹏对阿进行正式友好访问。李鹏委员长同阿临时参议长洛萨达举行了会谈，分别会见了总统德拉鲁阿、众议长帕斯夸尔和参议员爱德华多·杜阿尔德。双方就两国关系、议会合作及共同关心的地区和国际问题交换了意见并达成广泛共识。李鹏委员长在阿发表了题为《加深理解、增进友谊、扩大共识、加强合作》的演讲。除布宜诺斯艾利斯市外，李鹏委员长还访问了巴里洛切市。布市市长伊瓦拉、巴里洛切市长何塞·费乌达尔分别授予李鹏委员长"城市贵宾"称号。

5 月 12～15 日，应阿根廷激进党邀请，中共中央政治局委员、北京市委书记贾庆林率中国共产党代表团访阿。阿总统德拉鲁阿、内阁总理加夫列尔·克里斯蒂安·科隆博、众院第一副议长鲁道夫·罗迪尔、激进党副主席安赫尔·罗萨斯、众院激进党党团主席奥拉西奥·佩尔那斯蒂等分别会见，双方就进一步加强两国和中国共产党与激进党间的交流与合作交换了意见。此外，贾庆林会见了阿前总统、正义党主席卡洛斯·梅内姆，与布宜诺斯艾利斯市代市长费尔格拉签署了友好合作备忘录。

11 月 23 日，江泽民主席接受阿根廷新任驻华大使胡安·卡洛斯·莫雷利递交国书。

12 月 21 日，外交部领事司负责人紧急约见阿根廷驻华使馆临时代办何塞·伊格那西奥，对多家华侨、华人超市在阿社会骚乱中被抢表达中方关注，要求阿政府采取有效措施保障旅阿华侨、华人生命财产安全。

中方访阿的还有：湖北省委书记蒋祝平（5 月）、江苏省省长季允石（5 月）、内蒙古自治区党委书记、人大主任刘明祖（6 月）、中国最高人民法院副院长沈德咏（8 月）。

阿方访华的还有：阿参议院新闻自由委员会主席何塞·安东尼奥·罗梅罗（9 月）。

二、经济技术合作与贸易关系

2月15~16日，应阿根廷能源市场公司邀请，国家电力公司赵希正副总经理率团访阿，对阿电力市场进行考察。双方签署了电力合作协议书。

3月7~12日，应经济合作与发展组织（OECD）邀请，国家经贸委副主任蒋黔贵率团访阿，出席在布宜诺斯艾利斯市举行的"知识经济时代企业的发展"经合组织全球论坛第二次会议。

4月7~13日，应阿根廷税务局副局长奥拉西奥·卡斯塔格诺拉邀请，国家税务总局副局长崔俊慧出席智利圣地亚哥泛美税收管理中心第35届年会后顺访阿。

5月3~7日，国家安全生产监督管理局和煤矿安全监察局局长张宝明赴阿根廷布宜诺斯艾利斯参加第三届国际采矿技术大会暨展览会。

5月27日至6月1日，应科技部邀请，阿根廷教育部科技国务秘书阿蒂阿娜·布伊戈罗率阿科学技术合作代表团访华。双方举行了中阿政府间科学技术混委会第五次会议。

6月4~11日，应阿根廷工程院院长兼科学院院长阿图罗·比格诺利邀请，全国政协副主席、中国工程院院长宋健率中国工程科技代表团访阿。两国工程院签署了中阿工程科技合作协定。

7月12~16日，应阿中生产与工商业协会邀请，铁道部部长傅志寰率团访问阿根廷。代表团考察了阿高原铁路建设情况，并与阿铁路管理部门就铁路改革及运营管理交流了经验。

10月21~25日，应世界能源理事会邀请，科技部副部长马颂德率团参加了在阿根廷布宜诺斯艾利斯市召开的第18届世界能源大会。

11月8~10日，应阿根廷外交部邀请，对外贸易经济合作部部长助理魏建国率中国政府经贸代表团访阿。

据中国海关总署统计，2001年，中国同阿根廷双边贸易总额为18.55亿美元，其中中方出口额为5.74亿美元，进口额为

12.81 亿美元。

三、文化交流及其他往来

3 月 18～24 日，应阿根廷教育部国务秘书安德雷斯·吉列尔莫邀请，教育部副部长张保庆率中国政府教育代表团访阿。

4 月 21～24 日，应阿根廷文化部副国务秘书乌戈·吉列尔莫·斯托雷诺邀请，西藏自治区党委常委、宣传部长肖怀远率西藏对外文化交流代表团访阿。

4 月 24 日至 5 月 1 日，应阿根廷东方艺术博物馆邀请，山东省委常委、宣传部长陈光林率省新闻文化代表团访阿。代表团在布宜诺斯艾利斯市举办了"中国山东孔子文化图片展"等活动。

6 月 10～29 日，中国足球协会常务副主席阎世铎率领中国青年足球队在阿根廷参加第 13 届世界青年足球锦标赛。

7 月 5～8 日，应阿根廷马德普拉塔市政府邀请，天津市政协副主席张好生率团访阿，双方签署了两市友好合作关系协议书。

8 月 2～3 日，应阿根廷教育部长安德雷斯·吉列尔莫邀请，教育部长陈至立在参加秘鲁总统托莱多就职典礼后顺访阿。阿总理科隆博和吉列尔莫部长分别会见了代表团。

10 月 28 日至 11 月 1 日，应阿根廷布宜诺斯艾利斯市政府邀请，北京市委常委、市纪委书记程世娥率市政府代表团访阿，参加了为庆祝布市与北京市结为友好城市 10 周年而举办的"北京文化周"开幕式。

11 月 9～15 日，应北京市政府邀请，阿根廷布宜诺斯艾利斯市经济发展秘书长爱德华多·海克率布市代表团访问北京。北京市市长刘淇、市纪委书记程世娥分别会见。

2001 年，阿根廷在华留学人员 15 名。

四、军事往来

5 月 29 日至 6 月 1 日，应阿根廷宪兵部队司令乌戈·阿尔贝托·米兰达少将邀请，武警部队参谋长陈传阔少将率工作考察团访阿。

第19节　中国同巴西的关系

2001年，中华人民共和国同巴西联邦共和国的友好合作关系继续发展。

一、政治关系与重要往来

4月11～12日，应巴西总统费尔南多·恩里克·卡多佐的邀请，国家主席江泽民和夫人王冶坪对巴西进行工作访问，国务院副总理钱其琛和夫人周寒琼等陪同往访。访问期间，江主席与卡多佐总统举行了工作会谈。两国领导人高度评价中巴关系，对双方在政治、经贸、科技、文化等各领域交流与合作的不断加强及在国际事务中的密切合作表示满意，就进一步深入发展两国战略伙伴关系达成重要共识。

5月7～12日，应巴西社会民主党的邀请，中共中央政治局委员、北京市委书记贾庆林率中国共产党代表团访问巴西，并出席了在里约举行的"北京—里约合作备忘录"签字仪式。

6月1～7日，应巴西外长塞尔索·拉费尔的邀请，国务委员司马义·艾买提率中国政府经贸代表团访问巴西。代表团会见了总统卡多佐和国会主席兼参议长雅德尔·巴尔巴略，并同发展、工业和外贸部长阿尔席德斯·塔皮亚斯和代外长路易斯·科雷亚分别举行会谈，就加强两国经贸关系广泛而深入地交换了意见。

8月，全国人大常委会副委员长蒋正华访问巴西，并出席在巴西萨尔瓦多市举行的国际人口科学联盟第24届大会。

9月25日，全国人大常委会委员长李鹏致电参议员拉梅斯·特贝特，祝贺其当选新任参议院议长。

11月11～15日，应外交部部长助理周文重的邀请，巴西外交部政治事务副秘书长贝尔纳多·佩里卡斯访华。国务委员司马义·艾买提和外交部副部长李肇星分别会见，周文重部长助理与佩里卡斯共同主持了两国外交部间第十次政治磋商。佩里卡斯还出席了中巴第四次文化混委会开幕式。11 月 14 日，李鹏委员长夫妇访拉途经里约做技术停留，巴西外交部驻里约代表保罗·皮雷斯·里约大使等到机场迎接。

中方访巴的还有：湖北省委书记蒋祝平（5 月），全国人大法律委员会副主任委员张绪武（5 月），内蒙古自治区党委书记、自治区人大常委会主任刘明祖（6 月），中共中央纪律检查委员会常务副书记曹庆泽（8 月）。

巴方访华的还有：巴西劳工党名誉主席路易斯·伊纳西奥·卢拉·达席尔瓦（5 月），众议员伊纳西奥·阿鲁达（7 月）。

二、经济技术合作与贸易关系

3 月 7～12 日，应巴西航空工业公司的邀请，中国民用航空总局副局长杨元元率团访问巴西，与巴西民用航空局签署了《中巴双边适航谅解备忘录》。

3 月 13～16 日，应巴西淡水河谷公司的邀请，国家经济贸易委员会副主任蒋黔贵率团访问巴西。代表团会见了巴西矿产能源部常务副部长埃里奥·拉莫斯·菲略，双方就上海宝钢集团公司与巴西淡水河谷公司合作开采铁矿等进行了探讨。

4 月 17～20 日，中国科技部副部长李学勇率团访问巴西，与巴西科技部部长萨登贝格举行了会谈并共同签署了《中巴两国科技部技术合作谅解备忘录》。

4 月 21～28 日，应巴西司法部经济安全管理委员会的邀请，国家发展计划委员会副主任汪洋率团访问巴西。

5 月 18～22 日，江苏省省长季允石访问巴西。巴西米纳斯州副州长牛顿·卡多佐与季允石省长共同签署了两省州农业和光纤合作协议。

5 月 21～29 日，应巴西全国支持中小企业协会的邀请，全国人大常委会委员、全国人大财经委员会副主任委员蒋心雄率团访问巴西。

6月25日至7月2日，应江苏省人民政府的邀请，巴西米纳斯州副州长卡多佐率团访华。双方举行了两省州经贸洽谈会。

7月21～24日，应巴西农业部的邀请，农业部副部长刘坚率农业部代表团访问巴西。

7月23～27日，应巴西总统府城市发展秘书处的邀请，建设部副部长宋春华率建设部代表团访问巴西。

8月18～22日，应巴西工程院和巴伊亚州大学工程学院的邀请，中国工程院副院长朱高峰率中国工程院代表团访问巴西。

9月14～19日，应中国驻巴西大使馆的邀请，全国人大预算工作委员会副主任委员苏宁率政府预算管理和国会审查监督考察团访问巴西。

11月14～18日，应巴西政府的邀请，对外贸易经济合作部部长助理魏建国率中国政府经贸代表团访问巴西，并出席了在圣保罗举行的中巴经贸洽谈会。

12月9～16日，应科学技术部的邀请，巴西科技部常务副部长巴切戈率信息技术代表团访问北京、西安。

据中国海关总署统计，2001年，中国同巴西双边贸易总额为36.98亿美元，其中中方出口额为13.51亿美元，进口额为23.47亿美元。

三、文化交流及其他往来

3月3～11日，应巴西塞阿腊州州长塔索·热雷萨蒂的邀请，福建省副省长汪毅夫率福建省友好代表团访问巴西，并与该州签署了建立两省州友好关系协议书。

3月19～29日，应辽宁省和山东省人民政府的邀请，巴西皮奥伊州副州长、巴西共产党皮奥伊州委员会领导人奥斯马尔·德阿尔梅达率团访华。

5月2～7日，应中国驻巴西大使馆的邀请，西藏自治区党委常委、宣传部长肖怀远率西藏对外文化交流代表团访问巴西。

5 月 3～6 日，应国际地方政府联盟和联合城镇组织的邀请，中国人民对外友好协会会长陈昊苏率团参加了在巴西里约举行的联合世界大会。

6 月 8～17 日，应巴西文化部副部长玛丽亚·埃米莉亚·德阿泽维多的邀请，文化部副部长孟晓驷率中国政府文化代表团访问巴西。

9 月 1～4 日，应巴西国家电信杂志社的邀请，中国广播电视学会副会长何栋材率团访问巴西。

10 月 20～29 日，应巴西政府的邀请，卫生部副部长王陇德率团访问巴西。

10 月 12～22 日，应河南省人大的邀请，巴西帕拉州议长马蒂尼奥·卡尔莫纳率帕拉州议员代表团访华。

11 月 14～18 日，应巴西国家生物质研究中心的邀请，吉林省副省长刘淑莹率省生物质能源技术考察团访问巴西。

11 月 17～21 日，应巴西环球电视台的邀请，中央电视台台长赵化勇率团访问巴西。

12 月 5～13 日，应国际音乐理事会的邀请，中国文学艺术界联合会副主席、中国音乐家协会名誉主席吴祖强赴巴西萨尔瓦多市出席国际音乐理事会执委会会议。

12 月 2～9 日，应湖北省政府的邀请，巴西南里约格朗德州州长奥里维奥·杜特拉率团访华。湖北省与南里约格朗德州签署了建立友好省州关系的协议。

12 月 16～23 日，应巴西外交部的邀请，国务院体制改革办公室副主任邵秉仁率团访问巴西。

2001 年，巴西在华留学人员 113 名。

四、军事往来

4 月 7～15 日，应中央军事委员会副主席、国务委员兼国防部长迟浩田上将的邀请，巴西国防部长罗纳尔多·金唐率团访华。迟浩田副主席与金唐部长就两国两军关系的发展和军队建设等进行了会谈。中共中央政治局常委、国务院副总理李岚清,中央军委委员、总参谋长傅全有上将和国家发展计划委员会副主任张国宝分别会见了金唐一行。

4月22~27日,应巴西国防部的邀请,中国人民解放军总装备部司令部参谋长段双全率团参加在巴西里约举行的2001年国防技术展。

5月20~25日,应巴西司法部的邀请,武警部队参谋长陈传阔少将率武警代表团访问巴西。

第20节 中国同乌拉圭的关系

2001年,中华人民共和国同乌拉圭东岸共和国的友好合作关系稳步发展。

一、政治关系与重要往来

4月10~11日,应乌拉圭总统豪尔赫·巴特列邀请,国家主席江泽民对乌进行国事访问。江主席与巴特列总统举行会谈,分别会见副总统兼国会主席路易斯·耶罗和众议长古斯塔沃·佩那德斯、最高法院院长米尔顿·凯罗利。两国领导人主要就进一步推进中乌友好合作关系的发展交换了意见。

访问期间,双方签署了《中华人民共和国政府和乌拉圭东岸共和国政府文化合作协定2001~2003年执行计划》和《中华人民共和国外交学院和乌拉圭东岸共和国外交部阿蒂加斯外交学院合作协议》。江主席还向乌国家图书馆赠送了一批图书。

11月12~14日,应乌拉圭副总统兼国会主席耶罗的邀请,全国人大常委会委员长李鹏对乌进行正式友好访问。李鹏委员长与乌代总统耶罗进行会谈,会见了代国会主席亚历杭德罗·阿楚加里、代众议长鲁文·奥维斯波和参众两院外委会成员,接受了蒙市代市长埃内斯托·德洛斯坎波斯授予的"荣誉市民"称号,并接见了乌中商会成员。

1 月 7～12 日，应全国人大常委会委员长李鹏邀请，乌拉圭众议长华盛顿·阿夫达拉对中国进行正式访问。李鹏委员长等会见。双方就进一步发展两国政府和议会间的友好合作关系交换了意见，达成了广泛的共识。

4 月 4 日，全国人大常委会委员长李鹏分别致电乌拉圭副总统兼国会主席耶罗和众议长佩那德斯，祝贺乌国会成立乌中议员友好协会。

4 月 19 日，唐外长会见即将离任的乌驻华大使阿尔瓦罗·阿尔瓦雷斯。

7 月 4 日，江泽民主席在人民大会堂接受乌拉圭新任驻华大使佩拉约·迪亚斯递交国书。

11 月 11～18 日，应国务委员兼国务院秘书长王忠禹的邀请，乌拉圭总统府秘书长拉戈访华。王忠禹秘书长会见并宴请。双方就进一步加强两国在政治、经贸等领域的友好合作关系交换了意见。

乌方访华的还有：乌拉圭众院外委会副主席费利克斯·拉维尼亚（10 月）。

二、经济技术合作与贸易关系

6 月 21～23 日，应乌中商会邀请，山东省委副书记、济南市委书记孙淑义率经贸代表团访问乌拉圭。

8 月 18～22 日，中国工程院副院长朱高峰率团访问乌拉圭。

9 月 17～18 日，中乌第 12 届经贸混委会在蒙得维的亚举行。

10 月 29 日至 11 月 2 日，应乌拉圭工业、能源和矿产部邀请，国土资源部副部长李元访乌。双方就开展地学合作进行了探讨，签署了《关于促进地学合作的谅解备忘录》。

12 月 15～19 日，应乌拉圭劳动和社会保障部邀请，全国社会保障基金理事会副会长刘雅芝访乌，考察乌养老金管理与运作情况。

据中国海关总署统计，2001 年，中国同乌拉圭贸易总额为

2.84 亿美元，其中中方出口额 1.89 亿美元；进口额为 0.95 亿美元。

三、文化交流及其他往来

6 月 12～14 日，中国奥委会副主席、国际奥委会委员、国家体育总局副局长于再清访问乌拉圭。

2001 年，乌拉圭在华留学人员 4 名。

四、军事往来

10 月 15～22 日，乌拉圭国防部副部长罗伯托·亚瓦罗内对中国进行正式友好访问。中央军委副主席、国务委员兼国防部长迟浩田上将和副总参谋长张黎中将分别会见。双方就中乌军事交流与合作交换了看法。

第 21 节　中国同古巴的关系

2001 年，中华人民共和国同古巴共和国的友好合作关系继续顺利发展。

一、政治关系与重要往来

4 月 12～15 日，应古巴国务委员会主席菲德尔·卡斯特罗邀请，中国国家主席江泽民对古巴进行国事访问。卡斯特罗主席与江主席举行会谈，双方就在新世纪发展两国关系以及共同关心的重大问题深入交换了意见。卡斯特罗主席说，中国经济快速发展，古巴坚持走自己选择的道路，两国关系处于历史上最好时期。江主席对中古双边关系给予高度评价，表示愿在平等互利的原则基础上同古方继续努力，深化合作。访问期间，两国签署了《中古经济技术合作协定》、《中古关于对所得避免双重征税和防止偷漏税的协定》、《中古海运协定》、《中古教育交流协议》、《中古体育交流协议》、

《中国进出口银行关于熊猫集团出口古巴彩电项目买方信贷协议》、《中国进出口银行关于望海饭店优惠贴息贷款协议》、《中国进出口银行关于巨龙集团电信项目买方信贷协议》等协议。

11 月 3～7 日，应古巴国务委员会主席菲德尔·卡斯特罗和古巴全国人民政权代表大会邀请，中国全国人大常委会委员长李鹏对古巴进行正式友好访问。卡斯特罗主席和古巴全国人大主席里卡多·阿拉尔孔·德克萨达分别举行欢迎宴会和招待会。李鹏委员长与阿拉尔孔举行工作会谈，与卡斯特罗主席三次交谈，就双边关系和共同关心的重大问题深入交换了意见。

2 月 25 日至 3 月 3 日，应外交部长唐家璇邀请，古巴外交部长费利佩·佩雷斯·罗克对中国进行正式访问。国家主席江泽民、国务院副总理钱其琛、全国人大外事委员会主任委员曾建徽、中共中央对外联络部部长戴秉国分别会见；唐家璇外长主持会谈和欢迎宴会，双方就双边关系和共同关心的国际问题深入交换了意见。

3 月 30 日至 4 月 7 日，全国人大常委会副委员长蒋正华率人大代表团出席在古巴举行的各国议会联盟第 105 届大会。

4 月 20 日，中共中央政治局常委、国家副主席胡锦涛在出席越南共产党"九大"期间会见了古巴共产党代表团团长、古共中央政治局委员豪尔赫·路易斯·谢拉·克鲁斯。

4 月 25 日至 5 月 1 日，应中联部邀请，古共中央政治局委员、奥尔金省委第一书记何塞·路易斯·谢拉访华。中共中央政治局常委、书记处书记尉健行会见。中联部部长戴秉国主持工作会谈，双方交流了建党经验，中方着重介绍了中国目前政治经济发展及西部大开发情况。

5 月 30 日，古巴驻华大使阿尔韦托·罗德里格斯·阿鲁菲举行庆祝中国共产党建党 80 周年招待会。中联部部长戴秉国、副部长蔡武及中联部有关部门领导等应邀出席。

7 月 12 日，中国新任驻古巴大使王治权向古巴国务委员会副主席胡安·阿尔梅达·博斯克递交国书。

10 月 10～13 日，应外交部副部长李肇星邀请，古巴外交部副部长阿曼多·格拉·门切罗对中国进行工作访问。唐家璇外长会见，中央外办主任刘华秋会见并宴请，李肇星副部长举行工作会谈和欢迎宴会。

11 月 5 日，中共中央总书记、国家主席江泽民致电古巴共产党中央委员会第一书记、国务委员会主席兼部长会议主席菲德尔·卡斯特罗，对古巴遭受"米歇尔"飓风袭击表示深切慰问。正在古巴访问的全国人大常委会委员长李鹏代表中国政府向古巴人民提供500 万元人民币紧急救灾援助。中国红十字会提供 3 万美元救灾援助。

中方访古的团组还有：陕西省委副书记艾丕善（1 月，中共友好代表团）、全国人大法律委员会副主任委员张绪武（5 月）、全国人大常委会委员、民族委员会副主任委员尹克升（6 月）、中国人民外交学会会长梅兆荣（11 月）。

古方访华的团组还有：古共中央国际部副部长奥斯卡·马丁内斯（6 月），古巴中央工会第二书记弗朗西斯科·杜兰（8 月），古巴妇女联合会秘书长约兰达·弗雷尔（8 月），古巴全国人大代表、古共中央委员、宗教事务办公室主任卡莉达·迭戈·贝约。

二、经济技术合作与贸易关系

4 月 21～27 日，应财政部长项怀诚邀请，古巴财政和物价部部长曼努埃尔·米亚雷斯访华。国务院总理朱镕基会见；项怀诚部长主持工作会谈，双方在预算和财政方面交流了经验并探讨合作的可能性。

5 月 28 日至 6 月 10 日，应信息产业部部长吴基传邀请，古巴信息与邮电部长罗伯托·伊格纳西奥访华。吴邦国副总理、吴基传部长等分别会见。

7 月 11～14 日，应古巴国家医药管理局邀请，国家药品监督管理局局长郑筱萸率团访古。双方签署了《中国国家医药监督管理局与古巴医疗保健局合作备忘录》。

9 月 3～12 日，古巴外国投资和经济合作部第一副部长埃内斯托·森蒂率团出席第五届厦门投资贸易洽谈会。

9 月 24～30 日，应科技部邀请，古巴科技部长罗莎·埃莱娜·西梅翁·内格林率科技代表团访华。中国工程院院长宋健、科技部长徐冠华分别会见。

10 月 7～16 日，应外经贸部长石广生邀请，古巴外贸部长劳尔·德拉努埃斯·拉米雷斯率团访华。国务委员吴仪、外经贸部部长石广生等分别会见。

11 月 5～11 日，应国家旅游局邀请，古巴旅游部长伊普拉因·费拉达斯·加西亚率团参加昆明中国国际旅游交易会。

11 月 20～25 日，应外经贸部部长石广生邀请，古巴政府部长里卡多·卡布里萨斯·鲁伊斯访华。卡布里萨斯与石广生部长共同主持了中古经贸混委会第 14 次会议，就双边贸易、投资、经援等领域的合作深入交换了意见，并共同签署了《第十四次中古经贸混委会会议纪要》。国务委员吴仪、中联部部长戴秉国、信息产业部部长吴基传等会见。

据中国海关总署统计，2001 年，中国同古巴的贸易总额为 4.46 亿美元，其中中方出口额为 3.32 亿美元，进口额为 1.14 亿美元。

三、文化交流及其他往来

3 月 8～13 日，应中国国家体育总局邀请，古巴体育运动委员会主任温贝托·罗德里格斯率体育代表团访华。

3 月 24～28 日，应古巴高教部的邀请，教育部副部长张保庆访古。

10 月 20 日至 11 月 1 日，应教育部邀请，古巴高等教育部副部长埃德华多·克鲁斯率团访华。

2001 年，古巴在华留学人员 30 名。

四、军事往来

6 月 26 日至 7 月 3 日，应中央军委委员、总参谋长傅全有上将邀请，古巴革命武装力量部副部长兼总参谋长阿尔瓦罗·洛佩斯上将一行访华。中央军委副主席张万年上将、总参谋长傅全有上将分别会见，中央军委副主席、国务委员兼国防部长迟浩田会见并宴请。

7月9～14日，应古巴革命武装力量部邀请，中国人民解放军空军政委乔清晨中将率空军友好代表团访问古巴。古巴革命武装力量部部长劳尔·卡斯特罗大将、副部长兼总参谋长阿尔瓦罗·洛佩斯上将分别会见。

8月8～12日，应古巴革命武装力量部邀请，总政治部副主任袁守芳上将率中国人民解放军友好参观团访古。古巴革命武装力量部副部长兼总参谋长阿尔瓦罗·洛佩斯上将会见并宴请，总政治部主任西斯托·巴蒂斯塔中将会见并举行工作会谈。

第22节　中国同巴拉圭的关系

中华人民共和国同巴拉圭共和国尚未建立外交关系。巴与台湾保持"外交关系"。2001年，中巴两国交往较前增加。

5月21～27日，应全国人大外事委员会邀请，巴拉圭众议院外委会主席米里安·阿丰索率众议员代表团访华。全国人大常委会副委员长何鲁丽和外交部部长助理周文重分别会见，人大外事委员会副主任委员徐敦信与阿举行工作会谈。双方就加强两国和两国议会友好合作关系交换了意见。

7月29日至8月8日，应致公党中央邀请，巴拉圭参议院副议长路易斯·米格尔·古安内斯率参议员代表团访华。全国人大常委会委员长李鹏，全国政协副主席、致公党中央主席罗豪才和外交部部长助理周文重分别会见。双方就两国议会交流、经贸往来及文教体育合作等进行了探讨。

9月4～11日，应中联部邀请，巴拉圭真正激进自由党（蓝党）主席米格尔·萨吉尔率团访华。中共中央政治局委员、书记处书记罗干和外交部部长助理周文重分别会见，中联部副部长蔡武与萨举行工作会谈。双方就进一步发展两党、两国友好合作关系交换了意见。

11 月 23 日，巴拉圭参议院召开全体会议，对参院外委会主席马丁内斯等多名对华友好议员于 9 月提出的与中国建立和发展经贸、文化及体育关系的声明草案展开辩论。这是巴参院首次以全会方式讨论对华关系问题。提案最终虽以 12 票支持、23 票反对未获通过，但在巴政坛和社会引起强烈反响。

11 月 29～30 日，中国驻圣保罗副总领事李春华赴巴拉圭首都亚松森出席东亚—拉美合作论坛"两洋走廊，谈判人员培训和商务活动"国际研讨会。

据中国海关总署统计，2001 年，中国同巴拉圭的贸易总额为 7493 万美元，其中中方出口额为 7210 万美元，进口额为 283 万美元。

2001 年，巴拉圭在华留学人员 2 名。

第 23 节　中国同安提瓜和巴布达的关系

2001 年，中华人民共和国同安提瓜和巴布达的友好合作关系进一步发展。

一、政治关系与重要往来

7 月 6～9 日，外交部拉美司司长邱小琪对安提瓜和巴布达进行工作访问。

二、经济技术合作与贸易关系

7 月 6～17 日，黑龙江省副省长王先民率黑龙江省政府经贸代表团访问安提瓜和巴布达。

8 月 12～14 日，对外贸易经济合作部副部长孙广相率中国政府经贸代表团访问安提瓜和巴布达。孙副部长分别会见了安巴代总督玛金利女士和总理兼外长伯德。伯德总理和孙副部长分别代表各自政府签署了《中国政府向安提瓜和巴布达政府提供无偿援助的经济技术合作协定》。

据中国海关总署统计，2001年，中国同安提瓜和巴布达贸易总额为120万美元，均为中方出口。

三、文化交流

9月7日，安提瓜和巴布达有线电视台正式开始转播中国中央电视台第4、9套节目。

第24节　中国同圣卢西亚的关系

2001年，中华人民共和国同圣卢西亚的友好合作关系进一步巩固和发展。

一、政治关系与重要往来

4月5日，外交部长唐家璇致电祝贺亨特出任圣卢西亚外交和国际贸易部长。

12月7日，国务院总理朱镕基致电安东尼，祝贺他蝉联圣卢西亚总理。

12月12日，外交部长唐家璇致电亨特，祝贺他就任圣外交、国际贸易和民用航空部长。

二、经济技术合作与贸易关系

8月14～17日，对外贸易经济合作部副部长孙广相率中国政府经贸代表团访问圣卢西亚。孙副部长分别会见了圣代总理米歇尔、外长亨特、工商部长皮埃尔及工商界人士。孙副部长与圣外长亨特代表各自政府签署了中圣经济技术合作协定。

10 月 16 日，中国政府派遣 6 名技术人员赴圣卢西亚实施第三期中圣农业技术合作项目，期限 1 年。

据中国海关总署统计，2001 年，中国同圣卢西亚贸易总额为 302 万美元，均为中方出口。

第 25 节　　中国同巴巴多斯的关系

2001 年，中华人民共和国同巴巴多斯的友好合作关系进一步发展。

一、政治关系与重要往来

7 月 3～6 日，外交部拉美司司长邱小琪对巴巴多斯进行工作访问。

11 月 15 日，中国新任驻巴巴多斯大使杨智宽向巴总督赫斯本兹递交国书。

二、经济技术合作与贸易关系

5 月 9～13 日，由中国国际贸易促进委员会副会长万季飞率领的中国经济贸易代表团访问巴巴多斯。巴代理外交和外贸部长戈达德予以会见并举行欢迎午宴。

据中国海关总署统计，2001 年，中国同巴巴多斯贸易总额为 547 万美元，其中中方出口额为 541 万美元，进口额为 6 万美元。

三、文化交流及其他往来

6 月 24 日至 7 月 5 日，应中华全国总工会邀请，以巴巴多斯总工会主席、巴蓝领工人工会总书记特罗特曼为团长的巴工会代表团对中国进行友好访问。中共中央政治局常委、中央书记处书记、中华全国总工会主席尉健行会见了代表团。

2001 年，巴巴多斯在华留学人员 2 名。

第26节　中国同圭亚那的关系

2001年，中华人民共和国同圭亚那合作共和国的友好合作关系继续稳步发展。

一、政治关系与重要往来

4月2日，国家主席江泽民致电贾格迪奥，祝贺其就任圭亚那总统。

5月8日，全国人大常委会委员长李鹏致电新任圭亚那议长拉姆卡伦，祝贺其当选。

5月21日，外交部长唐家璇致电英萨纳利，祝贺其出任圭亚那外长。

7月1～3日，外交部部长助理周文重访问圭亚那。其间，周部助拜会了圭代总统海因兹总理、代外长泰克塞拉，并与泰进行了两国外交部间的第二次磋商。周部助和圭代外长泰克塞拉交换了中国政府向圭亚那政府提供无偿援助的换文。

8月29日至9月8日，应中共中央对外联络部的邀请，圭亚那人民进步党总书记拉莫塔访华。中共中央政治局委员李铁映会见，中联部部长戴秉国会见并宴请代表团，中联部副部长蔡武与代表团进行了工作会谈。

二、经济技术合作与贸易关系

4月5日，中国驻圭亚那大使吴正龙和圭外长罗西分别代表本国政府签署了中国政府同意圭亚那政府派遣五名技术人员参加2001年在华举办的农业培训班的换文。

9月17日，吴正龙大使和圭对外贸易和国际合作部长罗西分别代表本国政府签署了《中华人民共和国政府和圭亚那合作共和国政府贸易协定》。

据中国海关总署统计，2001年，中国同圭亚那贸易总额为1478万美元，其中中方出口额为1241万美元，进口额为237万美元。

三、文化交流及其他往来

7月26日，吴正龙大使向圭亚那大学捐赠20台电脑及打印机。

2001年，圭亚那在华留学生3人。

四、军事往来

10月9～15日，应中央军委委员、总参谋长傅全有上将邀请，圭亚那国防军总参谋长阿瑟利准将对中国进行正式友好访问。中央军委副主席、国务委员兼国防部长迟浩田上将予以会见，总参谋长傅全有上将会见并宴请了代表团。

第27节　中国同牙买加的关系

2001年，中华人民共和国同牙买加的关系继续保持健康、稳定的发展势头。

一、政治关系与重要往来

1月5日，牙买加总理帕特森致信国家主席江泽民，对中国洛阳发生重大火灾表示慰问。

6月28日至7月1日，应牙买加外交外贸部的邀请，外交部部长助理周文重访问牙买加。访问期间，周部助分别会见了牙总督库克、副总理马林斯、外长罗伯逊，并与外交外贸部代常秘博格尔大使举行了会谈。周部助与罗伯逊外长代表各自政府分别签署了关于中国外交部向牙买加外交外贸部赠送电脑的交接证书和中国政府向牙买加政府提供无偿援助的换文。

11 月 2 日，外交部长唐家璇致电奈特，祝贺其出任牙外交外贸部长。

二、经济技术合作与贸易关系

5 月 13~16 日，中国国际贸易促进委员会万季飞副会长率团访问牙买加。

10 月 10~14 日，应信息产业部的邀请，牙买加工商和技术部长鲍威尔对中国进行工作访问。

据中国海关总署统计，2001 年，中国同牙买加贸易总额为 1.19 亿美元，同比增长 50.7%，其中中方出口额为 8514 万美元，同比增长 72.2%；进口额为 3393 万美元，同比增长 14.8%。

三、文化交流

2001 年，牙买加在华留学人员 4 名。

第 28 节　中国同特立尼达和多巴哥的关系

2001 年，中华人民共和国同特立尼达和多巴哥共和国的双边关系继续保持良好发展势头。

一、政治关系与重要往来

6 月 25~28 日，应特立尼达和多巴哥企业发展、外交和旅游部长阿萨姆的邀请，外交部部长助理周文重访问特多。访问期间，特多总理潘迪、综合规划和发展部长汉弗莱分别会见了周部助。特多企业发展、外交和旅游部长阿萨姆与周部助举行工作会谈，双方签署了关于中国政府向特立尼达和多巴哥政府提供无偿援助的换文。

12 月 3 日，中国新任驻特立尼达和多巴哥大使徐亚男向特多总统鲁宾逊递交国书。

二、经济技术合作与贸易关系

6 月 4~8 日，中国和特多关于避免双重征税协定的谈判在北京举行并草签了协议。

6 月 21~22 日，中国和特多关于投资保护协定的谈判在北京举行并草签了协议。

据中国海关总署统计，2001 年，中国同特多贸易总额为 3501 万美元，同比增长 28.8%，其中中方出口额为 3494 万美元，同比增长 30.7%，进口额为 7 万美元，同比减少 84.9%。

三、文化交流及其他往来

2001 年，特多在华留学生 3 人。

四、军事往来

9 月 2~5 日，应特多总理兼国家安全部长潘迪的邀请，中央军委副主席、国务委员兼国防部长迟浩田上将一行对特多进行正式友好访问。访问期间，特多总统鲁宾逊、总理潘迪和企业发展、外交和旅游部长阿萨姆分别会见了迟副主席一行。

第 29 节　中国同苏里南的关系

2001 年，中华人民共和国同苏里南共和国的友好关系继续发展。

一、政治关系与重要往来

2 月 20 日，中国新任驻苏里南大使胡守勤向苏总统费内希恩递交国书。

5 月 28 日，国家主席江泽民和苏里南总统费内希恩互致贺电，祝贺中苏建交 25 周年。同日，外交部长唐家璇和苏里南外长莱文丝也互致了贺电。

7月12~14日，外交部拉美司司长邱小琪对苏里南进行工作访问。

10月22日，全国人大常委会委员长李鹏致电苏里南国民议会副议长韦登博斯，对苏议长拉奇蒙逝世表示哀悼。

11月12日，全国人大常委会委员长李鹏致电萨灸，祝贺其当选苏里南国民议会议长。

二、经济技术合作与贸易关系

3月5~9日，苏里南社会事务和住房部长、苏执政党之一崇高真理党主席索摩哈尔乔对广东、香港、澳门进行私人访问和商务考察。

8月7~9日，对外贸易经济合作部副部长孙广相率中国政府经贸代表团访问苏里南。孙副部长分别会见苏总统费内希恩、议长拉奇蒙，并与苏外交部长莱文丝、贸工部长张振猷分别举行会谈。孙副部长和苏外交部长莱文丝分别代表各自政府签署了《中华人民共和国政府和苏里南共和国政府经济技术合作协定》。

9月18~21日，吉林省政协副主席刘希林率吉林省经贸代表团访问苏里南。

10月14~21日，应大连国际合作集团股份有限公司的邀请，苏里南工程部长巴莱萨勒访华。

据中国海关总署统计，2001年，中国同苏里南贸易总额为1671万美元，其中中方出口额为1263万美元，进口额为408万美元。

三、文化交流及其他往来

4月4~10日，应文化部邀请，苏里南教育和人民发展部长桑德里曼对中国进行正式访问。全国人大常委会副委员长布赫予以会见，文化部长孙家正与桑举行会谈，教育部长陈至立、文化部副部长艾青春、外交部部长助理马灿荣等分别礼节性会见桑一行。

9 月 26 日至 10 月 4 日，中国杂技团对苏里南进行访问演出。

2001 年，苏里南在华留学人员 3 名。

四、军事往来

4 月 25 日至 5 月 1 日，应中央军委副主席、国务委员兼国防部长迟浩田上将的邀请，苏里南国防部长阿森对中国进行正式友好访问。迟副主席主持欢迎仪式并与阿森举行会谈。中央军委委员、常务副总参谋长郭伯雄上将礼节性会见阿森一行。

第 30 节　中国同巴哈马的关系

2001 年，中华人民共和国同巴哈马国的友好合作关系继续稳步发展。

一、政治关系与重要往来

7 月 5 日，中国新任驻巴哈马大使吴长胜向巴总督腾奎斯特递交国书。

7 月 9～12 日，外交部拉美司司长邱小琪对巴哈马进行工作访问。

11 月 8 日，国务院总理朱镕基致电巴哈马总理英格拉哈姆，对巴遭受飓风袭击表示慰问。

二、经济技术合作与贸易关系

6 月 5 日，天津机械进出口集团船舶贸易有限公司总经理王洪建率团访问巴哈马。访问期间，王总经理与巴造船咨询公司签署了巴向中方订购一艘价值 350 万美元游船的合同。

6 月 20 日，中国驻巴哈马大使马书学和巴教育、青年和体育部长福克斯共同主持中国政府向巴哈马政府提供的第二笔人民币赠款所购物资交接仪式。该批物资用于巴艺校。

11月9日，中国红十字会致电巴哈马红十字会，对巴遭受飓风袭击表示慰问，并捐赠了2万美元救灾款。

据中国海关总署统计，2001年，中国同巴哈马贸易总额为3479万美元，其中中方出口额为3477万美元，进口额为2万美元。

三、文化交流及其他往来

2月14～23日，应外交部新闻司的邀请，巴哈马新闻俱乐部主席贝瑟尔率巴新闻代表团访华。

4月28日至5月5日，巴哈马国家青年合唱团来京参加第二届"相约北京"联欢活动。

4月30日至5月10日，巴哈马前进步自由党政府副总理兼外长梅纳德对中国进行为期11天的私人访问。

2001年，巴哈马在华留学人员4名。

第十章

中国同联合国的关系

第 1 节　关于联合国政治与安全问题

一、中国恢复在联合国合法席位 30 周年

2001 年 10 月 25 日是中国恢复在联合国合法席位 30 周年纪念日。10 月 24 日晚，外交部在人民大会堂举行招待会，热烈庆祝中国恢复在联合国合法席位 30 周年。招待会由外交部长唐家璇主持，钱其琛副总理出席并讲话。

钱其琛在讲话中说，30 年前，在广大发展中国家和其他友好国家的大力支持下，第 26 届联合国大会以压倒多数通过具有历史意义的第 2758 号决议，恢复了中华人民共和国在联合国的一切合法权利。作为联合国创始会员国和安理会常任理事国，30 年来，中国恪守《联合国宪章》的宗旨和原则，为加强联合国作用，维护国际和平，推动世界发展作出了不懈的努力和应有的贡献。2000 年，在江泽民主席倡议下，安理会五个常任理事国首脑举行了历史

上首次会晤，就新世纪发挥联合国的作用达成重要共识。

钱其琛指出，中国对外政策的宗旨是维护世界和平，促进共同发展。中国主张坚持和维护《联合国宪章》的宗旨和原则以及公认的国际关系基本准则，各国的事务应由本国政府和人民决定，世界上的事情应由各国政府和人民协商；主张进一步发挥联合国的作用，维护联合国及安理会的权威，以维护和促进国际和平与发展。恐怖主义已经成为国际社会的公害。打击恐怖主义需要国际合作，也需联合国和安理会的参与。中国支持联合国大会和安理会反对恐怖主义的有关决议。钱其琛说，中国主张认真、切实执行联合国《千年宣言》，各国加强经济、技术交流与合作，逐步改变不公正、不合理的国际经济秩序，使经济全球化达到共存共赢的目标；主张世界各种文明和社会制度长期共存，开展对话，取长补短，共同发展。

钱其琛表示，中国将以更积极的姿态，参与联合国事务；以更开放的态度，投身和推动全球合作；以更蓬勃的活力，与一切热爱和平的国家和人民一道，共创一个持久和平与普遍繁荣的世界。

唐家璇外长在讲话中代表外交部，感谢各有关单位、各国驻华使馆和联合国系统各驻华机构多年来对中国多边外交工作的支持。

驻华外交团团长、喀麦隆大使埃蒂安和联合国系统发展业务活动驻华协调代表莱特娜也分别致辞，高度评价中国与联合国建立的良好合作关系和中国在促进世界和平与发展方面作出的积极贡献。国务院有关部委负责人、各国驻华使节、联合国各驻华机构负责人等300余人出席了招待会。

二、第56届联大概况和政治议题

第56届联合国大会原定于2001年9月11日在纽约联合国总部开幕。受"9·11"恐怖袭击事件影响，第56届联大推迟一天开幕，一般性辩论被迫延至11月10～16日举行。本届联大共审议了180多项议题。中国外交部长唐家璇率团出席了大会。11月11日，唐家璇外长在大会一般性辩论中发表讲话，就国际形势、反对恐怖主义、安全、发展、全球化、中东局势和阿富汗等各方普遍关心的重大国际问题和地区热点问题阐述了中国政府的立场和主张，并介绍了中国在新世纪的发展目标和主要任务，重申了中国关于解决台湾问题的基本方针。

关于国际形势，唐家璇指出，加强对话合作，维护世界和平，谋求共同发展，已成为越来越多国家的共同选择。但是，人类进步事业依然任重道远，世界和平与发展这两大课题一个也没有解决。国际形势中的不确定因素日益突出。国际关系的民主化仍需努力，不合理的国际经济秩序还没有明显改观。

关于反对恐怖主义问题，唐家璇表示，恐怖主义是严重威胁世界和平与稳定的国际公害。中国政府强烈谴责 9 月 11 日在美国发生的恐怖袭击事件，对无辜受害者和他们的家属，对美国政府和人民，表示深切的同情和慰问。唐家璇指出，中国一贯反对一切形式的恐怖主义，无论恐怖主义发生在何时、何地，针对何人，以何种方式出现，国际社会都应采取一致立场，坚决予以谴责和打击。中国主张，联合国和安理会应在国际反恐问题上发挥主导作用。中国支持联合国和安理会通过的有关决议，支持各国加强国际反恐合作与协调。中国坚持，针对恐怖主义的军事行动应目标明确，要避免伤及无辜。一切行动应符合《联合国宪章》的宗旨和原则，有利于维护地区及世界和平的长远利益。唐家璇强调，恐怖主义属于极少数极端邪恶势力，绝不代表任何民族或宗教，不能将恐怖主义与特定的民族或宗教混为一谈。唐家璇说，中国也面临恐怖主义的危害。"东突"恐怖势力受到国际恐怖组织的训练、武装和资助。反对"东突"恐怖势力是国际反恐怖主义斗争的重要方面。

关于安全问题，唐家璇指出，当今世界，安全问题呈现多元化、全球化的趋势。只有加强国际合作，才能有效应对全球安全挑战，实现普遍和持久的安全。各国应努力树立以互信、互利、平等、协作为核心的新型安全观，以互信求安全，以互利求合作，从根本上减少不安全因素。唐家璇说，军控历来与安全密切相关，面对新形势，我们应继续致力于维护现有的国际军控与裁军法律体系，坚持在各国安全不受损害的基础上维护全球战略稳定。

关于发展和全球化问题，唐家璇指出，发达国家在发展问题上应有更积极的作为。它们应为重振世界经济作出更大努力。中国希望，发达国家在援助发展中国家问题上能表现出更多的远见和合作精神。唐家璇指出，全球化并不是必然能解决发展问题的灵丹妙药，也不是必然会造成灾难的洪水猛兽。面对全球化，我们应努力趋利避害，实现共赢共存。全球化的受益者应是所有国家的各阶层人民。唐家璇强调，在应对全球化的国际合作中，联合国有着不可替代的作用，应加大对发展问题的投入，更有效地落实《千年宣言》确定的发展目标。

关于中国对外政策，唐家璇指出，中国对外政策的宗旨，就是维护世界和平，促进共同发展。中国需要一个睦邻友好的周边环境，需要一个稳定繁荣的外部世界。争取和维护这样一个国际环境，是中国的国家利益所在，也是中国作为国际社会一员所应尽的责任。中国愿同世界各国在世界和平与发展问题上进行平等互利的合作，促进共同发展。唐家璇说，今年是中国恢复在联合国合法席位 30 周年。30 年来，中国对《联合国宪章》的承诺始终如一。在新世纪，中国将一如既往地积极支持联合国的工作，继续与广大会员国一起，为建设一个更加美好的世界而共同奋斗。

在出席第 56 届联大期间，唐家璇外长还出席了联合国安理会反恐外长会议，安理会阿富汗问题公开会议和阿富汗问题 "6 + 2" 国家外长会议，就反恐和阿富汗问题阐述中国政府的立场。此外，唐家璇外长分别会见了联合国秘书长安南、第 56 届联合国大会主席韩升洙（韩国外长）、巴基斯坦总统穆沙拉夫、俄罗斯外长伊万诺夫、罗马尼亚外长杰瓦纳、伊朗外长哈拉齐、荷兰外交大臣范阿尔森、意大利外长普杰罗、法国外长韦德里纳、科威特代首相兼外交大臣萨巴赫、印度外长辛格、巴基斯坦外长萨塔尔、英国外交大臣斯特劳、黎巴嫩外长哈茂德、马其顿外长米特雷娃、巴勒斯坦计划与国际合作部长沙阿斯、阿盟秘书长穆萨、欧盟 "三驾马车" 外长、海湾合作委员会六国代表和里约集团外长。唐家璇外长还应邀出席了安南秘书长为安理会五常任理事国外长举行的工作午餐，并为部分拉美国家（阿根廷、哥斯达黎加、古巴、圭亚那、牙买加、苏里南、乌拉圭、哥伦比亚、委内瑞拉）、部分中东欧国家（捷克、南斯拉夫、白俄罗斯、斯洛伐克、阿尔巴尼亚、波黑）和部分非洲国家（安哥拉、刚果（布）、埃塞俄比亚、厄立特里亚、莱索托、马里、南非、苏丹、多哥、赞比亚、塞拉利昂、尼日利亚）外长（副外长、常驻代表）举行餐会。11 月 13 日，唐家璇外长在纽约联合国总部代表中国政府签署了《制止向恐怖主义提供资助的国际公约》并交存了中国加入《制止恐怖主义爆炸的国际公约》的加入书。

在第 56 届联大期间，中国代表团积极参加了大会及各主要委员会对有关问题的审议。

反对恐怖主义问题

"9·11"事件后，第 56 届联大于 9 月 12 日通过题为"谴责在美利坚合众国境内的恐怖主义袭击"的决议，谴责恐怖主义行为，对美国人民和政府表示慰问和声援，要求国际合作消除恐怖主义，并将恐怖分子绳之以法。中国代表团参加了决议的协商一致。

10 月 1～5 日，第 56 届联大就"消除恐怖主义措施"议题举行专题辩论。167 个会员国和 4 个观察员国在会上发言。作为特殊安排，会议专门邀请纽约市市长朱利安尼到会发言。联合国秘书长安南也发表了讲话。中国常驻联合国代表王英凡大使发言阐述了中国在反恐问题上的原则立场，谴责"9·11"恐怖袭击，表示恐怖主义对国际和平与安全构成严重威胁，国际社会必须加强国际反恐合作，建立国际反恐机制，联合国应在国际反恐斗争中发挥主导作用，安理会应发挥其应有作用，各国应全面执行安理会第 1373 号决议。王英凡指出，消除恐怖主义应做到标本兼治，应大力解决发展问题，加大解决地区冲突的力度，不应将恐怖主义与特定的宗教和民族挂钩，不应在反恐问题上采取双重标准。

安理会改革

2001 年，联大安理会改革工作组共召开五次会议，讨论安理会改革问题。由于各方在安理会扩大和否决权问题上分歧较大，讨论未取得实质性进展，各方讨论重点转向改进安理会工作方法和决策问题。第56届联大2001年10月30日至11月1日审议了安理会改革问题，未做出任何决定。中国代表团全面、积极、深入地参与了各项讨论和审议。

在有关讨论和审议中，中国常驻联合国副代表沈国放大使全面阐述了中国的原则立场。沈国放表示，联合国成立50多年来，国际形势和联合国本身都发生了巨大而深刻的变化，安理会确实需要进行适当和必要的改革，以适应这种变化和时代发展的要求，并根据《联合国宪章》的宗旨和原则更有效地履行维护国际和平与安全的职责。沈国放强调，安理会改革的首要任务是纠正当前安理会组成不平衡状况，根据公平地域分配原则优先增加发展中国家的代表性，使安理会构成切实反映联合国会员国构成这一现实。沈国放指出，改革复杂而敏感，涉及各方切身利益，要取得切实进展，就应对其所涉方面进行全面、广泛、充分和深入的讨论，在就所有问题达成广泛一致的基础上予以一揽子解决。关于否决权问题，沈国放表示，否决权的产生有其历史的必然性，当前仍有其重要的现实意义。否决权是联合国会员国赋予安理会常任理事国的责任。在安理会改革所涉诸多问题中，否决权并不是最重要、最突出的，也不是当前最迫切需要处理的问题。在就有关更为重要的问题达成广泛一致后再考虑这一问题，或许更易于各方形成共识。

5月24日，第55届联大主席霍尔克里就安理会改革问题致函唐家璇外长，希望各国政治领导人推动改革进程，将千年首脑会议的势头转化为联大安理会改革工作组富有成效的讨论。6月5日，唐家璇外长复函霍尔克里，赞赏其为推动安理会改革所作的努力，并阐述了中国对安理会改革问题的看法和主张。

联合国维持和平行动

联合国维持和平行动特别委员会（特委会）2001年届会于6月18日至7月27日在纽约联合国总部举行。各方审议了秘书长向特委会提交的报告，主要就加强秘书处维和部人力资源、维和部机构改组、加强快速部署能力、加强秘书处系统信息、分析与决策能力和加强与出兵国合作等问题进行了较深入讨论。

中国常驻联合国代表王英凡大使在发言中指出，秘书处根据维和特委会要求开展了关于维和行动管理机制方面的全面审查，是维和史上的首次自我检查，具有重要意义。中方对秘书处及有关机构所作努力表示赞赏。秘书长报告深入剖析了秘书处与维和行动相关的机构所存在的不足，就提高秘书处总体信息分析、政策与指导原则制订、行动策划与指挥等方面能力提出多项建议。中方支持秘书处通过采取增加人力配置、进行机构调整与优化，提高工作效率与质量方面的措施，走出目前维和问题上疲于应付的局面，切实发挥联合国总部"大脑"的潜能，使联合国维和行动的"指挥与操控"更为连贯和统一。

王英凡说，加强待命安排机制是广大会员国的共识。中方注意到普拉希米报告中提出的关于建立军事、民警与民事人员待聘名单的建议已在逐步落实。中方欢迎秘书处就此继续保持与会员国的密切磋商，并鼓励会员国予以积极配合。中方期待"星河项目"早日投入运行，使维和行动民事人员招聘更趋规范化。王大使强调，希望有关招聘程序能继续保持透明度，切实履行公平地域分配及发展中国家与发达国家平衡的原则。为尽快加强联合国维和能力，完善维和待命机制、加强快速部署能力的进行不容拖延。改革应立足于利用和发挥现有机制的潜力，对联合国系统现有资源进行最大限度的优化组合，使之形成合力。

王英凡说，近年来，民警参与维和行动的比重不断上升。有必要不断总结经验教训，使民警行动更加规范化和职业化。中方期待秘书处早日公布关于民警行动的原则和指导方针，并采取切实措施帮助发展中国家进行培训，为发展中国家的参与创造便利条件。

王英凡还表示，加强联合国维和行动是各国领导人在千年首脑会议上作出的庄严承诺，实现这一目标需要全体会员国的共同支持。中方将继续积极支持加强联合国维和能力，并将逐步加强对联合国维和行动的参与。

2001 年，中国向"联合国刚果民主共和国特派团"派出 10 名军事观察员。目前，中国共有 52 名军事观察员分别在"联合国停战监督组织"、"联合国伊拉克—科威特观察团"、"联合国西撒哈拉公民投票特派团"、"联合国塞拉利昂特派团"、"联合国埃塞俄比亚和厄立特里亚特派团"和"联合国刚果民主共和国特派团"6 个任务区执行任务。自 2000 年 1 月首次派民事警察参与联合国维和行动以来，截至 2001 年底，中国已向"联合国东帝汶过渡行政当局"（UNTAET）和"联合国驻波斯尼亚和黑塞哥维那特派团"（UN-MIBH）派遣了 124 名民事警察。

中东、巴勒斯坦问题

2001 年，中东和平进程出现自奥斯陆谈判 7 年来最大倒退。以巴冲突持续激烈，尤其"9·11"事件之后，中东形势更加动荡不安。在阿拉伯国家的推动下，第 10 届紧急特别联大续会于 12 月 20 日在联合国总部召开，审议"以色列占领东耶路撒冷和巴其他被占领土的非法行动"问题，并通过巴方提出的关于设立监督机制和关于日内瓦第四公约的两项决议。中国投了赞成票。中国常驻联合国副代表沈国放大使在会上发言，重申了中国的原则立场，强调安理会应对巴以冲突发挥重要作用，对安理会有关决议草案遭否决表示遗憾；敦促以巴双方冷静处理当前事态，切实执行已达成的协议，早日恢复和谈；欢迎国际社会的有关调解努力；强调中方支持阿拉法特及其领导的巴民族权力机构继续通过和平谈判解决巴以冲突等。

11 月 29 日，联合国在纽约召开"声援巴勒斯坦人民国际日"大会。中国国务院总理朱镕基 11 月 28 日致电表示声援。朱镕基在声援电中说，2001 年召开的"声援巴勒斯坦人民国际日"大会是在中东地区局势持续动荡、中东和平进程停滞不前的情况下召开的，具有重要意义。历时一年多的暴力冲突，造成大量巴勒斯坦平民伤亡和财产损失。中国对巴勒斯坦人民的困难处境表示同情，并谴责以色列对巴勒斯坦使用武力和经济封锁的行为。以巴冲突的持续不仅严重阻碍了中东和平进程，而且对世界的稳定与发展产生了消极影响。巴勒斯坦问题是中东问题的核心。实现中东地区持久和平的正确途径是以联合国有关中东问题的决议和"土地换和平"原则为基础，通过和平谈判实现巴勒斯坦问题的政治解决。中国政府认为，只有巴勒斯坦人民的合法民族权利，包括建立独立的巴勒斯坦国的权利得以实现，中东地区各国的和平与安全才能得到保障。声援电强烈呼吁国际社会加大对中东和平的调解力度，敦促以色列早日同巴勒斯坦重开和谈，为最终实现中东问题的公正、全面解决创造条件。中国政府和人民将一如既往地与国际社会一道，为推动包括巴勒斯坦问题在内的中东问题的早日解决作出自己的努力和贡献。

11 月 29 日至 12 月 1 日，第 56 届联大全会就中东和巴勒斯坦等议题通过六项决议。中国积极参加了上述议题的审议并对所有决议投了赞成票。沈国放发言指出，中东地区局势持续紧张对世界的和平与稳定产生了越来越大的消极影响；中东的历史和现实证明，对话和谈判才是实现和平的惟一正确途径；强调安理会应发挥重要作用，当务之急是要采取果断行动尽快制止暴力冲突；呼吁以巴双方切实执行已达成的协议，积极配合国际社会的调解努力，早日恢复和谈；希望对以巴有影响力的有关各方发挥积极的作用，推动以巴停止冲突、早日重开谈判；强调中国政府和人民将继续支持恢复巴勒斯坦民族合法权益的正义事业，与国际社会一起为推动中东问题的公正、合理解决做出自己的贡献。

联合国财政与预算问题

2001 年，联大五委审议的重要议题包括联合国 2002～2003 两年期方案预算、改善联合国财政状况和维和特委会报告后续行动所涉财政问题等。中国积极参与了所有议题的审议。

在审议 2002～2003 两年期方案预算问题时，中国常驻联合国副代表沈国放大使表示，中国支持任何有利于提高联合国工作效率和工作质量的预算编制格式。新的预算编制格式是个新的事物，是一项复杂的系统工程，中方赞成采取一种循序渐进而非一刀切的方式。目前，整个联合国系统对成果预算模式还处于摸索阶段，成果预算是否可行，需通过实践来检验。联合国需不断总结经验，取其精华，去其糟粕。对联合国一些领域的工作不要一概而论，不要对一些难以估量和预测的活动硬性作出"预期成绩"或"成绩指标"衡量。

沈国放强调，联合国的方案预算应为已经授权的方案与活动提供充分资金为基础来编制，应充分考虑和反映两年期方案与活动的实际需要。中方赞同联合国正在进行的有关改革和节约措施，但任何节约都不应以牺牲方案的充分执行为代价，相反应该有利于改革的进行和深入。近年来，围绕着联合国两年期预算总水平的争论始终没有停止，中方呼吁有关国家采取务实态度，理智和现实地解决这一重要问题。

沈国放说，编制联合国方案预算应确定优先领域，资源分配应根据确定的优先领域进行合理和平衡的分配，而确定的优先领域和资源的分配应符合广大会员国的利益和要求，由会员国在充分协商的基础上来决定。联合国应在维和和发展的资源投入上注意平衡的同时采取更有效措施，对有关发展中国家经济发展等优先方案上能进一步得到重视并给予资源上的保证。

在审议联合国财政状况问题时，沈国放表示，在当今复杂的国际形势下，联合国的作用必须得到加强。而联合国若没有一个稳定、坚实的财政基础，加强联合国的作用就成为空谈。为此，所有会员国都应该诚实地履行各自应尽的财政义务，最大的欠款国应立即、无条件、全额缴纳联合国各项款项。新的会费比额表和维和比额表必须得到全面、严格、有效的执行，最大欠款国也应像大多数会员国一样，及时、全额、无条件地缴纳所有摊款，并按照大会的要求缴纳所有欠款。

台湾图谋"参与"联合国问题

第56届联大总务委员会审议并拒绝了冈比亚等国提出的将所谓台湾"参与"联合国问题列入联大议程的要求。台湾当局"参与"联合国的图谋第九次被挫败。

2001年8月8日，台湾当局再次唆使冈比亚等10国代表联名致函联合国秘书长安南，要求将所谓"需要审查中华民国在台湾所处的特殊国际处境，以确保其 2300 万人民参与联合国工作和活动的基本权利得到充分尊重"的议题列入第 56 届联大议程，并提交了有关解释性备忘录和提案。

8 月 9 日，中国常驻联合国代表王英凡大使奉命致函联合国秘书长安南，指出冈比亚等国 2001 年再次向联合国大会提出所谓台湾"参与"联合国问题，企图在联合国内制造"两个中国"、"一中一台"。这不仅公开违背了《联合国宪章》的宗旨和原则，严重歪曲了联合国组织的性质，而且是对国际社会公认的一个中国原则的公然挑衅，严重损害了中国的主权和领土完整，粗暴干涉了中国的内政。中国政府对此表示强烈谴责和坚决反对，要求这些国家立即纠正其破坏中国统一大业的非法行径。

王英凡强调，世界上只有一个中国，台湾自古以来就是中国的领土，1943 年的《开罗宣言》和 1945 年的《波茨坦公告》均在国际法上再次明确无误地确认了中国对台湾的主权。迄今为止，世界上已有 160 多个国家与中国建立了外交关系，世界上只有一个中国，台湾是中国领土不可分割的一部分，中华人民共和国政府是代表全中国的惟一合法政府，这是国际社会公认的无可争辩的客观和法律事实。

王英凡指出，1971 年第 26 届联大以压倒多数通过的具有历史意义的第 2758 号决议，在政治、法律和程序上彻底解决了中国在联合国的代表权问题。自中华人民共和国恢复在联合国的合法权利之日起，中华人民共和国政府在联合国及其所属机构中自然代表着包括台湾同胞在内的全体中国人民。这充分保障了联合国的普遍性原则，根本不存在所谓"台湾在联合国的代表权"问题。

王英凡表示，联合国是由主权国家组成的政府间国际组织。台湾作为中国的一部分，根本没有资格以任何名义和借口参与联合国系统及其专门机构的工作和活动。1993 年以来，历届总务委员会均明确拒绝将所谓台湾"参与"联合国问题列入联大议程。这充分表明，以任何形式提出台湾"参与"联合国问题都是严重违反《联合国宪章》的宗旨与原则和联大第 2758 号决议的行为。极少数国家今年抛出的提案虽然花样翻新，但改变不了这种行为的性质，也改变不了注定失败的下场。

王英凡强调，早日解决台湾问题，实现祖国统一，符合包括台湾同胞在内的全体中国人民的根本利益，是全体中国人民的共同愿望。一个中国的原则是两岸关系和平稳定发展的基础。中国政府一贯主张在一个中国原则的基础上通过两岸平等对话，实现祖国和平统一。我们愿同一切赞同一个中国原则的台湾各党派、各团体和各界人士就中国统一问题进行对话，完全可以通过协商找到和平解决双方政治分歧的办法。台湾当局如果真有诚意解决问题，真有诚意维护该地区的和平与安全，就应当明确接受一个中国原则，明确承认自己是中国人，明确承诺追求统一的目标，为改善两岸关系作出切实的努力。2001 年，台湾当局表面上搞了一些所谓"善意"姿态，却在一个中国原则这个关键问题上始终采取回避、模糊的态度，仍坚持"戒急用忍"政策，为两岸经贸、文化交流和人员往来设置人为障碍，并企图通过标榜"民主"、"人权"、"经济发展"等继续从事分裂国家的活动，在联合国系统制造"两个中国"和"一中一台"。台湾当局的分裂行径是台湾海峡形势紧张的根源。上述极少数国家的提案只会助长台湾当局的分裂活动，破坏中国的统一大业，危害亚太地区和世界的和平与安全。中国政府对此坚决反对。

9 月 14 日，第 56 届联大总务委员会对此议题进行审议。在审议中，王英凡大使阐述了中国反对将冈比亚等国提案列入联大议程的原则立场，并对提案的谬论进行了驳斥。包括俄、英、法和巴基斯坦等 66 国发言支持中国立场，反对将该提案列入联大议程。第 56 届联大总务委员会代理主席据此裁决不把冈等国提案列入联大议程。事实再次表明，台湾当局企图在联合国制造"两个中国"、"一中一台"的图谋是不得人心的，是注定要失败的。

有关来访和磋商

2001 年 1 月 20～22 日，应中国政府邀请，联合国秘书长科菲·安南对中国进行正式访问。安南访华期间，国家主席江泽民、国务院副总理钱其琛、全国政协副主席宋健分别会见，唐家璇外长与其会谈。安还与部分政协委员和青年举行了座谈。在会谈和会见中，双方就国际形势、千年首脑会议及其后续行动、联合国的作用、联合国改革等问题交换了看法。

应唐家璇外长邀请，第 55 届联合国大会主席、芬兰前总理霍尔克里于 2001 年 4 月 9～12 日正式访华。霍访华期间，朱镕基总理会见，唐家璇外长同霍举行会谈并宴请霍一行及芬兰驻华大使等。霍还同联合国协会举行座谈，出席中国妇女联合会午餐会并发表演讲。

三、中国在安理会的工作

反对恐怖主义问题

9 月 12 日，安理会通过第 1368 号决议，确认按照《联合国宪章》有单独或集体自卫的固有权利，最强烈谴责"9·11"恐怖袭击，表示安理会将根据《宪章》采取一切必要步骤，打击一切形式的恐怖主义。中国常驻联合国代表王英凡大使在发言中对恐怖袭击事件表示震惊和谴责，对遇难者家属深表慰问，指出国际恐怖主义是影响国际和平与安全的一大隐患；指出此次震惊世界的恐怖主义袭击事件也是对国际社会的公然挑战；重申中国一贯谴责和反对一切恐怖主义的暴力活动，支持联合国加强在制止和打击恐怖主义方面的工作；赞同会员国之间加强合作，切实实施有关反恐国际公约，并将恐怖主义犯罪分子绳之以法；表示安理会作为维护国际和平与安全的主要机构，亦应发挥应有的作用。

9 月 29 日，安理会通过第 1373 号决议，要求各国采取措施，防止和制止资助恐怖主义，协助调查并将恐怖分子绳之以法，并决定成立反恐委员会，要求各国于 2001 年底前向反恐委员会提交执行该决议情况的报告。中国代表积极参加了有关决议的历次磋商，并散发了《中国关于反对国际恐怖主义的立场文件》。其主要内容为：恐怖主义是对人类文明的挑战，对国际和平与安全构成严重威胁；中国政府反对并谴责一切形式的恐怖主义，反对将恐怖活动作为实现政治目标的手段；主张在联合国主导下建立国际反恐机制，强调联合国和安理会在反恐问题上发挥主导作用；鼓励各国尽快加入并切实执行现有国际反恐公约；反恐应标本兼治，努力消除滋生恐怖主义的根源等。

中国常驻联合国代表王英凡大使在有关磋商中表示，中国支持安理会及时就国际反恐合作问题进行讨论并通过决议，强调国际反恐合作应遵循《联合国宪章》的宗旨和原则以及其他公认的国际法准则的重要性，表示中方支持在安理会框架下建立反恐合作机制，并希望加强联合国秘书处在反恐方面的能力。

11 月 12 日，安理会就反恐问题召开部长级会议，会议以第 1377 号决议形式通过"全球努力打击恐怖主义宣言"，谴责一切恐怖主义行为，呼吁在反恐问题上开展国际合作。中国外交部长唐家璇出席会议并发言。唐家璇在发言中表示，恐怖主义组织不仅对国际和平与安全构成重大威胁，也对世界经济发展造成严重冲击。各国应采取政治、经济、司法等措施加强对恐怖主义的惩治，认真履行安理会有关决议，积极开展国际反恐合作。唐家璇指出，打击恐怖主义要目标明确，避免伤及无辜；要遵循《联合国宪章》的宗旨和原则以及其他公认的国际法准则，并有利于世界和地区长远和平与稳定。中国反对将恐怖主义与特定的宗教和民族挂钩；认为在反恐问题上不应有双重标准；打击恐怖主义应标本兼治，妥善解决贫困、地区冲突、可持续发展等全球问题将有助于铲除国际恐怖主义。唐家璇还表示，支持联合国和安理会在反恐问题上继续发挥主导作用，希望能充分发挥安理会反恐委员会的作用，监督和帮助各国全面执行第 1373 号决议。唐家璇指出，中国也一直面临恐怖主义威胁，"东突"势力长期接受国际恐怖主义集团训练、资助和支持，多次在中国新疆地区和其他国家制造恐怖活动，残害无辜平民。"东突"是彻头彻尾的恐怖主义组织，是国际恐怖主义的一部分，应予以坚决打击。唐家璇还介绍了中国在反恐问题上采取的有关措施。

中国认真、严格执行安理会第 1373 号决议，积极参加安理会反恐委员会的工作。11 月 13 日，唐家璇外长在纽约联合国总部向联合国秘书长交存《制止恐怖主义爆炸的国际公约》加入书并签署《制止向恐怖主义提供资助的国际公约》。12 月 24 日，中国向反恐委员会提交了执行安理会第 1373 号决议的报告，12 月底又提交了有关补充报告。中国在执行安理会有关决议方面采取的措施主要包括：一、冻结恐怖主义组织和个人资产。二、加强国内反恐机制建设。三、加强对外合作与交流。四、加入或签署有关国际反恐条约。五、加强出入境管制等方面。中国积极开展国际反恐合作，分别与美国、俄罗斯、印度等建立了反恐定期磋商机制。

阿富汗问题

2001 年，阿富汗问题是联合国及安理会讨论的重点议题之一。联合国阿问题"6＋2"机制成员国还在联大期间专门举行了外长会议。安理会也就阿问题举行公开会议并通过多项决议。中国积极参与了安理会有关讨论和决议的磋商，对所有关于阿问题的决议草案都投了赞成票。唐家璇外长还参加了阿问题"6＋2"机制外长会议和安理会阿问题公开会议并分别发表讲话。

唐家璇表示，在当前形势下，加快政治解决阿富汗问题对维护区域乃至世界和平与安全具有重要意义。妥善、持久地解决阿富汗问题，有利于恢复阿富汗国内稳定和经济发展，有利于实现本地区的和平与稳定，有利于当前的国际反恐斗争，符合各国的根本利益。

唐家璇强调，中国一直十分关注阿富汗局势，主张通过谈判和对话来实现阿富汗问题的政治解决，积极支持联合国所做的努力，赞赏安南秘书长及其特别代表普拉希米和个人代表凡德雷尔发挥的有益作用。在当前形势下，关于如何解决阿富汗问题，中国认为要遵循以下几条原则：第一，要确保阿富汗的主权、独立和领土完整。第二，要由阿富汗人民自主决定解决办法。第三，阿富汗未来政府要基础广泛，体现各民族利益，与各国尤其是邻国和睦相处。第四，要有利于维护该地区的和平与稳定。第五，联合国要发挥更积极的建设性作用。

　　唐家璇说，中方认为，"6＋2"机制是讨论和推动政治解决阿问题的重要和有效机制，应充分加以利用，加强沟通，增进理解，寻求共识。中国将继续支持联合国秘书长及其特别代表在阿问题上所做的不懈努力。对于任何有助于恢复阿和平、稳定与中立，符合阿各族人民根本利益的方案，中国都将予以认真考虑。

　　唐家璇指出，当前阿富汗人道主义状况非常令人担忧，呼吁国际社会进一步增加援助，确保阿难民能渡过难关。阿富汗多年动乱，百废待兴，要实现阿持久稳定，必须在经济、金融、司法、教育等领域对阿进行全面重建。这需要国际社会齐心协力，共同努力，应鼓励联合国和世界银行、国际货币基金组织等国际金融机构发挥积极作用。中国将支持并积极参与阿富汗的重建。

伊拉克问题

　　2001年，安理会就伊拉克问题通过了第1352、1360和1382号三项决议。中国对上述决议都投了赞成票。

　　5月初，英国向安理会提交决议草案，核心是伊拉克进口审查物品清单（GRL），对伊拉克进口实行更加严格的监控。安理会五常任理事国专家就GRL举行了多轮、双边磋商，但由于各方意见不一，安理会未能就此达成一致。6月1日，安理会一致通过第1352号决议，决定将"石油换食品"计划技术性延期一个月，各方利用这一个月时间，继续就GRL进行磋商。6月底至7月初，安理会五常任理事国在纽约就GRL举行专家级磋商，仍未取得一致意见。7月3日，安理会一致通过第1360号决议，将伊"石油换食品"计划延期150天。

　　"9·11"事件后，安理会关于伊拉克的讨论相对平静。11月29日，安理会一致通过第1382号决议，决定将"石油换食品"计划延长6个月，同意在未来6个月内，通过并执行GRL清单及其程序，并尽快澄清第1284号决议，全面解决伊拉克问题。

　　中国认真、积极地参加了伊拉克问题的磋商，分别与美国、俄罗斯、法国和英国就伊问题举行双边磋商，发挥了建设性作用。中国积极参加了安理会五常任理事国就 GRL 清单问题举行的多次专家级磋商，寻求打破伊拉克问题僵局的办法。中国还就解决伊拉克问题提出了自己的立场文件。

唐家璇外长多次与美国、俄罗斯、法国、英国、挪威和伊拉克等国外长通电话、互致信件，阐述中方在伊拉克问题上的立场。唐家璇表示，中国政府一直主张在安理会有关决议基础上，以综合性的方式全面解决伊拉克问题。一方面，伊拉克要严格执行安理会有关决议，恢复与联合国的合作。另一方面，伊拉克的主权、领土完整及合理的安全也应得到应有的尊重。联合国应根据伊拉克执行安理会决议的客观情况，逐步直至最终解除对伊拉克的制裁。唐家璇多次劝说有关各方采取更加灵活和务实的态度妥善解决伊拉克问题，为推动安理会一致通过有关决议做出了积极的努力。

6 月 26 日，安理会举行伊拉克问题公开会。中国常驻联合国代表王英凡大使在会上全面阐述了中国政府的原则立场。王英凡表示，伊拉克问题目前出现的僵局不利于海湾地区的和平与安全，不利于维护安理会权威，也不利于从根本上缓解伊拉克人道主义局势。伊拉克应严格执行安理会的有关决议，解决遗留的裁军问题，恢复同联合国的合作。同时，安理会应澄清第 1284 号决议中的模糊之处，特别是应明确中止对伊拉克制裁的标准，推动伊拉克恢复同联合国的合作。王英凡强调，对伊拉克采取的"新安排"不应以把对伊拉克制裁长期化为目的，不应对伊拉克邻国的政治、经济、社会生产造成进一步负面影响。安理会应就此充分听取邻国的意见，寻求他们的理解与合作。王英凡还就"禁飞区"和科威特失踪人员和遗失财产问题阐述了中国政府的立场。

中东问题

2000 年 1 月和 5 月，联合国安理会分别通过决议，将联合国驻黎巴嫩临时部队和联合国脱离接触观察员部队任期分别延至 7 月 31 日和 11 月 30 日。7 月和 11 月，再次通过决议，又分别延至 2002 年 1 月 31 日和 5 月 31 日。中国参与了这四项决议的磋商。从支持联合国为平息以黎和以叙冲突发挥作用的一贯立场出发，为维护地区和平与安全，且考虑到部队延期均系当事国要求，中国在表决中投了赞成票。

3月27日，安理会就不结盟成员关于巴以冲突问题的决议草案进行表决，结果以9票赞成、4票弃权、1票反对而未获通过。中国投了赞成票。中国常驻联合国代表王英凡大使在投票前发言中呼吁巴以双方尽快结束暴力冲突，恢复和谈，使中东和平进程回到正确轨道，强调安理会应该也能够继续在解决巴勒斯坦问题、推进中东和平和维护中东地区和平与安全方面发挥重要作用，指出向该地区派遣适当的国际存在有利于双方立即停止暴力活动，建立互信、保障双方平民安全，也有助于为双方和谈创造良好气氛。

12月15日，安理会对埃及和突尼斯提出的关于中东和巴勒斯坦问题的决议草案进行表决，结果以12票赞成、2票弃权、1票反对而未获通过。中国投了赞成票。中国常驻联合国代表团副代表沈国放大使在表决时发言，谴责针对平民的暴力行为，认为以方的军事报复无助于冲突的缓解；呼吁双方冷静处理当前事态，停止报复与反报复，通过谈判解决争端；指出解决中东问题要以联合国有关决议和"土地换和平"原则为基础，切实履行已达成的协议，全面恢复巴人民的合法权利，包括建国权；强调巴权力机构是实现和平必不可少的、合法的一方，应充分维护其作用；中国赞同安理会对中东严峻形势作出及时反应，支持阿拉伯小组的决议草案。中国将继续支持联合国秘书长及有关各方的调解努力，并愿为停止暴力冲突、恢复中东和平进程做出自己的贡献。

埃、厄冲突问题

2001年，安理会多次审议埃塞俄比亚、厄立特里亚冲突问题，通过了第1344、1369号决议。中国参加了有关磋商并对上述决议投了赞成票。

5月15日，安理会一致通过了关于埃、厄局势的主席声明，同意对双方已实施12个月的武器禁运不再延期。

中国常驻联合国副代表沈国放大使在有关磋商中表示，埃、厄和解进程已有很大进展，但仍存有问题，特别是双方仍有小规模武装冲突令人关注，停战不是目的。只有建立互信才能实现最终和平。中方十分关注建立临时安全区、部队地位协定和排雷三大问题，如双方不能在这三方面尽快取得进展，将影响双方建立信任和安理会继续发挥作用。

沈国放在发言中强调，国际社会应努力维护目前相对平静局面，并促使双方以实际行动执行有关协定并与联合国埃、厄特派团合作。

刚果（金）问题

2001 年，安理会多次审议刚果（金）局势，通过了第 1341、l355 和 1376 号决议及五项主席声明。中国代表团参加了有关磋商并对所有决议投了赞成票。

2 月 22 日，安理会一致通过第 1341 号决议，再次要求乌干达、卢旺达及所有外国军队撤出刚果民主共和国领土，呼吁刚果各方立即采取具体步骤开展政治对话。中国常驻联合国副代表沈国放大使在有关磋商中表示，中方敦促外国军队按有关决议和协议规定尽快无条件全面撤离刚领土；希望刚政府和有关各派抓住有利时机，在全面、公正的基础上进行刚果人对话，通过对话建立互信和持久和平。

11 月 10 日，安理会通过第 1376 号决议，确定执行联刚特派团第三阶段部署，要求有关方面尽快向联刚特派团提交在刚果（金）外国军队和有关武装团伙的情况，建立刚果（金）和卢旺达的直接对话渠道。沈国放在磋商中指出，刚果（金）和平进程缓慢应引起安理会的足够重视，在推动刚果（金）和平进程时，希望各方处理好外国撤军、非法开采刚果（金）资源、刚果（金）人道局势等问题。沈国放表示，支持秘书长关于联刚特派团第三阶段部署的设想和建议。沈国放认为，关键在于各方应继续坚持停火，终止对武装团伙的军事援助，并向联刚特派团提供必要的行动信息。沈国放还通报了中国政府再次向非统组织和平基金捐款 20 万美元，以支持《卢萨卡和平协议》联合军事委员会在刚果（金）的和平行动。

利比里亚问题

2001 年，安理会多次审议利比里亚问题，通过了第 1343 号决议。中国代表团参加了有关磋商并投了赞成票。

3 月 7 日，安理会一致通过第 1343 号决议，决定对利比里亚实施制裁措施（武器和钻石禁运、限制有关人员出国旅行等）。此后，美、英等西方国家以利未认真遵守制裁决议为由要求加强对利制裁。中方表示，在处理此问题时既要考虑该地区的和平与安全、维持安理会权威，也要充分考虑利本已十分严重的人道主义局势，并尊重西非经共体的意见。

11 月 7 日，安理会就利比里亚问题举行非正式磋商。中国常驻联合国副代表沈国放大使指出，安理会制裁是否有效关键在于质量而不是数量；当前，安理会当务之急是认真研究专家小组提出的有关改进现有制裁措施的建议，而不是考虑施加新的制裁；在采取任何新的行动时，安理会应充分考虑利业已恶化的经济、社会和人道状况。沈国放表示，中方支持安理会继续保持与利及其人民的接触。

塞拉利昂问题

2001 年，安理会多次审议塞拉利昂问题，通过了第 1346、1380 和 1385 号决议。中国参加了有关磋商并对所有决议投了赞成票。

3 月 30 日，安理会一致通过第 1346 号决议，决定扩编联塞特派团至 17500 人。中国常驻联合国代表王英凡大使在有关磋商中表示，特派团在执行其行动构想方面取得了积极进展，特派团和塞政府同联阵保持接触至关重要；对联阵拟设立政治机构宜善加利用。王英凡呼吁塞政府、特派团及有关捐助方继续相互配合，制订出一套完整和行之有效的解除武装、复员和重返社会执行办法，同时警惕联阵参与和平进程的态度发生逆转。

12 月 19 日，安理会一致通过第 1385 号决议，决定自 2002 年 1 月 5 日起对塞拉利昂的钻石禁运措施延长 11 个月。

第 2 节　关于裁军与军备控制问题

2001 年，中国继续积极参加国际军控与裁军努力，为推动国际军控与裁军进程作出了贡献。

（一）中国继续反对美导弹防御计划

一年来，中国多次阐述了不赞成美发展导弹防御系统的立场。11 月，中国与俄罗斯等国在第 56 届联大再度提出"维护和遵守《反导条约》"的决议，并以高票获得通过。

12 月 13 日，美国总统布什在宣布退出《反导条约》之前打电话给江泽民主席，通报美退约决定。江主席向布什总统阐述了中方的立场，强调在当前形势下，维护国际军控和裁军体系十分重要，中国愿与世界各国一起，继续为维护世界的和平与稳定作出自己的努力。中国外交部发言人指出，维护国际军控与裁军体系和全球战略稳定是各国的共同责任，中方希望美方认真考虑世界上多数国家的意见，在导弹防御问题上慎重行事。

（二）中国以建设性姿态参加国际军控与裁军会议和谈判

11 月 11 日，唐家璇外长在第 56 届联大一般性辩论中发言。关于军控问题，唐外长指出，"9·11"事件再次表明，当今世界各国在安全上的相互依存不断加深，任何国家都难以单独实现其安全目标。只有加强国际合作，才能有效应对全球安全挑战，实现普遍和持久的安全。为此，各国应努力树立以互信、互利、平等、协作为核心的新型安全观。军控历来与安全密切相关。多年来，国际社会推动军控、裁军和防扩散的努力，为促进国际安全发挥了重要作用。面对新的形势，我们理应致力于维护现有国际军控与裁军法律体系，坚持在各国安全不受减损的基础上维护全球战略稳定。

10 月 8 日至 11 月 6 日，第 56 届联大裁军与国际安全委员会（联大一委）在纽约举行会议。会议审议通过了 51 项决议和决定。中国裁军大使胡小笛在一般性辩论中发言，全面阐述了中国在一系列军控与裁军问题上的立场。胡大使指出，"9·11"事件再次凸显了国际合作在维护世界和平与各国安全方面的重要性。树立以合作求安全的新型安全观，已成为当今时代一项非常紧迫的任务。维护国际军控与裁军法律体系，对维护全球及地区的和平与稳定十分重要。任何损害这一法律体系的做法，都只能增加国际安全格局中的不确定性和不可预测性，不符合任何国家的利益。中国呼吁有关国家能认真倾听国际社会的呼声，停止发展和部署有损全球战略稳定的反导系统。防止外空武器化和外空军备竞赛已成为当前十分紧迫的现实问题。国际社会应立即行动起来，尽早谈判缔结必要的国际法律文书。国际社会应采取一致行动，进一步加强防扩散国际机制，当务之急是严格遵守和不断完善防扩散方面的国际法律文书。

4月9～27日，联合国裁军审议委员会实质性会议在纽约举行，审议了"实现核裁军的途径和方法"和"常规军备领域建立切实可行的信任措施"两项议题。胡小笛大使发言指出，在当今世界，安全是相互的，任何国家都无法单凭自身的力量解决面临的所有安全问题。一国只有将自身安全建立在各国的普遍安全与国际社会的广泛合作基础之上，才能实现自身的真正安全。只有通过平等协商和对话，加强相互信任，追求共同安全，才能真正维护和平与稳定。

日内瓦裁谈会分别于1月22日至3月30日、5月14日至6月29日、7月30日至9月14日在日内瓦举行了三期会议。由于在年度工作计划上仍存在分歧，会议仍未能开展实质性工作。会议就一些程序性问题设立了特别协调员，并进行了初步讨论。中国代表团以积极和建设性的态度参加会议，努力推动裁谈会尽早开始实质性工作。中国代表团强调，作为目前世界上惟一的多边裁军谈判机构，裁谈会应全面、平衡地照顾各方的关切。中国赞成裁谈会启动"禁产条约"谈判，支持在核裁军问题上开展实质性工作，主张裁谈会应谈判缔结一项防止外空军备竞赛的法律文书。为此，中国主张在裁谈会设立特委会，就谈判缔结有关防止外空军备竞赛和外空武器化的国际法律文书开展实质性工作。6月，中国代表团向裁谈会提交了关于"防止外空武器化国际法律文书要点的设想"工作文件，初步提出了未来相关国际法律文书所应包含的要素。

《禁止生物武器公约》缔约国特设工作组在日内瓦举行了三次会议，继续谈判《公约》议定书案文。11月，《公约》第五次审议大会在日内瓦举行，重点讨论《公约》执行情况及议定书谈判。由于美国对议定书谈判持全盘否定态度，议定书谈判被迫终止。中国全面、深入地参加了议定书谈判，并提出了许多建设性建议。中国积极参加了《公约》五审会，向会议提交了国家履约报告及相关工作文件。中国对议定书未能达成深表遗憾，强调在当前生物武器威胁增加的情况下，国际社会应继续努力，积极寻求在多边框架内加强《公约》有效性的具体措施，包括继续谈判制定一项平衡、有效的议定书，以确保《公约》宗旨和目标的实现。

7月9～20日，联合国小武器非法贸易各方面问题大会在纽约召开。会议通过了旨在打击小武器非法贸易的《行动纲领》。中国以建设性姿态与会，为达成《行动纲领》作出了自己的贡献。中国常驻联合国代表王英凡大使在会上全面阐述了中国在小武器非法贸易问题上的原则立场，指出打击和消除小武器非法贸易活动，有利于促进地区冲突的妥善解决，有利于维护地区的和平与稳定，符合各国的共同利益。小武器非法贸易问题的解决，涉及裁军、安全、发展和人道主义等多方面的因素。中国主张，应从国家、地区和国际各个层面加强努力，寻求全面的妥善解决办法。中国将继续支持并参与国际社会解决小武器非法贸易问题的各项努力，与国际社会一道，共同推进全球打击小武器非法贸易的进程。

2月26日至3月2日，《打击跨国有组织犯罪公约》"枪支议定书"谈判在维也纳举行，达成了议定书草案。5月31日，第55届联大审议通过了该草案。中国认真参加谈判，并在谈判中显示了灵活姿态，为议定书的最终达成作出了自己的贡献。

11月11～13日，第二次促进《全面禁核试条约》(CTBT)生效大会在纽约举行。会议一致通过了《最后宣言》，呼吁尚未签、批约的国家尽快签、批约。中国常驻联合国副代表沈国放大使指出，CTBT 对维护国际安全具有重要意义。要推动 CTBT 尽早生效，应营造一个有利于各国信赖和支持 CTBT 的国际环境，维护全球战略平衡与稳定，防止出现新的核军备竞赛，并加强国际军控领域的合作。

12 月 11～21 日，《特定常规武器公约》第二次审议大会在日内瓦召开。会议决定修改《公约》关于适用范围的规定（将适用范围从国际武装冲突扩大到国内武装冲突），并就有关后续行动达成了一致。此前，4～10 月，在日内瓦召开了三次《公约》筹备会和一次会间会。12 月 10 日，《公约》经修订的"地雷议定书"第三届缔约国大会在日内瓦召开。中国积极参加了上述会议，详细阐述了中国在《公约》修约、地雷等问题上的立场，强调在处理有关问题时，应兼顾人道主义关切和主权国家的正当军事需要。

（三）中国忠实履行国际军控与裁军条约义务

中国继续认真、严格地履行《禁止化学武器公约》所规定的各项义务，为促进《公约》普遍性和全面有效的实施作出了积极贡献。中国根据《公约》要求按时、完整地提交了年度宣布和初始宣布，以积极、合作的态度接待了禁化武组织的八次视察，并积极参加了《公约》第六次缔约国大会和禁化武组织五次执行理事会会议。中国与禁化武组织业已存在的良好合作关系得到了进一步加强。在处理日本遗弃在华化武方面，中日双方对河南、河北、武汉、南京等地发现的日本遗弃化武进行了双边现场调查，并向禁化武组织提交了相应的宣布资料。中日双方专家还就选择销毁日本遗弃化武的技术和制定相关环境标准等问题进行了 12 轮磋商。

作为《全面禁核试条约》签约国，中国继续积极参加条约组织筹委会的工作。中国全面、深入地参加了筹委会及其行政工作组和核查工作组会议，并积极与筹委会临时技术秘书处合作，在中国境内开展监测台站的勘址、建站等履约工作。10 月，中国与临时技秘处在北京成功地联合举办了现场视察研讨会。

中国继续作出多方面努力，认真履行《特定常规武器公约》及其议定书的义务。中国十分重视地雷引起的人道主义问题，根据

《公约》经修订的"地雷议定书"有关技术合作与援助的规定，继续积极参加国际扫雷援助工作。2001 年，中国向安哥拉、柬埔寨、厄立特里亚、埃塞俄比亚、莫桑比克、纳米比亚、卢旺达等 7 个雷患严重的国家捐赠了一批探、扫雷器材，帮助这些国家开展人道主义扫雷活动。11 月，中国派团赴厄考察雷患情况，并对厄方人员进行了扫雷技术培训。

（四）中国积极开展国际军控与裁军领域的对话与合作

4 月，东盟地区论坛建立信任措施会间会在吉隆坡召开，讨论了小武器等问题。3 月、6 月和 9 月，亚洲相互协作与信任措施会议（简称"亚信"）在阿拉木图召开特别工作组会议，讨论"亚信"首脑会议文件草案，其中涉及军控与裁军问题。中国积极参加了上述会议，为会议的顺利召开作出了自己的努力。4 月，中国还参加了在罗马举行的南亚核问题工作组会议，指出工作组在促使国际社会继续关注南亚局势，维护南亚的和平与稳定，防止南亚核武器扩散及核军备竞赛方面发挥了重要作用。有关各方应继续努力，推动印度和巴基斯坦履行安理会 1172 号决议。

中国与美国、俄罗斯、英国、日本、韩国、加拿大、波兰等国及联合国、欧盟等组织进行了双边军控磋商。1 月，中波军控磋商在北京举行。2 月，中加军控磋商在渥太华举行。3 月，联合国负责裁军事务的副秘书长达纳帕拉访华，与中方在北京举行了军控磋商。4 月和 12 月，中俄战略稳定磋商分别在北京和莫斯科举行。5 月、10 月和 12 月，中美反导问题磋商在北京举行。11 月，中美军控与防扩散磋商在华盛顿举行。同月，中英军控磋商在伦敦举行，中日、中韩军控与防扩散磋商在北京举行。12 月，中欧军控磋商在布鲁塞尔举行。上述磋商增进了中国与有关国家和组织在军控与裁军问题上的相互了解与合作。

第3节　关于人权问题

通过国际合作促进和保护人权与基本自由是《联合国宪章》的宗旨之一。中国作为联合国人权委员会成员国，一贯支持联合国为此所做的努力，并积极参与联合国人权领域的活动。

2001年，中国政府派代表团出席了联合国人权委员会第57届会议（3月19日至4月27日，日内瓦），联合国经济及社会理事会实质会议（7月2～27日，日内瓦），第56届联合国大会第三委员会会议（10月31日至11月30日，纽约），反对种族主义世界大会（8月31日至9月8日，南非德班）及其亚洲区域筹备会议（2月19～21日，伊朗德黑兰）等，参加了对有关人权问题的审议。中国专家范国祥还出席了联合国人权委员会下属机构促进和保护人权小组委员会第53届会议（7月30日至8月17日，日内瓦）。

中国政府十分重视人权问题，尊重人权的普遍性原则，认为任何国家都有义务根据《联合国宪章》的宗旨和原则，遵照国际人权文书确立的原则，促进和保护本国人民的人权与基本自由。中国同时认为，促进和保护人权必须与各国具体国情相结合。各国只有选择适合本国国情的发展道路和保护人权的正确模式，才能切实有效地实现人权的普遍性原则。对于发展中国家而言，由于历史和现实情况，经济、社会、文化权利和发展权具有特别重要的现实意义。改革开放20多年来，中国政府致力于发展经济，提高人民生活水平，取得了举世瞩目的成就。中国同样重视促进和保障人民的公民权利和政治权利。中国代表团在联合国第57届人权会上指出，公民权利和政治权利是人权的重要组成部分，正如《世界人权宣言》所载，只有世界各国创造了使人人可以享有公民、政治和经济、社会及文化权利条件的情况下，才能实现全人类享受人权与自由的共同理想。多年来，中国政府不断加强民主与法制建设，在落实依法治国、深化司法改革等方面取得了巨大成就。

中国政府保障各少数民族在政治、经济、文化、宗教等各方面的平等权利，同时给予少数民族特殊优惠政策。中国代表团副代表李保东在第 57 届人权会上发言指出：建国五十多年来，中国民族地区经济突飞猛进，人民生活水平显著提高，文化教育等社会事业迅猛发展。纵观中国几千年历史，中国现行的民族政策是最成功的。在总结过去民族政策的成功经验基础上，中国政府根据新世纪民族地区发展的新特点，在世纪之交制定了通过实施西部大开发、促进民族地区全面发展的新战略。中国愿意与国际社会共同努力，为促进和保护少数群体的各项权利作出自己的贡献。

中国政府坚决反对任何形式的种族主义和种族歧视，支持国际社会为此作出的不懈努力。8 月 31 日至 9 月 8 日，由古巴等发展中国家发起的联合国第三届反对种族主义世界大会在南非德班举行。中国政府高度重视此次大会，积极参与了亚洲区域筹备会议等各项筹备工作。为响应联合国号召和提高社会各界对当今种族主义问题的认识，中国政府于 7 月 25 日在北京举办了"因特网与种族主义言论传播"研讨会。唐家璇部长向会议发了贺信，呼吁国际社会关注种族主义言论在因特网上传播所造成的严重危害。外交部副部长王光亚率团出席反对种族主义世界大会并在全会上作主旨发言，指出种族主义是对人权的严重侵犯，是对人类平等与尊严的蔑视与践踏，是对世界和平与发展的公然挑战。当前，旧的种族主义余毒尚存，排外、仇外、新纳粹主义等新形式的种族主义又有发展，反对种族主义的斗争依然任重道远。中国主张各国"正视历史，增进了解，加强合作"，呼吁建立公正合理的国际政治新秩序，从根本上铲除种族主义和种族歧视。出席世界大会的各国代表经艰苦磋商达成妥协，通过了《宣言和行动纲领》，首次在联合国文件中承认奴隶贸易是反人类罪，敦促有关国家对过去殖民统治造成的危害表示道歉和反省；强调文化多样性的重要性，呼吁国际社会相互尊重、和平共处。

中国政府重视联合国人权高专在促进和保护人权领域的作用，

与高专办公室保持着良好的合作关系。11 月 8～10 日，人权高专
罗宾逊夫人第六次访华，中国国家主席江泽民、国务院副总理钱其
琛分别再次会见，就反对恐怖主义、反对种族主义世界大会、人权
教育等问题与其交换了意见。外交部副部长王光亚与罗宾逊夫人举
行了会谈，双方还签署了 2002 年度合作计划。罗宾逊夫人积极评
价中国广泛开展的人权领域国际合作，并感谢中国在反对种族主义
世界大会期间发挥的建设性作用。她对中国政府在发展经济、改善
人民生活等方面取得的成就表示赞赏。根据双方 2000 年 11 月签署
的开展人权领域技术合作的谅解备忘录，2001 年双方合作举办了
"轻罪惩罚"、"人权与警察"、"人权教育"等一系列专题研讨会及
相关后续活动。双方将于 2002 年在司法行政、实现经济、社会和
文化权利等领域开展交流合作项目。

　　中国政府一贯重视国际人权文书在促进和保护人权方面发挥的
重要作用。2 月 28 日，中国全国人大常委会通过了关于批准《经
济、社会及文化权利国际公约》的决定，充分体现了中国致力于促
进和保护人权，积极开展人权领域国际合作的一贯立场，也表明了
中国政府对保障公民充分享有各项经济、社会及文化权利的坚定决
心和信心。

　　中国政府主张，各国由于政治制度不同，发展水平各异，历史
文化背景和价值观念千差万别，在人权问题上存在不同认识甚至分
歧是正常现象。对于在人权问题上的不同认识或分歧，中国主张各
国在平等和相互尊重的基础上，通过对话与交流增进了解，求同存
异。对话与合作已成为新世纪国际人权领域的时代潮流。

　　2001 年，中国政府积极开展双边领域的人权对话与合作，分
别与欧盟、英国、挪威、瑞典、澳大利亚等西方国家开展了多轮人
权对话与交流，增进了了解，减少了分歧，扩大了共识。此外，中
国还与尼日利亚等发展中国家举行了人权磋商。

　　然而，美国无视中国在促进和保护人权方面取得的成就及开展
人权领域国际合作的诚意，出于国内政治需要，再次在联合国第
57 届人权会上提出反华提案，遭到人权会广大主持正义国家的坚

决反对。美未能网罗到任何共同提案国，处境十分孤立。4月18日，中国代表团团长乔宗淮大使在反华提案表决前发言指出，反华提案是一个毫无事实根据、自相矛盾的荒谬提案。美国搞反华提案的根本目的，是妄图通过反华提案破坏中国的稳定，强迫中国人民改变自己选择的发展道路，阻挠中国的发展和进步。在广大发展中国家和主持正义国家的支持下，人权会以23票赞成、17票反对、12票弃权、一国未参加投票的表决结果，通过了中国就美反华提案提出的"不采取行动"动议。这是中国第10次在联合国人权会上挫败美等西方国家提出的反华提案。事实一再证明，对话比对抗好，利用人权问题向别国施加政治压力、推行霸权主义和强权政治的做法是不得人心的，也是没有出路的。

根据中美两国领导人达成的共识，在美国国务卿鲍威尔7月访华期间，中方应美方要求，同意与美方恢复人权对话。10月9～11日，双方在华盛顿恢复中断近三年的中美人权对话。中美双方在坦诚和建设性的气氛中，就共同关心的人权问题广泛深入地交换了看法。中方邀请美方于2002年上半年派团访华，并与中方再次举行人权对话。

第4节　中国在联合国经济领域的工作

一、综合性国际经济论坛

联合国经社理事会实质性会议于2001年7月2～27日在日内瓦举行。本次会议由高级别（部长级）、发展业务、协调、人道主义事务和常务五部分组成。高级别部分的主题是："联合国系统在支助非洲国家努力实现可持续发展方面的作用"。其他主要经济议题有：联合国促进国际发展合作的业务活动、联合国系统各专门机构及其他机关有关政策和活动的协调、区域合作、经济和环境问题、人口与发展、社会和人权等。会议通过约20项决议和决定。

中国驻日内瓦联合国代表乔宗淮大使在高级别部分的发言中表示，近年来，非洲一些国家的经济虽有所好转，但非洲贫困问题长期得不到解决，外债负担严重，武装冲突频生，艾滋病等蔓延，整体上加剧了非洲的严峻形势；联合国发展资源短缺严重影响了各项援助方案的执行。乔大使指出，联合国系统为促进非洲发展作出了不懈努力，希望联合国进一步发挥作用；强调国际社会特别是发达国家有责任创造有利的国际环境，支持非洲国家的努力，扭转发展资源下滑的趋势；呼吁国际社会支持为非洲缩小数码鸿沟以及与艾滋病作斗争。

联合国第 56 届联大第二委员会会议于 2001 年 9 月 26 日至 12 月 12 日在纽约举行。本届联大二委共审议了 35 项议题和分议题，通过了 38 项决议。联大全会还直接审议了 16 项经济和人道主义议题，通过了 25 项决议。中国常驻联合国副代表沈国放大使在二委一般性辩论中发言指出：一、为成功实现《千年宣言》确定的发展目标，国际社会有必要建立公正的国际经济管理体制，创造良好的外部环境；二、2002 年发展筹资国际会议应就调动国际财政资源制定全面战略，就实现官方发展援助目标、解决发展中国家外债以及减轻向发展中国家提供援助时附加苛刻条件所造成的负担等问题作出实质性的承诺；三、发达国家应尽快全面履行乌拉圭回合协定，同时，世界贸易组织应将发展中国家关切的问题作为即将在多哈举行的部长级会议的中心内容；四、2002 年可持续发展世界首脑会议应全面审评《21 世纪议程》实施进展的情况，找出存在的问题，特别是针对发展中国家的实际困难，就执行的手段，特别是长期未能得到解决的资金、技术转让和能力建设等问题提出具体建议和措施。

二、国际货币金融领域

2000/2001 财年，世界银行共向中国 5 个项目提供了 6.055 亿美元贷款，使世行对华承诺贷款总额累计达到 347 亿美元，涉及项目总数达到 232 个。

世界银行／国际货币基金组织春季例会于 2001 年 4 月 28～30 日在华盛顿召开。财政部副部长金立群率团出席会议。会议主要讨论了世行对中等收入国家的援助战略、重债穷国减债计划和全球公共产品等问题。在此之前，发展中国家 24 国集团副手级和部长级会议于 4 月 26～27 日召开，中国以"特邀代表"身份出席会议。4 月 29 日和 30 日分别举行了国际货币与金融委员会第三次会议和第 63 届世界银行和国际货币基金组织发展委员会会议。

由于"9·11"事件的影响，世界银行／国际货币基金组织年会被迫取消。国际货币与金融委员会第四次部长级会议和世界银行／国际货币基金组织发展委员会第 64 届会议分别于 2001 年 11 月 17 日和 18 日在加拿大渥太华举行，中国人民银行行长戴相龙及财政部部长项怀诚分别率团出席了会议。国际货币与金融委员会第四次会议主要讨论了世界经济形势、反洗钱与打击为恐怖主义融资和发展与减贫等三个问题。戴行长在发言中对美采取积极的货币与财政政策以确保经济稳定与恢复表示欢迎，并介绍了中国经济形势，呼吁国际社会重视贫困地区和国家的发展。

世界银行／国际货币基金组织发展委员会第 64 届会议主要讨论世界经济形势以及世行应采取的对策和联合国发展筹资大会准备事宜等问题。项怀诚部长在发言中就"9·11"事件对发展中国家的影响及世行应采取的措施、发展筹资、重债穷国减债倡议等问题阐述了中国立场，并呼吁世行与基金应积极发挥作用，帮助发展中国家改善投资环境并提高有效援助。

三、环境与发展领域

（一）联合国可持续发展委员会（CSD）

4 月 16～28 日，联合国可持续发展委员会（CSD）在纽约召开了第九次会议。约有４０位部长出席了会议的高级别部分。中国常驻联合国副代表沈国放大使率团出席了会议。会议主要审议了大气、能源、交通、信息和国际合作创造有利环境等议题。会议的高级别部分还就定于 2002 年举行的可持续发展世界首脑会议进行了对话。

中国代表团团长沈国放大使在高级别会议上重点就保护自然环境以及通过技术转让和资金支持帮助发展中国家实现可持续发展等问题阐述了中国立场。中国代表团在会议期间和发展中国家密切合作，深入全面地参与各项议题的讨论和磋商，为推动会议取得较好的结果发挥了应有的作用。

（二）联合国环境规划署（UNEP）

2月5～9日，联合国环境署（UNEP）在肯尼亚内罗毕举行了UNEP理事会第21届会议暨全球部长级环境论坛，80多位部长级官员出席了会议。中国国家环保总局副局长王玉庆率团出席会议。会议主要讨论了《关于UNEP的作用和任务的内罗毕宣言》和《马尔默部长级宣言》的执行与发展、新世纪重大环境问题、国际环境管理体制、环境公约的遵守和执行以及环境与贸易等议题。中国代表团在与"七十七国集团"的积极配合下，就中方关注的国际环境管理、环境与贸易以及环境犯罪等问题进行了积极讨论，对维护中国的发展中国家利益起到了重要作用。

（三）全球环境基金（GEF）

12月3～7日，全球环境基金（GEF）第18届理事会和第三次增资会在美国首都华盛顿举行。GEF中国理事朱光耀率团出席了会议。会议主要讨论了GEF第三次增资、GEF新增业务领域、常规项目批准等议题。尽管会议尚未就GEF第三次增资规模达成一致意见，但多数意见认为应保持在22亿至32亿美元之间。中国代表在发言中敦促GEF有关欠款国尽快履行承诺，支付欠款。

（四）中国环境与发展国际合作委员会

10月13～15日，第二届中国环境与发展国际合作委员会（以下简称国合会）第五次会议在北京举行。此次会议是第二届国合会最后一次会议，国合会主席温家宝和副主席古德、曲格平、刘江、解振华分别主持了会议。李鹏委员长会见了出席会议的中外方委员和工作组长。会议主要讨论了林草、能源、可持续农业、污染控制、清洁生产、生物多样性、贸易与环境以及环境与交通工作组的报告，并通过了对中国政府的建议。会议还全面总结了国合会五年的工作，并对办好第三届国合会提出了建议。

第 5 节　中国在多边社会领域的活动

一、关于麻醉品国际管制问题

2001 年，中国继续积极参与麻醉品国际管制领域的活动。

3 月 20～29 日，联合国麻醉品委员会第 44 届会议在维也纳举行。会议讨论了"建立卫生、教育、执法和司法各部门内部和互相之间伙伴关系的方式"和"对儿童和青年滥用毒品的预防、教育和早期干预战略"两个论题，审议了联合国禁毒署执行主任两年期报告，就禁毒署的管理问题形成决议。中国驻维也纳代表团大使张义山率团出席了会议。张义山阐述了中国政府在禁毒问题上的一贯原则与立场，以及对当前世界毒品形势和发展趋势的看法，介绍了中国政府为实现 1998 年联合国禁毒特别联大设定的目标所做的工作及取得的成就，呼吁禁毒署和国际社会继续关注"金三角"地区毒品问题，向该地区有关国家继续提供援助。

5 月 8～11 日，《东南亚次区域禁毒合作谅解备忘录》成员国部长级会议在缅甸仰光举行，国家禁毒委常务副秘书长杨凤瑞率团与会。会议总结有关禁毒合作项目的进展情况，介绍了联合国禁毒署在减少需求和执法领域新拟定的几个项目计划。中国代表团介绍了近年来中国政府为落实特别联大后续行动确定的工作目标所采取的措施以及取得的成效。

5 月 21～24 日，联合国禁毒署及法国、美国、日本、奥地利和澳大利亚等国的代表组成的联合国禁毒捐资国代表团访问北京和云南两地。中方向代表团介绍了中国禁毒及云南省禁毒工作情况。安排代表团实地参观云南木康、瑞丽、畹町、姐告等边防检查站。访问取得圆满成功。

8月28日，中国、老挝、缅甸、泰国四国禁毒合作部长会议在北京成功召开。老挝人民民主共和国主席府部长苏班、缅甸联邦内政部部长丁莱和泰王国国务部长塔玛拉率团参加会议。中国国家禁毒委主任、公安部部长贾春旺率团与会。会议通过了《北京宣言》，确立了四国间的禁毒合作伙伴关系和通过高层会晤磋商解决禁毒等国际和地区重大问题的方式，同时决定加强工作层面的业务交流，将区域禁毒合作推进到一个新的层次。

10月15～28日，亚太禁毒执法机构负责官员会议在澳大利亚悉尼举行。会议审议了各国执行第23届亚太禁毒执法机构负责人会议所通过的工作建议情况；讨论了在本地区打击毒品犯罪行之有效的政策和措施；介绍了区域和次区域禁毒合作的现状；分四个专题会重点讨论了海洛因的非法贩运和滥用、兴奋型毒品及其化学前体的管制、在毒品犯罪情报交换方面开展合作以及海上非法贩运毒品等问题。中国代表团在会议上积极宣传中国的禁毒成就以及对世界禁毒事业做出的贡献。

11月6日，在第5次"10＋3"领导人会议期间，中国、老挝、缅甸、泰国四国外长举行早餐会，主要就禁毒合作交换了意见。四国外长高度评价8月在北京召开的四国禁毒合作部长会议，强调继续加强禁毒领域合作的重要意义。唐家璇外长阐述了中国政府在禁毒问题上的原则立场和基本主张，指出四国加强合作打击毒品犯罪符合四国的共同利益。

二、妇女问题

2001年，联合国妇女领域的活动主要围绕落实第四次世界妇女大会后续行动和妇女问题特别联大成果文件进行，中国积极参与了联合国妇女领域的工作。

1月15日至2月2日，联合国消除对妇女歧视委员会第24届会议在纽约联合国总部举行。会议审议了埃及等八个国家执行《消除对妇女一切形式歧视公约》的报告，通过了委员会和公约任择议定书的议事规则。中国委员冯淬参加了会议。

3月6～16日，联合国妇女地位委员会第45届会议在纽约联合国总部举行。会议重点审议了落实《北京行动纲领》和妇女问题特别联大成果文件行动的进展情况。中国作为妇地会成员，积极、全面地参加了对本届会议所有议题的审议和磋商。中国代表团团长沈国放在会上发言并介绍了《中国妇女发展纲要》的执行情况和取得的成果，强调在审查各国执行《北京行动纲领》和特别联大成果文件时，要考虑到各国妇女所处的不同经济、地域、文化、历史背景，允许并尊重各国根据本国国情选择和推进妇女发展的道路。

7月2～20日，联合国消除对妇女歧视委员会第25届会议在纽约召开。会议继续审议《消除对妇女一切形式歧视公约》缔约国国家报告，并对改进审议报告形式进行了讨论。中国委员冯淬参加了会议并成为公约议定书工作组成员。

12月10～13日，"性别问题主流化"亚太区域研讨会在曼谷举行。会议主要就消除妇女贫困、性别主流化的机制改革等议题进行了讨论。中国代表介绍了中国政府为执行《北京行动纲领》在消除妇女贫困方面所制订的战略目标、采取的政策措施、取得的成绩及今后的努力方向。

三、难民问题

2001年，中国继续积极参与难民国际保护领域的活动。

5月3～4日，难民国际保护问题全球磋商第一次专家研讨会在葡萄牙里斯本举行，中国全国政协外事委员会副主任、原常驻联合国代表秦华孙大使以专家身份与会。会议讨论了《关于难民地位公约》的"终止"条款、"排除"条款。秦华孙发言指出，自愿遣返是国际公认的解决难民问题的最佳途径，是难民地位的自然终止，国际社会应努力消除难民产生根源，为遣返创造条件。反对以促进永久解决难民问题为名就难民入籍问题向难民庇护国施压的主张和做法。

9月6～8日，难民国际保护问题全球磋商第三次专家研讨会在葡萄牙里斯本举行。秦华孙大使与会。会议讨论了与《关于难民地位公约》相关的"从属于某一社会群体"、"基于性别的迫害"、"内部逃亡的选择"等议题。秦华孙指出了个别专家在论文中把中国的计划生育政策片面理解为"一孩政策"的错误,并指出逃避"计划生育"不构成申请难民地位的理由。秦华孙还剖析了从属于某一社会团体所应有的基本特性,对某些主张细化社会团体的概念、甚至将家庭作为社会团体的提议提出不同意见,认为这不利于《难民公约》的实施。

9月中旬,中国政府通过难民署向在巴基斯坦的阿富汗难民捐助价值100万元人民币的人道主义救援物资。此外,中国政府还分别向巴基斯坦、伊朗两国政府提供了价值1000万、500万元人民币的人道主义救援物资,用于救助两国境内的阿富汗难民。

10月1~5日,联合国难民执委会第52届会议在瑞士日内瓦举行。中国驻日内瓦代表团沙祖康大使率中国代表团出席。沙祖康在会上发言阐述了中国有关解决世界难民问题的基本立场和主张,强调国际社会成员在解决难民问题中应各尽其责,分工合作。难民来源国、庇护国、安置国和捐助国之间应建立互信互谅的合作伙伴关系,资源互补,各自承担义务。国际社会应平等对待各地难民,避免采取双重标准和歧视性做法。

11月19~24日,难民署驻华代表处邀请外交部、民政部、公安部等单位考察在华越南难民安置情况及难民署援华项目周转金实施情况。

11月22日,难民署在广西南宁举办题为"越南难民的永久解决方法"的研讨会。应难民署驻华代表处邀请,外交部、民政部、公安部、广西印支难民安置办公室派人参加,北京大学、中国政法大学等院校亦派人参加此研讨会。难民署驻华代表麦希伟主持了研讨会。会议主要讨论了越南难民的自愿遣返、归华入籍及广西对难民的安置经验等议题。

11月22日,难民署和民政部在广州召开难民署援华项目工作会议。民政部、外交部、国内安置难民六省区的主管官员参加。会议讨论了如何加强对难民署援华项目周转金的有效使用及回收。

12 月 5～6 日，难民署和菲律宾政府在马尼拉召开第六届亚太地区难民、流离失所者和移民问题磋商（APC）会议。会议分别讨论了本地区难民、流离失所者和移民问题现状，并就亚太磋商会议六年来的工作进展及其未来发展方向交换了意见。

12 月 12～13 日，难民署和瑞士政府在日内瓦联合举行《关于难民地位公约》缔约国部长级会议。中国外交部副部长王光亚率中国代表团与会。王光亚在会议发言中对五十年来《难民公约》及其《议定书》在难民国际保护领域所发挥的重要作用予以充分肯定，对难民署为保障《公约》实施所做的积极努力表示赞赏，并提出四项主张：维护世界和平，促进共同发展，在难民问题上进行标本兼治；维护《公约》的权威及现行的国际保护体制，积极寻求解决难民问题的新思路；坚持"国际团结"、"责任分担"，加强国际合作；严格界定难民问题，防止滥用保护体制、庇护程序及政策。会间，王光亚还参加了关于"混杂群体的难民保护问题"的圆桌研讨会，并发表了有关实施有效的难民甄别程序、提高对难民地位申请的审理效率等看法。

四、社会发展问题

2001 年，联合国社会发展领域的工作继续围绕社会发展问题、世界首脑会议后续行动和联合国社发特别联大成果文件进行。中国积极参与了有关活动。

2 月 12～23 日，联合国社会发展委员会第 39 届会议在纽约召开。会议重点审议了 1995 年社发首脑会议成果及联合国有关自愿活动、老龄、残疾人、家庭年等计划和方案的实施情况。中国派代表团出席了会议。中国代表团团长沈国放发言强调，各国的社会发展战略应顾及弱势群体的特殊利益和需要，并介绍了中国加强社会保障和社发工作的经验。此外，本届社发委作为 2002 年第二届世界老龄大会的筹备机构，还举行了世界老龄大会的第一次筹备会，审议老龄大会的议事规则及成果文件。

4～6 月，中国光彩事业促进会与联合国经社事务部先后在拉萨和哈尔滨举办了"扶贫与环保"和"东北亚地区社会发展对策"国际研讨会。会议深入探讨了东北亚社会发展与脱贫、环保政策、共享成功经验，建立社会发展政策研究和能力培训机制。

12 月 10～14 日，第二届世界老龄大会第一次筹备会续会在纽约举行。会议讨论了第二届世界老龄大会日程、议事规则、非政府组织与会等事宜，并着重就第二届世界老龄大会成果文件《2002年老龄问题国际行动计划》草案进行了磋商。中国政府派团出席了会议，并向会议秘书处提交了中国政府对《计划》的修改意见。

五、预防犯罪和刑事司法问题

2001 年，中国继续积极、务实地参与联合国预防犯罪和刑事司法领域的工作。

5 月 8～17 日，联合国预防犯罪和刑事司法委员会第 10 届会议在维也纳举行。作为该委员会观察员，中国派团与会，并着重阐明了中国在反腐败问题上的原则立场。

5 月 28～31 日，中国监察部副部长干以胜率团出席在荷兰海牙召开的第二届政府间国际反腐败论坛会议。干以胜在大会部长级会议上介绍了中国标本兼治、从源头上反腐败的措施和成效，表明了中国积极参加反腐败国际合作的立场及坚决惩治腐败的决心，阐述了中国的有关原则主张。

9 月 13～16 日，联合国禁毒和预防犯罪办公室及联合国预防犯罪中心在意大利古梅约尔举办关于促进《联合国打击跨国有组织犯罪公约》及附加议定书的批准和生效的国际研讨会。中国司法部副部长范方平率团与会。范方平在会上介绍了中国在预防、打击跨国有组织犯罪方面的立法和司法实践以及取得的成就，表明了中国政府严厉打击跨国有组织犯罪的决心和在这一领域与国际社会加强合作的良好愿望，强调了中国对《公约》高度重视的积极态度。范方平并强调，《公约》缔约国应在相互尊重主权和平等互利的基础上，在司法和执法机关间开展富有实效的合作与协助，对发展中国家提供技术和资金援助等，以使《公约》得到切实履行。

第 6 节　中国同联合国专门机构及其他机构的关系

一、中国同联合国教科文组织的关系

2001 年，中国与联合国教科文组织的关系继续发展。

4 月 17 日，中国国务院副总理李岚清访问教科文组织巴黎总部。李岚清在会见教科文组织总干事松浦晃一郎时充分肯定了教科文组织同中国的合作，表示中方愿继续加强同教科文组织在各领域的合作。李岚清指出，联合国的作用不应仅仅局限于政治领域，而应在教育、科技和文化等方面也为促进人类进步发挥更重要的作用。

8 月 21～23 日，中国与教科文组织在北京联合举办第四次"九个人口大国全民教育部长会议"。来自孟加拉国、巴西、埃及、印度、印度尼西亚、墨西哥、尼日利亚、巴基斯坦和中国的教育部长及教科文组织总干事等国际组织代表参加会议。此次会议回顾了自 2000 年在塞内加尔首都达喀尔召开的世界全民教育论坛以来九国全民教育的进展，就如何利用远距离教育和新的信息与传播技术促进全民教育发展进行了探讨，并通过一项《北京宣言》，作为实施达喀尔会议提出的普及全民教育目标的后续。中国国家主席江泽民会见了与会的各国部长及松浦总干事等。

10 月 15 日至 11 月 3 日，教科文组织第 31 届大会召开。本次大会审议并通过该组织 2002～2007 年中期战略草案、2002～2003 年计划与预算草案，审议涉及教育、科学、文化和传播等领域共 80 余项议题，并进行了执行局委员及政府间理事会机构的选举活动。中国代表团团长、教育部副部长章新胜发言强调教科文组织应按照组织法的准则，集中精力发挥自身优势，有效地促进发展中国家教、科、文事业的进步；建议该组织采取措施，防止利用信息传播手段损害青少年。中国参加了执行局、国际教育局理事会、全民信息计划政府间理事会、促进文化财产归还政府间理事会及大会副主席的竞选，全部顺利当选。

此外，中国派团出席了该组织第 161、162 届执行局会议。针对执行局公约与建议委员会审议所谓涉及中国的人权来函问题，中国代表进行了坚决斗争。

二、中国同国际劳工组织的关系

2001 年，中国继续参加国际劳工组织的活动。

3 月 12～30 日，国际劳工局理事会第 280 次会议及所属各委员会会议在日内瓦举行。劳动和社会保障部派团出席会议。会议重点讨论了国际劳工组织 2002～2003 双年度计划和预算建议，审议了国际劳工组织《关于工作中的基本原则和权利宣言》年度报告，讨论了全球化的社会影响面、缅甸的强迫劳动及其他议题。中国代表团在发言中支持劳工组织对预算进行调整，呼吁采取措施增加就业方面的正常预算；支持发展中国家提出的《宣言》后续措施不能替代现有监督机制或构成新的监督机制。

6 月 5～21 日，第 89 届国际劳工大会在日内瓦举行。国际劳工组织会员国政府、工人组织和雇主组织三方代表、有关国际组织代表共 2000 多人出席了大会。劳动和社会保障部副部长李其炎率包括香港和澳门特区在内的中国三方代表团出席了大会和大会期间举行的亚太地区劳工部长会议。李其炎副部长当选为大会政府组主席。大会审议了劳工局长报告，通过了国际劳工组织 2002～2003 双年度计划和预算及会费比额等财务问题；审议了会员国履行公约的情况。中国代表阐述体面劳动对保护劳动者权益的积极意义，呼吁帮助会员国克服在落实《宣言》重申的消除强迫和强制劳动原则方面遇到的困难。

11 月 5～16 日，国际劳工局理事会第 282 次会议在日内瓦举行，劳动和社会保障部派团出席会议。会议重点讨论了全球化的社会影响面、关于改进已批准公约报告制度和缅甸的强迫劳动及其他议题。中国代表在发言中强调，拟起草的全球化社会影响问题报告应将研究重点放在国际经济、金融秩序对就业和减少贫困的影响方面，拟成立的有关委员会的组成应充分考虑地区平衡和发展中国家的代表性；中国在处理强迫劳动问题上的一贯原则立场是反对动辄制裁，应通过对话、合作方式解决问题，中国反对一切形式的强迫劳动，消除强迫劳动现象应是国际社会共同努力的目标；强调在会员国提交已批准公约报告时应避免形成权利和义务的不平等、双重标准及新的监督机制。

三、中国同世界卫生组织的关系

2001 年，中国同世界卫生组织的关系继续发展。

1 月 15～23 日，世界卫生组织第 107 届执委会在日内瓦召开，卫生部国际合作司司长刘培龙出席了会议。会议讨论了婴幼儿喂养全球战略和健康促进等技术和卫生事项、2002～2003 年财务期预算方案、财务问题等议题。

4 月 30 日至 5 月 5 日，世界卫生组织主持召开的烟草控制框架公约政府间谈判机构第二次会议在日内瓦举行。158 个国家派代表团、12 个政府间组织和 25 个非政府组织派观察员与会。中国计委、卫生、经贸、外交、财政、税务、工商、烟草等八个部门组团与会。会议主要议题包括烟草广告、促销和赞助、价格和税收措施、政府对烟草生产和种植业的支持、打击烟草制品非法贸易、许可证管理、烟草控制与国际贸易、财务机制、赔偿与责任及公约与世界卫生组织关系等。

5 月 14～22 日，世界卫生组织第 54 届卫生大会在日内瓦召开。会议主要议题有：以精神卫生为主题的部长级圆桌会议、规划预算、婴幼儿喂养全球战略、健康促进、烟草控制、艾滋病毒/艾滋病、贫铀对健康的影响等技术和卫生事项、财务事项及包括阿拉伯被占领土（包括巴勒斯坦）阿拉伯居民的卫生状况及他们的援助在内的行政和政治问题等 20 多项议题。中国卫生部副部长彭玉率中国代表团出席了会议。彭副部长在部长级圆桌会议上介绍了中国精神卫生工作的情况和经验，并表示愿与国际社会一道为实现人人享有精神卫生保健作出应有的贡献。卫生组织秘书处根据联大调整的会费比额制定了该组织 2002～2003 年财务期会费比额方案，这一问题成为本届会议讨论最为激烈的议题，最后大会通过了一项折中的过渡方案。本届卫生大会以协商一致的方式通过了大会总务委员会不将"邀请中华民国（台湾）以观察员资格参加世界卫生组织大会"提案列入补充性议题的决定。

9 月 10～14 日，世界卫生组织第 52 届西太区委员会会议在文莱召开。中国卫生部部长张文康率团出席了会议。

11 月 22～28 日，烟草控制框架公约政府间谈判机构第三次会议在日内瓦举行。168 个国家派代表团参会。中国计委、卫生部、经贸部、外交部与烟草专卖局派员组团与会。会议焦点问题除第二次会议所涉及的之外，还包括监测与报告机制、补贴和农业替代、公约结构性问题、公约谈判机构主席人选及制订反烟草走私议定书等问题。

四、中国同世界知识产权组织的关系

2001 年，中国继续积极参与世界知识产权组织的活动。

4 月 30 日至 5 月 3 日，世界知识产权组织在瑞士日内瓦召开"基因资源、传统知识和民间文艺政府间委员会第一次会议"，会议主要讨论基因资源、传统知识和民间文艺的保护，特别是知识产权保护问题。中国代表在会上发言表示中国关注和重视对基因资源、传统知识和民间文艺的保护，支持世界知识产权组织及其政府间委员会就上述问题所进行的研究和探讨，并希望在符合现行知识产权制度和有关国际公约规定、尊重国家主权原则的前提下，创建可行的机制，以实现保护。

5 月 21～25 日，世界知识产权组织在瑞士日内瓦召开专利合作条约改革委员会第一次会议。会议确定了提交给专利法改革委员会工作组会议进行具体讨论的议题。中国派代表参加了此次会议。中国主张对专利合作条约所进行的改进和简化，应有利于专利申请人、有利于各专利主管当局工作、有利于第三方。

9 月 23 日至 10 月 3 日，世界知识产权组织在瑞士日内瓦召开成员国大会第 36 届会议，中国派代表团与会，会议审议了国际专利制度发展议程、音像保护外交会议、马德里联盟事宜、因特网域名保护问题等议题。中国代表表示赞同世界知识产权组织总干事对今后国际专利制度的设想，指出在解决专利申请程序复杂、费用昂贵等问题上应充分考虑发展中国家的利益，并对保护音像表演外交会议未能就基础提案达成一致意见表示遗憾。会议期间，中国代表团团长、国家知识产权局局长王景川当选为专利合作条约（PCT）联盟副主席。

12 月 10～14 日，世界知识产权组织在瑞士日内瓦召开知识产权与基因资源、传统知识及民间文艺政府间委员会第二次会议。会议就基因资源利益共享的示范性契约、民间文艺保护等问题进行了讨论。中国代表在相关议题下发言支持基因资源的利益共享原则，主张尊重和保护传统知识，公平和平等分享利用传统知识所获得的利益和促进传统知识的利用应当是保护传统知识的目的。

10 月 12 日，知识产权远程教学中文课程（网址：academy. wipo. int）正式启动。这是世界知识产权组织世界学院在继英语、法语和西班牙语之后开设的第四个知识产权远程教学项目，是中国与世界知识产权组织合作又一重要成果。

五、中国同国际海事组织的关系

2001 年，中国同国际海事组织的关系继续发展。

4 月 23～27 日，国际海事组织海上环境保护委员会第 46 届会议在伦敦召开。包括中国在内的 81 个成员国以及中国香港、澳门两个联系会员派代表团出席会议。会议重点审议了《73/78 防污公约》附则 I 第 13G 条修正案及修正案中作为延长单壳油轮使用期限条件的"状况评估计划"（CAS）的文本草案、《控制有害防污底系统国际公约》草案文本、压载水控制的有害水生物、OPRC 公约、OPRC—HNS 议定书及相关大会决定的实施、拆船问题、防止船舶造成大气污染等议题。

11 月 19~30 日，国际海事组织第 22 届大会在伦敦召开。135
个成员国、两个联系会员中国香港和中国澳门及 43 个国际组织派
代表或观察员出席了会议。中国交通部副部长洪善祥率中国代表团
出席会议。会议主要议题包括理事国选举、2002~2003 年度财政
预算和工作计划、非政府组织咨商地位、技术合作和反恐等。根据
1993 年召开的国际海事组织第 18 届大会通过的关于修正该组织公
约以扩大理事会的决议，鉴于该修正案已符合生效条件，本届大会
除按原公约规定选举了 32 个正式理事国外，还选举了 8 个候补理
事国，它们将在 2002 年 11 月 7 日修正案正式生效后成为正式理事
国。中国竞选并连任该组织 A 类理事。大会还通过了延长该组织
现任秘书长加拿大人奥尼尔任期的建议，其任期将延至 2003 年 12
月 31 日。大会最后一天，国际海事组织第 87 届理事会召开，选举
了理事会主席和副主席。

六、中国同万国邮政联盟的关系

2001 年，中国与万国邮政联盟（简称"万国邮联"）的关系进
一步发展，并作为其行政理事会主席国为该组织的工作作出了积极
贡献，获得该组织及其成员国的赞赏。

3 月 26~28 日，国家邮政局和万国邮联共同举办了"邮政普
遍服务国际研讨会"。23 个国家和地区以及中国相关部门的 80 多
名代表会议。万国邮联国际局副总局长马祖和中国国家邮政局局长
刘立清出席开幕式并致辞。会议讨论了普遍服务的法律地位、监督
体系、政府补偿政策等问题。

4 月 16 日至 5 月 5 日，万国邮联邮政经营理事会年会在瑞士
举行。会议就终端费、邮政商函、国际函件和包裹业务、技术合
作、特快专递、邮政金融、技术标准等各项业务进行了讨论，并根
据实际情况进行了对策研究。

9 月 4~8 日，亚太邮联执行理事会年会在菲律宾首都马尼拉
举行。会议讨论了亚太邮联总部搬迁、修改有关法规、选举新的总

部主任等问题，同时还就一系列邮政业务，特别是在包裹、EMS
领域进行合作等进行了探讨。

10 月 9～10 日，国家邮政局副局长刘安东赴瑞士出席万国邮
联举办的日内瓦国际邮政设备博览会。

10 月 15～26 日，万国邮联行政理事会年会在瑞士伯尔尼万国
邮联总部举行。中国国家邮政局国际合作司长黄国忠率团出席并担
任本届年会主席主持会议。41 个成员国和观察员国及其他国际组
织的代表 350 多人出席会议。会议讨论了万国邮联的改革、发展、
技术合作等问题。

七、中国同国际电信联盟的关系

2001 年，中国与国际电信联盟（以下简称"国际电联"）的关
系继续发展。

3 月 18～21 日，国际电联电信发展局主任图尔访华，访问了
中国电信、中国联通、中国移动、电信研究院和北京邮电大学等，
并与信息产业部的负责人就国际电联改革、国际电联与中国电信业
的合作等问题交换了意见。

6 月 18～29 日，国际电联在日内瓦举行 2001 年理事会。国际
电联 46 个理事国的 244 名代表和其他 23 个成员国以及 3 个国际组
织的 35 名观察员出席了会议，中国信息产业部派团与会。本次会
议主要审议了国际电联改革工作组提交的 40 条建议，俄罗斯提出
的要求在欧洲和北亚地区设立区域办事处的问题，信息社会高峰会
议的时间、地点及主题，修改《国际电信规则》问题、语言问题及
制订国际电联 2002～2003 年财政预算等。

8 月 17～19 日，信息产业部与国际电联在海南共同举办"电信
竞争管制与互联互通研讨会"，来自世界各国与地区的 150 名专家学
者就当前电信网络互联互通的关键问题进行了为期三天的研讨。

八、中国同国际民用航空组织的关系

2001 年，中国继续积极参加国际民航组织的活动。

1月15日至3月16日，国际民航组织第162届理事会及下属的法律、运输、财务和技术合作等委员会会议在蒙特利尔召开，共审议了54项议题。主要包括后三年预算、修改财务规则、航空保安、CNS/ATM新航行系统法律框架、航空环保、安全监督审计等。

5月28日至6月28日，国际民航组织理事会第163届会议在蒙特利尔举行。中国驻国际民航组织理事会代表处派员与会。会议审议并通过2002～2004年财政预算草案；修改民航组织财务规定；认可建立"国际航空安全资金"；通过对芝加哥公约附件16《环境保护》第一卷《航空器噪声》的第7次修改案。在会上，经努力，扩大中文使用的项目预算随总预算方案一起通过。

9月25日至10月5日，国际民航组织第33届大会在蒙特利尔举行，168个国家的1100多名代表和观察员参加了会议。民航总局副局长鲍培德率中国代表团出席会议。香港和澳门特区政府派人以中国代表团成员身份参加会议。会议选举了新一届国际民航组织理事国，通过了对滥用民用航空作为毁灭性武器的恐怖行为进行强烈谴责的决议，决定继续和扩大航空安全监督审计计划。会议还讨论了环保、法律、预算等问题。会议期间，中国以147票的第二高票再次当选二类理事国。

11月5～9日，第38届亚太地区民航局长会议在汉城举行。民航总局局长刘剑锋率中国代表团出席会议。会议讨论了机场和空域的经济、管理和规章制度、"9·11"事件以来航空保安的加强、航行规划与实施、航空安全、航空运输等重要议题，通过了10项行动条款，要求本地区各民航当局付诸实施。

九、中国同联合国粮农组织的关系

11月2～13日，粮农组织第31届大会在罗马举行，农业部部长杜青林率团出席了大会。会议讨论了当前世界粮食和农业形势，审议并通过了《粮食和农业植物遗传资源国际条约》。杜青林部长在会上介绍了近年来我国农业生产和扶贫工作取得的成绩和经验；

强调了促进发展中国家农业和粮食生产的重要性，呼吁国际社会和各国政府继续努力，加强国际合作，增加对发展中国家的资金和技术援助，改善发展中国家农业贸易环境。

十、中国同世界贸易组织的关系

1～9 月，世界贸易组织（WTO）中国工作组举行了 4 次会议，完成了中国加入的多边谈判并通过了有关中国加入的法律文件。

11 月 9～14 日在卡塔尔首都多哈举行了 WTO 第四届部长级会议。中国外经贸部部长石广生率团出席了会议。11 月 10 日下午，会议通过了中国加入 WTO 的决定。石广生部长发表讲话，向 WTO 所有成员以及为中国加入作出贡献的 WTO 历任总干事表示感谢，表示中国将在权利和义务平衡的基础上在 WTO 中发挥积极和建设性的作用，同时阐明了中国在新一轮多边贸易谈判问题上的原则立场。石部长指出，中国支持发动新一轮多边贸易谈判，其目标应是有利于建立公平、公正和合理的国际经济新秩序，有利于世界经济的发展和贸易投资便利化，有利于发达国家和发展中国家利益的平衡。因此，在新一轮谈判中必须充分保证广大发展中国家的全面和有效参与，议题的确定和谈判结果应体现各方利益的总体平衡。

12 月 19～20 日，中国作为 WTO 正式成员出席了 WTO 总理事会。会议审议通过了 WTO2002 年度预算方案，第四届部长级会议的后续行动以及 WTO 第五届部长级会议的地点。中国外经贸部副部长龙永图率团出席了会议。龙副部长在发言中指出，中国经过 15 年的努力，终于成为 WTO 成员。中国将遵守 WTO 规则，履行自己的承诺。中国将一如既往地重视和加强同世界各国、各地区发展平等、互利的经贸关系，在多边贸易体制中发挥积极的建设性的作用。

十一、中国同联合国人口基金的关系

1月26日至2月6日、9月10～14日，联合国人口基金执行局一常、二常会议在纽约召开。6月11～15日，联合国人口基金执行局在纽约召开年会。中国代表团出席了会议并积极参与议题讨论。

由于美国国会指责人口基金在其援助中国的项目内支持包括强制流产在内的强制性计划生育，并以此为由声称将停止对人口基金的年度捐款，人口基金于2001年10月22～27日派遣独立方案评估团访华，对中国与人口基金的合作方案进行独立评估。评估团的结论澄清了事实，对中国方案给予了积极评价，充分肯定了人口基金和中国的合作，认为双方的合作应得到继续发展和扩大。

12月13日，联合国人口基金执行主任欧拜德女士访华，外交部副部长李肇星会见，双方回顾了多年的良好合作关系，表达了推进合作，为国际人口事业作出贡献的愿望。

十二、中国同联合国工业发展组织的关系

6月19～22日，工发组织第24届理事会在维也纳举行。会议最重要的议题之一是为12月工发第九届大会推荐一名下届总干事候选人。卡洛斯·马格里尼奥斯再次当选。

12月3～7日，工发组织第九届大会在维也纳召开。会议主要议题包括选举理事会和方案委员会成员；总干事1999年和2000年工作报告；关于22届和23届理事会工作报告；会费分摊比额等。中国外经贸部副部长龙永图率中国代表团出席并积极参加议题讨论，总体肯定工发组织和总干事的成绩，并表示支持组织改革。在此次大会上，中国再次当选为理事会和方案预选委员会成员。

十三、中国同联合国儿童基金的关系

5月14～16日，第五次东亚及太平洋地区儿童发展问题部长级会议在北京举行。国务委员兼国务院妇女儿童工作委员会主任吴仪主持了本届会议。中国代表团介绍了过去十年中国在儿童发展领

域取得的成就，并阐述了中国在儿童问题上的一贯立场，受到与会代表的好评与赞扬。会议顺利通过了《北京宣言》。

1 月 22～25 日及 12 月 10～14 日，在纽约分别举行了联合国儿童基金执行局 2001 年第一次及第二次常会，中国代表均在会议上提出有益建议。

6 月 4～8 日，联合国儿童基金执行局年会在纽约召开。会议主要审议的议题有确保非洲儿童的权利、儿童基金在执行"多部门合作方式"的经验、在计划免疫领域的活动、国别方案中期审评和主要评价概要等。中国代表团本着积极主动的精神，全面参与了各个议题的审议。

十四、中国同联合国开发计划署的关系

1 月 26 日至 2 月 6 日，联合国开发计划署执行局 2001 年第一次常会在纽约举行。会议选举危地马拉为 2001 年执行局主席。中国代表团就关于 2000～2003 年业务计划执行情况和最新进展、国别合作框架及相关事宜以及发展中国家间技术合作等议题作了发言，阐述了中方的立场和观点。

9 月 10～14 日，联合国开发计划署执行局 2001 年第二次常会在纽约举行。中方就财务和预算、评估、国别合作框架及相关事务和联合国项目服务厅财务预算作出有益建议。

6 月 11～22 日，联合国开发计划署 2001 年年会在纽约举行。中国代表团肯定了开发署 2000 年在机构改革、削减人员、根据业务计划调整优先领域等方面作出的努力，呼吁发达国家兑现政治承诺，增加对核心资源的捐款。

11 月 1～2 日，中国外交部与联合国开发计划署共同举办了"新经济与发展中国家"研讨会，钱其琛副总理到会致开幕辞，成思危副委员长做了主旨发言。会议就新经济的发展历史、由此产生的深远影响及发展中国家面临的挑战等问题进行了深入探讨。

十五、中国同国际移民组织的关系

2001年，中国与国际移民组织关系发展顺利。

5月15～23日，应国际移民组织邀请，中国政府派代表团访问瑞士、匈牙利、克罗地亚，与上述三国及移民组织总部就开展合作及移民问题进行交流。代表团与移民组织及相关国家的移民管理部门就移民政策、法律以及打击非法移民合作等问题交换意见。

6月7日，移民组织第81届理事会特别会议在瑞士日内瓦举行。中国驻日内瓦代表团乔宗淮大使率中国代表团与会。会议决定接纳中国为移民组织观察员国。

6月11～15日，中国与国际移民组织合作在北京举办"马尼拉进程"打击非法移民问题研讨会，会议主题为"加强国际合作打击贩卖和偷渡人口及非法移民"。中国、澳大利亚、文莱、泰国、印尼、越南、菲律宾、韩国等十多个国家及移民组织和联合国难民署派代表与会。会议主要讨论了在处理非法移民方面加强合作与信息交流等问题。

第十一章

中国同其他
国际组织、国际会议的关系

第 1 节　中国同不结盟运动的关系

2001 年，中国与不结盟运动的关系继续健康发展，双方在政治、经济等领域保持了良好的合作。

中国政府认为：拥有 100 多个成员国的不结盟运动仍然是广大发展中国家团结互助的良好形式，仍然是推动世界多极化的重要力量，并将继续为维护广大发展中国家的整体利益、促进公正合理地解决重大国际问题作出积极贡献。中国一贯重视不结盟运动，始终同不结盟运动保持着良好的合作关系。中国将一如既往地支持不结盟运动为促进世界和平与发展所作的建设性努力，并愿就有关重大国际问题与不结盟运动保持交流与磋商。

第2节　中国同国际刑事警察组织的关系

2001 年，中国与国际刑警组织的合作关系继续发展。

2月20～22 日，国际刑警组织第 16 届亚洲地区会议在泰国曼谷举行。公安部部长助理、国际刑警中国中心局局长朱恩涛率团与会。本次会议议题主要有信息技术战略发展规划、亚洲地区活动情况、成员国的信息共享、国际刑警战略发展计划在亚洲地区的实施、加强总秘书处对亚洲地区的服务和该地区国家中心局工作水平、亚洲地区工作计划制定和实施重点等。

9月23～28 日，国际刑警组织第 70 届全体大会在匈牙利布达佩斯举行。中国公安部部长助理、国际刑警中国中心局局长朱恩涛率团出席了会议。此次会议将加强合作打击恐怖主义列为会议的主要议题，专门通过了一项国际反恐决议。同时，会议着重就非法移民、有组织犯罪、国际贩毒、金融经济犯罪和高科技犯罪等议题进行了讨论。朱恩涛在发言中重申了中国政府在反恐问题上的立场，并就非法移民问题介绍了中国采取的有关措施及取得的成果，呼吁各国合作共同打击非法移民的幕后组织者，争取从根本上消除这种犯罪行为。

第3节　中国同世界旅游组织的关系

2001 年，中国同世界旅游组织的关系继续发展。

9月24 日至 10 月 1 日，世界旅游组织第 14 届全体代表大会由韩国和日本政府联合在汉城和大阪举办。来自 118 个国家的 700 多名代表出席了会议，中国国家旅游局局长何光暐率团与会。大会讨论了该组织未来的发展方向、2002～2003 年财政预算和会费、2002～2003 年世界旅游日庆祝活动主题及主会场、全球旅游职业道德守则的实施细则等问题；批准现任秘书长连任；重新选举了13 个执委会成员。会上，中国获得 2003 年第 15 届世界旅游组织大会的主办权。

11 月 8～11 日，中国国家旅游局、国家民航总局和云南省人民政府共同在云南昆明举办 2001 年中国国际旅游交易会。老挝副总理通伦、越南副总理阮孟琴、10 多位外国旅游部长以及来自 40 多个国家和地区的 1200 多名海外客人应邀与会。国内及港澳台 2500 多家旅游企业的代表出席了此会。

第 4 节　中国同东南亚国家联盟的关系

2001 年，中国与东南亚国家联盟（以下简称东盟）国家的睦邻互信伙伴关系取得突破性进展，进入了全面发展的新阶段。

3 月，中国—东盟联合合作委员会（ACJCC）第三次会议在中国成都举行。中国外交部副部长王毅和印尼外交部总司长西拉拉希共同主持会议。会议重点确定了下一阶段双方合作项目，并决定尽快启动中国—东盟商务理事会。截至 2001 年底，中国—东盟信息通信技术研讨会、第二届"了解现代中国讲习班"、中国—东盟人员交流项目、中国—东盟地震学研讨会、中国—东盟企业家交流研讨会、中国—东盟社会保障高层研讨会、中国—东盟农药管理和农药检测人员培训等项目相继顺利实施。

3 月，中国—东盟经贸联委会第三次会议在吉隆坡举行。会议决定成立中国—东盟经济合作专家组，就中国加入世界贸易组织的影响和建立中国—东盟自由贸易区的可能性进行研究。专家组于10 月提出研究报告，其中建议 10 年内建立中国与东盟自由贸易区，该建议得到同月举行的中国—东盟经济高官会认可。

6 月，第七次中国—东盟高官磋商在中国博鳌举行，中国副外长王毅与东盟各国副外长级官员就中国与东盟关系以及共同关心的地区和国际问题深入交换了意见，取得广泛共识。

7月，中国外长唐家璇赴越南河内出席第八次东盟地区论坛（ARF）以及东盟与对话国外长等会议。唐外长与东盟各国外长共同回顾了中国与东盟关系的发展，就进一步充实和推动双方睦邻互信伙伴关系进行了深入探讨，并就年底举行的中国—东盟领导人会议进行了准备。

10月，中国与东盟科技联委会第二次会议在海南举行。

11月，中国总理朱镕基应邀出席在文莱举行的第五次中国与东盟领导人会议。双方决定在10年内建成中国—东盟自由贸易区，并就新世纪初的重点合作领域达成共识。这是中国—东盟关系中又一个里程碑。

同月，中国—东盟商务理事会第一次会议在印尼成功举行，它是中国与东盟的又一新的合作机制。

中国与东盟国家在地区和国际事务中的协调与配合不断加强。在东盟地区论坛、亚太经合组织、亚欧会议及联合国等重要地区和国际组织中，双方进行了良好的合作，为维护发展中国家权益，增进本地区国家相互了解和信任，促进地区和平与稳定发挥了重要作用。

2001年，中国与东盟双边贸易达416亿美元，增长5.3%。其中中国出口额为183.9亿美元，同比增长6.0%；进口额为232.3亿美元，同比增长4.7%。

第5节　中国同东盟地区论坛的关系

2001年7月25日，中国外长唐家璇率团出席了在越南举行的第八届东盟地区论坛（以下简称ARF）外长会议。唐外长在会上着重阐述了中国亚太安全政策及对地区形势的看法。唐外长强调，中国的亚太安全政策是要保障一个和平的国际环境，特别是良好的周边环境。中国亚太安全政策的三个目标是：中国自身的稳定与繁荣，周边的和平与稳定，与亚太各国开展对话与合作。唐外长表示，世界是丰富多彩的，用一种政治制度、一种经济模式将亚洲地区统一起来，既无必要，也不现实。兼容并蓄，相互借鉴，才有利于共同进步。亚洲的各种社会制度、发展模式和价值观念应能长期共存，在竞争中取长补短，在求同存异中共同发展。唐外长指出，中方重视中美关系，欢迎美国在亚太地区发挥建设性的积极作用，并愿意同美方共同努力维护亚太地区的和平与安全。同时，美国也应该认识和尊重中国的安全利益。

唐外长还阐述了中方对 ARF 未来发展方向的看法，指出各方就"ARF 预防性外交概念与原则"，"加强主席作用"、"专家名人职权范围"三个文件基本达成共识，这标志着论坛从建立信任措施向预防性外交过渡的进程中取得重要成果。中方支持论坛认真落实已达成共识的有关文件。同时，鉴于非传统安全问题正日益成为影响地区和平与稳定的突出问题，中方支持论坛逐步开展非传统安全领域的对话与合作，愿以积极态度参与并发挥应有作用。唐外长在会上再次重申了中方关于 ARF 成员间通报和派员观察多边联合军事演习的建议。

2001 年度，ARF 还举行了高官会、建立信任措施、常规武器转让、维和等会议，中国均派人参加。

第 6 节　中国同亚洲开发银行的关系

2001 财年，亚行（ADB）共批准 6 个对华贷款项目，承诺资金 9.97 亿美元，绝大部分贷款将用于中西部地区。截至 2001 年底，亚行共批准对华贷款项目 90 个，承诺资金近 113 亿美元。同时，亚行还批准了 380 多个技术援助项目，承诺提供赠款 1.96 亿美元。

2001 年 5 月 9～11 日，亚洲开发银行理事会第 34 届年会在美国夏威夷召开，中国财政部部长项怀诚率团出席了会议。会议就亚太地区经济金融形势、发展前景以及亚行在推动亚太地区社会经济发展方面的作用进行了讨论。项部长在年会期间举行的中国经济情况介绍会上介绍了中国的"十五"计划，并就中国宏观经济政策走向和中美经济关系等问题回答了提问。本届年会上，项部长当选为下届亚行理事会主席。亚行第 35 届年会将于 2002 年 5 月 10～12 日在上海举行。

第 7 节　中国同亚太经济合作组织的关系

2001 年，中国作为亚太经合组织（APEC）东道主主办了领导人非正式会议、部长级会议等一系列 APEC 会议。

10 月 20～21 日，APEC 第 9 次领导人非正式会议在上海举行。会议由中国国家主席江泽民主持。各方围绕"新世纪、新挑战：参与、合作，促进共同繁荣"这一主题，进行了广泛、深入的讨论，达成了许多共识。此前，APEC 还于 10 月 17～18 日在上海召开了第 13 届部长级会议，中国外交部部长唐家璇和外经贸部部长石广生共同主持了会议。

会议是在全球经济放缓，亚太地区许多成员经济遇到不同程度困难以及美国遭受恐怖分子袭击导致全球经济形势进一步恶化的背景下召开的。

领导人对全球和地区经济形势进行了讨论，他们表示了对世界及亚太地区的经济前景的信心，坚决支持多边贸易体制和在充分照顾发展中国家利益的前提下发起世贸组织新一轮谈判。会议一致认为，在全球化和新经济形势下，APEC 应继续立足于本地区多样化的特点，扩大市场开放，加强互利合作。领导人还强调，APEC 应进一步加强人力资源能力建设，以迎接新世纪的挑战。他们高度评价 APEC 在促进世界和地区经济发展方面发挥的重要作用，表示愿为 APEC 第二个 10 年的发展注入新的活力。会议最后通过了《领导人宣言》及其两个附件《上海共识》和《数字 APEC 战略》，反映了各方达成的共识。

　　APEC 领导人还讨论了反恐问题，并发表了《APEC 领导人反恐声明》。各方一致认为，不论恐怖主义发生在何时何地，由谁组织，针对何人，以何方式，都严重威胁国际和平与安全。各国要采取一致立场，同声谴责，坚决打击，标本兼治。反恐要遵守《联合国宪章》和其他国际法，充分发挥联合国和安理会的作用。APEC 成员还将根据各自情况，在金融、海关等领域进行反恐合作。

　　中国国家主席江泽民在会上发表了重要讲话。他首先表明了对亚太经济发展前景的信心，强调各成员应加强宏观政策协调，深化经济结构改革，稳定金融市场，尽快消除 9·11 事件对全球和地区经济带来的负面影响，并呼吁发达成员采取进一步措施重建市场信心，扩大需求，促进世界和亚太经济早日恢复和发展。江主席强调了在新形势下人力资源开发的重要意义，介绍了中国在此方面所做的努力及取得的成果，宣传了中国发起的"APEC 人力资源开发促进项目"和"APEC 金融与发展项目"。江主席还肯定了 APEC 在促进全球及亚太地区经济发展方面所发挥的重要作用，重申了坚持协商一致、自主自愿等原则的"APEC 方式"的重要性，并就 APEC 未来发展方向表明了中国的立场。

　　在领导人会议期间，江泽民主席还与美国总统布什、俄罗斯总统普京等 APEC 有关成员领导人举行了双边会晤，就双边关系及有关问题交换了看法，增进了理解，有力地促进了同有关成员双边关系的发展。

　　上海 APEC 会议是中国迄今举办的级别最高、规模最大的国际会议，是 2001 年中国外交工作的一项重大活动。通过本次会议，成功地展示了中国改革开放和社会主义现代化建设的伟大成就，进一步提高了中国在国际和地区事务中的地位和影响，是中国外交在新世纪之初迈出的重要一步。同时，会议为重振地区和全球经济做出了重要贡献，也为 APEC 在新世纪获得更大发展奠定了坚实的基础，是 APEC 历史上一次具有里程碑意义的盛会。

　　2001 年，除领导人非正式会议和部长级会议外，中国还成功主办了 APEC 贸易部长会议、财长会议、中小企业部长级会议等专业部长会议、三次高官会以及海关与商界对话会、妇女领导人网络会议、青年节等相关活动，全面扩大了在 APEC 中的参与，推动了 APEC 进程在新世纪的发展。

第 8 节　中国同联合国亚太经社会的关系

2001 年 4 月 12～13 日，联合国亚太经社会（ESCAP）执行秘书金学洙应邀访华。中国外交部长唐家璇、国家计委副主任王春正、科技部副部长邓楠和外经贸部首席谈判代表龙永图分别会见金一行。唐家璇部长肯定了 ESCAP 在促进亚太地区经济和社会发展合作方面所做的努力和杰出贡献；赞同金为适应新形势对 ESCAP 进行改革的思路并对金的领导能力表示赞赏。外交部副部长王光亚与金进行了工作会谈，双方就 ESCAP 改革及未来发展方向等问题交换了意见。王副部长强调，ESCAP 改革的目的应符合本地区大多数成员的利益，促进成员间的合作，开拓新的发展机遇，提高对新事务和新变化的反应能力。改革还应充分照顾发展中国家的利益与需求。为此，ESCAP 应就全球化与地区发展的有关问题进行研究和探讨；积极开展技术合作，加强发展中国家成员国的能力建设；为联合国经济与社会发展系统在本地区的活动发挥应有的协调作用。

ESCAP 第 57 届年会于 2001 年 4 月 19～25 日在泰国曼谷召开。中国外交部部长助理张业遂率团出席会议。会议围绕本届年会主题"亚太各国内城乡、地域平衡发展"，就地区经济形势、ES-CAP 改革等问题进行了讨论，通过了年会报告和"亚太地区能源可持续发展"、"妇女问题"、"利用信息和通讯技术"、"艾滋病"、"亚太环境与发展部长会"、以及"将亚太发展中国家及转型经济体纳入国际贸易体系"等 6 个决议。中国代表团积极广泛地参与了有关讨论和磋商。

张业遂部长助理在年会主旨发言中指出，美、日经济放缓将影响亚洲经济复苏的势头，导致亚洲发展中国家的出口下降，贸易保护抬头，并对东南亚金融市场产生新的冲击。ESCAP 应对此予以关注。他强调，亚太地区发展不平衡是经济发展过程中的问题，只有靠经济发展才能解决，而增加对基础设施和对人的投资是最有效的政策选择。发言中，他还介绍了中国西部大开发战略和有关举措。张业遂部长助理出席了部长级圆桌会议，就 ESCAP 改革阐述了中国政府的立场。此外，张业遂部长助理还在会议期间会见了 ESCAP 执秘金学洙，向其正式递交了中国政府关于加入《曼谷协定》的核准书。

11 月 12～17 日，ESCAP 在韩国汉城召开了第二届基础设施部长会议，中国国家计委副主任张国宝率团出席了会议。中国代表团在发言中积极评价了 ESCAP 和有关国际机构在基础设施建设方面所做的努力和成绩，指出了面临的挑战，并介绍了中国积极实施"新德里行动计划"和加快基础设施建设的情况。

2001 年，中国还派团参加了 ESCAP 最不发达国家和发展中内陆国特别机构第五届会议、区域合作委员会第八次会议，环境与自然资源开发委员会第三次会议。中国同亚太经社会共同举办了厦门果蔬加工技术研讨会暨博览会、海洋和水产品加工技术会议及展览会、利用遥感和地理信息系统对盐碱地区土地和水资源进行统一管理的示范项目等七个合作项目，取得良好效果。

第 9 节　中国同太平洋经济合作理事会的关系

2001 年，中国太平洋经济合作全国委员会（CNCPEC）继续积极参加了太平洋经济合作理事会（PECC）的各项活动。

11 月 28～30 日，PECC 第十四次大会在香港举行，中国外经贸部首席谈判代表龙永图率团与会，龙就中国加入世界贸易组织（WTO）等有关问题发表了演讲。龙永图指出，中国加入 WTO 是中国改革开放历程中的一个重要历史事件，不仅将对中国，而且也将对整个世界产生重要的影响。他说，中国为加入 WTO 付出了长期艰苦的努力，并逐步建立和完善了社会主义市场经济体制，中国的市场变得更加开放、透明和具有可预见性，中国的经济取得了高速发展。他表示，在加入 WTO 后，中国将在享受 WTO 成员权利的同时，认真履行自己的承诺，并将与其他 WTO 成员一道，全面参加新一轮多边贸易谈判，在谈判中发挥积极和建设性的作用。

2001 年，PECC 以观察员身份参加了中国作为东道主主办的 APEC 系列会议及相关活动。CNCPEC 先后参加了 APEC 的三次高官会、中小企业部长级会议、贸易部长会议、双部长会议等会议及活动。为配合中国主办 2001 年 APEC 会议的整体工作，CNCPEC 与 PECC 一道共同主持制定了"APEC 公司治理指导原则"，为推动 APEC 进程做出了积极重要的贡献。

此外，CNCPEC 还组织中国国内有关部门参加了 PECC 常委会、协调组会议及 PECC 主办的研讨会、专家组会议等有关会议及活动。

第 10 节　中国同太平洋盆地经济理事会的关系

太平洋盆地经济理事会（PBEC）自 1994 年 5 月在第 27 届国际大会上解决了台湾改称和中国加入的问题后，中国一直参与其各种活动，双方关系发展顺利。

2001 年 3 月，PBEC 国际主席稻叶兴作访华，PBEC 中国成员委员会接待稻一行。

4 月 6~10 日，PBEC 第 34 届国际大会在日本东京举行。来自 PBEC 成员委员会的 800 多名代表与会。日本首相森喜朗、日本皇太子德仁殿下和太子妃小和田雅子出席了会议开幕式。森喜朗首相和皇太子德仁殿下发表了演讲。韩国总统金大中发表了电视讲话。本次会议的主题为"21 世纪的地区活力"。会议主要探讨了在美国和日本经济增速放慢的情况下，亚太经济体面临的新挑战以及保持亚太地区活力的战略。60 多名演讲者就保持地区可持续发展、公司治理、金融改革、未来的信息技术、文化交流、电子商务以及全球公司重组等问题发表演讲并交换意见。

PBEC 中国成员委员会主席俞晓松出席会议并在会上发表了演讲。他指出，在经济全球化的背景下，保持亚太地区经济稳定增长的关键是，在充分考虑亚太地区多样性的前提下，推动各经济体之间互利互惠的经济合作。发达国家和地区要积极创造促进本地区经济发展的条件，发展中国家的经济政策应着眼于改善人民生活水平、生存环境，根据本国国情进行经济改革，以寻求在经济全球化进程中的发展机遇。关于亚洲经济前景，他指出，尽管亚洲经历了1997 年的金融危机，美国和日本出现经济放慢的迹象，但亚洲依然可以取得超过世界平均水平的经济发展速度，其主要原因是亚洲具有相当的经济基础，而且正在积极参与经济全球化及地区经济一体化进程，中国等一些国家和地区的经济保持着较高的发展速度，这些对亚洲经济发展将起到支撑作用。

6 月，PBEC 秘书长罗伯特·李斯访华，PBEC 中国成员委员会接待李一行。李提出，PBEC 愿意对 2001 年 APEC 工商领导人峰会提供支持。

10 月，PBEC 中期会议在上海举行。

第 11 节　中国同太平洋岛国论坛的关系

7 月 24 日，中国外交部长唐家璇就太平洋岛国论坛涉台问题致函太平洋岛国论坛秘书长和与中国建交的成员国外长。

8 月 20 日，中国外交部部长助理周文重出席在瑙鲁举行的太平洋岛国论坛第 13 届对话会，同论坛方代表、论坛对话小组主席、基里巴斯总统塞布罗罗·斯托以及论坛对话小组成员、新西兰外长菲尔·戈夫、瓦努阿图外长让—阿兰·马埃、论坛副秘书长约瑟法·迈亚瓦等就双方总体关系、经贸合作、地区安全、渔业合作、气候变化等一系列共同关心的问题进行了对话。澳大利亚、新西兰和基里巴斯外交部官员及巴布亚新几内亚驻斐济高专与会。会后，周文重部长助理会见了论坛秘书长诺埃尔·莱维，并与基里巴斯总统塞布罗罗·斯托举行工作早餐。

10月12日，为期32天的第二期"中国—拉美、加勒比、南太经济管理官员研修班"在北京圆满结束。斐济、萨摩亚、汤加、瓦努阿图、基里巴斯、巴布亚新几内亚、库克群岛和拉美及加勒比等地区的25名学员顺利完成研修活动。

第12节　中国同10＋3（东盟与中、日、韩）的关系

10＋3合作于1997年由东盟倡议启动，旨在促进东南亚和东北亚（中、日、韩）国家之间的合作，以每年一度的领导人会议为核心，是东亚地区一个新的具有生命力的多边合作机制。

2001年，第五次10＋3领导人会议在文莱首都斯里巴加湾举行，中国总理朱镕基率团出席。在10＋3会议上，朱总理就东亚合作提出一系列重要主张和建议，强调在当前形势下东亚国家加强合作的必要性和紧迫性，指出10＋3应本着互利互惠、循序渐进、注重实效的原则，充分照顾各方特别是中小国家的利益，继续向前发展并向更高水平前进。朱总理还表示，10＋3应在侧重经济合作的同时，逐步开展政治和安全领域的对话与合作，并首先从非传统安全问题着手。东亚各国领导人对朱总理的讲话予以积极呼应。

2001年，10＋3框架内又新成立了农林部长会议、劳动部长会议和东亚研究小组机制。中国除参加了上述新的会议机制和活动外，还继续参加了10＋3外长会、经济部长会议、财长会议、财政央行副手会、经济高官会，以及东亚展望小组等层次和领域的会议，并在其中发挥了重要作用。

此外，在金融领域，中国积极落实"清迈倡议"并取得实质性

进展。12 月 6 日，中国与泰国签署了双边货币互换协议。

第 13 节　中国同东亚—拉美合作论坛的关系

东亚—拉美合作论坛（Forum for East Asia and Latin America Cooperation，简称 FEALAC）是由新加坡总理吴作栋倡议，于 1999 年 9 月在新加坡成立的。论坛目前有 30 个成员国，包括东亚 13 国、拉美 15 国及澳大利亚和新西兰。

1999 年 9 月，中国外交部派团出席了在新加坡举行的论坛成立高官会，阐述了中方对论坛意义、目标、宗旨和原则的看法和主张，受到各方关注和重视。2000 年 8 月，论坛第二次高官会在智利召开，中国外交部部长助理王毅率团出席。

2001 年 3 月 29～30 日，中国外交部长唐家璇率团出席了在智利首都圣地亚哥召开的论坛第一次外长会议。此前举行了论坛第三次高官会。中方认为，东亚和拉美是国际舞台上的重要力量，但两大区域的经贸合作和人员交往水平与各自的经济实力很不相称。东亚—拉美合作论坛的启动，有助于两大区域的优势互补和共同发展，增强发展中国家的声音，推进多极化进程。论坛的重点应是促进两大区域间的经济和政治交往，并推动南南合作。论坛应以促进了解、沟通信息和深化贸易为目标，带动两大区域在经济、科技、文化、教育等领域的交流与合作，惠及所有成员。首届外长会议通过了《框架文件》，就论坛的宗旨、目标、原则、运作方式等作出了明确规定，强调论坛旨在增进了解，促进政治、经济对话和各领域的合作。会议还确定论坛的正式称谓为东亚—拉美合作论坛。与会各方还提出了一系列经贸、科技、社会、教育等领域的合作项目。

第 14 节　中国同亚欧会议的关系

中国重视和支持亚欧会议进程，本着积极务实的态度参加了亚欧会议各项后续行动，为促进亚欧两大洲的合作与交流发挥了积极作用。

一、部长会议

（一）第三届亚欧外长会议

5 月 24～25 日，第三届亚欧外长会议在北京举行。亚欧会议 25 个成员国的外交部长和欧盟委员会对外关系委员出席会议，中国外长唐家璇主持会议。会议围绕"加强新世纪的亚欧伙伴关系"主题，就共同关心的国际和地区问题，以及亚欧在经贸、文化和其他领域的交流与合作进行深入讨论，取得广泛共识，并通过《主席声明》。

中国国家主席江泽民出席会议开幕式并致辞，此前还会见了与会外长。江主席在致辞中对亚欧会议的发展提出如下主张：亚欧会议应为推动亚欧全面合作发挥更大作用，成为洲际平等合作的典范、东西方文明交流的重要渠道和推动建立国际政治经济新秩序的重要力量。中国总理朱镕基出席会议闭幕式并发表讲话。

此外，中国国家副主席胡锦涛会见菲律宾副总统兼外长金戈纳；中国副总理钱其琛宴请与会外长，并会见德国副总理兼外长菲舍尔、比利时副首相兼外交大臣米歇尔、法国外长韦德里纳和西班牙外交大臣依坎普斯；中国外长唐家璇会见菲律宾、比利时、德国、韩国、日本、泰国、印尼、马来西亚、越南、文莱、瑞典、奥地利、丹麦、芬兰、法国、荷兰、意大利、葡萄牙、西班牙等 19 国外长，并与欧盟"三驾马车"外长举行会晤。

（二）第三届亚欧财政部长会议

1 月 13～14 日，第三届亚欧财政部长会议在日本神户举行。

会议讨论亚欧及世界经济形势、区域经济、金融合作、汇率机制、加强国际金融体系、亚欧会议信托基金等问题，并通过《主席声明》。中国财政部长项怀诚率团与会。他在会议发言中指出，在经济全球化的新形势下，亚欧财金合作的重点应由危机防范和解决转移到如何促进增长，实现共同繁荣。

（三）第三届亚欧经济部长会议

9 月 10～11 日，第三届亚欧经济部长会议在越南河内举行。会议讨论亚欧经济联系、工商交流、世界贸易组织和全球经济发展形势等问题，审议《亚欧贸易便利行动计划》和《亚欧投资促进行动计划》的实施情况，并通过《主席声明》。中国外经贸部副部长孙振宇率团与会。他在发言中强调，亚欧会议成员应进一步携手合作，更加积极、务实、灵活地执行两个《行动计划》，深化有共同利益的优先产业部门的合作，以获得更大发展。

二、高官会

（一）北京亚洲高官会

2 月 7～8 日，亚欧会议亚洲高官会在北京举行。中国亚欧会议高官丁原洪大使主持会议，会议就第三届亚欧外长会议有关筹备工作达成广泛共识。

（二）斯德哥尔摩亚欧协调员会

3 月 5～6 日，中国、越南、瑞典和欧盟委员会高官在瑞典斯德哥尔摩举行亚欧协调员会。中国亚欧会议高官丁原洪大使率团与会。会议讨论了第三届亚欧外长会议、4 月亚欧高官会及新成员等问题。

（三）胡志明市亚洲高官会

3 月 16～17 日，亚欧会议亚洲高官会在越南胡志明市举行。中国亚欧会议高官丁原洪大使率团与会。会议重点讨论了第三届亚欧外长会议筹备工作和 4 月亚欧高官会议程。

（四）北京亚欧协调员会

4 月 1～2 日，中国、越南、瑞典和欧盟委员会高官在北京举行亚欧协调员会。中国亚欧会议高官丁原洪大使主持会议。会议就第三届亚欧外长会议和 4 月亚欧高官会有关问题进行了讨论。

（五）斯德哥尔摩亚欧高官会

4 月 25～27 日，第八次亚欧高官会在瑞典斯德哥尔摩举行。中国亚欧会议高官丁原洪大使率团与会。会议通报了第三届亚欧外长会议筹备工作的进展情况，进行了政治对话，并就促进亚欧在经贸、文化等领域的合作交换意见。

（六）文莱亚洲高官会

8 月 20 日，亚欧会议亚洲高官会在文莱举行。中国亚欧会议高官王学贤大使率团与会。会议主要就亚欧会议未来发展方向交换意见。

三、亚欧会议后续行动

（一）亚欧森林保护与可持续发展国际研讨会

7 月 16～20 日，亚欧森林保护与可持续发展国际研讨会在中国贵阳举行。会议通过《贵阳宣言》，确定亚欧森林保护与可持续发展科技合作的优先领域，探寻亚欧各方在森林保护及研究方面的合作途径。中国总理朱镕基向会议致贺信。中国科技部长徐冠华做了"全球森林问题与中国的努力"的主题报告。

（二）亚欧执法机构打击跨国犯罪研讨会

9 月 17～19 日，亚欧执法机构打击跨国犯罪研讨会在北京举行。中国公安部长贾春旺和意大利内政部长克劳迪奥·斯卡约拉共同主持会议。会议围绕"加强亚欧合作，打击跨国犯罪"这一主题，就防范和打击国际恐怖活动、跨国经济犯罪和非法移民活动，加强亚欧各国执法机构的协调，探讨更有效的合作机制和措施等方面进行积极和深入的研讨，并通过《主席报告》。中国总理朱镕基在致会议的贺信中表示，希望亚欧会议各成员执法机构加强合作，有效地预防和打击各种跨国犯罪，造福两大洲的人民，推动亚欧乃至世界的安宁与稳定。中国国务委员罗干出席会议开幕式并致辞，罗还会见与会代表团团长。

（三）其他后续行动

11 月 10～12 日，亚欧执法机构保护儿童福利会议在广州举行。中国最高人民检察院检察长韩杼滨主持会议。会议讨论了保护妇女儿童合法权益、加强国际合作打击跨国拐卖妇女儿童犯罪等问题。

此外，中国派团参加了第六届亚欧工商论坛、跨欧亚信息网络专家会议、亚欧奖学金项目专家会议、亚欧信息技术和电讯合作会议、亚欧数字机遇研讨会、世界贸易组织促进会议、亚欧会议公共债务管理论坛、亚欧都市遗产保护与发展会议、亚欧投资专家小组第五次会议、将信息技术运用到湄公河次区域人力资源开发的亚欧合作研讨会和第四届亚欧海关署长会议等。

四、亚欧会议信托基金

第三届亚欧首脑会议决定亚欧信托基金在 2001 年到期后继续开展二期活动。第三届亚欧财长会议决定将基金的运用从克服金融危机的影响转向加强金融和社会部门的结构改革。在第三届亚欧外长会上，中国外长唐家璇宣布，中国将向亚欧会议信托基金二期捐款 50 万美元。

五、亚欧基金

5 月 9～10 日，亚欧基金第九次董事会在里斯本召开。10 月19～20 日，亚欧基金第十次董事会在文莱召开。中方董事、外交部国际司副司长刘结一及其代表分别与会。两次会议讨论了基金未来发展方向，批准多项亚欧学术和人员交流项目。

5 月 4～5 日，亚欧基金在柏林举办欧亚论坛第四次会议。中国外交学会会长梅兆荣率团与会。会议讨论了东亚经济前景、欧洲政治一体化和欧盟扩大前景、欧亚政治对话等问题。

此外，中国还派人参加了第四期亚欧基金暑期学校、第二届亚欧青年营、第五届亚欧青年领导人论坛，"亚洲与欧洲——21 世纪的伙伴关系"研讨会、亚欧全球化与地区反应圆桌会议、第四届亚欧非正式人权研讨会、新经济与亚欧经贸合作前景研讨会、第二届亚欧青年企业家论坛、第三届亚欧基金年轻议员会议、亚欧课堂国际教师研讨会和亚欧教育枢纽、亚欧保护和发展民族文化研讨会等活动。

第 15 节　中国同世界能源理事会的关系

2001 年 10 月，第 18 届世界能源大会在阿根廷布宜诺斯艾利斯召开。大会集中讨论了世界能源理事会（WEC）新千年声明书《为了世界明天的能源——现在就行动!》中所提出的关于能源可获得性、可利用性和可接受性的目标。国家计委副主任，世界能源理事会中国国家委员会主席张国宝率团出席大会，并向大会提交了题为《21 世纪发展中国家能源市场的机遇与挑战——中国能源市场的现状与前景》的报告，介绍了改革开放以来中国能源建设取得的巨大成就以及中国能源发展的长期规划和目标，受到了与会代表的重视与关注。

第 16 节　中国同非洲统一组织的关系

2001 年，中国同非洲统一组织（以下简称非统）的关系继续顺利发展。

5 月 25 日，非洲各国驻华使节举行招待会，纪念非洲解放日（非统成立日）38 周年。中国国务院副总理钱其琛应邀出席并发表讲话。他高度评价非统组织成立 38 年来为争取非洲大陆各国的民族独立和政治解放、促进非洲的和平与发展以及人类进步事业所作出的卓越贡献。他指出，在当前国际形势下，面对巨大挑战和不利处境，非洲大陆在努力加强团结合作和谋求共同发展方面已迈出实质性步伐。2001 年内非统第 5 次特别首脑会议宣布非洲联盟成立以及非洲国家拟定千年非洲复兴计划，都充分显示出非洲国家在新形势下重振泛非精神，以合作谋求复兴的强烈愿望和坚定决心。他相信，经过非洲国家坚持不懈的努力，非洲复兴的伟大目标一定能够实现，非洲大陆必将迎来一个和平、稳定与发展的新世纪。他赞扬了历经半个多世纪的中非友好合作关系，并表示，2000年10月召开的中非合作论坛部长级会议为中非在新世纪进一步加强合作确立了良好框架，绘制了新的蓝图，并有利于推动中非之间建立长期稳定、平等互利的新型伙伴关系。

7月8日，中国国务院总理朱镕基致函祝贺第37届非统首脑会议。朱总理高度评价非统长期以来为非洲的独立、解放、和平、发展事业作出的宝贵贡献，以及非洲国家和人民在新形势下继续发扬团结合作精神，携手应对新挑战的努力。他指出，非洲联盟的成立标志着非统组织在胜利完成原有的历史使命之后，将向更高程度的一体化方向迈进。他高度赞扬2000年10月召开的中非合作论坛部长级会议为中非双方在新形势下建立长期稳定、平等互利的新型伙伴关系开辟了广阔前景。他表示中国政府与非统组织之间长期的密切合作关系为中非人民架起了友谊的桥梁，中国政府在新世纪里将一如既往地与未来的非洲联盟共同努力，不断推动中非友好合作关系迈上新台阶。

7月10～11日，外交部副部长杨文昌作为中国政府特使，以"应邀嘉宾"身份出席了在赞比亚首都卢萨卡举行的第37届非统首脑会议。中国政府还向非统和平基金捐赠20万美元，用于资助其在刚果（金）的维和行动。

7月11日、12日，中国外长唐家璇、中国副总理钱其琛分别致电祝贺阿马拉·埃西当选非统新任秘书长。

第17节　中国同阿拉伯国家联盟的关系

2001年，中国同阿拉伯国家联盟（以下简称阿盟）的友好合作关系进一步发展。

4月9日，阿盟秘书长马吉德致函中国外长唐家璇，通报3月在安曼召开的阿盟首脑级会议的有关情况。

5月7日，阿盟新任秘书长穆萨致函唐家璇外长，通报其就任阿盟秘书长一职，并表示希望加强与中国的合作。

5月30日，唐家璇外长复函穆萨秘书长，重申中方对中阿合作的积极立场和一些考虑，同时邀请其在方便的时候访华。

6月28日，阿盟秘书长穆萨致函唐家璇外长，就唐外长对其来信复函并邀其访华表示感谢，对中方为发展中阿关系所做的努力表示赞赏。

7月3日，阿盟秘书长穆萨致函唐家璇外长，感谢唐外长对其就任阿盟秘书长的亲切祝贺和友好情谊。

10月2日，唐家璇外长与阿盟秘书长穆萨通电话，就美遭受恐怖袭击事件、国际反恐合作和中东和平进程等问题交换了意见。

11月14日，唐家璇外长在联合国总部会见阿盟秘书长穆萨，双方就中东、伊拉克和阿富汗等问题坦率地交换了意见。

12月26日，唐家璇外长访问阿盟总部，会见了阿盟秘书长穆萨，双方就中东局势、双边关系以及共同关心的国际和地区问题交换了意见。穆萨秘书长向唐外长递交了《阿拉伯—中国合作论坛宣言》草案，希望中方研复。

第18节　中国同海湾合作委员会的关系

2001年，中国同海湾合作委员会（GCC）的友好合作关系进一步发展。

1月21日，GCC秘书长赫杰兰致函中国外长唐家璇，通报GCC为和平解决阿联酋与伊朗"三岛"领土纠纷所做的努力。

2月16日，唐外长复函赫杰兰秘书长，强调中国赞赏GCC在地区事务中所发挥的积极作用，重视发展与GCC及其成员国的友好合作关系，并重申了中国政府对"三岛"问题的原则立场。

5月25日，唐家璇外长致电赫杰兰秘书长，祝贺GCC成立20周年。

11月14日，唐家璇外长在出席第56届联大会议期间集体会见了GCC六国外交大臣或其代表及赫杰兰秘书长，主要就中国与GCC关系、反对恐怖主义、阿富汗问题、中东及伊拉克问题等交换了看法。

第19节　中国同国际红十字组织的关系

2001年，中国继续积极参与国际红十字运动。

7月2～5日，中国红十字会同红十字会与红新月会国际联合会在云南昆明联合举办湄公河流域红十字会艾滋病预防控制与关怀经验研讨会。中国红十字会常务副会长王立忠出席会议。

7月25日至8月4日，红十字会与红新月会国际联合会秘书长迪迪埃·沙佩戴尔访华。全国人大常委会副委员长、中国红十字会会长彭珮云会见沙佩戴尔。彭副委员长对国际联合会长期以来在灾害救济方面给予中国的援助表示感谢，表示中国红十字会将继续支持国际联合会及其驻北京的东亚地区办事处的工作。

9月17～21日，红十字会与红新月会国际联合会在北京举办东亚地区合作会议。中国红十字会副会长孙爱明出席开幕式并致辞。

9月30日至10月4日，全国人大常委会副委员长、中国红十字会会长彭珮云应邀赴日内瓦访问红十字会与红新月会国际联合会和红十字国际委员会总部。访问期间，彭副委员长分别会见了国际联合会主席海贝格、秘书长沙佩戴尔以及红十字国际委员会主席凯伦伯格。访问加强了中国红十字会与国际联合会和国际委员会的相互了解、友好合作。

11月6～14日，中国红十字会代表团出席了在瑞士日内瓦召开的红十字会与红新月会国际联合会第 13 届大会和联合会代表会议。中国红十字会在此次大会上当选为新一届联合会领导委员会的成员，任期四年。

12 月 4～5 日，由于日趋严重的巴、以冲突，《日内瓦第四公约》缔约国会议在日内瓦召开。140 多个缔约国参加会议。中国常驻日内瓦代表团代表沙祖康大使出席会议并发言，表明中国政府重视并尊重国际人道主义法，一贯主张对战争和武装冲突中的受害者和平民给予国际人道主义的保护。

第 20 节　中国同伊斯兰会议组织的关系

2001 年，中国同伊斯兰会议组织的友好合作关系进一步发展。

5 月 23 日，伊斯兰会议组织秘书长巴勒卡吉兹致函中国外长唐家璇，对巴勒斯坦被占领土局势的持续恶化表示极度不安，呼吁中国作为安理会常任理事国推动安理会为巴人提供国际保护。

5 月 31 日，唐家璇外长复函伊斯兰会议组织秘书长巴勒卡吉兹，对伊斯兰会议组织为维护巴勒斯坦人民合法权利所做的努力表示赞赏，并重申了中国在巴以问题上的一贯立场，表示中国愿加强同伊斯兰会议组织的合作，为实现中东地区的和平与稳定作出贡献。

10 月 9 日，唐家璇外长同伊斯兰会议组织主席、卡塔尔外交大臣哈马德通电话。唐外长阐述了中国在反恐问题上的立场，表示愿就此问题加强同广大伊斯兰国家的磋商与合作。

第十二章

中国外交
工作中的条约法律工作

第 1 节　中国对外缔结条约概况

一、中国对外缔结条约概况

2001 年，中国对外缔结的国家及政府间的双边条约、协定（或其他具有条约性质的文件）约 343 项，其中较重要的有经贸方面的协定（及换文）约 261 项、财政金融方面的协定 13 项、政治方面的协定 14 项、领事方面的协定 11 项、法律方面的协定 1 项，此外还有文化、卫生、科技、交通、旅游、动植物检疫等领域的协定，中国对外缔结的多边条约有 5 项（以上详细情况参见附表）；另外，香港、澳门特别行政区经中央政府授权对外谈判和签署的双边协定有 31 项。

二、中国对外进行清理条约工作的概况

清理条约是国家之间以国际法理论、特别是条约继承理论为基

础，对双边条约的效力进行确认、变更或终止的工作。该项工作对明确条约效力、理顺双边条约关系、从而促进双边关系的健康发展具有积极意义。

2001 年，中国与罗马尼亚在布加勒斯特就清理条约进行了第一轮磋商；与波黑的清理条约磋商已经结束，将正式换文确认磋商结果；已与乌克兰就确认清理条约磋商结果进行了换文。另外，完成了与秘鲁、吉尔吉斯斯坦清理条约的准备工作，预计于 2002 年内进行磋商。

第 2 节　中国在联合国法律领域的工作

一、中国与联大第六委员会

2001 年 9 月 19 日至 11 月 23 日，第 56 届联合国大会第六委员会（以下简称"六委"）会议在纽约联合国总部举行。六委共审议了 16 项议题，其中主要议题有：

1. 消除国际恐怖主义的措施；

2. 国家及其财产的司法管辖豁免公约；

3. 联合国国际贸易法委员会第 34 届会议工作报告；

4. 联合国国际法委员会第 53 届会议工作报告；

5. 设立国际刑事法院；

6. 联合国宪章和加强联合国作用特别委员会的报告；

7. 《联合国人员和有关人员安全公约》所规定的法律保护的范围；

8. 禁止用克隆技术复制人国际公约。

中国代表团积极参与了上述议题的讨论，主要情况如下：

（一）消除国际恐怖主义的措施

由于"9·11"恐怖袭击事件，国际反恐问题受到空前重视。联合国大会特别决定在全会上对该议题进行为期一周的一般性辩论。

反恐特委会工作组主要审议了国际恐怖主义的全面公约草案。中国代表指出，联合国是各国就打击恐怖主义开展合作的重要场所，在国际反恐斗争中应发挥主导作用。联合国各有关机构应加强在防止和打击国际恐怖主义方面的协调与配合，安理会应发挥其应有作用，并要建立国际反恐机制。各国应根据本国法律和所承担的国际义务，采取必要措施，切断对恐怖主义分子的任何金融、物资、军事等方面的支持，坚决将恐怖分子绳之以法，不得以任何理由、方式支持或容忍恐怖分子。安理会于 2001 年 9 月 28 日通过的第1373 号决议应得到切实执行。

对付国际恐怖主义是一项长期和复杂的任务，应遵循联合国宪章宗旨和原则及其他公认的国际法准则，需要采取政治、外交、经济、法律等综合措施。中国反对将恐怖主义与特定的宗教和民族挂钩。根除国际恐怖主义，必须标本兼治，努力消除产生国际恐怖主义的根源。在国际反恐斗争中，应尊重文明的多样性；大力解决发展问题，使各个阶层的人民在全球化进程中共同受益。国际社会应加大解决地区冲突的力度，以更积极的姿态，在联合国宪章宗旨和原则基础上公正、合理地加以解决。

中国政府坚决反对和谴责一切形式、各种表现的恐怖主义。防止和打击一切恐怖主义活动是中国政府的一项基本政策。中国政府愿同各国一道与一切形式的恐怖主义活动作坚决的斗争。

（二）国家及其财产的司法管辖豁免公约

关于该议题，第六委员会在本届会议中的任务是决定特设委员会届会的日期，未进行任何实质性辩论。会议确定特设委员会届会的日期为 2002 年 2 月 4～15 日。

（三）联合国国际贸易法委员会第 34 届会议工作报告

中国代表团对会议的工作提出了建设性意见并指出，贸发会主持制订的一系列公约和示范法已经在国际贸易中发挥了很大作用，但要使之发挥最大限度的作用，还需要做出进一步的努力。在此方面，一项重要的工作是使已拟订的公约和示范法得到更多国家的认可和接受。要实现这一目标，一方面要靠各国政府的积极努力，另一方面要更多地吸收各方面的意见，照顾不同国家的实际情况，并加强对所制订法律文件的宣传和推介。

（四）设立国际刑事法院

关于侵略罪的定义，中国代表团指出，要为构成个人刑事责任的侵略罪罪行设定适当的门槛，应以有关的习惯国际法为基础，同时与国际社会的现实相适应。另外，作为国际刑事法院追究个人刑事责任的罪行定义，其措辞应符合刑法精确性原则，中国主张在深入研究《国际刑事法院规约》第三部分有关的刑法一般规则的基础上，在侵略罪定义中就罪行要件等内容做出明确规定。

中国代表团认为，作为国际刑事法院追究个人刑事责任的前提，必须首先确定国家侵略行为的存在。根据联合国宪章有关规定，确定国家侵略行为是安理会的责任。因此，侵略罪定义与法院管辖侵略罪的条件是联系在一起的，不可割裂。目前有的提案将定义和管辖条件分别加以规定，并在定义部分对国家的侵略行为做出界定，这种做法是不恰当的。首先，根据罗马大会最后文件，预委会只被授权拟定侵略罪的定义和国际刑事法院对其行使管辖的条件，无权对国家的侵略行为做出定义；其次，在预委会的场合界定国家的侵略行为，即使只是出于法院确定个人刑事责任的需要，也会使关于侵略罪的讨论演变为政治辩论，影响预委会的工作进程。

关于法院管辖侵略罪的条件，中国代表团指出，如像一些国家提出的，安理会在一定时间内未能就侵略罪做出决定，就由国际刑事法院自行就国家是否实施侵略加以判定，其结果将可能使法院承受政治化的危险。此外，一些国家建议以国际法院的咨询意见或判决作为国际刑事法院管辖的基础。对此，中方也存在疑虑，因为根据《联合国宪章》及《国际法院规约》关于咨询意见的有关规定，国际法院的咨询职能仅限于对任何法律问题发表意见，而不是对事实做出判定。另外，国际法院给予咨询意见的过程可能耗时冗长，这也与刑事案件的程序要求相悖。

（五）联合国国际法委员会第53届会议工作报告

关于"国家责任"专题。中国代表团认为2001年国际法委员会二读通过的专题报告及其条款草案结构严谨，内容丰富。在"反措施"问题上，中国代表团指出，为防止国家滥用反措施，在承认受害国有权采取反措施的同时，必须对反措施加以适当的限制，在反措施的合法性与防止滥用之间保持适当的平衡。

关于"条约保留"专题。中国代表团赞成一读通过的实践指南对过时提具保留的问题加以规范。关于条约保存机关的作用，中国代表团不赞成赋予公约保存机关审查条约保留合法性和拒绝转递其认为不合法的保留的权利，而是应将有关保留通知其他缔约国并由其他各缔约国自行做出判断。

关于"外交保护"和"国家单方面行为"专题。中国代表团主张保留国籍的连续性规则，将其作为规范国家行使外交保护权的一项基本原则。对公司实施的外交保护也应以公司与保护国之间存在国籍纽带为法律前提。关于"国家单方面行为"，中国代表团认为，委员会在现阶段，应集中精力拟订并审议适用于所有单方面行为的一般规则。鉴于每一种行为在国际上的普遍性及重要性，根据特定情况和需要，在时机成熟时，再就每一种国家行为制定相应规则，对该行为的构成要素和法律效力等做出详细的规定。

中国代表团对国际法委员会历经 24 年的努力，完成了预防危险活动造成的越境损害条款草案的起草工作表示赞赏。中国代表团认为，草案的制订完成，对于从国际法角度建立预防危险活动造成的越境损害的原则基础具有重要的指导意义，包括项目危险评估、核准项目技术设计方案、采取预防措施、事故发生时的及时通报和资料提供以及在紧急情况发生时的国际合作诸多方面。

（六）联合国宪章和加强联合国作用特别委员会的报告

关于援助因执行制裁措施而受影响的第三国问题。中国代表团指出，联合国的制裁措施作为解决国际争端的一种手段是必要的。但由于它可能带来的后果和影响较大、涉及面广、情况复杂，特别是对第三国可能产生负面影响，因而采用制裁措施必须慎重，要进行必要的评估，并尽可能减少或限制使用这种措施。与此同时，还应全面正确地认识和理解联合国宪章有关制裁问题的规定与联合国宪章第 50 条间的相互关系，二者相辅相成，同等重要，不可偏废。

对于因执行制裁措施而受到影响的第三国提出的正当合理要求。中国代表团表示，国际社会应给予充分的理解和实际的支持。在目前缺乏其他有效援助和补偿机制和方式的情况下，联合国应积极探讨解决办法，采取有效措施通过多渠道、多途径的财政和经济援助，减缓第三国因执行制裁措施而受到的负面影响。

有关托管理事会的现状和前途问题。中国代表团认为，尽管托管理事会已完成了联合国宪章所赋予的历史使命，但目前尚无必要将其立即取消，也无需转变其职能。因为无论是取消或转变职能，都会直接涉及到联合国宪章的修改问题。因此，有关该机构未来的地位和作用问题，需在联合国改革的总体框架内，结合今后联合国宪章修改问题综合考虑为宜。

（七）《联合国人员和有关人员安全公约》所规定的法律保护的范围

中国代表团指出，目前公约所面临的主要问题是如何切实发挥公约在保护联合国及相关人员安全方面的作用。而要解决这一问题，如何使目前已经确定的公约条款内容得以实施应是优先考虑的方向。关于秘书长报告中所提及的扩大受公约保护人员的范围问题，中国代表团认为，就公约规定而言，其所保护的范围和适用条件应当说是适当的。由于公约本身所具有的特定性，将不是参与联合国行动的其他从事人道主义活动的非政府组织人员纳入公约保护范围将使公约在适用过程中出现诸多困难。如果由于公约在实施方面所存在的不足或缺陷导致应受公约保护的人员未能得到保护，可以通过适当的程序性措施予以解决。

中国代表团对公约在保护联合国人员及相关人员安全上的作用给予了充分的肯定，并表示中国政府目前正对加入该公约进行积极的准备。

（八）禁止用克隆技术复制人国际公约

中国政府在这一问题上的原则立场是：中国政府支持制定"禁止用克隆技术复制人国际公约"。国际社会应加强相关立法，促进克隆技术的安全应用和健康发展。中国政府赞成以治疗和预防疾病为目的的人类胚胎干细胞研究，但坚决反对克隆人，不支持任何生殖性克隆实验。各种克隆技术的研究和应用都不能违背国际公认的生命伦理基本原则。

二、中国与联合国国际法委员会

联合国国际法委员会于 2001 年 4 月 23 日至 6 月 1 日和 7 月 2 日至 8 月 10 日分两期在日内瓦举行第 53 届会议。会议选举乌干达籍委员彼得·卡巴齐为本届会议主席。中国籍委员贺其治教授出席了会议。

本届会议的主要议题有：（一）国家责任；（二）国际法不加禁止行为所产生的损害性后果的国际责任（预防危险活动的跨境损害）；（三）对条约的保留；（四）外交保护；（五）国家的单方面行为。

本届会议集中审议了国家责任专题，重点完成了以下工作：（一）在同意用"严重违背对整个国际社会的义务"取代"国家罪行"概念后，完成了与该部分有关的条款草案起草工作；（二）同意保留草案中的"反措施"条款，但为"反措施"的实施规定了更加具体的限制条件；（三）同意不将解决争端机制列入条款草案，但同意让联合国大会考虑当联大决定就此制订一项公约时应否将争端解决机制列入的问题。本届会议最终完成了国家责任条款草案的二读，条款草案共分四部分，59 个条款，规定了引起国家责任的一般必要条件，责任国的法律后果，国家责任的履行，以及对该条款草案整体适用的一般性规定。本届会议还完成了关于国家责任条款草案的逐条评注。国际法委员会建议联合国大会通过决议，表示注意到该条款草案并将其列为决议附件。委员会还建议联合国大会于稍后阶段召开全权代表大会，审查该条款草案，以期制订一项有关该专题的国际公约。

本届会议还完成了"国际法不加禁止行为所产生的损害性后果的国际责任（预防危险活动的跨境损害）"条款草案的二读及逐条

评注。该条款草案共有 19 条，所处理的是引起重大越境损害的危险活动的核准和管制方面的预防措施。条文包括条款草案的适用范围，缔约国进行预防以及开展国际合作等方面的权利和义务。委员会建议联合国大会以该条款草案为基础拟订一项国际公约。

本届会议继续进行了"对条约的保留"专题的研究工作，审议了特别报告员第五次报告中 2000 年未审部分及第六次报告。委员会通过了关于提具保留和解释性声明的 12 项准则条款。委员会还向起草委员会提交了关于保留和解释性声明通知形式的 13 项准则草案。

本届会议进行了"外交保护"专题的研究工作，审议了特别报告员第一次报告中 2000 年未审的关于持续国籍和权利要求可转让性的问题，以及关于用尽地方司法救济问题的第二次报告。

本届会议还继续进行了"国家的单方面行为"专题的研究工作，审议了特别报告员的第四次报告。特别报告员还提出了关于单方面行为解释规则的若干条款草案。委员会要求各国就单方面行为的做法提供进一步的资料。

由于本届会议的绝大多数时间都用于了"国家责任"二读条款草案及其评注的草拟工作，对于其他专题，委员会未及深入研究和讨论。

三、中国与联合国宪章特委会

联合国宪章和加强联合国作用特委会会议于 2001 年 4 月 2～12 日在联合国总部召开。中国政府派代表团参加了本届年会。会议主要议题有：维护国际和平与安全；和平解决国际争端；托管理事会的未来和改进宪章特委会的工作方法。

（一）关于维护国际和平与安全

关于执行联合国宪章关于援助受制裁影响的第三国条款的问题。本届会议于此仍未能取得实质进展。俄罗斯、中国等建议在联大六委下设有关该问题的工作组，其他建议还包括为援助第三国设立基金和讨论秘书长特设专家组报告等。美国和欧盟等对这些建议态度消极，认为应结合安理会制裁工作组和联合国其他机构对该问题的研究成果综合考虑该问题。

关于采取制裁和其他胁迫措施的基本条件和标准问题，俄罗斯就此问题提出了订正工作文件。其主要内容是：制裁应是最后诉诸的手段；应符合《联合国宪章》的规定和国际法准则及公正原则；不允许利用制裁试图推翻或改变制裁对象的合法政权或现行政治制度；不能给第三国造成巨大损害；应特别注意"人道主义限制"等。中国、印度、墨西哥、古巴等原则上对俄提案予以肯定，但美、欧盟仍态度消极。会上对该文件第二部分进行了一读。

关于联合国维和行动在宪章第六章范围内的法律依据问题。讨论以俄罗斯提交特委会 1998 年届会的工作文件为基础，未产生结果。中国等国认为有必要在特委会会议上讨论；有的国家主张应拿到联大六委审议；美、欧盟等则认为联合国其他论坛已对该问题进行讨论，没必要在特委会进行重复工作。

关于请国际法院就国家在未经安理会授权时或者不属于自卫时诉诸武力的法律后果发表咨询意见的问题。白俄罗斯和俄罗斯就此提出工作文件，其主旨是：要求联大请国际法院就除根据《宪章》第 51 条行使单独或集体自卫权外，某国或某群国家是否有权在安理会未根据《宪章》第七章作出决定的情况下使用武力，以及在这种情况下使用武力是否违反其宪章义务。中国、乌克兰、古巴等支持讨论该问题，美国和欧盟坚决反对。会议未就此展开具体讨论。

此外，会议还讨论了古巴于特委会 1997 年、1998 年届会上提交的"加强联合国作用并提高其效率"的工作文件和利比亚于1998 年特委会届会上提出的加强联合国维持国际和平与安全的作用的提案。

（二）和平解决国际争端

会议对塞拉利昂和英国共同订正提案逐段进行了审议。提案重申联合国会员国有义务在争端可能危及国际和平与安全之前即谋求和平解决该争端；希望争端当事国有效利用预防和解决争端的现有措施；促请未接受国际法院规约任择条款的国家考虑接受的可能。各国主张有：和平解决国际争端应坚持《宪章》第 33 条规定的原则；预防是维持国际和平与安全的重要方面，应与争端解决程序一并考虑；应充分反映大会、安理会和国际法院在和平解决国际争端方面的作用等。下届会议将就上述提案余下的内容继续审议。

（三）托管理事会的未来

基本观点有：一、转变其职能，使其成为管理全球公域或人类共同遗产的协调机构；二、维持现状，认为其历史使命尚未完成；三、其使命已完成，应予撤销；四、尽管其使命可视为已基本完成，但立即撤销或改变职能为时尚早，因涉及对《宪章》的修改问题，应结合联合国改革和修宪来综合考虑。中国及多数与会国赞成第四种意见。

会议还就特委会的工作方法、确定新议题等涉及特委会自身发展及其与联合国有关机构协调等问题进行了讨论。中国代表团本着积极务实的原则参加了会议。

四、中国与联合国和平利用外层空间委员会

联合国和平利用外层空间委员会（以下简称"外空委"）下辖科技小组委员会和法律小组委员会。2001 年，中国代表团出席了外空委第 44 届会议、外空科技小组委员会第 38 届会议和外空法律小组委员会第 39 届会议。上述会议均在联合国维也纳办事处举行。

在外空委第 44 届会议上，各国就吸收马来西亚、韩国、古巴、秘鲁 4 个原轮流会员国为外空委正式成员达成一致，取消了"轮流会员制"。扩大后的外空委成员增至 65 国。

此外，本届会议主要审议了维持外空用于和平目的的方式和方法、第三次外空会议建议的执行情况、科技小组委员会报告和法律小组委员会报告等。中国代表团参加了各项议题的讨论。

（一）维持外空用于和平目的的方式和方法

本届会议继续作为优先事项审议了"维持外空用于和平目的的方式和方法"问题。外空非军事化问题受到与会各国的普遍关注。

各国代表团强调指出，外空武器化和军事化的趋势日趋明显，人类在和平利用外空方面正面临严峻的挑战，外空委应在防止外空武器化和军事化方面有所作为。

中国等国建议，缔结专门的防止外空军事化的国际协定，应特别禁止在外空试验、部署和使用任何武器和武器系统或其组成部分，禁止在陆地、海上和大气层内试验、部署和使用任何武器和武器系统或其组成部分，禁止将射入外空轨道的任何物体直接用于作战目的。但由于美国等西方国家的反对，会议未就此达成协商一致。

会议决定在外空委第45届会议上继续优先审议维持外空用于和平目的的方式和方法问题。

(二) 第三次外空会议建议的执行情况

在本届会议上，外空委一致认为，第三次外空会议各项建议的执行可以分阶段进行。会议同意部分项目作为近期采取行动的优先领域，并建立了相应的行动小组。

中国被推选为项目七行动小组（实施综合性全球系统，对缓解自然灾害、救灾和防灾工作进行管理）的牵头国家。经商有关各方，中国代表向会议提出了第七项目行动小组的初步工作计划，得到了外空委的一致认可。

(三) 科技小组委员会报告

本届会议就建立全球减灾系统、空间碎片、空间教育、外空核动力、空间遥感应用等问题进行了讨论。

关于"建立综合的全球化减灾系统"的议题，各国对利用空间技术，特别是遥感技术减灾的需求达成共识，对建立全球一体化减灾系统表示积极支持。本次会议上，中国代表团特别介绍了中国拟发展的8颗卫星的减灾系统，引起了各国强烈反响。

中国代表团还做了关于中国2000年航天活动的情况介绍，包括配合联合国世界空间周在国内组织的有关重大活动，中国政府发表"中国的航天"白皮书，中国开展亚太空间技术与应用培训班工作以及为联合国作出的众多贡献等情况。

（四）法津小组委员会报告

2001 年是联合国外空委决定成立法律小组委员会 40 周年，与会各国代表对四十年来国际空间立法的成就给予了充分肯定。

中国代表团认为，随着空间科技的发展，防止外空军事化和外空军备竞赛应成为当前国际空间立法的优先任务。为此，中国还参加了 2001 年 4 月 11～14 日在莫斯科召开的"防止外空军事化"国际会议。

会议作为新增议题，审议了国际统一私法协会（UNIDROIT）提交的关于移动设备国际权益公约和空间财产议定书草案。美、加等西方国家积极推动该议题的审议，但多数国家认为，从法律角度来看，目前的议定书草案还不成熟。中国代表团强调，拟议中的空间财产融资、抵押和担保制度应以现有外空条约为基础，不得违反外空条约的基本原则。会议根据比利时代表的建议，决定建立非正式特设磋商机制，加快就该议题的讨论。该议题被列入 2002 年小组委员会的届会议程。

一些发展中国家再次促请发达国家向发展中国家转让技术，以提高发展中国家的技术能力。他们表示，各国技术能力的水平不同，阻碍了更多的国家批准外空条约。但是，西方发达国家对此反应冷淡。

会议还审议了联合国五项外空条约的现状和适用、国际组织在空间法方面的活动、外空的定义、定界和地球静止轨道和利用、在外空使用核动力源的原则和可能的修订、"发射国"概念、增加新议题等议题。

五、中国与反对国际恐怖主义

近年来，国际恐怖主义势力与民族分裂和宗教极端势力相结合，其政治性、危害性与跨国性日益增强。国际恐怖主义不仅使无辜平民的生命财产蒙受巨大损失，而且对国家安全和领土完整构成威胁，对国家间及人民间的友好关系造成破坏。"9·11"事件后，国际社会对国际恐怖主义更加重视，已将其上升为对国际和平与安全的新威胁。如何加强国际合作以打击国际恐怖主义已成为国际社会关注的重要问题之一。

中国政府一贯反对和谴责一切形式的国际恐怖主义，反对将恐怖活动作为实现政治目标和其他目标的方式和手段，反对任何国家、组织、团体或个人采取恐怖暴力行为。

同时，中国政府一贯主张，打击国际恐怖主义必须根据《联合国宪章》的宗旨和原则以及其他国际公认的国际法原则进行，不能搞"双重标准"，不应将恐怖主义与特定的民族、宗教挂钩，更不能借反恐之名行霸权主义之实。在反恐方面应加强国际合作，标本兼治。

中国在反对国际恐怖主义方面加强了各方面的工作。在国际合作方面，中国于 2001 年加入了《制止恐怖主义爆炸的国际公约》并签署了《制止向恐怖主义提供资助的国际公约》，积极参与了联合国反恐特委会和联大六委反恐工作组对《关于国际恐怖主义的全面公约》进行的审议工作，并加强了"上海合作组织"框架内的区域反恐合作以及司法协助和引渡等双边合作。在国内立法方面，中国立法机关修改了刑法的有关规定，为预防、打击和制止国际恐怖主义活动提供了更加有力的法律根据和保证。

中国政府还通过国际刑警组织，在反对恐怖主义活动和侦察、通缉、逮捕国际恐怖分子方面同其他国家警方开展了大量有效的合作。

联合国大会和安理会均更多地介入了反对国际恐怖主义的工作，在联合国主持下进一步制定和完善反恐国际法律框架的工作得到了各国普遍支持。2001 年 2 月和 10 月，联大反恐特委会和联大六委反恐工作组分别召开会议，主要讨论了《关于国际恐怖主义的全面公约》草案、《制止核恐怖主义行为的国际公约》的适用范围以及召开联合国主持下的反恐高级别会议问题。由于各方在国际恐怖主义的定义、根源等问题上仍存在严重分歧，会议虽然在《关于国际恐怖主义的全面公约》草案大多数条款上取得进展，但仍未能通过该公约草案。在另两个议题上也未取得任何成果。

六、中国与国际刑事法院

1998 年 7 月，在意大利罗马举行的建立国际刑事法院外交大会（以下简称"罗马大会"）以投票表决的方式通过了《国际刑事法院罗马规约》（以下简称"规约"）。规约将在第 60 份批准书交存后六十天生效。截至 2001 年底，已有 139 个国家签署了规约，47 个国家成为规约缔约国。

为确保法院启动后的顺利运作，罗马大会决定设立国际刑事法院预备委员会（以下简称"预委会"），完成法院正式成立前的必要准备工作。预委会由所有签署罗马大会"最后文件"及罗马大会邀请的国家组成。其主要任务是制定《罪行要件》、《程序与证据规则》及法院与联合国关系协定、财务条例与细则等补充性文件。此外，预委会还要就侵略罪定义及法院对其行使管辖权的条件拟定案文，提交缔约国大会审查。

预委会迄今已举行了 8 次会议。根据联大有关决议，预委会于 2001 年在纽约联合国总部召开了两次会议，以协商一致通过了《国际刑事法院特权与豁免协定》、《国际刑事法院与联合国的关系协定》、《国际刑事法院财务条例与细则》、《缔约国大会议事规则》等文件草案。上述各文件均以联合国秘书处应预委会要求拟定的草案为工作基础，由于这些文件的大部分内容都是根据有关实践确立的标准条款，所以没有引起太大的争议。

随着这些文件起草工作的结束，预委会已完成了罗马大会"最后文件"授权的大部分工作，为法院的顺利建立和有效运作奠定了重要基础。

预委会现在仍有一些工作尚未完成，包括草拟法院第一个财政年度预算案、确定东道国协定指导原则等，其中各国最为关注的是侵略罪问题。预委会在第三次会议上设立了侵略罪问题工作组，但迄今为止，工作组并未取得任何突破性进展。

侵略罪问题主要集中在侵略罪定义和法院对该罪实施管辖的条件两个方面。关于侵略罪定义的核心问题是构成侵略罪的个人行为的规模和程度，目前主要有三种不同的倾向：发动或实施了侵略战争（war of aggression）、侵略行为（act of aggression）或所有非法使用武力的行为。

关于法院对侵略罪行使管辖权的条件，安理会五常任理事国等少数国家始终坚持，安理会对国家侵略行为的判定，是法院管辖侵略罪的先决条件，而且这一内容应当作为侵略罪定义不可或缺的一部分。其他国家则持不同程度的反对态度。

中国一贯支持国际刑事法院的建立，中国代表积极参与预委会各项文件的讨论，并在文件的制定过程中发挥了建设性的作用。

在侵略罪问题上，中国代表表示：关于侵略罪的定义，中国政府认为，制定侵略罪的定义应以有关的习惯国际法为基础，同时与国际社会的现实相适应。另外，作为法院追究个人刑事责任的罪行定义，其措辞应符合刑法精确性的原则。法院要追究实施了侵略罪的个人的刑事责任，必须首先确定国家侵略行为的存在。根据联合国宪章有关规定，确定国家的侵略行为是安理会的责任。因此，侵略罪定义与法院管辖侵略罪的条件是联系在一起的，不可分割。目前有的提案将定义和管辖条件分别加以规定，并在定义部分对国家的侵略行为作出界定，中国政府认为这种做法是不恰当的。首先，根据罗马大会最后文件，预委会只被授权拟定侵略罪的定义和国际刑事法院对其行使管辖的条件，无权对国家的侵略行为作出定义；其次，在预委会的场合界定国家的侵略行为，即使只是出于法院确定个人刑事责任的需要，也会使关于侵略罪的讨论演变为政治辩论，而影响预委会的工作进程。

关于法院管辖侵略罪的条件，中国政府认为，如像一些国家提出的，安理会在一定时间内未能就侵略罪作出决定，就由国际刑事法院自行就国家是否实施了侵略加以判定，其结果将可能使法院承受政治化的危险。此外，一些国家建议以国际法院的咨询意见或判决作为国际刑事法院管辖的基础，对此中国也存在疑虑。因为根据《联合国宪章》及《国际法院规约》关于咨询意见的有关规定，国际法院的咨询职能仅限于对任何法律问题发表意见，而不是对事实作出判定。而且，国际法院给予咨询意见的过程可能耗时冗长，这也与刑事案件的程序要求相悖。

中国主张，有关侵略罪问题应当在充分讨论所有现有提案的情况下，寻求能为各国普遍接受的解决方案。

根据第 56 届联大有关决议，预委会将在 2002 年举行两次会议，继续起草有关文件和讨论侵略罪问题。

第 3 节　中国在海洋法领域的工作

一、中国与海洋法

（一）《联合国海洋法公约》第十一次缔约国大会

2001 年 5 月 14～18 日，《联合国海洋法公约》第十一次缔约国大会在联合国总部召开。由于 2000 年 10 月国际海洋法法庭中国籍法官赵理海去世，会议举行了法官补选工作。中国外交部法律顾问许光建大使当选，任职至 2002 年 9 月 30 日。关于向大陆架界限委员会提交 200 海里以外大陆架数据资料的 10 年期限问题，鉴于一些发展中国家的强烈要求，会议决定，1999 年 5 月 13 日之前参加公约的缔约国，10 年期限的起算日期为 1999 年 5 月 13 日，即《大陆架界限委员会科学和技术准则》通过之日。大会继续就智利代表团提出的缔约国会议应有权审议公约执行情况的问题进行了激烈辩论，未取得共识。会议讨论了《缔约国会议议事规则》和《海洋法法庭财务条例》草案并就部分条款达成一致。日本撤回了调整海洋法法庭会费分摊比例的提案，大会审议通过 2002 年海洋法法庭预算。

（二）联合国海洋事务及海洋法非正式磋商进程第二次会议

2001 年 5 月 7～11 日，"联合国海洋事务及海洋法非正式磋商进程"第二次会议召开。会议就联合国秘书长向联大提交的"海洋事务和海洋法"报告中提出的海洋资源的利用、海洋捕鱼、海洋环保、海洋科学技术和打击海上犯罪等问题进行了一般性辩论，并着重就"海洋科学技术"和"打击海盗和海上武装劫船"问题进行专题讨论。会议通过了拟向联大主席提交的报告，并拟定了下次会议议题建议。中国代表团阐述了对有关海洋法问题的原则立场，强调"非正式磋商进程"应以《联合国海洋法公约》为基础进行。中国应邀作为发展中国家的代表在会上作了关于海洋科技问题的引导性发言，阐述了推动全球及区域海洋科技的措施和优先领域，介绍了中国政府积极参与国际合作，严厉打击海盗和海上武装劫船犯罪的有关情况，受到与会各国的重视。

（三）国际海底管理局有关事务

2001 年 3 月 26～30 日，国际海底管理局召开先驱投资者会议，就勘探合同的最后文本和签订等问题进行了磋商。5 月 21～31 日，管理局秘书长南丹应邀访华。22 日，中国大洋协会与管理局在北京签订了"区域"内多金属结核资源的"勘探合同"。

7 月 2～12 日，国际海底管理局召开第七届会议。会议以理事会非正式磋商形式着重就是否启动制订"多金属硫化物和富钴结壳的探矿和勘探规章"问题进行了讨论，由于各方分歧较大，理事会未能就启动起草工作达成一致。会议期间，理事会和大会分别对法律技术委员会和财务委员会进行了改选，中国提名的国土资源部李裕伟和财政部刘键分别当选，法律技术委员会成员扩大为 24 名。大会还审议了管理局与各先驱投资者签订勘探合同的情况，审查通过了秘书长的年度报告，通过了管理局人事条例。会议期间，中国被推举为亚洲组主席。

二、中国和区域渔业管理

2001 年，中国继续派代表团参加了一系列关于公海渔业的国际会议。具体包括：联合国粮农组织第 24 届渔业委员会会议、在冰岛举行的关于海洋生态系统负责任渔业会议、国际捕鲸委员会第 53 届年会、中西部太平洋高度洄游鱼类养护和管理公约第一次筹备会、建立西南印度洋渔业委员会第二次政府间磋商会议、养护大西洋金枪鱼国际委员会第 17 届年会、印度洋金枪鱼委员会第六届年会等。中国代表团积极参与会议的有关讨论，阐述了中国加强国际渔业合作的立场并进一步宣传了中国的渔业政策。

三、中国的海域划界及双边海洋法磋商等

（一）中越北部湾渔业谈判

继 2000 年底中越两国政府签署《北部湾渔业合作协定》之后，2001 年，中越双方就协定组成部分的补充议定书举行了后续谈判，并召开了中越北部湾渔业联合委员会筹备会议。

（二）中日海洋法磋商

2001 年 12 月，中日举行了第 12 次海洋法磋商。中方继续就划界的公平原则、中国大陆架自然延伸至冲绳海槽、钓鱼岛的主权及资源共同开发等问题向日方做了阐述。日方继续坚持所谓的"中间线"原则和中日在东海共处同一大陆架的主张。另外，中方还就日本于 12 月 22 日在东海击沉一艘不明国籍船只事件表明了看法，强调维护东海和平安宁秩序的重要性。

（三）中韩海洋法磋商及《中韩渔业协定》正式生效

2001 年 5 月，中韩举行第六次海洋法磋商。双方就海域划界问题进一步交换意见，增进了对彼此的相互了解。

《中韩渔业协定》自 2000 年 8 月签署以后，中韩两国渔业和外交部门就实施协定的有关安排举行了多轮磋商，终于在 2001 年 4 月韩国海洋水产部次官访华期间达成一致。6 月 30 日，《中韩渔业协定》正式生效。

四、处理南中国海潜在冲突研讨会

2001 年 3 月，处理南中国海潜在冲突研讨会第 11 次会议在印尼举行。由于加拿大方面宣布停止资助研讨会，与会各方就研讨会未来走向及工作交换了意见，并决定继续推动南海生物多样性项目的实施，鼓励与会各方捐款支持实施此项目。8 月，研讨会特别会议在印尼举行。各方就研讨会总体评价、未来机制、项目实施等问

题进行了深入讨论。会议一致认为，研讨会应继续办下去，并应坚持现有制度和原则，决定建立特别基金并鼓励各方捐款。中国派人参加了上述会议，阐述了对研讨会的一贯原则立场。7 月，中国政府为实施生物多样性项目捐助了一万美元。

第 4 节　　中国与国际环境法

一、中国与《联合国气候变化框架公约》及《京都议定书》

2001 年是气候变化领域形势起伏跌宕的一年。由于美国政府于 3 月份公开宣布拒绝批准《京都议定书》（"议定书"），使得气候变化谈判的前景令人担忧。本年度相关活动主要包括《联合国气候变化框架公约》（"公约"）第六次缔约方会议续会和第七次缔约方会议，以及分别与该两次会议同时举行的公约两附属机构（即附属履约机构和附属科技咨询机构）第 14 届和第 15 届会议。以外交部、国家计委、科技部、农业部、财政部、国家环保总局、国家林业局、中国气象局等单位的人员组成的中国政府代表团出席了上述会议。此外，2001 年还举行了政府间气候变化专门委员会第 18 次全会（讨论通过了关于气候变化的科学、影响及社会经济分析的第三次评估报告）、关于"议定书第 5、7 和 8 条所涉问题"的研讨会、关于"政策与措施"的研讨会以及"气候变化与可持续发展关系"的研讨会等活动，中国政府均派人参加。

公约第六次缔约方会议续会于 7 月 16～27 日在德国波恩举行，其中 19～22 日为部长级会议，共有 181 个国家、254 个政府间国际组织和非政府组织及 332 家新闻媒体与会，参会人数近 5000 人。本次会议旨在完成第六次缔约方会议（海牙会议）未能完成的谈判。由于美国政府拒绝批准议定书，使得议定书前途未卜，会议进程备受关注。

会议各议题的谈判在海牙会议形成的案文（海牙案文）及会议

主席经与包括中国在内的主要谈判方磋商后于 2001 年 5 月拟就的
"主席案文"的基础上，主要在"七十七国集团加中国"、欧盟和
"伞型集团"三方间进行。其进程大体分为三个阶段：第一阶段由
各缔约方对"海牙案文"和"主席案文"提出一般性评论和意见；
第二阶段由部长级会议谈判制定名为"执行《布宜诺斯艾利斯行动
计划》核心要素"的政治协议（通称"波恩政治协议"）；第三阶段
是落实该政治协议的技术性谈判。

　　会议突出的成就表现为部长级会议通宵达旦达成的波恩政治协
议，该协议维护了议定书的框架，避免了气候变化谈判进程的破
裂，从而成为继 1997 年京都会议以来气候变化领域最重要的一次
会议。在资金机制问题上，协议规定建立三个基金，即在公约下建
立"气候变化特别基金"和"最不发达国家基金"，在议定书下建
立"适应性基金"，用于支持发展中国家能力建设及向发展中国家
提供技术转让等方面活动。欧盟、冰岛、加拿大、挪威、新西兰、
瑞士等国以政治声明的形式宣布到 2005 年每年提供 4.1 亿美元用
于支持发展中国家对付气候变化的有关活动。加拿大还宣布将通过
全球环境基金向"最不发达国家基金"捐款 1000 万美元作为启动
资金。在碳汇问题上，协议允许发达国家在第一承诺期（2008～
2012 年）以"森林管理"、"农田管理"、"牧场管理"和"植被重
建"活动作为其履行减排义务的方式；同时规定了上述碳吸收活动
的核算计量方法，并根据各国具体情况规定了各国在"森林管理"
活动方面（含"联合履行活动"）碳汇使用总量的上限；允许将碳
汇项目作为清洁发展机制项目，但限于造林和再造林活动，其使用
总量不能超过相应发达国家基准年排放量的 1% 乘以 5。在机制问
题上，协议对议定书三机制的原则、性质、范围、参与资格及管理
机构等核心问题作出规定；没有为附件一国家设置定量使用三机制
的上限，但要求提交相关报告并由遵约机构审议其是否以国内减排
行动为主；模糊处理了利用核能技术作为可能的联合履行项目和清
洁发展机制项目问题，并对小型项目的类型和规模作出规定；强调
附件一国家官方资助的清洁发展机制项目应额外于现有的官方发展

援助；规定清洁发展机制执行理事会由 10 名成员组成，其组成原则采用联合国公平地域分配原则和附件一与非附件一缔约方对等原则相折衷的方案。在排放贸易问题上，则规定附件一国家在承诺期内排放分配数量等的最低储备水平为 90%。在遵约问题上，协议对议定书遵约程序的基本原则、机构组成、决策程序和不遵约后果等核心内容作出规定：明确强制性后果只适用于附件一国家；强制性后果包括从下一承诺期的排放分配数量惩罚性扣减本承诺期超标排放量（第一承诺期惩罚系数为 1.3，以后承诺期系数另订）、制订"遵约行动计划"及中止通过排放贸易转让排放额度的权利，但取消了交纳罚金这一较严重后果；明确对遵约程序的设计要体现"共同但有区别的责任原则"，并要求该原则应体现在促进性分支机构的职能中；在机构组成上则充分体现了公平地域分配原则。

但是，在关于落实该协议的具体技术性谈判中，由于"伞型集团"国家在碳汇和遵约程序问题上要价过高，致使会议就相关问题达成一揽子决定的计划落空，有关问题被迫留待第七次缔约方会议解决。

公约第七次缔约方会议于 10 月 29 日至 11 月 9 日在摩洛哥马拉喀什举行。"9·11"事件虽对会议造成一定影响，但仍有 172 个国家、234 个政府间国际组织和 116 个新闻媒体与会，参会人数 4000 余人。中国派出了以国家计委副主任、国家气候变化协调小组副组长刘江为团长、外交部条法司副司长高风为副团长，由外交部、国家计委、科技部、农业部、财政部、国家环保总局、国家林业局、中国气象局和驻摩使馆等单位参加的政府代表团与会。

本次会议选举摩洛哥环境部长亚兹吉为大会主席。会议的主要任务是完成第六次缔约方会议续会未竟的工作，即结束关于落实波恩政治协议的技术性谈判。会议分为两个阶段：第一阶段是技术性谈判，力求完成各主要议题的谈判工作；第二阶段是会议最后三天召开的部长级会议，重点解决技术性谈判中陷入僵局的核心问题。经过艰苦工作，在"七十七国集团加中国"和欧盟为挽救议定书的命运表现出较为灵活态度的情况下，与会各方终于就波恩政治协议所涉各方面问题及其他相关问题达成一揽子协议，即"马拉喀什协定"，使得波恩政治协议得以具体落实，也使得议定书早日生效成为可能。

关于波恩政治协议所涉及议题的谈判主要包括机制、碳汇和遵约程序问题。在机制方面，会议就第六次缔约方会议续会未能达成协议的部分进行了谈判，最终就三机制的机构安排、运行程序、参与资格等主要问题达成了协议，为议定书三机制的启动奠定了基础。缔约方会议同意迅速启动清洁发展机制。在碳汇问题上，会议有关决定满足了俄罗斯提高波恩政治协议中为其规定的有关碳汇使用总量的要求，同时保留了其他附件一国家变动这一碳汇使用总量的可能性。在遵约方面，本次会议通过了有关遵约程序的案文，将遵约程序的后果是否具有法律约束力的问题提交议定书第一次缔约方会议决定。

会议还根据第55届联大有关决议，以决定方式通过了《马拉喀什部长级宣言》，以提交2002年可持续发展首脑会议。宣言重申了公约目标和相关原则，承认有必要对气候变化、生物多样性和防治荒漠化三个公约之间的关系以及与它们与可持续发展之间的联系进行研究，并要求本次会议主席和公约执行秘书继续参与首脑会议及其筹备进程。

此外，本次会议选举产生了清洁发展机制执行理事会和技术转让专家组。经激烈竞争，伊朗作为亚洲地区代表当选执行理事会正式成员，中国代表当选候补成员。会议还就议定书规定的信息报告及其审评制度、政府间气候变化专门委员会第三次评估报告、技术转让、能力建设、国家信息通报、政策措施、共同执行活动、资金等问题做出了决定。

二、中国与《联合国防治荒漠化公约》

《联合国防治荒漠化公约》（"公约"）于1994年6月17日在巴黎签署，1996年12月26日生效。中国于1994年10月14日签署该公约，1997年2月18日交存加入书，公约于1997年5月9日对中国生效。截至 2001 年 9 月 4 日，共有 176 个国家批准或加入了公约。

2001 年召开了两次缔约方会议。公约履约审查特设工作组会议于 3 月 19 日至 4 月 6 日在波恩召开，会议就各缔约方向第三、第四次缔约方会议提交的国家报告进行了审查、分析，并为进一步履行公约提出了具体建议。10 月 1～12 日公约第五次缔约方大会在日内瓦举行，其中 8～9 日为部长级会议，9～10 日为缔约国议员圆桌会议。会议主要审查了建立履约审查委员会的问题、秘书处 2002～2003 年度的预算增长以及全球环境基金（Global Environmental Facility, GEF）为公约开窗口等议题。

履约审查特设工作组会议按照公约 5 个附件的分类和顺序对非洲、亚洲、拉丁美洲和加勒比、北地中海以及中东欧地区共 98 个国家的行动计划依次进行了审查，并听取了 4 个次区域及一些发达国家和国际组织的报告。会议的结果提交 10 月第五次缔约方会议审议，并作为磋商建立履约审查机制的基础。

本次工作组会议的焦点问题主要有：要求 GEF 为公约开设窗口、在公约框架下建立履约审查委员会等。资金缺乏一直是公约履行不力的重要原因之一，公约筹资机构"全球机制"（Global Mechanism, GM）一直未能充分发挥其在筹资、融资方面应有的作用。中国代表团强调，解决问题的根本办法是发达国家为 GEF 提供"新的和额外的"资金支持。

出席 10 月召开的第五次缔约方会议的有 170 多个公约缔约方代表，30 多个政府间国际组织和 100 多个非政府组织。委内瑞拉、尼日尔、佛得角三国总统到会致辞。全国人大环境与资源委员会委员王涛出席了会间举行的缔约国议员圆桌会议。此会是 2002 年南非世界可持续发展首脑会议（WSSD）之前环发领域的一次重要会议，会议结果将是 WSSD 就荒漠化问题进行讨论和决策的基础。

此次会议主要成果包括：决定建立履约审查委员会（CRIC）作为缔约方大会的附属机构，在缔约方大会轮空年和缔约方会议期间举行会议；决定向 WSSD 提出建议，请 WSSD 根据共同但有区别责任原则，重申在防治荒漠化领域的政治义务以实现可持续发展。此外，经过激烈的谈判，会议决定秘书处 2002～2003 年的预算增长 12％，全球机制的预算增长 33％；发展中国家关注的区域协调机构（RCU）的资金预算是否纳入秘书处的核心预算一事被列入第六次缔约方大会的议程。"七十七国集团加中国"一直提出的在 GEF 设立荒漠化窗口问题，由于发达国家间的分歧，本次会议未能达成一致，但决定要求 GEF 和秘书处继续为此努力。

中国由外交部、国家林业局、国家环保总局等单位共同组团参加了会议。国家林业局李育才副局长率团与会并在部长级会议上发言，介绍了中国防沙治沙所取得的成就，中国荒漠化的现状及拟采取的政策措施。

三、中国与《关于消耗臭氧层物质的蒙特利尔议定书》

《关于消耗臭氧层物质的蒙特利尔议定书》（"议定书"）于 1987 年 9 月 16 日在加拿大蒙特利尔通过，1989 年 1 月 1 日生效。议定书旨在通过禁用和淘汰消耗臭氧层物质，保护人类健康和环境免受臭氧层变化引起的不利影响。中国于 1991 年 6 月加入议定书。

2001 年 10 月 16～19 日，议定书第 13 次缔约方会议在斯里兰卡首都科伦坡举行。109 个缔约方及一些政府间国际组织和非政府组织与会。会议分为筹备会议和高级别会议两部分。斯里兰卡总理出席了高级别会议开幕式并致短词。18 个国家的环境部长参加了高级别会议。

欧盟在会议上再次提出了旨在要求第五条国家（发展中国家）提前淘汰氟氯烃（HCFC）的议案，但在发展中国家的反对下未获通过。会议通过了 2003～2005 年增资研究工作大纲，并在发展中国家的强烈要求下成立了包括中国在内的增资谈判接触小组。会议最后通过了 32 项决定和《科伦坡宣言》。宣言呼吁第二条国家（发达国家）按时足额地向多边基金捐款，敦促第五条国家积极履行议定书规定的各项义务，指出了今后履约的重点领域，重申各缔约方将共同努力推动全球保护臭氧层工作取得更大进展。

由国家环保总局、外交部、国家经贸委和香港特别行政区政府人员组成的中国代表团参加了会议。中国当选为 2002 年度多边基金执行委员会的成员。

四、中国和《防止倾倒废物和其他物质污染海洋公约》及其《1996 年议定书》

为防止海洋倾废的蔓延和加剧，国际海事组织主持谈判，制订了《防止倾倒废物和其他物质污染海洋公约》（"公约"）。公约于 1972 年 12 月 3 日由 80 个国家的政府代表签署，于 1975 年 8 月 30 日生效。截至 2001 年 8 月 1 日，公约已有 78 个缔约国。中国于 1985 年 11 月 15 日加入公约，同年 12 月 15 日公约对中国生效。除通过正式条文确立缔约国的义务外，公约还明列 3 个附件，分别对"禁止向海洋倾倒的物质"、"需经特别许可才能倾倒的物质"和"需经一般许可即能倾倒的物质"作了详细规定。

随着全球经济的进一步发展，海洋面临的倾废压力日益加剧。1992 年环境与发展大会通过的《21 世纪议程》对防止倾废污染海洋提出了新的要求，同时建议对公约进行必要的完善。为此，1996 年召开的公约缔约国特别年会通过了旨在对公约规定进行补充和完善的议定书，即《1996 年议定书》。公约的修订过程反映出如下趋势：一是管辖范围扩大，如议定书的适用范围选择性地扩大到内水，且倾倒的规定包括了近海石油平台的弃置和推倒；二是倾废管理更加严格，采纳了所谓"反列名单"的方法和废物评价框架的体系。包括中国在内的 80 个国家签署了议定书，至 2001 年 8 月 1 日，已有 20 个国家批准了议定书。

2001 年 10 月 22～26 日，第 23 届缔约方会议在伦敦国际海事组织总部举行。国家海洋局、外交部以及香港特别行政区人员组成中国代表团出席了会议。会议对公约的管理与财务安排、履约、工业废物的倾倒以及议事规则修改等问题进行了讨论。财务问题的核心是国际海事组织是否继续向公约及其秘书处提供经费，巴西与玻利维亚曾向国际海事组织理事会提出将公约并入海事组织，但会议中对此建议分歧较大。关于履约问题，根据公约第 7 条第 3 款，由美国负责起草了"海上发现非法倾倒活动问题报告程序"草案，会议提请各国于 2002 年 4 月 30 日前对草案提出修改意见，提交下届会议讨论。会议还通过了伦敦公约议事规则修订稿和议定书议事规则草案。

五、中国与《关于持久性有机污染物的斯德哥尔摩公约》

在联合国环境规划署主持下，《关于持久性有机污染物的斯德哥尔摩公约》（"公约"）的外交大会于 5 月 21～23 日在瑞典首都斯德哥尔摩召开。来自 110 多个国家和近 20 个政府间和非政府国际组织共约 500 人出席。中国派出了以国家环保总局副局长祝光耀为团长，外交部、农业部、卫生部和国家经贸委等单位人员参加的政府代表团。

本次会议的主要任务是审议和通过公约最后文本，并开放供大会签署。会议分为两部分：5 月 21 日为筹备会议，主要讨论并确定了第五次政府间谈判委员会会议遗留下来的四个决议，以便与第五次、第六次政府间谈判委员会会议已通过的其他三个决议一道提交给全权代表会议审议；5 月 22～23 日为全权代表会议，审议并通过了公约和会议最后文件，并通过了《关于秘书处问题的决议》、《关于临时财务安排的决议》、《关于〈巴塞尔公约〉所涉问题的决议》、《关于临时安排问题的决议》、《关于能力援助网络的决议》、《关于因使用持久性有机污染物以及有意将之引入环境而引发的赔偿责任和补救问题的决议》等决议。在 5 月 23 日举行的签字仪式上，共有 91 个国家签署了公约，114 个国家签署了会议最后文件。

中国代表团团长祝光耀代表中国政府签署了公约文本和会议最后文件。

六、中国与《在国际贸易中对某些危险化学品和农药采用事先知情同意程序的鹿特丹公约》

《在国际贸易中对某些危险化学品和农药采用事先知情同意程

序的鹿特丹公约》（"公约"）于 1998 年 9 月 10 日在荷兰鹿特丹举行的全权代表会议上通过。公约旨在促进危险化学品的进口国和出口国分担责任和开展合作，保护人类健康和环境免受某些危险化学品的危害。截至 2001 年年底，公约尚未生效。

2001 年 10 月 8～12 日，公约政府间谈判委员会第八次会议在意大利首都罗马举行。115 个国家的代表、一些联合国机构和政府间及非政府组织的观察员出席了会议。

本次会议主要讨论了缔约方大会的议事规则草案、争端解决程序、财务细则和财务规定草案、不遵守情势等问题。会议就缔约方大会的会议周期和非政府组织参加会议的程序问题达成了一致，但未能解决各方在就实质性事项做出决定的方式问题上的分歧。会议就不遵守情势问题进行了一般性辩论，各方分歧较大，同意将此问题交下次会议讨论解决。关于财务细则和财务规定草案，由于草案基本上参照了其他环境公约的有关内容，因此多数条款未经讨论就获通过，但有关捐款分摊比额和特别信托基金的使用范围因存在分歧待由下次会议继续审议。

由国家环保总局、外交部、农业部、外经贸部、海关总署和香港特别行政区政府人员组成的中国代表团参加了会议。

七、中国与《濒危野生动植物种国际贸易公约》

《濒危野生动植物种国际贸易公约》（"公约"）是旨在通过控制贸易来保护濒危野生物种的国际公约。公约共有 25 条、3 个附件（即控制贸易的动植物名单），建立了野生动植物国际贸易的控制体系。它于 1973 年通过，1975 年生效，目前共有 155 个缔约方。中国于 1981 年 1 月 8 日递交加入书，公约 1981 年 4 月 8 日起对中国生效。

公约常委会第 45 次会议于 2001 年 6 月 18～22 日在法国巴黎举行。中国是本届常委会副主席和常委会亚洲地区代表。中国代表团由国家林业局、外交部、香港特别行政区的代表组成。

公约常委会会议是缔约国大会休会期间的高级别会议，所涉及

的议题多为公约重大问题。本次会议就公约发展战略计划项目、财
务管理、建立公约执行委员会、附录Ⅱ物种大宗贸易、时间敏感性
研究标本贸易、公约附录修订标准、敏感物种保护与贸易等议题进
行了审议并做出相关决议。按照议事规则，常委会会议不允许非政
府组织参加，但本次会议的第二天特别安排一小时允许非政府组织
代表入场就虎、熊、鲟鱼保护等问题发表意见。在附录Ⅱ物种大宗
贸易审议中会议对中国的滑鼠蛇和姆鳇鱼贸易做出了决议。中国代
表团在会上积极宣传了中国在虎、藏羚羊保护方面的成就，并希望
有关组织对藏羚羊保护提供援助。

八、中国与《卡塔赫纳生物安全议定书》

　　1992 年 5 月签署、1993 年 12 月生效的《生物多样性公约》
（"公约"）第 19 条要求各缔约方制订一项议定书，以规范给生物多
样性及其组成可能造成负面影响的改性活生物体（LMOs）的运
输、处置及使用行为。从公约第一次缔约方大会起，各国代表即就
此议题进行讨论。1994～1995 年，相继建立了不限名额的生物安
全专家组和特设工作组。1996～1999 年间召开了六次工作组会议，
基本形成了《生物安全议定书》框架文本。

　　2000 年 1 月 24～28 日，公约缔约方特别会议续会在加拿大蒙
特利尔召开。132 个缔约国的代表及 5 个非缔约国及 120 个国际组
织派观察员出席了会议。与会各方围绕会议的核心议题，诸如议定
书的适用范围、议定书与其他国际协议的关系、事先通知同意程
序、LMOs 船载文件等问题展开了激烈的谈判，最终通过了《卡塔
赫纳生物安全议定书》（"议定书"）。

　　2000 年 5 月 15～26 日，在肯尼亚召开了公约缔约方第五次会
议及其部长级会议，会间，67 个国家和欧盟签署了议定书，截至
2001 年 9 月，共有 103 个公约缔约方签署了议定书，7 个缔约方批
准或加入了议定书。中国于 2000 年 8 月 8 日签署了议定书。

　　2001 年 10 月 1～5 日，议定书不限名额政府间委员会第二次
会议在肯尼亚内罗毕举行。来自 123 个公约缔约方的代表和 3 个非

缔约方政府、9 个联合国机构以及 18 个政府间及非政府间的观察员代表出席了会议。由国家环保总局、外交部和香港特别行政区代表组成的中国代表团参加会议。会议继续对涉及议定书生效和实施准备工作的信息交流、能力建设、专家名录、决策程序、LMOs 的处理、运输、包装和标志以及遵约等问题进行了讨论。

九、中国与《烟草控制框架公约》

2001 年 4 月 30 日至 5 月 5 日和 11 月 22～28 日，由世界卫生组织推动并主持召开的《烟草控制框架公约》（"公约"）政府间谈判机构第二次和第三次会议在瑞士日内瓦举行。150 多个国家派代表团、一些政府间国际组织和非政府组织派观察员参加了会议。

随着谈判的逐步深入，发达国家与发展中国家，产烟大国与非产烟国在公约草案具体条款上的立场分歧日渐明显。谈判焦点越来越集中于对各国财政、税收、贸易和烟草业等方面造成较大影响的有关条款上。关于烟草控制与国际贸易问题，多数国家认为当控烟与贸易自由化发生冲突时，应优先考虑公众健康；关于监测与报告机制、烟草种植替代等问题，发展中国家强调在资金、技术和能力建设方面需得到国际社会的援助，而发达国家态度消极；关于广告与包装，一些控烟激进国要求公约规定全面禁止一切形式的直接和间接烟草广告；关于财务机制，发展中国家要求设立新的全球多边基金，而发达国家则表示应利用现有资源；关于责任与赔偿，多数国家认为这是个复杂问题，国际法和国内法也缺乏依据和实践，应简约处理，但一些国家要求从详从细处理；关于议定书问题，多数国家反对现在启动议定书的谈判，认为应在公约谈判完成或生效后由缔约方会议决定何时进行谈判。

由国家计委、卫生部、国家经贸委、外交部、财政部、国家税务总局、工商总局和国家烟草专卖局等共同组成的中国代表团出席了会议。

第5节　中国与国际人权法律文书

一、《〈禁止酷刑和其他残忍、不人道或有辱人格的待遇或处罚公约〉任择议定书》的起草

2001 年 2 月 12 日～23 日，联合国《〈禁止酷刑和其他残忍、不人道或有辱人格的待遇或处罚公约〉任择议定书》起草工作组第九次会议在日内瓦举行。本工作组是 90 年初在西方推动下建立的，旨在通过制定一项任择议定书，建立起对缔约国羁押场所进行强制性查访的国际预防机制。对此，中国、埃及和古巴等发展中国家坚持国家主权原则，反对强制性的查访制度，美国、日本等也有所保留，西方及受西方人权观影响较大的拉美国家则力主强制性的国际查访制度。双方立场对立，谈判一直难获实质进展。为打破谈判僵局，原支持西方的拉美国家在本次会议上调整了立场，以墨西哥代表团的名义提出了新的妥协案文，主张缔约国自建查访机制，负责监督本国的羁押场所，国际机制的主要作用在于支持和监督国家机制的活动。与会代表就墨西哥的提案进行了讨论，中国、埃及、美国及拉美国家均支持以墨西哥的新案文为进一步谈判的基础，欧洲国家则对此十分不满，并通过瑞典代表团提出了一套新案文，仍主张强制性的国际查访机制。最后，上述两案文均作为本次会议报告的附件交由第 57 届人权会审议。

二、中国执行《消除一切形式种族歧视国际公约》第八、九次报告审议情况

2001 年 7 月 31 日和 8 月 1 日，联合国消除种族歧视委员会审议了中国关于《消除一切形式种族歧视国际公约》执行情况的第八、九次合并报告，8 月 9 日宣布了结论和建议。该报告是中国政府于 2000 年 10 月提交的。全文包括三个部分：中央政府撰写的主

体报告、香港特别行政区撰写的香港特区的履约情况和澳门特别行政区撰写的澳门特区履约情况。由中央政府代表和港、澳两特区政府代表组成的中国代表团参加了会议。

　　审议是在较为平和与合作的气氛中进行的。在审议过程中，中央政府的代表结合中国近年来民族地区各项事业的新发展，特别是西部大开发战略及其实施情况，介绍了执行消除种族歧视公约的进展，并回答了委员们提出的问题。关于香港、澳门特区执行公约的情况，由来自香港、澳门特区政府的代表向委员会作了介绍并回答了委员们提出的问题，较好地体现了"一国两制"的原则，给委员们留下深刻印象。委员会对于中国在执行公约方面取得的进展给予充分肯定，并对中国与委员会的良好合作表示赞赏，认为中国报告的撰写完全符合委员会的要求，同时也对中国今后执行公约提出了建议。

第 6 节　涉及香港和澳门的条约与法律工作

一、涉港条约法律工作

（一）涉港国际公约方面

　　1. 处理香港回归前后国际公约适港的遗留或后续工作。向公约保存机关明确公约适港，如《在可塑性炸药上作标记以供侦察的公约》生效后，中国政府及时就香港适用公约通知了有关方面。

　　2. 处理公约如何在港实施的问题，如审核特区就履行《关于禁止发展、生产、储存及使用化学武器以及销毁此类武器的公约》的立法草案。

　　3. 对中国已参加的公约扩展适港办理手续，如《国际油污防备、反应和合作公约》。

　　4. 与港方探讨其欲参加公约的具体问题，如《国际商标注册马德里议定书》将来如适港的具体实施办法。

5. 处理中国拟参加的非外交、国防类公约的问题，一是就公约是否适港征求特区意见，二是在中国递交参加公约文件时声明公约适港，如《巴塞尔公约》修正案、《关于对轮式车辆、可安装和/或用于轮式车辆的装备和部件制订全球性技术法规的协定》。

6. 中华人民共和国中央政府作为特区履行国际公约的产生的权利与义务的承担者，继续为特区履行中国已参加或中国未参加但适用于香港的劳工公约、麻醉品公约以及人权公约等向公约保存机关递交报告、转发数据与资料，安排特区代表参加中国代表团出席公约机构向有关特区提交报告的审议会议。

（二）涉港双边条约方面

1. 从 2000 年至 2001 年底，中央政府依据基本法授权香港特区政府对外谈签了包括民航、司法协助、投资保护等方面的双边协定 15 项，并将香港与德国、南非等 19 个国家签订的双边民航协定向联合国和国际民航组织进行了登记。

2. 处理中国对外签订的双边条约适用于香港的问题。如，经征求香港特区政府意见，并商缔约对方同意，中印（印度）领事条约已适用于香港特区。

（三）涉港其他法律事务

1. 应特区要求，出具特区所指人员是否享有外交特权与豁免的证明；办理香港对外司法协助案件等。

2. 就中国政府对外签订的双边协定，如避免双重征税协定、投资保护协定等是否适用于香港特区答复有关国家。

二、涉澳条约法律工作

（一）涉澳国际公约方面

1. 处理澳门回归前后国际公约适澳的遗留或后续工作，如与特区就未行动公约适澳的处理办法达成了一致，开始逐项办理。

2. 处理公约如何在澳实施的问题，如与特区初步探讨履行《关于禁止发展、生产、储存及使用化学武器以及销毁此类武器的公约》。

3. 对中国已参加的公约扩展适澳办理手续，如《国际油污防备、反应和合作公约》。

4. 处理中国拟参加的非外交、国防类公约的问题，一是就公约是否适澳征求特区意见，二是在中国递交参加公约文件时声明公约适澳，如《巴塞尔公约》修正案、《关于对轮式车辆、可安装和／或用于轮式车辆的装备和部件制订全球性技术法规的协定》。

5. 中央政府作为特区履行国际公约的产生的权利与义务的承担者，为特区履行中国已参加或未参加但已适用于澳门的劳工公约、麻醉品公约以及人权公约等向公约保存机关递交报告、转发数据与资料，安排特区代表参加中国代表团出席公约机构对有关特区提交报告的审议会议。

6. 回答有关国家就公约适用澳门提出的问题，如 1958 年《关于解决国家与他国国民投资争端公约》等。

（二）涉澳双边协定

1. 从 2000 年至 2001 年，中央政府依据基本法授权澳门特区政府与葡萄牙谈签了投保协定，与巴基斯坦等四国谈签了民航协定。

2. 处理中国对外签订的双边条约适用于澳门的问题。如，经征求澳门特区政府意见，并商缔约对方同意，中印（印度）领事条约已适用于澳门特区。

第 7 节　中国的领土边界事务

一、中哈勘界工作

2001 年，中国与哈举行了三次联委会会议和五次专家会晤，与哈方就勘界议定书所有条款达成一致，并审核有关地图和勘界成果。2002 年 1 月，中哈双方草签了《中哈国界叙述议定书》及其附图。

二、中吉勘界工作

2001 年，中吉勘界工作全面展开，野外勘界工作顺利进行。与吉方举行了一次联委会会议和一次专家会晤，制定了野外勘界工作的法律文件，审查了第一批野外勘界成果，并着手准备起草《中吉国界叙述议定书》。

三、中越陆地边界勘界工作

2001 年，中越双方举行了两次联委会会议和一次首席代表会晤，双方已基本完成勘界法律文件的起草，并商定了 1500 多个预设界碑的位置。2001 年 12 月 27 日，中越双方分别在中国东兴——越南芒街口岸同时举行了立碑揭幕仪式，标志着两国陆地边界实地勘界工作的正式启动。

四、中蒙边界第二次联合检查

2001 年 4 月，与蒙方举行了专家会晤，确定于年内完成中蒙边界联合航空摄影工作，为中蒙联检做好准备。7～9 月，联合航摄工作顺利完成。10 月底，双方召开联委会第一次会议，商定了联检所涉及的大部分法律文件。

五、中朝边境口岸协定谈判

经过与朝方的三轮谈判，2001 年 11 月，中国副外长李肇星与朝鲜副外相姜锡柱在平壤签署了《中朝边境口岸及其管理制度的协定》。

六、中俄朝三国交界点

2001 年 12 月，中国与俄罗斯、朝鲜就三国国界交界点举行了第九轮会谈，完成了中俄朝三国国界交界点叙述议定书的起草工作，并草签了议定书。

七、中哈跨界河流谈判

2001 年，中哈双方举行了两轮跨界河流专家磋商，完成了中哈跨界河流利用和保护协定的起草工作。2001 年 9 月，朱总理在访哈期间与哈总理托卡耶夫签署了《中华人民共和国政府和哈萨克斯坦共和国政府关于利用和保护跨界河流的合作协定》。

八、中国同老挝边界制度条约执行情况会谈

2001 年 7 月，中老双方在北京举行了中老边界制度条约联合执行工作委员会第二次会谈，回顾了一年来中老边界制度条约及其补充议定书的执行情况，就加强口岸管理与边境秩序、维护边界线清晰、推动经贸往来与合作等问题达成一致。

九、中国同缅甸边界管理与合作协定执行情况会谈

2001 年 11 月，中缅双方在北京举行了中缅边界管理与合作协定执行情况第三轮司局级会晤，回顾了一年来协定执行情况，就加强口岸建设和管理、规范劳务输出和招募、防范和打击枪毒犯罪、落实边境对等联系制度以及尽快修复受损界桩等进行了商谈，取得了积极的成果。

十、中俄航行例会及双方年度例行联合检查

2001 年 4 月，中俄双方在莫斯科举行了第 43 次航行例会，双方认真回顾了 2000 年一年的工作，并于 8 月进行例行界河联合检查。

第 8 节　中国同外国的司法协助与法律合作

一、中国与外国缔结司法协助条约和引渡条约的现状

（一）中外缔结司法协助条约的现状

根据双边的司法协助条约、引渡条约和移管被判刑人条约相互

请求和提供协助，是中国开展对外司法合作的主要形式。自 1985 年至 2001 年 12 月底，中国已与 38 个国家缔结了 54 个司法协助条约、引渡条约及移管被判刑人条约。这些条约涉及民商事司法协助、刑事司法协助、引渡及移管被判刑人四个方面的事项。其中生效的 41 个，已签署尚未生效的 13 个。2001 年生效的条约有：《中华人民共和国和老挝人民民主共和国关于民事和刑事司法协助的条约》（2001 年 12 月 15 日生效）、《中华人民共和国政府和美利坚合众国政府关于刑事司法协助的协定》（2001 年 3 月 8 日生效）。

（二）2001 年中国与外国缔结双边司法协助条约的情况

2001 年，中国对外司法合作双边条约的缔结工作有较大的进展。本年度中，中国与阿根廷签署了民商事司法协助条约；与乌克兰签署了移管被判刑人条约；与老挝草签了引渡条约；与南非、菲律宾、秘鲁和突尼斯签署了引渡条约。具体情况如下：

1.《中华人民共和国和阿根廷共和国关于民事和商事司法协助的条约》

3 月 12～16 日，中方代表团和阿方代表团在布宜诺斯艾利斯就缔结本条约进行了谈判，就条约的全部条款达成一致。4 月 9 日，中国外交部副部长李肇星和阿根廷外交部长阿达尔维托·罗德里格斯·贾瓦里尼在布宜诺斯艾利斯正式签约。

2.《中华人民共和国和乌克兰关于移管被判刑人的条约》

3 月 26～31 日及 7 月 2～6 日，中方代表团和乌方代表团分别在北京和基辅就缔结本条约举行了谈判，并就条约的全部条款达成一致。7 月 21 日，中国外交部副部长张德广与乌克兰司法部长斯坦尼克在基辅正式签约。

3.《中华人民共和国和老挝人民民主共和国引渡条约》

7 月 16～20 日，中方代表团和老方代表团在北京就缔结本条约进行了谈判，就条约的全部条款达成一致，并于 7 月 20 日草签了条约。

4.《中华人民共和国和南非共和国引渡条约》

9 月 3～7 日和 11 月 5～9 日，中方代表团和南非代表团分别在比勒陀利亚和北京就缔结本条约进行了谈判，就条约的全部条款达成一致。12 月 10 日，中国司法部长张福森和南非司法部长佩纽尔·马杜纳在北京正式签约。

5.《中华人民共和国和菲律宾共和国引渡条约》

9 月 27～28 日，中方代表团和菲方代表团在马尼拉进行了谈判，就条约的全部条款达成一致。10 月 30 日，中国外交部部长唐家璇和菲律宾司法部长赫尔南多·佩雷斯在北京正式签约。

6.《中华人民共和国和秘鲁共和国引渡条约》

11 月 5 日，中国外交部部长助理周文重和秘鲁外交部副部长曼努埃尔·罗德里格斯·夸德罗斯在北京正式签约。

7.《中华人民共和国和突尼斯共和国引渡条约》

11 月 19 日，中国外交部部长唐家璇和突尼斯外交部长哈比卜·本·叶海亚在北京正式签约。

二、中国与《联合国反腐败公约》

随着经济全球化的发展，腐败犯罪日益严重，并呈现出跨国、跨地区的发展趋势，引起了国际社会普遍关注。加强国际合作以便更有效地打击腐败犯罪，成为国际社会的共同呼声。20 世纪 90 年代以来，国际性、区域性的反腐败法律文书层出不穷。2000 年 12 月，联大通过决定，成立"特设委员会"谈判制订"反腐败国际法律文书"。

2001 年 7 月 30 日至 8 月 3 日，联合国制订"反腐败国际法律文书"的专家组会议在维也纳召开。95 个国家的代表和一些政府组织及非政府组织的代表出席了会议。本次会议的目的是为将来的谈判拟订"工作范围草案"，以确定谈判的基本方向、框架和内容。经过四天的讨论，与会代表以协商一致的方式对谈判工作范围草案达成一致，决定将该法律文书暂定名为《联合国反腐败公约》，并对公约主要内容拟订了"要素清单"，包括定义、适用范围、保护主权、预防措施、国际合作、预防和打击腐败分子非法转移资金及返还上述资金等。总的看来，该清单综合反映了各国要求和关注，也符合联合国同类公约的基本框架。

2001 年 12 月 10～14 日，《联合国反腐败公约》特设委员会筹委会会议在布宜诺斯艾利斯举行，包括中国在内的 56 个国家的代表出席了会议。会议将 26 个国家提交的反腐败公约草案进行了归纳、整理，形成了作为特委会工作基础的合并案文。

三、中国与海牙国际私法会议

2001 年 6 月 4～22 日，海牙国际私法会议在海牙召开第 19 次外交大会第一阶段会议，谈判起草《民商事管辖权和外国判决的承认和执行公约》。中国外交部、最高人民法院、外经贸部、国家知识产权局及驻荷兰使馆共同组团参加了上述会议，香港和澳门特别行政区的官员作为中国代表团成员出席了外交会议。

纵观此次外交大会，欧美立场依然严重对立，双方在法律规则方面的分歧不但没有得到调和，反而进一步加深，显示出双方在政策层面存在深刻矛盾较难妥协。为此，澳大利亚、新西兰等国建议缩小公约范围，仅就可以达成协商一致的内容制订公约。这不仅极大地缩小公约范围，而且实质上使美国扩张管辖权的做法得到保存，未被禁止，因此，遭到欧洲拒绝。谈判陷入僵局。会议最后虽然产生了替代 1999 年临时草案的"初步案文"，但绝大多数条款均未取得协商一致，且内容更加复杂，年底如期达成一个可以得到普遍接受公约的目标难以实现。鉴此，会议决定，推迟原拟于 2001 年底召开的第二阶段外交大会至 2002 年底以后，并于 2002 年初适当时间在海牙重新召开"政策和总务委员会"，就公约谈判的基本走向重新作出政策选择：选择之一，继续按照目前"初步案文"的结构，保证公约内容全面、广泛。但美国认为，如果欧美在是否禁止美扩张管辖权等政策问题上的矛盾仍不能调和，即使欧洲国家凭借数量优势强行通过公约，则必将美国拒之门外，影响公约的普遍性和实际效果。选择之二，回避矛盾，缩小公约范围。这意味着欧盟对美做出实质性让步，同意不明确禁止美扩张管辖权的做法。可见，管辖权公约的谈判目前正处在十字路口，前景迷茫。为此，会议要求各国继续进行广泛磋商，努力达成一致。

中国代表团积极参加了草案条款的讨论，并根据中国的相关法律制度和实践，提交提案，支持符合中国法律实践和利益的观点，并相继分别与欧盟、美国就公约谈判的未来方向举行非正式磋商。

此次会议还就海牙国际私法会议的全球化战略发展计划以及如何解决相应的财政匮乏问题进行了讨论，并就 2002 年的工作计划作出初步安排。

第十三章

中国对外领事关系

　　2001 年，中国对外领事关系进一步发展，为中国经济建设、改革开放、维护国家安全和外交工作的开展做出了新贡献，为保护国家和公民及法人的合法权益发挥了积极作用。一年来，中国同南斯拉夫、欧盟等 12 个国家和组织进行了领事磋商或会晤；同尼泊尔等 10 个国家就互设领馆和扩大双方原有领馆领区范围达成协议；同印度就中印领事条约适用香港和澳门特区事达成协议；外交部领事司和全国各地外事办公室为因公出国人员颁发护照 46 余万本；外交部领事司办理因公出国签证 17 万人次，办理公证、领事认证 20 余万件，转递司法文书 580 余份，协助处理涉外案件 500 余起。中国驻外使领馆及驻香港、澳门特派员公署为外国来华人员办理各种签证 437 余万人次，比 2000 年增长6.5%。

第 1 节　领事磋商情况

　　2001 年，中国本着友好协商、促进合作的态度，继续与有关国家和组织就双边和多边领事事务进行了磋商或会晤，就各自关心的问题坦诚、深入地交换了意见，积极寻商，中国与有关国家增进了相互了解和信任，领事关系得到了进一步加强。

2 月 20 日，外交部领事司司长钟建华率团与欧盟代表团在北京就非法移民问题举行第二次会谈。双方就非法移民遣返、中国公民申办欧盟国家签证难和入境受阻，以及中国与欧盟合作等问题坦诚友好地交换了意见。为具体落实此次会谈所达成的共识，6、7 月间，中国与欧盟方面专家组进行了互访。11 月 16 日，双方再次就甄别伪造证件等问题在北京举行了研讨会。

3 月 14 日，领事司副司长陈小玲与应邀来访的乌克兰基辅边防检查站站长古利克少将一行举行工作会谈。双方就中乌两国人员往来中存在的问题交换了意见。

3 月 17 日，以外交部领事司司长钟建华为团长的中国领事代表团与以南斯拉夫外交部领事总局代局长祖洛瓦茨为团长的南斯拉夫领事代表团在北京举行首次领事磋商。双方就保护本国公民在对方国家的合法权益、共同打击非法移民，以及在南中国公民居留签证延期等问题交换了意见。

4 月 6 日，以外交部领事司司长钟建华为团长的中国领事代表团与以波兰外交部领事司司长克烈迈尔为团长的波兰领事代表团在北京就修改两国互免签证协定及中国公民申办赴波签证难等问题举行领事磋商。

4 月 28 日，以外交部领事司司长钟建华为团长的中国领事代表团与以匈牙利外交部领事司司长哲尔吉为团长的匈牙利领事代表团在北京举行第五轮领事磋商。双方就签证、非法移民和申请居留等问题，以及加强两国在旅游、共同打击犯罪等领域的合作等事宜交换了意见。

5 月 15 日，以外交部领事司司长钟建华为团长的中国领事代表团与以哈萨克斯坦外交部领事局局长卡努尔马耶夫为团长的哈萨克斯坦领事代表团在阿斯塔纳举行中哈第七轮领事磋商。双方就保护本国公民在对方国家的合法权益、中国公民赴哈签证难以及边境口岸等问题交换了意见，并签署《会谈纪要》。

5 月 16 日，以外交部领事司司长钟建华为团长的中国领事代表团与土耳其外交部领事、法律及不动产总司长埃尔坎·盖泽尔大使为团长的土耳其领事代表团在安卡拉举行中土第三轮领事磋商。双方就修改中土互免签证协议、非法移民等问题交换意见，并签署了《会谈纪要》。

6月15日，以外交部领事司副司长陈小玲为团长的中国领事代表团与以澳大利亚外交部领事司副司长伊恩·凯米什为团长的澳大利亚领事代表团在堪培拉就《中澳领事协定》执行情况、中澳相互扩大领区，以及双重国籍、签证等问题交换了意见。

6月22日，以外交部领事司副司长罗田广为团长的中国领事代表团与以蒙古外交部法律领事局副局长贡·色色尔为团长的蒙古领事代表团在北京举行了中蒙第六轮领事磋商。双方就双边领事关系和边界口岸管理方面存在的问题坦诚地交换了意见并签署了《会谈纪要》。

9月10日，以外交部领事司司长钟建华为团长的中国领事代表团与日本外务省领事移住部部长小野正昭为团长的日本领事代表团在北京举行中日第九轮领事磋商，就合作打击跨国犯罪、中国公民赴日旅游、居留、签证和签订中日领事协定等问题交换了意见，并达成共识。

11月20日，以外交部领事司司长钟建华为团长的中国领事代表团与以俄罗斯外交部领事局局长卡捷涅夫为团长的俄罗斯领事代表团在北京举行第七轮中俄领事磋商。双方就保护本国公民合法权益、《中俄公民往来协定》执行情况、中俄互设领事办公室等问题深入交换了意见并签署了《会谈纪要》。

11月27日，以外交部领事司司长钟建华为团长的中国领事代表团与以韩国外交通商部领事局局长金庆根为团长的韩国领事代表团，在汉城就保护本国公民合法权益、出入境、非法滞留、渔业纠纷及共同关心的问题举行第六轮领事磋商。

第 2 节　中国同外国
签订设立领事机构协议情况

2 月 6 日，中国外交部与尼泊尔王国驻华大使馆就尼泊尔驻香港总领事馆领区扩大至澳门事，以互换照会形式在北京达成协议。

3 月 8 日，中国外交部与坦桑尼亚联合共和国驻华大使馆就坦在广州委派名誉领事事以互换照会形式在北京达成协议。

4 月 5 日，中国与巴林国就巴在香港特区设立名誉领事馆事在北京以互换照会方式达成协议。根据协议，巴驻香港名誉领事馆的领区为香港特别行政区。

4 月 13 日，中国驻塞舌尔共和国大使馆与塞舌尔外交部就塞在北京委派名誉领事事，以互换照会形式在维多利亚达成协议。

7 月 2 日，中国外交部与丹麦王国驻华大使馆就丹驻上海总领事馆领区扩大至江西省事，以互换照会的形式达成协议。

7 月 17 日，中国外交部与澳大利亚驻华大使馆就澳驻上海总领事馆领区扩大至江西省和湖北省；澳驻广州总领事馆领区扩大至福建省和湖南省，以及中国驻墨尔本总领事馆领区扩大至塔斯马尼亚州事，在北京以互换照会形式达成协议。

9 月 5 日，中国外交部与莱索托王国驻华大使馆就莱在香港特区设立名誉领事馆事，在北京以互换照会形式达成协议。根据协议，莱驻香港名誉领事馆的领区为香港特区。

9 月 21 日，中国外交部与尼日尔共和国驻华大使馆就尼在广州委派名誉领事事，在北京以互换照会形式达成协议。

9 月 28 日，中国与中非共和国就中非在香港设立名誉领事馆事，以互换照会形式在北京达成协议。根据协议，中非驻香港名誉领事馆的领区为香港特区。

10 月 29 日，中国与菲律宾共和国就菲在上海设立总领事馆事，以互换照会形式在北京达成协议。根据协议，菲在上海设立总领事馆，领区为上海市、江苏省、安徽省和湖北省。中方保留在菲设领的权利，设领地点和领区范围将通过外交途径另行商定。

第3节　中国同外国签订
领事条约适用港澳特区协议情况

6月27日，中华人民共和国政府与印度共和国政府就《中华人民共和国和印度共和国领事条约》[*]适用香港特区和澳门特区事，以互换照会形式在北京达成协议。该协议自2001年7月28日起生效。这是中外首次就1997年7月1日前签订的领事条约适用香港、澳门特区问题达成的协议。

第4节　办理外国驻华领事馆事务

根据《维也纳领事关系公约》、中外双边领事条约、中外设领协议和国际惯例，中国外交部和有关地方政府对外国驻华领事馆的设立及其领事官员执行职务提供了便利和必要的协助。

2001年，外交部领事司会同有关地方人民政府外事办公室为乌克兰驻上海总领事馆、韩国驻广州总领事馆和牙买加驻上海名誉领事馆的设立及开馆提供了协助；为挪威、智利、乌克兰、以色列、西班牙、瑞士、澳大利亚、丹麦驻上海总领事，泰国、韩国、日本、荷兰、波兰驻广州总领事，蒙古国驻呼和浩特总领事，新加坡驻厦门总领事，日本驻沈阳总领事，挪威、秘鲁、韩国、奥地利、泰国、新西兰、西班牙、希腊、波兰、德国、澳大利亚、越南、以色列、捷克、加拿大、土耳其、葡萄牙驻香港总领事，牙买加、摩纳哥驻上海名誉领事，哈萨克斯坦、莫桑比克、塞舌尔、巴

＊　中印领事条约于1991年12月13日在印度新德里签订，1992年10月30日生效。

林、卢旺达、蒙古国驻香港名誉领事，英国驻澳门名誉领事办理了馆长身份承认手续，并分别颁发了《领事证书》和《名誉领事证书》。

第 5 节　协助处理涉外案件

2001 年，中国外交部本着进一步巩固和发展同各国友好关系的外交方针，继续积极配合并协调各主管部门，依照中国法规及国际公约、双边条约，及时妥善处理了大量涉外案件，较好地维护了中国国家主权和中外公民的合法权益，为保障中外关系的进一步发展和人员交流发挥了积极作用。

第 6 节　领事保护

2001 年，在国际各种突发事件不断发生的情况下，中国外交部和驻外使领馆认真履行职责，采取一切措施，加大领事保护力度，积极稳妥地维护中国法人和自然人的合法权益，收到较好效果。

4～5 月，在南斯拉夫注册的中资公司"菲昂国际贸易公司"，先后自国内招去 40 余名劳务人员，但迟迟不为劳务人员办理居留登记等手续，还借故拖欠、克扣工资，致使工人蒙受精神和物质损失。中国驻波德戈里察总领馆及时关心并在生活上给予协助，稳定了工人们的情绪。外交部领事司及时与其国内派出部门联系，要求他们采取必要措施，保护工人的合法权益。截至 2001 年 12 月 31 日，尚未办妥居留手续的人员被全部安排回国。

6 月 20 日，中国电力技术进出口公司驻菲律宾人员张忠强被菲反政府武装绑架。8 月 12 日，张忠义、薛兴、王胜利等中方人员在营救张忠强时再遭绑架。8 月 19 日，张忠强、薛兴在菲政府军解救人质的行动中遇难，王胜利生还。此案受到中菲两国政府的高度重视，经有关各方共同努力，10 月 19 日，张忠义安全获救，23 日回国。

7 月 3 日，俄罗斯一客机在伊尔库茨克地区坠毁，机上 12 名中国公民遇难。事发后，外交部即指示中国驻俄使馆及驻哈巴罗夫斯克总领馆派人前往出事地点，协助俄方处理善后事宜。外交部领事司同时为协助遇难家属赴俄做了大量工作。经过国内外的通力合作，遇难者遗体于 10 日被平安运回国内。

7 月 20 日，中海海员对外技术服务有限公司 7 名外派劳务船员，因涉嫌在公海航行时将船上偷渡者赶下船而被巴西警方扣留。中国驻巴西使馆得知后即派员前往探视船员，并要求巴警方给予被扣人员人道主义待遇。在使馆的进一步关注下，案件很快获得解决，被扣船员获释回国。

9 月 11 日，美国纽约、华盛顿等地遭受恐怖主义袭击后，外交部领事司立即开通了 24 小时值班热线电话，协助海内外中国公民查询在纽约、华盛顿亲友的下落情况。领事司还与驻美使、领馆保持密切联系，随时了解在美中国公民的最新情况，并通过外交部网站发布消息，同时协调国内外有关部门，为遇难中国公民的国内亲友赴美处理善后事宜提供协助。中国驻美使、领馆通过各种方式了解在美中国公民包括港、澳、台同胞的安全情况，派领事官员看望在美遇难中国公民的亲属、中资机构人员、留学人员、华侨华人和旅美团组等，及时向因航班延误滞留机场和饭店的中国乘客提供必要的协助。

9 月 23 日，中国公民马卫东在也门共和国遭绑架。中国外交部和驻也使馆多方开展工作，最终在也政府的配合下，马于 10 月 18 日安全获救。

10 月 7 日，60 名福建和东北三省籍人搭乘韩国"泰仓 7 号"渔船偷渡国外。次日，其中 25 人因在渔船冷冻舱内窒息死亡而被船抛入海中。事发后，中方立即向韩方进行交涉，要求韩方查清案件，严惩肇事者，尽快打捞遇害者尸体。同时与韩方积极展开打击偷渡、抓捕"蛇头"的合作。16 日，中国派公安部工作组赴韩国协助韩方调查取证。在中方关注和韩方的配合下，12 月 18 日，公安部在韩仁川港顺利接回 35 名生还者和 13 名遇难者骨灰。

11 月 18 日，香港 NEGO KIM 号货船在澳大利亚海域发生爆炸，当即造成船员 3 死 1 重伤，4 人失踪。事发后，中国外交部即指示驻珀斯总领馆与船长及船员取得联系，并向他们表示慰问。驻珀斯总领馆立即派人赶赴出事地点，给予了一切必要的协助。外交部领事司也为死伤船员亲属办理赴澳签证提供了帮助。

11 月 28 日，《参考消息》报刊登了中国女工在墨西哥受雇主不公正待遇的报道。外交部当即指示驻墨使馆了解核实情况，并依照法律向有关方面提出交涉。在使馆的交涉下，雇主很快返还了拖欠女工的全部工资，并为 15 名愿意回国者购买了回程机票。

12 月，阿根廷国内发生严重骚乱，百余家华侨华人超市被哄抢，部分侨胞遭受人身伤害和财产损失。事发后，中国驻阿使馆立即投入到对侨胞的紧急救助中。驻阿大使张沙鹰代表中国政府约见阿外交部国务秘书，向阿方提出严正交涉，要求阿方采取有效措施保护中国侨民的人身和财产安全，防止类似事件再度发生。在使馆的关心和全力帮助下，受灾侨胞精神上获得了安慰，生活上得到了安排。

附 录

一、2001 年
中华人民共和国外交部组织机构表

办公厅

政策研究室

亚洲司

西亚北非司

非洲司

东欧中亚司

西欧司

北美大洋洲司

拉丁美洲和加勒比司

国际司

军控司

条约法律司

新闻司

礼宾司

领事司

香港澳门台湾事务司

翻译室

外事管理司

干部司

离退休干部局

行政司

财务司

监察局

国外工作局

档案馆

外交部机关及驻外机构服务局

二、2001 年
中华人民共和国外交部部领导成员名单

唐家璇	外交部部长
李肇星	外交部副部长
张德广	外交部副部长（任至 2001 年 5 月）
吉佩定	外交部副部长（任至 2001 年 2 月）
杨文昌	外交部副部长
王光亚	外交部副部长
王　毅	外交部副部长（2001 年 2 月担任）
乔宗淮	外交部副部长（2001 年 5 月担任）
武东和	外交部部领导成员（任至 2001 年 9 月）
周天顺	外交部部长助理
刘古昌	外交部部长助理
马灿荣	外交部部长助理（任至 2001 年 10 月）
张业遂	外交部部长助理
周文重	外交部部长助理（2001 年 2 月担任）

三、同中国建交的国家、建交日期和
2001年中国驻外使节一览表

（以建交先后为序）

序号	国　名	建交日期	中国在任使节	备注
1	俄罗斯联邦 *	1949年10月3日	武　韬 张德广 （7月以后）	
2	保加利亚共和国	1949年10月4日	陶苗发	
3	罗马尼亚	1949年10月5日	陈德来	
4	匈牙利共和国	1949年10月6日	赵希迪	
5	朝鲜民主主义人民共和国	1949年10月6日	王国章 武东和 （12月以后）	
6	波兰共和国	1949年10月7日	周晓沛	
7	蒙古国	1949年10月16日	黄家骙	
8	阿尔巴尼亚共和国	1949年11月23日	左福荣 田长春 （12月以后）	
9	越南社会主义共和国	1950年1月18日	齐建国	
10	印度共和国	1950年4月1日	周刚 华君铎 （8月以后）	

　* 1949年10月3日系中国与前苏联建交日。1991年12月27日，国务委员兼外长钱其琛致电俄罗斯外长，宣布中华人民共和国承认俄罗斯联邦政府并决定中华人民共和国驻前苏联大使改任驻俄罗斯大使。

续表

序号	国 名	建交日期	中国在任使节	备注
11	印度尼西亚共和国	1950 年 4 月 13 日	陈士球	
12	瑞典王国	1950 年 5 月 9 日	王桂生 邹明榕 (11 月以后)	
13	丹麦王国	1950 年 5 月 11 日	王其良	
14	缅甸联邦	1950 年 6 月 8 日	梁栋 李进军 (2 月以后)	
15	瑞士联邦	1950 年 9 月 14 日	吴传福	
16	列支敦士登公国＊	1950 年 9 月 14 日	李端本 (兼)	
17	芬兰共和国	1950 年 10 月 28 日	吕新华	
18	巴基斯坦伊斯兰共和国	1951 年 5 月 21 日	陆树林	
19	挪威王国	1954 年 10 月 5 日	马恩汉	
20	南斯拉夫联盟共和国＊＊	1955 年 1 月 2 日	温西贵	
21	阿富汗伊斯兰国＊＊＊	1955 年 1 月 20 日		
22	尼泊尔王国	1955 年 8 月 1 日	曾序勇 吴从勇 (8 月以后)	
23	阿拉伯埃及共和国	1956 年 5 月 30 日	安惠侯 刘晓明 (8 月以后)	
24	阿拉伯叙利亚共和国	1956 年 8 月 1 日	时延春	
25	也门共和国	1956 年 9 月 24 日	周国斌	

＊ 中国驻苏黎世总领事兼任中国驻列支敦士登总领事。

＊＊ 1955 年 1 月 2 日系中国与前南斯拉夫社会主义联邦共和国的建交日。1992 年 4 月 30 日，中国外交部发言人宣布，中国驻前南斯拉夫大使改任驻南联盟共和国大使。

＊＊＊ 因阿富汗国内原因，中国驻阿富汗大使馆于 1993 年 2 月暂时撤馆。2001 年 "9·11" 事件发生后，美国向阿富汗发动军事攻击。同年 12 月 19 日，中国政府派出的赴阿富汗工作组抵达喀布尔。

序号	国　　名	建交日期	中国在任使节	备注
26	斯里兰卡 民主社会主义共和国	1957 年 2 月 7 日	江勤政	
27	柬埔寨王国	1958 年 7 月 19 日	宁赋魁	
28	伊拉克共和国	1958 年 8 月 25 日	张维秋	
29	摩洛哥王国	1958 年 11 月 1 日	熊展旗	
30	阿尔及利亚民主人民共和国	1958 年 12 月 20 日	郑阿全	
31	苏丹共和国	1959 年 2 月 4 日	邓绍勤	
32	几内亚共和国	1959 年 10 月 4 日	石同宁 龚元兴 （8 月以后）	
33	加纳共和国	1960 年 7 月 5 日	吕永寿	
34	古巴共和国	1960 年 9 月 28 日	王成家 王治权 （7 月以后）	
35	马里共和国	1960 年 10 月 25 日	程涛 马志学 （8 月以后）	
36	索马里共和国 *	1960 年 12 月 14 日		
37	刚果民主共和国	1961 年 2 月 20 日	孙昆山 崔永乾 （3 月以后）	
38	老挝人民民主共和国	1961 年 4 月 25 日	刘正修	
39	乌干达共和国	1962 年 10 月 18 日	张序江	
40	肯尼亚共和国	1963 年 12 月 14 日	杜起文	
41	布隆迪共和国	1963 年 12 月 21 日	孟宪科	
42	突尼斯共和国	1964 年 1 月 10 日	穆文	
43	法兰西共和国	1964 年 1 月 27 日	吴建民	
44	刚果共和国	1964 年 2 月 22 日	曲阜君 袁国厚 （10 月以后）	

* 由于索马里原因，中国驻索马里外交人员自 1991 年撤离后迄今未返索。

序号	国　名	建交日期	中国在任使节	备注
45	坦桑尼亚联合共和国	1964 年 4 月 26 日	王永秋	
46	中非共和国	1964 年 9 月 29 日	崔永乾 王四法 （7 月以后）	
47	赞比亚共和国	1964 年 10 月 29 日	彭克玉	
48	贝宁共和国	1964 年 11 月 12 日	袁国厚 王信石 （7 月以后）	
49	毛里塔尼亚伊斯兰共和国	1965 年 7 月 19 日	仓友衡	
50	加拿大	1970 年 10 月 13 日	梅平	
51	赤道几内亚共和国	1970 年 10 月 15 日	许昌财	
52	意大利共和国	1970 年 11 月 6 日	程文栋	
53	埃塞俄比亚 联邦民主共和国	1970 年 11 月 24 日	蒋正云 艾平 （3 月以后）	
54	智利共和国	1970 年 12 月 15 日	任景玉	
55	尼日利亚联邦共和国	1971 年 2 月 10 日	梁银柱	
56	科威特国	1971 年 3 月 22 日	张志祥 曾序勇 （9 月以后）	
57	喀麦隆共和国	1971 年 3 月 26 日	许孟水	
58	圣马力诺共和国	1971 年 5 月 6 日	程文栋（兼）	
59	奥地利共和国	1971 年 5 月 28 日	卢永华	
60	塞拉利昂共和国	1971 年 7 月 29 日	于武真 樊桂金 （10 月以后）	
61	土耳其共和国	1971 年 8 月 4 日	姚匡乙	
62	伊朗伊斯兰共和国	1971 年 8 月 16 日	孙必干	
63	比利时王国	1971 年 10 月 25 日	宋明江 关呈远 （11 月以后）	
64	秘鲁共和国	1971 年 11 月 2 日	麦国彦	

续表

序号	国　名	建交日期	中国在任使节	备注
65	黎巴嫩共和国	1971 年 11 月 9 日	刘振堂	
66	卢旺达共和国	1971 年 11 月 12 日	沈江宽	
67	冰岛共和国	1971 年 12 月 8 日	王荣华	
68	塞浦路斯共和国	1971 年 12 月 14 日	宋爱国	
69	马耳他共和国	1972 年 1 月 31 日	杨桂荣	
70	墨西哥合众国	1972 年 2 月 14 日	沈允熬 李金章 （4 月以后）	
71	阿根廷共和国	1972 年 2 月 19 日	张沙鹰	
72	大不列颠及北爱尔兰联合王国	1972 年 3 月 13 日	马振岗	
73	毛里求斯共和国	1972 年 4 月 15 日	夏守安	
74	荷兰王国	1972 年 5 月 18 日	华黎明 朱祖寿 （2 月以后）	
75	希腊共和国	1972 年 6 月 5 日	甄建国	
76	圭亚那合作共和国	1972 年 6 月 27 日	吴正龙	
77	多哥共和国	1972 年 9 月 19 日	尹玉标	
78	日本国	1972 年 9 月 29 日	陈健 武大伟 （7 月以后）	
79	德意志联邦共和国	1972 年 10 月 11 日	卢秋田	
80	马尔代夫共和国	1972 年 10 月 14 日	江勤政（兼）	
81	马达加斯加共和国	1972 年 11 月 6 日	马志学 许镜湖（女） （8 月以后）	
82	卢森堡大公国	1972 年 11 月 16 日	丁宝华	
83	牙买加	1972 年 11 月 21 日	郭崇立	
84	澳大利亚联邦	1972 年 12 月 21 日	周文重 武韬 （8 月以后）	

续表

序号	国　　名	建交日期	中国在任使节	备注
85	新西兰	1972 年 12 月 22 日	陈文照 陈明明 （3 月以后）	
86	西班牙	1973 年 3 月 9 日	汤永贵	
87	几内亚比绍共和国	1974 年 3 月 15 日	洪虹 高克祥 （9 月以后）	
88	加蓬共和国	1974 年 4 月 20 日	郭天民	
89	马来西亚	1974 年 5 月 31 日	关登明 胡正跃 （9 月以后）	
90	特立尼达和多巴哥 （共和国）	1974 年 6 月 20 日	章颂先（女） 徐亚男（女） （11 月以后）	
91	委内瑞拉玻利瓦尔共和国	1974 年 6 月 28 日	王珍	
92	尼日尔共和国	1974 年 7 月 20 日	冀敬义	
93	巴西联邦共和国	1974 年 8 月 15 日	万永祥	
94	博茨瓦纳共和国	1975 年 1 月 6 日	鲍树生	
95	菲律宾共和国	1975 年 6 月 9 日	王春贵	
96	莫桑比克共和国	1975 年 6 月 25 日	陈笃庆	
97	泰王国	1975 年 7 月 1 日	傅学章 晏廷爱 （2 月以后）	
98	孟加拉人民共和国	1975 年 10 月 4 日	胡乾文	
99	斐济群岛共和国	1975 年 11 月 5 日	章均赛	
100	萨摩亚独立国	1975 年 11 月 6 日	王新元	
101	科摩罗伊斯兰联邦共和国	1975 年 11 月 13 日	徐代杰 赵春胜 （3 月以后）	
102	佛得角共和国	1976 年 4 月 25 日	廖启平	

续表

序号	国　　名	建交日期	中国在任使节	备注
103	苏里南共和国	1976 年 5 月 28 日	李建英 胡守勤 （2 月以后）	
104	塞舌尔共和国	1976 年 6 月 30 日	侯贵信	
105	巴布亚新几内亚独立国	1976 年 10 月 12 日	赵振宇	
106	约旦哈希姆王国	1977 年 4 月 7 日	邱胜云 陈永龙 （8 月以后）	
107	巴巴多斯	1977 年 5 月 30 日	杨友勇 杨智宽 （11 月以后）	
108	阿曼苏丹国	1978 年 5 月 25 日	赵学昌	
109	大阿拉伯利比亚 人民社会主义民众国	1978 年 8 月 9 日	罗兴武	
110	美利坚合众国	1979 年 1 月 1 日	李肇星 杨洁篪 （2 月以后）	
111	吉布提共和国	1979 年 1 月 8 日	关金地	
112	葡萄牙共和国	1979 年 2 月 8 日	陆伯源	
113	爱尔兰	1979 年 6 月 22 日	张小康（女）	
114	厄瓜多尔共和国	1980 年 1 月 2 日	刘峻岫	
115	哥伦比亚共和国	1980 年 2 月 7 日	居一杰	
116	津巴布韦共和国	1980 年 4 月 18 日	侯清儒	
117	基里巴斯共和国	1980 年 6 月 25 日	杨智宽 马书学 （9 月以后）	
118	瓦努阿图共和国	1982 年 3 月 26 日	黄东璧 吴祖荣 （3 月以后）	
119	安提瓜和巴布达	1983 年 1 月 1 日	杨世祥	
120	安哥拉共和国	1983 年 1 月 12 日	蒋元德	
121	科特迪瓦共和国	1983 年 3 月 2 日	赵宝珍（女）	

续表

序号	国　名	建交日期	中国在任使节	备注
122	莱索托王国	1983年4月30日	张宪一	
123	阿拉伯联合酋长国	1984年11月1日	朱达成 张志军 （8月以后）	
124	玻利维亚共和国	1985年7月9日	王永占	
125	乌拉圭东岸共和国	1988年2月3日	霍淑珍（女）	
126	卡塔尔国	1988年7月9日	周秀华	
127	巴勒斯坦国	1988年11月20日	穆文（兼）	
128	巴林国	1989年4月18日	潘祥康 杨洪林 （4月以后）	
129	密克罗尼西亚联邦	1989年9月11日	许军	
130	纳米比亚共和国	1990年3月22日	陈来元	
131	沙特阿拉伯王国＊	1990年7月21日	吴思科	
132	新加坡共和国	1990年10月3日	张九桓	
133	爱沙尼亚共和国	1991年9月11日	邹明榕 丛军（女） （10月以后）	
134	拉脱维亚共和国	1991年9月12日	王开文	
135	立陶宛共和国	1991年9月14日	关恒广	
136	文莱达鲁萨兰国	1991年9月30日	瞿文明	
137	乌兹别克斯坦共和国	1992年1月2日	李景贤 张志明 （7月以后）	
138	哈萨克斯坦共和国	1992年1月3日	姚培生	
139	乌克兰	1992年1月4日	李国邦	
140	塔吉克斯坦共和国	1992年1月4日	傅全章 吴虹滨 （3月以后）	

＊ 沙特大使吴思科2000年9月到任，2001年4月递交国书。

续表

序号	国　名	建交日期	中国在任使节	备注
141	吉尔吉斯共和国	1992 年 1 月 5 日	张志明 宏九印 （6 月以后）	
142	土库曼斯坦	1992 年 1 月 6 日	龚猎夫 高玉生 （3 月以后）	
143	白俄罗斯共和国	1992 年 1 月 20 日	吴筱秋（女）	
144	以色列国	1992 年 1 月 24 日	潘占林	
145	摩尔多瓦共和国	1992 年 1 月 30 日	林贞龙 徐中楷 （12 月以后）	
146	阿塞拜疆共和国	1992 年 4 月 2 日	张国强	
147	亚美尼亚共和国	1992 年 4 月 6 日	朱兆顺	
148	斯洛文尼亚共和国	1992 年 5 月 12 日	杨鹤雄	
149	克罗地亚共和国	1992 年 5 月 13 日	智昭林	
150	格鲁吉亚	1992 年 6 月 9 日	张咏荃	
151	大韩民国	1992 年 8 月 24 日	武大伟 李滨 （9 月以后）	
152	捷克共和国	1993 年 1 月 1 日	李长和	
153	斯洛伐克共和国	1993 年 1 月 1 日	苑桂森	
154	厄立特里共和国	1993 年 5 月 24 日	陈占福	
155	马其顿共和国＊	1993 年 10 月 12 日	张万学	
156	安道尔公国	1994 年 6 月 29 日	汤永贵（兼）	
157	摩纳哥公国＊＊	1995 年 1 月 16 日	陈美芬（女） （兼）	

　　＊ 中华人民共和国同马其顿共和国 1993 年 10 月 12 日建交，1999 年 2 月 9 日中止外交关系，2001 年 6 月 18 日复交。

　　＊＊ 中华人民共和国同摩纳哥公国自 1995 年 1 月 16 日起建立领事关系，中国驻马赛总领事兼任驻摩纳哥总领事。

序号	国　　名	建交日期	中国在任使节	备注
158	波斯尼亚和黑塞哥维那	1995 年 4 月 3 日	温西贵 李书元 （8 月以后）	
159	巴哈马国	1997 年 5 月 23 日	马书学 吴长胜 （7 月以后）	
160	库克群岛	1997 年 7 月 25 日	陈文照（兼） 陈明明（兼） （3 月以后）	
161	圣卢西亚	1997 年 9 月 1 日	梁健明	
162	南非共和国	1998 年 1 月 1 日	王学贤 刘贵今 （3 月以后）	
163	汤加王国	1998 年 11 月 2 日	张滨华	

四、中华人民共和国常驻联合国代表团名称、驻地和 2001 年常驻代表一览表

名　　称	驻　地	常驻代表
中华人民共和国常驻联合国代表团	纽　约	王英凡 （特命全权大使）
中华人民共和国常驻联合国日内瓦办事处和瑞士其他国际组织代表团	日内瓦	乔宗淮 沙祖康（9 月以后） （特命全权大使）
中华人民共和国常驻联合国维也纳办事处和其他国际组织代表团	维也纳	张义山 （特命全权大使）

五、中国同外国互设领事机构情况一览表

（以英文国名字母为序）

（一）中国在外国设立领事机构一览表

一、总领事馆

序号	国名	所在地	协议时间	开馆时间	领区	馆长
1	澳大利亚	悉尼	1978.9.18	1979.3.19	新南威尔士州	廖志洪
2	澳大利亚	墨尔本	1986.6.23	1986.9.11	维多利亚州、塔斯马尼亚州	田俊亭
3	澳大利亚	珀斯	1994.4.15	1994.10.18	西澳大利亚州	张连云
4	奥地利	萨尔茨堡	1994.6.24	（待开）	萨尔茨堡、克恩顿州、蒂罗尔州、拉弗尔格州	
5	玻利维亚	圣克鲁斯	1987.10.16	1992.5.6	圣克鲁斯省	吴柏根
6	巴西	圣保罗	1984.8.15	1985.11.4	圣保罗州、巴拉那州	沈庆
7	巴西	里约热内卢	1991.8.5	1992.6.15	里约热内卢州、米纳斯吉拉斯州、圣埃斯皮里托州、巴伊亚州	汪晓源
8	加拿大	温哥华	1973.10.24	1974.11.17	不列颠哥伦比亚省、育空地区	李元明
9	加拿大	卡尔加里	1997.11.28	1998.10.2	阿尔伯塔省、萨斯喀彻温省、西北地区	宋锡柱

序号	国名	所在地	协议时间	开馆时间	领区	馆长
10	加拿大	多伦多	1980.8.25	1984.12.20	安大略省、曼尼托巴省	孙淑贤（女）
11	智利	伊基克	1985.4.29	1997.12.30	第一行政区、第二行政区	严邦华
12	朝鲜	清津	1986.9.15	1987.7.1	咸镜北道、咸镜南道、两江道	刘志刚
13	埃及	亚历山大	1967.7.4	1968.2.5	塞得港省、亚历山大省、伊斯梅利亚省、苏伊士省	周从吾
14	厄瓜多尔	瓜亚基尔	1984.5.17	1984.9.10	瓜亚斯省、马纳维省、洛斯里奥斯省、埃尔奥罗省	杨永声
15	法国	马赛	1980.10.17	1985.12.19	阿尔俾斯滨海省、阿尔代什省、罗讷河口省、加尔省、埃罗省、伊泽尔省、卢瓦尔省、罗讷省、瓦尔省	陈美芬（女）
16	法国	斯特拉斯堡	1997.3.21	1998.3	阿尔萨斯、洛林、弗朗斯贡地、香滨阿登四个大区的14个省	陈起元
17	德国	汉堡	1979.10.24	1984.5.14	汉堡州、不来梅州、下萨克森州、石勒苏益格—荷斯泰因州	陈建福
18	德国	慕尼黑	1995.7.13	1997.6.7	巴伐利亚州	姚雅珍（女）
19	印度	孟买	1991.12.13	1992.12.8	孟买市、马哈拉斯特拉邦、卡纳塔克邦	黄权衡
20	意大利	米兰	1979.11.6	1985.6.11	伦巴第大区、艾米利亚—罗马涅大区、皮埃蒙特大区、威尼托大区	高树茂

序号	国名	所在地	协议时间	开馆时间	领区	馆长
21	意大利	佛罗伦萨	1997.11.3	1998.6.1	托斯卡纳大区、翁布里亚大区、马尔凯大区、利古里亚大区	李润甫
22	日本	大阪	1975.8.15	1976.3.8	大阪府、京都府、兵库县、奈良县、和歌山县、滋贺县、三重县	王泰平
23	日本	札幌	1980.2.1	1980.9.10	北海道、青森县、秋田县、岩手县	孙平
24	日本	福冈	1984.12.26	1985.5.4	福冈县、佐贺县、大分县、熊本县、鹿儿岛县、宫崎县、冲绳县	齐　江（女）
25	日本	长崎	1984.12.26	1985.5.4	长崎县	张焕忠
26	老挝	沙湾拿吉	1991.12.25	（待开）	沙湾拿吉、沙拉湾、占巴塞、色贡、阿速坡、甘蒙	
27	马来西亚	古晋	1993.10.18	1994.8.3	沙捞越州、沙巴州、纳闽联邦辖区	陈士平
28	墨西哥	蒂华纳	1984.10.10	1985.8.15	北下加利福尼亚州、南下加利福尼亚州、奇瓦瓦州、索诺拉州	李仲良
29	缅甸	曼德勒	1993.4.28	1994.8.22	曼德勒省、克钦邦、掸邦	李学林
30	新西兰	奥克兰	1991.5.9	1992.6.15	奥克兰区、怀卡托区、北部区	赵祥龄
31	巴基斯坦	卡拉奇	1966.5.16	1966.8.5	卡拉奇省、信德省、俾路支省	林尚麟
32	菲律宾	宿务	1994.12.8	1995.10.2	伊洛伊洛省、西内格罗省、保各省、宿务省、东内格罗省、锡基霍尔省、东萨马省、莱特省、北萨马省、西萨马省、南莱特省	吴连起

序号	国名	所在地	协议时间	开馆时间	领区	馆长
33	菲律宾	达沃	1996.11.26	（待开）	巴西兰、苏禄、塔威塔威、北三宝颜、南三宝颜、北阿古桑、南阿古桑、布基农、卡米昆、西米萨米斯、东米萨米斯、北苏里高、南苏里高、北达沃、南达沃、东达沃、南哥打巴托、北哥打巴托、北拉瑙、南拉瑙、马京达瑙、苏丹库达拉省	
34	波兰	格但斯克	1954.4.7	1958.12.	格但斯克省、奥尔什汀省、什切青省、艾尔布郎格省、托伦省、斯伍普斯克省、比得哥煦省、伏沃茨瓦维克省	（暂缺）
35	韩国	釜山	1992.12.30	1993.9.6	釜山市、庆尚南道、庆尚北道	焦东村
36	罗马尼亚	康斯坦察	1978.8.21	1985.12.16	康斯坦察市、康斯坦察县、图尔恰县、加拉茨县、布勒依拉县	张清泉
37	俄罗斯	圣彼得堡	1985.6.13	1986.12.10	圣彼得堡市、列宁格勒州、卡累利阿自治共和国、摩尔曼斯克州、普斯科夫州、阿尔汉格尔斯克州、诺夫哥罗德州	陈义初
38	俄罗斯	哈巴罗夫斯克	1990.9.25	1992.9.9	哈巴罗夫斯克边疆区、滨海边疆区、萨哈林州、阿穆尔州、赤塔州、伊尔库茨克州、犹太自治州	程国平
39	沙特阿拉伯	吉达	1992.2.16	1993.4.25	吉达市、塔伊夫市、麦加省、麦地那省	杜洪斌

序号	国名	所在地	协议时间	开馆时间	领区	馆长
40	西班牙	巴塞罗那	1985.6.16	1987.4.6	巴塞罗那省、赫罗那省、莱里达省、塔拉戈纳省	孟庚福
41	南非	开普敦	1997.12.30	1999.2.9	西开普省、东开普省、北开普省	刘永固
42	南非	约翰内斯堡	1997.12.30	1999.2.3	豪登省、自由省	叶明朗
43	南非	德班	1997.12.30	1999.2.9	夸祖鲁/纳塔尔省	于泽民
44	瑞典	哥德堡	1996.7.3	1997.4.7	韦尔姆兰、艾尔夫斯堡、哥德堡—布胡斯、斯卡拉堡、延雪平、哈兰德、克鲁努贝里、克里斯蒂安斯塔德、布莱金厄、马尔默胡斯省	袁文进
45	瑞士	苏黎世	1986.6.13	1988.9.15	苏黎世州、沙夫豪森州、图尔高州、圣加伦州、内罗登阿本策尔半州、外罗登阿本策尔半州、格劳宾登州、格拉鲁斯州、施维茨州、楚格州、阿尔高州	陆文杰
46	泰国	清迈	1988.7.22	1991.4.10	清迈府、清莱府、夜丰颂府、南奔府、南邦府、拍夭府、难府、帕府、程逸府、彭世洛府、素可泰府、达府	张国庆
47	泰国	宋卡	1993.8.16	1994.7.27	宋卡府、春蓬府、拉廊府、素吻他尼府、攀牙府、普吉府、甲米府、洛坤府、董里府、博他伦府、沙敦府、北大年府、也拉府、陶公府	华锦洲
48	坦桑尼亚	桑给巴尔	1999.1.11	1964.5.24*	桑给巴尔地区	李庆江

序号	国名	所在地	协议时间	开馆时间	领区	馆长
49	土耳其	伊斯坦布尔	1984.10.2	1985.7.26	伊斯坦布尔省、特基尔达省、科贾埃利省、布尔萨省、巴克克西尔省、查纳卡累省、伊兹密尔省、马尼萨省、埃迪尔内省、克尔克拉霍利省	徐鹏
50	阿拉伯联合酋长国	迪拜	1988.3.14	1989.2.14	迪拜、沙迦、阿治曼、乌姆盖万、哈伊马角、富查伊拉	杨伟国
51	英国	曼彻斯特	1985.11.4	1986.6.30	大曼彻斯特郡、泰恩和威尔郡、兰开夏郡、北约克郡、南约克郡、默西赛德郡、西约克郡、达勒姆郡、德比郡	汪耀祥
52	英国	爱丁堡	1996.9.3	1997.11.4	苏格兰、北爱尔兰	王维扬
53	美国	休斯敦	1979.8.24	1979.11.20	密西西比州、亚拉巴马州、阿肯色州、俄克拉何马州、佐治亚州、路易斯安那州、佛罗里达州、得克萨斯州	胡业顺
54	美国	旧金山	1979.8.24	1979.12.13	加利福尼亚州北部48个县、俄勒冈州、华盛顿州、阿拉斯加州、内华达州	王云翔
55	美国	纽约	1981.6.16	1981.12.12	纽约州、新泽西州、康涅狄格州、马萨诸塞州、新罕布什尔州、宾夕法尼亚州、佛蒙特州、缅因州、俄亥俄州、罗德艾兰州	张宏喜

序号	国名	所在地	协议时间	开馆时间	领区	馆长
56	美国	芝加哥	1981.6.16	1985.7.26	伊利诺伊州、印第安纳州、威斯康星州、密歇根州、密苏里州、堪萨斯州、艾奥瓦州、明尼苏达州、科罗拉多州	魏瑞兴
57	美国	洛杉矶	1981.6.16	1988.3.2	夏威夷州及美属太平洋岛屿、亚利桑那州、新墨西哥州、加利福尼亚州南部10个县	兰立俊
58	越南	胡志明市	1992.11.22	1993.5.28	（待定）	高德可（女）
59	也门	亚丁	1990.5.26	1990.6.1	（待定）	陈伴年
60	南斯拉夫	波德戈里察	2000.8.1	2001.11.1	黑山共和国	李满长

＊ 1964年5月24日是中国驻桑给巴尔领事馆的开馆日期。根据中、坦（桑尼亚）双方1999年1月11日签订的协定，该馆于即日起升格为总领事馆。

二、领事馆

序号	国名	所在地	开馆时间	领　区	馆长
1	喀麦隆	杜阿拉	1993.12.21	滨海省（含杜阿拉）、西南省、西部省、西北省	赵永和
2	哥伦比亚	巴兰基亚	1990.6.26	大西洋省、马格达莱纳省、玻利瓦尔省	顾家兴
3	马达加斯加	塔马塔夫	1996.5.17	塔马塔夫省（含塔马塔夫市）和迪耶果—苏瓦雷斯省	王晋卿

三、领事办公室

序号	国名	所在地	所属使、领馆	开馆时间
1	埃及	塞得港	驻亚历山大总领馆	1978年
2	老挝	孟赛	驻老挝大使馆	（待开）
3	俄罗斯	海参崴	驻哈巴罗夫斯克总领馆	（待开）

（二）外国在中国内地设立领事机构一览表

一、总领事馆

序号	国名	所在地	领　区	开馆时间
1	阿根廷	上海	上海、江苏、浙江、安徽	2000.5.22
2	澳大利亚	上海	上海、江苏、浙江、安徽、江西、湖北	1984.7.2
3	澳大利亚	广州	广东、广西、福建、海南、湖南	1989.2.20
4	奥地利	上海	上海、江苏、浙江、安徽	1994.7.15
5	比利时	上海	上海、江苏、浙江、安徽	1996.10.1
6	柬埔寨	广州	广东、广西、福建、海南	1998.5.1
7	柬埔寨	上海	上海、江苏、浙江、安徽	1999.7.1
8	加拿大	上海	上海、江苏、浙江、安徽	1986.4.30
9	加拿大	广州	广东、广西、福建、海南	1994.9.28
10	智利	上海	上海、江苏、浙江、安徽	1996.6.17
11	古巴	上海	上海、江苏、浙江	1990.7.24
12	捷克	上海	上海、江苏、浙江、安徽	1989.2.21
13	朝鲜	沈阳	辽宁、吉林、黑龙江	1986.9.6
14	芬兰	上海	上海、江苏、浙江、安徽	1995.11.1
15	丹麦	上海	上海、江苏、浙江、安徽、江西	1994.6.20
16	丹麦	广州	广东、广西、福建、海南	1998.9.17
17	埃及	上海	上海、江苏、浙江、安徽	1999.5.1
18	法国	上海	上海、江苏、浙江	1980.10.21
19	法国	广州	广东、广西、福建、海南	1997.4.24
20	法国	武汉	湖北、湖南、江西	1998.10.10
21	德国	上海	上海、江苏、浙江、安徽	1982.10.15
22	德国	广州	广东、江西、福建、海南	1995.10.1
23	印度	上海	上海、江苏、浙江	1993.1.16
24	伊朗	上海	上海、江苏、浙江、安徽	1989.2.20
25	以色列	上海	上海、江苏、浙江、安徽	1994.9.8
26	爱尔兰	上海	上海、江苏、浙江、安徽、江西	2000.8.1
27	意大利	上海	上海、江苏、浙江、安徽	1985.6.21
28	意大利	广州	广东、广西、福建、海南	1998.11.4

序号	国名	所在地	领　　区	开馆时间
29	日本	上海	上海、江苏、浙江、安徽	1975.9.2
30	日本	广州	广东、广西、福建、海南	1980.3.1
31	日本	沈阳	辽宁、吉林、黑龙江	1985.1.15
32	韩国	上海	上海、江苏、浙江、安徽	1993.6.11
33	韩国	广州	广东、广西、福建、海南	2001.8.28
34	韩国	青岛	山东	1994.9.12
35	老挝	昆明	云南、广东、广西	1993.11.25
36	马来西亚	广州	广东、福建、海南、江西、湖南	1993.10.24
37	马来西亚	上海	上海、江苏、浙江、安徽	1999.12.23
38	马来西亚	昆明	云南、广西、贵州、四川、重庆	（待开）
39	墨西哥	上海	上海、江苏、浙江、安徽、湖南、福建、江西	1993.10.18
40	蒙古	呼和浩特	内蒙古自治区	1990.7.10
41	缅甸	昆明	云南、贵州、四川、重庆	1993.9.1
42	尼泊尔	拉萨	未定	1958.5.11
43	荷兰	上海	上海、江苏、浙江、安徽	1994.9.12
44	荷兰	广州	广东、广西、福建、海南	1997.9.18
45	新西兰	上海	上海、江苏、浙江、安徽	1992.7.17
46	挪威	上海	上海、江苏、浙江、安徽	1996.9.4
47	菲律宾	厦门	福建、江西、浙江	1995.2.28
48	菲律宾	广州	广东、广西、海南、湖南	1997.5.26
49	菲律宾	上海	上海、江苏、安徽、湖北	（待开）
50	波兰	上海	上海、江苏、浙江、安徽、福建	1955.6.17
51	波兰	广州	广东、广西、海南	1989.7.22
52	罗马尼亚	上海	上海、江苏、浙江	2000.2.1
53	俄罗斯	上海	上海、江苏、浙江、安徽	1986.12.15
54	俄罗斯	沈阳	辽宁、吉林、黑龙江	1991.5.7
55	新加坡	上海	上海、江苏、浙江	1992.1.24
56	新加坡	厦门	福建、广东、海南	1995.12.7
57	西班牙	上海	上海、江苏、浙江	1999.5.7
58	瑞典	上海	上海、江苏、浙江、安徽	1996.9.16
59	瑞士	上海	上海、江苏、浙江、安徽	1995.4.25

续表

序号	国名	所在地	领　　区	开馆时间
60	泰国	广州	广东、广西、福建、海南	1989.2.12
61	泰国	昆明	云南、贵州、四川、湖南、重庆	1994.9.12
62	泰国	上海	上海、江苏、浙江、安徽	1996.10.1
63	土耳其	上海	上海、江苏、浙江、安徽	1996.11.6
64	乌克兰	上海	上海、江苏、浙江、安徽、福建、江西	2001.4.4
65	英国	上海	上海、江苏、浙江	1985.2.11
66	英国	广州	广东、广西、福建、海南	1997.1.16
67	英国	重庆	重庆、四川、贵州、云南	2000.3.1
68	美国	上海	上海、江苏、浙江、安徽	1980.4.28
69	美国	广州	广东、广西、福建、海南	1979.8.11
70	美国	沈阳	辽宁、吉林、黑龙江	1984.5.30
71	美国	成都	云南、贵州、四川、西藏、重庆	1985.10.15
72	越南	广州	广东	1993.1.18
73	南斯拉夫	上海	上海、江苏、浙江、安徽	1998.7.3
74	瓦努阿图	上海	上海、江苏、浙江、安徽	（待开）

二、领事馆

序号	国名	所在地	领　　区	开馆时间
1	巴西	上海	上海、江苏、浙江	1999.11.16
2	加拿大	重庆	重庆、四川、贵州、云南	1997.11.28

三、名誉领事馆

序号	国名	所在地	领　　区	开馆时间
1	牙买加	上海	上海、江苏、浙江、安徽	2001.4.26
2	瓦努阿图	北京	北京	1999.8.30
3	摩纳哥	上海	上海、江苏、浙江、安徽	（待开）
4	尼日尔	广州	未定	（待开）
5	塞舌尔	北京	未定	（待开）
6	汤加	北京	北京	（待开）
7	坦桑尼亚	广州	未定	（待开）

四、领事办公室

序号	国名	所在地	办公室名称	开始对外办公时间
1	日本	大连	日本驻沈阳总领事馆大连办公室	1993.6.1
2	日本	重庆	日本驻华大使馆领事部重庆办公室	1998.3.22
3	老挝	景洪	老挝驻昆明总领事馆景洪办公室	（待开）
4	蒙古	二连浩特	蒙古驻呼和浩特总领事馆二连办公室	1996.8.1
5	韩国	沈阳	韩国驻华使馆领事部沈阳办公室	1999.7.8
6	俄罗斯	哈尔滨	俄罗斯驻沈阳总领事馆哈尔滨办公室	（待开）

（三）外国在中国香港设立领事馆一览表

一、总领事馆

序号	国　名	领　区	保留（设立）领馆协议时间	备　注
1	安提瓜和巴布达	香港、澳门	1998.6.19	
2	阿根廷	香港、澳门（扩领）	1997.1.31 1999.6.17	
3	澳大利亚	香港、澳门（扩领）	1996.9.26 1999.9.8	
4	奥地利	香港、澳门	1997.6.20	
5	孟加拉国	香港、澳门	1997.1.29	
6	比利时	香港、澳门	1997.2.3	
7	巴西	香港、澳门	1996.11.8	
8	巴哈马	香港、澳门	1999.1.15	
9	保加利亚	香港	1997.5.5	
10	柬埔寨	香港	1997.4.16	1999.7.8 升格为总领馆
11	加拿大	香港、澳门	1996.9.19	
12	智利	香港、澳门（扩领）	1996.11.6 1998.5.6	

续表

序号	国　名	领　区	保留（设立）领馆协议时间	备　注
13	哥伦比亚	香港	1996.10.21	
14	捷克	香港、澳门	1997.6.27	
15	丹麦	香港、澳门	1997.6.6	
16	朝鲜	香港	1999.6.1	
17	厄瓜多尔	香港	1997.3.21	1998 年闭馆
18	埃及	香港、澳门（扩领）	1996.11.11 2000.3.31	
19	芬兰	香港、澳门	1996.12.9	
20	法国	香港、澳门	1997.5.15	
21	德国	香港、澳门	1997.6.20	
22	希腊	香港、澳门（扩领）	1997.3.18 1999.11.18	
23	匈牙利	香港、澳门	1998.5.19	
24	印度	香港、澳门	1996.11.29	
25	印度尼西亚	香港	1996.12.6	
26	伊朗	香港	1999.7.5	
27	以色列	香港、澳门	1997.2.4	
28	意大利	香港、澳门	1997.6.5	
29	日本	香港、澳门	1997.3.29	
30	韩国	香港、澳门	1997.4.24	
31	科威特	香港、澳门	1999.6.30	
32	老挝	香港、澳门	1999.4.30	
33	马来西亚	香港、澳门	1997.5.14	
34	墨西哥	香港、澳门（扩领）	1996.11.22 1999.10.29	
35	缅甸	香港、澳门（扩领）	1997.4.25 2000.6.2	
36	尼泊尔	香港、澳门（扩领）	1997.5.20 2001.2.6	
37	荷兰	香港、澳门	1996.11.12	
38	新西兰	香港、澳门	1997.1.22	

序号	国　　名	领　　区	保留（设立）领馆协议时间	备　注
39	尼日利亚	香港、澳门	1997.4.28	
40	挪威	香港、澳门	1997.2.5	
41	巴基斯坦	香港、澳门（扩领）	1996.12.1 1999.6.28	
42	秘鲁	香港、澳门	1997.6.23	
43	菲律宾	香港	1996.11.26	
44	波兰	香港、澳门	1997.5.19	
45	葡萄牙	香港	1996.12.17	
46	俄罗斯	香港、澳门	1997.6.27	
47	萨摩亚	香港、澳门（扩领）	1996.7.19 1999.12.13	
48	沙特阿拉伯	香港、澳门	1998.4.29	
49	新加坡	香港、澳门	1997.2.5	
50	南非	香港、澳门（扩领）	1997.12.30 1999.6.7	
51	西班牙	香港、澳门	1997.6.18	
52	瑞典	香港、澳门	1996.11.3	
53	瑞士	香港、澳门	1997.4.11	
54	泰国	香港、澳门	1997.4.2	
55	土耳其	香港、澳门	1997.5.8	
56	阿联酋	香港、澳门	1998.10.29	
57	英国	香港、澳门（扩领）	1996.9.26 1999.10.29	
58	美国	香港、澳门	1997.3.25	
59	乌拉圭	香港、澳门	1997.1.29	
60	委内瑞拉	香港、澳门（扩领）	1996.11.13 1999.10.11	
61	越南	香港	1996.12.19	
62	佛得角	香港	1997.6.30	2000.9.8 闭馆

二、名誉领事馆

序号	国 名	领 区	保留（设立）领馆协议时间	备 注
1	巴巴多斯	香港	1997.4.30	
2	贝宁	香港	1997.2.28	
3	喀麦隆	香港	1997.6.2	
4	中非	香港	2001.9.28	
5	刚果民主共和国	香港	1999.12.29	
6	科特迪瓦	香港	1997.6.2	
7	古巴	香港	1996.12.31	
8	塞浦路斯	香港	1997.2.3	
9	吉布提	香港	1997.1.22	
10	赤道几内亚	香港	1997.4.8	
11	爱沙尼亚	香港	1998.12.11	
12	斐济	香港	1997.6.20	
13	加蓬	香港	1996.8.22	
14	加纳	香港	1997.5.5	
15	几内亚	香港	1997.5.5	
16	冰岛	香港	1996.12.17	
17	爱尔兰	香港	1997.6.20	
18	牙买加	香港	1997.5.29	
19	约旦	香港	1997.2.3	
20	哈萨克斯坦	香港	1998.12.24	
21	基里巴斯	香港	1997.5.19	
22	莱索托	香港	2001.9.5	
23	立陶宛	香港	1997.5.29	
24	卢森堡	香港	1997.4.23	
25	马达加斯加	香港	1997.5.28	
26	马尔代夫	香港	1997.4.15	
27	马里	香港	1997.4.22	
28	马耳他	香港	1997.4.9	
29	毛里求斯	香港	1997.4.14	
30	摩纳哥	香港	1997.5.6	
31	蒙古	香港	1997.1.27	

序号	国　名	领　区	保留（设立）领馆协议时间	备　注
32	摩洛哥	香港	1996.12.25	
33	莫桑比克	香港	1997.5.7	
34	纳米比亚	香港、澳门（扩领）	1997.1.30 2000.8.18	
35	尼日尔	香港	1999.3.1	
36	阿曼	香港	1997.4.4	
37	巴布亚新几内亚	香港	1996.7.16	
38	巴林	香港	2001.4.5	
39	卢旺达	香港、澳门	2000.7.26	
40	塞舌尔	香港	1997.1.3	
41	斯洛伐克	香港	1997.6.19	
42	斯洛文尼亚	香港	1997.6.20	
43	斯里兰卡	香港	1997.5.21	
44	苏里南	香港	1997.2.27	
45	坦桑尼亚	香港、澳门	1998.4.8	
46	多哥	香港	1996.12.19	
47	特立尼达和多巴哥	香港	1997.3.24	
48	突尼斯	香港	1997.5.2	
49	瓦努阿图	香港	1997.1.9	
50	乌干达	香港	1999.1.8	

（四）外国在中国澳门设立领事馆一览表

一、总领事馆

序号	国　名	领　区	保留（设立）领馆协议时间	备　注
1	菲律宾	澳门	2000.9.25	
2	葡萄牙	澳门	1999.7.28	

二、名誉领事馆

序号	国　名	领　区	保留（设立）领馆协议时间	备　注
1	不丹	澳门	1999.12.20	协议草案日期
2	佛得角	澳门	2000.10.11	
3	爱沙尼亚	澳门	1999.8.25	
4	法国	澳门	1999.12.14	尚未委任名誉领事
5	几内亚	澳门	1999.5.24	
6	几内亚比绍	澳门	1999.11.22	2000.7临时闭馆
7	马里	澳门	1999.3.18	
8	莫桑比克	澳门	1999.4.12	
9	秘鲁	澳门	1999.11.26	
10	苏里南	澳门	1999.11.16	
11	英国	澳门	1999.10.29	

六、中国同外国签订互免签证协议一览表

（以英文国名字母为序）

（一）中国政府与外国互免签证协议一览表

序号	协议国	生效日期	互免签证的证件	备注
1	阿尔巴尼亚	1956.8.25	外交、公务、特别护照	
2	阿根廷	1993.8.14	外交、公务、官员护照	
3	亚美尼亚	1994.8.3	外交、公务、因公普通、加注"因公"字样的普通护照	
4	阿塞拜疆	1994.2.10	外交、公务、因公普通护照	
		1994.5.1	团体旅游	
5	孟加拉国	1989.12.18	外交、公务、官员、因公普通、加注"政府公务"或"免费"字样的普通护照	
6	白俄罗斯	1993.3.1	外交、公务护照；团体旅游	
7	贝宁	1993.11.6	外交、公务、因公普通、附有"公务证明"的普通护照	
8	玻利维亚	1987.11.15	外交、公务、官员护照	
9	波黑	1980.1.9	外交、公务、因公普通护照、标有"因公"字样的普通护照	*
10	保加利亚	1987.7.17	外交、公务、因公普通护照	
11	智利	1986.5.7	外交、公务、官员护照	

序号	协议国	生效日期	互免签证的证件	备注
12	哥伦比亚	1987.11.14	外交护照	
		1991.11.14	公务、官员护照	
13	克罗地亚	1995.4.9	外交、公务、官员护照	
14	古巴	1988.12.23	外交、公务、官员、因公普通护照	
15	塞浦路斯	1991.10.2	外交、公务护照	
16	厄瓜多尔	1987.7.11	外交、公务、官员护照	
		1988.12.25	因公普通、特别护照	
17	格鲁吉亚	1994.2.3	外交、公务、因公普通护照；团体旅游	
18	圭亚那	1998.8.19	外交、公务、官员、因公普通护照	
19	匈牙利	1992.5.28	外交、公务护照	
20	伊朗	1989.7.12	外交、公务护照	
21	牙买加	1995.6.8	外交、公务、官员护照	
22	约旦	1993.3.11	外交、公务、特别护照	
23	哈萨克斯坦	1994.2.1	外交、公务护照	
24	朝鲜	1956.10.1	外交、公务护照	
		1965.1.1	因公普通、因公团体护照	
25	吉尔吉斯斯坦	1988.8.14	外交、公务、因公普通或加注"公务"字样的普通护照、海员证	＊＊＊
26	老挝	1989.11.6	外交、公务、因公普通、加注有效公务签证的普通护照	
27	立陶宛	1992.9.14	外交、公务护照、海员证（随船）	
28	马其顿	1980.1.9	外交、公务、因公普通护照、标有"因公"字样的普通护照	＊
29	马尔代夫	1984.11.27	外交、公务护照	
30	墨西哥	1998.1.1	外交、公务、官员护照	
31	摩尔多瓦	1993.1.1	外交、公务、因公普通、加注"公务"字样的普通护照；团体旅游	
32	蒙古	1989.4.30	外交、公务、因公普通护照	
33	缅甸	1998.3.5	外交、公务、官员护照	
34	巴基斯坦	1987.8.16	外交、公务、官员护照	
		1988.4.30	因公普通护照	

序号	协议国	生效日期	互免签证的证件	备注
35	秘鲁	1987.7.16	外交护照	
		1991.12.1	公务、特别、因公普通护照	
36	波兰	1992.7.27	外交、公务护照、海员证、机组人员证件	
37	罗马尼亚	1981.9.16	外交、公务、因公普通、有公务签证的普通或团体护照、海员证	
38	俄罗斯	2000.12.1	团体旅游	
		2001.5.26	外交护照及偕行未成年子女，随车执行公务的国际列车乘务员，指定定期机组人员，持海员证执行公务人员	
39	圣马力诺	1985.7.22	外交、公务、因公普通、普通护照	
40	塞舌尔	1992.2.20	外交、公务护照	
41	斯洛伐克	1956.6.1	外交、公务、特别护照	＊＊
42	斯洛文尼亚	1994.7.1	外交、公务护照	
43	泰国	1997.6.1	外交、公务、官员护照	
44	苏丹	1995.10.26	外交、公务、特别、官员护照	
45	塔吉克斯坦	1993.6.1	外交、公务、因公普通、加注"公务"字样的普通护照	
46	土耳其	1989.12.24	外交、公务、因公普通、特别护照	
47	土库曼斯坦	1993.2.1	外交、公务、因公普通、加注"公务"字样的普通护照；团体旅游	
48	乌克兰	1993.4.11	外交、公务、因公普通、加注"公务"字样的普通护照	
		1995.1.22	海员证	
49	乌拉圭	1988.11.7	驻对方使、领馆常驻人员所持外交、公务、官员护照	
		1994.1.1	外交护照	
50	委内瑞拉	1989.7.13	外交、公务护照	
51	越南	1992.3.15	外交、公务、因公普通护照	
52	南斯拉夫	1980.1.9	外交、公务、因公普通护照、标有"因公"字样的普通护照	＊

＊ 目前适用中国与前南斯拉夫联盟有关协议。

＊＊ 目前适用中国与前捷克斯洛伐克有关协议。

＊＊＊ 目前适用中国与前苏联有关协议。

（二）香港特区政府同外国互免签证协议一览表

序号	协议国	签署日期	免签时间	备注
1	贝宁	1997．2．28	14 天	
2	佛得角	1998．4．27	1 个月	
3	智利	1998．5．15	3 个月	
4	刚果	1997．1．20		＊
5	厄瓜多尔	1999．9．3	90 天	
6	埃及	1997．4．18		＊
7	爱沙尼亚	2001．6．29	90 天	
8	加纳	1997．5．29		＊
9	以色列	1997．6．30		＊
10	牙买加	1997．6．25	30 天	
11	约旦	1997．5．6		＊
12	莱索托	1997．6．19		＊
13	列支敦士登	2000．3．31	90 天	
14	立陶宛	2001．12．4	90 天	
15	马尔代夫	1997．5．4		＊
16	马里	1997．1．14		＊
17	马绍尔群岛	1997．5．12	14 天	
18	毛里求斯	1997．4．14	90 天	
19	蒙古	1998．6．18	14 天	
20	纳米比亚	1997．3．12		＊
21	尼日尔	1997．5．26	14 天	
22	巴布亚新几内亚	1997．3．21	90 天	
23	波兰	2001．8．30	90 天	
24	萨摩亚	1996．7．19	30 天	
25	塞舌尔	1997．1．3	90 天	
26	斯洛伐克	2000．10．14	14 天	

序号	协议国	签署日期	免签时间	备注
27	斯里兰卡	1997．5．23	30 天	
28	苏里南	1997．2．17		＊
29	瑞士	2000．3．31	90 天	
30	坦桑尼亚	1997．6．12		＊
31	泰国	1997．7．2	30 天	
32	特立尼达和多巴哥	1997．3．24		＊
33	乌干达	1997．6．25		＊

＊ 协议内未载明免签时间。

（三）澳门特区政府同外国互免签证协议一览表

序号	协议国	签署日期	互免签证证件	备注
1	爱沙尼亚	2001.6.28	澳门：澳门特区护照 爱方：外交、公民护照及回爱证明	
2	匈牙利	2001.10.30	澳门：澳门特区护照 匈方：所有护照	
3	立陶宛	2001.12.6	澳门：澳门特区护照 立方：所有护照	
4	摩纳哥	2001.6	澳门：澳门特区护照 摩方：所有护照	澳门适用摩纳哥与法国睦邻友好协约免办旅游签证
5	纳米比亚	2001.7.27	澳门：澳门特区护照、旅行证 纳方：所有护照	
6	波兰	2001.9.3	澳门：澳门特区护照 波方：所有护照	
7	萨摩亚	2000.8.28	澳门：澳门特区护照、旅行证 萨方：所有护照	

七、中国同外国
缔结领事条约（协定）一览表

（以缔约时间为序）

序号	条　约（协定）名　称	签订日期	生效日期
1	中华人民共和国和美利坚合众国领事条约	1980.9.17	1982.2.18
2	中华人民共和国和南斯拉夫社会主义联邦共和国领事条约	1982.2.4	1982.11.26
3	中华人民共和国政府和波兰人民共和国政府领事条约	1984.7.14	1985.2.21
4	中华人民共和国和朝鲜民主主义人民共和国领事条约	1985.11.26	1986.7.2
5 *	中华人民共和国和德意志民主共和国领事条约	1986.5.31	1986.12.6
6	中华人民共和国和匈牙利人民共和国领事条约	1986.6.3	1986.11.28
7	中华人民共和国和意大利共和国领事条约	1986.6.19	1991.6.19
8	中华人民共和国和蒙古人民共和国领事条约	1986.8.9	1987.2.7
9 * *	中华人民共和国和苏维埃社会主义共和国联盟领事条约	1986.9.10	1987.4.16
10	中华人民共和国和墨西哥合众国领事条约	1986.12.7	1988.1.14
11	中华人民共和国和保加利亚人民共和国领事条约	1987.5.6	1988.1.2

序号	条　约　（协　定）　名　称	签订日期	生效日期
12 ＊＊＊	中华人民共和国和捷克斯洛伐克社会主义共和国领事条约	1988.9.5	1989.7.5
13	中华人民共和国和土耳其共和国领事条约	1989.3.6	1991.8.2
14	中华人民共和国和老挝人民民主共和国领事条约	1989.10.8	1991.4.6
15	中华人民共和国和伊拉克共和国领事条约	1989.10.27	1991.7.3
16 ＊＊ ＊＊	中华人民共和国和阿拉伯也门共和国领事条约	1990.3.4	1998.3.18
17	中华人民共和国和古巴共和国领事条约	1990.8.28	1993.1.3
18	中华人民共和国和阿根廷共和国领事条约	1990.11.15	1993.4.8
19	中华人民共和国和罗马尼亚领事条约	1991.1.16	1992.6.28
20	中华人民共和国和印度共和国领事条约	1991.12.13	1992.10.30
21	中华人民共和国和突尼斯共和国领事条约	1992.3.31	1993.3.12
22	中华人民共和国和哈萨克斯坦共和国领事条约	1992.8.10	1994.4.29
23	中华人民共和国和立陶宛共和国领事条约	1992.8.15	1993.5.10
24	中华人民共和国和巴基斯坦伊斯兰共和国领事条约	1992.10.7	1995.4.6
25	中华人民共和国和乌克兰领事条约	1992.10.31	1994.1.19
26	中华人民共和国和摩尔多瓦共和国领事条约	1992.11.7	1996.9.18
27	中华人民共和国和玻利维亚共和国领事条约	1992.11.18	1994.3.1
28	中华人民共和国和土库曼斯坦领事条约	1992.11.21	1996.5.25
29	中华人民共和国和白俄罗斯共和国领事条约	1993.1.11	1994.3.31
30	中华人民共和国和吉尔吉斯共和国领事条约	1993.8.30	1994.5.23
31	中华人民共和国和阿塞拜疆共和国领事条约	1994.1.4	1996.4.28

序号	条 约 （协 定） 名 称	签订日期	生效日期
32	中华人民共和国和秘鲁共和国领事条约	1994.6.9	1996.10.31
33	中华人民共和国和乌兹别克斯坦共和国领事条约	1994.10.24	1996.8.2
34	中华人民共和国和亚美尼亚共和国领事条约	1995.12.26	1997.10.29
35	中华人民共和国和格鲁吉亚共和国领事条约	1996.1.23	1998.5.15
36	中华人民共和国和克罗地亚共和国领事条约	1996.2.5	1997.11.8
37	中华人民共和国政府和加拿大政府领事协定	1997.11.28	1999.03.11
38	中华人民共和国和越南社会主义共和国领事条约	1998.10.19	2000.07.26
39	中华人民共和国和澳大利亚领事协定	1999.09.08	2000.09.15

＊ 中、德双方代表团于1991年7月和10月在波恩进行磋商,确认《中民德领事条约》随着德国的统一予以终止。

＊＊《中苏领事条约》由俄罗斯联邦继承。

＊＊＊《中捷领事条约》已分别由捷克共和国和斯洛伐克共和国继承。

＊＊＊＊ 1990年5月22日,阿拉伯也门共和国与也门民主人民共和国合并。1992年4月20日,钱其琛外长与来访的也门外长阿卜杜勒·凯里姆·阿里·埃里亚尼就《中也领事条约》的适用范围问题互换了照会,明确规定该条约适用于也门共和国全境。双方照会构成该条约的组成部分,将与条约同时生效。

八、2001 年中国参加多边公约一览表

序号	公约名称	签订地点/时间/保存机关	生效时间	中国参加情况
1	经济、社会及文化权利国际公约 International Covenant on Economic, Social and Cultural Rights	纽约 1966.12.16 联合国秘书长	1976.1.3	1997.10.27 签署 2001.2.28 九届人大常委会 20 次会议批准
2	劳动行政管理公约 Labour Administration Convention	日内瓦 1978.6.26 国际劳工局局长	1980.10.11	2001.10.27 九届人大常委会 24 次会议批准
3	建筑业安全卫生公约 Safety and Health in Construction Convention	日内瓦 1988.6.20 国际劳工局局长	1991.1.11	2001.10.27 九届人大常委会 24 次会议批准
4	制止恐怖主义爆炸的国际公约 Convention for the Suppression of Terrorist Bombings	纽约 1997.12.15 联合国秘书长	2001.5.23	2001.10.27 九届人大常委会 24 次会议决定加入

序号	公约名称	签订地点/时间/保存机关	生效时间	中国参加情况
5	关于持久有机污染物的斯德哥尔摩公约 Stockholm Convention on Persistent Organic Pollutants	斯德哥尔摩 2001.5.22 联合国秘书长	未	2001.5.23 签署
6	打击恐怖主义、分裂主义和极端主义上海公约 Shanghai Convention against Terrorism, Separatism and Extremism	上海 2001.6.15 中国政府	未	2001.6.15 签署 2001.10.27 九届人大常委会 24 次会议批准

九、2001 年中国同
外国签订的主要双边条约一览表

序号	名　　称	签订时间	签订地点
1	中华人民共和国政府和尼泊尔王国政府就尼泊尔驻香港总领事馆领区扩大至澳门达成协议换文	2001.2.6	北京
2	中华人民共和国和国际农业发展基金会贷款协定(桂西农村综合发展项目)	2001.2.20	罗马
3	中华人民共和国政府和巴林国政府关于在中国香港特别行政区设立名誉领事馆事换文	2001.3.26、4.25	北京
4	中华人民共和国政府和布隆迪共和国政府经济技术合作协定	2001.3.27	布琼布拉
5	中华人民共和国政府和日本国政府关于日本向中国提供 2000 年度日元贷款换文	2001.3.30	北京
6	中华人民共和国政府和汤加王国政府关于中国向汤加提供优惠贷款的框架协议	2001.3.30	努库阿洛法
7	中华人民共和国政府和刚果共和国政府经济技术合作协定	2001.4.1	布拉柴维尔
8	中华人民共和国政府和卡塔尔国政府关于对所得避免双重征税和防止偷漏税的协定	2001.4.2	北京

序号	名　称	签订时间	签订地点
9	中华人民共和国政府和刚果民主共和国政府经济技术合作协定	2001.4.3	金沙萨
10	中华人民共和国政府和乌拉圭东岸共和国政府文化合作协定 2001～2003 年执行计划	2001.4.10	蒙得维的亚
11	中华人民共和国与亚洲开发银行贷款协定(普通业务)(河南豫西农业开发项目)	2001.4.10	北京
12	中华人民共和国政府和乌干达共和国政府关于派遣中国医疗队赴乌干达工作的议定书	2001.4.11	坎帕拉
13	中华人民共和国政府和多哥共和国政府经济技术合作协定	2001.4.12	北京
14	中华人民共和国政府和古巴共和国政府关于对所得避免双重征税和防止偷漏税的协定	2001.4.13	哈瓦那
15	中华人民共和国政府和塞舌尔共和国政府就塞舌尔在北京委派名誉领事达成协议换文	2001.4.13	北京
16	中华人民共和国政府和日本国政府关于日本无偿援助中国"中等职业教育器材装备计划"项目换文	2001.4.13	北京
17	中华人民共和国政府和古巴共和国政府海运协定	2001.4.13	哈瓦那
18	中华人民共和国政府和古巴共和国政府经济技术合作协定	2001.4.13	哈瓦那
19	中华人民共和国政府和日本国政府关于日本无偿援助中国"陕西省人民医院医疗器材装备"项目换文	2001.4.13	北京
20	中华人民共和国政府和日本国政府关于日本无偿援助中国"贫困地区结核病防治计划"项目换文	2001.4.13	北京

序号	名　　称	签订时间	签订地点
21	中华人民共和国政府和科威特国政府关于中国派遣医疗队赴科威特工作议定书有效期延长事换文	2001.4.15、4.21	科威特城
22	中华人民共和国政府和南斯拉夫联盟共和国政府经济技术合作协定	2001.4.16	北京
23	中华人民共和国政府和委内瑞拉玻利瓦尔共和国政府关于对所得和财产避免双重征税和防止偷漏税的协定	2001.4.17	加拉加斯
24	中华人民共和国政府和委内瑞拉玻利瓦尔共和国政府2001—2003年文化教育交流计划	2001.4.17	加拉加斯
25	中华人民共和国政府和委内瑞拉玻利瓦尔共和国政府关于中国向委内瑞拉提供优惠贷款的框架协议	2001.4.17	加拉加斯
26	中华人民共和国和白俄罗斯共和国联合声明	2001.4.23	北京
27	中华人民共和国政府和布隆迪共和国政府关于免除布隆迪部分债务议定书	2001.4.27	布琼布拉
28	哈萨克斯坦共和国、中华人民共和国、吉尔吉斯共和国、俄罗斯联邦、塔吉克斯坦共和国外交部长联合公报	2001.4.28	莫斯科
29	哈萨克斯坦共和国、中华人民共和国、吉尔吉斯共和国、俄罗斯联邦、塔吉克斯坦共和国外交部长会晤联合新闻公报	2001.4.28	莫斯科
30	中华人民共和国政府和坦桑尼亚联合共和国桑给巴尔革命政府关于中国派遣医疗队赴桑给巴尔工作的议定书	2001.5.2	桑给巴尔
31	中华人民共和国政府和巴基斯坦伊斯兰共和国政府经济技术合作协定	2001.5.11	伊斯兰堡
32	中华人民共和国政府和尼泊尔王国政府关于对所得避免双重征税和防止偷漏税的协定	2001.5.14	加德满都

序号	名　称	签订时间	签订地点
33	中华人民共和国政府和厄瓜多尔共和国政府经济技术合作协定	2001.5.15	基多
34	中华人民共和国政府和塞拉利昂共和国政府经济技术合作协定	2001.5.16	弗里敦
35	中华人民共和国政府和塞拉利昂共和国政府关于促进和保护投资协定	2001.5.16	弗里敦
36	中华人民共和国政府和塞拉利昂共和国政府关于免除塞拉利昂共和国部分债务的议定书	2001.5.16	弗里敦
37	中华人民共和国政府和马尔代夫共和国政府经济技术合作协定	2001.5.16	马累
38	中华人民共和国政府和坦桑尼亚联合共和国政府关于中国派遣医疗队赴坦桑尼亚工作的议定书	2001.5.17	达累斯萨拉姆
39	中华人民共和国政府和巴基斯坦伊斯兰共和国政府旅游合作协定	2001.5.18	伊斯兰堡
40	中华人民共和国政府和斯里兰卡民主社会主义共和国政府经济技术合作协定	2001.5.18	科伦坡
41	中华人民共和国外交部和赞比亚共和国外交部关于建立政治磋商机制的协议	2001.5.22	北京
42	中华人民共和国政府和安哥拉共和国政府关于免除安哥拉部分债务议定书	2001.5.23	罗安达
43	中华人民共和国政府和刚果共和国政府关于向刚果(布)提供贷款的协定	2001.5.24	布拉柴维尔
44	中华人民共和国政府和刚果共和国政府关于免除刚果(布)部分债务议定书	2001.5.24	布拉柴维尔
45	中华人民共和国政府和阿拉伯埃及共和国政府关于植物检疫的合作协定	2001.5.27	开罗
46	中华人民共和国政府和纳米比亚共和国政府经济技术合作协定	2001.5.28	温得和克
47	中华人民共和国政府和玻利维亚共和国政府经济技术合作协定	2001.5.29	拉巴斯

序号	名　　称	签订时间	签订地点
48	中华人民共和国政府和巴布亚新几内亚独立国政府经济技术合作协定	2001.5.29	北京
49	中华人民共和国政府和博茨瓦纳共和国政府经济技术合作协定	2001.5.31	哈博罗内
50	中华人民共和国政府和丹麦王国政府关于动物检疫及动物卫生的合作协定	2001.6.4	北京
51	中华人民共和国政府和丹麦王国政府关于植物检疫的合作协定	2001.6.4	北京
52	中华人民共和国政府和尼日尔共和国政府经济技术合作协定	2001.6.5	北京
53	中华人民共和国政府和尼日尔共和国政府关于免除尼日尔部分债务议定书	2001.6.5	北京
54	中华人民共和国外交部和坦桑尼亚联合共和国外交与国际合作部关于建立政治磋商机制的协议	2001.6.7	北京
55	中华人民共和国政府和厄瓜多尔共和国政府 1999～2001 年文化交流计划	2001.6.14	北京
56	中华人民共和国政府和厄立特里亚政府经济技术合作协定	2001.6.15	阿斯马拉
57	中华人民共和国政府和厄立特里亚政府关于免除厄立特里亚部分债务议定书	2001.6.15	阿斯马拉
58	中华人民共和国政府和日本国政府关于日本无偿援助中国"黄河中游防护林建设"项目换文	2001.6.15	北京
59	中华人民共和国政府和日本国政府关于日本无偿援助中国"第二期中国环境信息网络建设"项目换文	2001.6.15	北京
60	中华人民共和国政府和多哥共和国政府关于免除多哥部分债务议定书	2001.6.19	洛美
61	中华人民共和国政府和吉布提共和国政府关于中国派遣医疗队赴吉布提工作的议定书	2001.6.20	吉布提

序号	名　　称	签订时间	签订地点
62	中华人民共和国政府和埃塞俄比亚联邦民主共和国政府关于免除埃塞俄比亚部分债务议定书	2001.6.21	亚的斯亚贝巴
63	中华人民共和国政府和埃塞俄比亚联邦民主共和国政府经济技术合作协定	2001.6.21	亚的斯亚贝巴
64	中华人民共和国政府和赞比亚共和国政府关于向赞比亚提供优惠贷款的框架协议	2001.6.25	卢萨卡
65	中华人民共和国和塞浦路斯共和国经贸科技合作联委会第四次会议议定书	2001.6.25、6.26	北京
66	中华人民共和国政府和丹麦王国政府关于中国同意丹麦驻上海总领馆扩大领区范围换文	2001.6.25、7.2	北京
67	中华人民共和国与亚洲开发银行贷款协定（普通业务）（遵嵩高速公路项目）	2001.6.26	北京
68	中华人民共和国政府和印度共和国政府关于中国与印度就中印领事条约适用港澳特区事换文	2001.6.27	北京
69	中华人民共和国政府和摩洛哥王国政府关于派遣医疗队赴摩洛哥工作的议定书	2001.6.29	拉巴特
70	中华人民共和国政府和几内亚比绍共和国政府关于免除几内亚比绍债务议定书	2001.6.29	比绍
71	中华人民共和国政府和蒙古国政府经济技术合作协定	2001.7.2	北京
72	中华人民共和国外交部和马耳他共和国外交部关于磋商的谅解备忘录	2001.7.2	北京
73	中华人民共和国政府和毛里求斯共和国政府经济技术合作协定	2001.7.5	路易港
74	中华人民共和国政府和莫桑比克共和国政府关于成立经贸联合委员会的协定	2001.7.6	马普托

序号	名　　称	签订时间	签订地点
75	中华人民共和国政府和莫桑比克共和国政府关于免除莫桑比克部分债务议定书	2001.7.10	马普托
76	中华人民共和国政府和莫桑比克共和国政府经济技术合作协定	2001.7.11	马普托
77	中华人民共和国政府和佛得角共和国政府关于免除佛得角部分债务议定书	2001.7.12	北京
78	中华人民共和国政府和佛得角共和国政府经济技术合作协定	2001.7.12	北京
79	中华人民共和国政府和津巴布韦共和国政府经济技术合作协定	2001.7.12	哈拉雷
80	中华人民共和国政府和肯尼亚共和国政府关于鼓励促进和保护投资协定	2001.7.16	内罗毕
81	中华人民共和国政府和马里共和国政府关于中国派遣医疗队赴马里工作的议定书	2001.7.16	巴马科
82	中华人民共和国政府和肯尼亚共和国政府关于免除肯尼亚部分债务议定书	2001.7.16	内罗毕
83	中华人民共和国政府和肯尼亚共和国政府经济技术合作协定	2001.7.16	内罗毕
84	中俄元首莫斯科联合声明	2001.7.16	莫斯科
85	中华人民共和国和俄罗斯联邦睦邻友好合作条约	2001.7.16	莫斯科
86	中华人民共和国政府和澳大利亚联邦政府关于中国同澳大利亚相互扩大领区范围换文	2001.7.17	北京
87	中华人民共和国政府和坦桑尼亚联合共和国政府关于免除桑给巴尔部分债务议定书	2001.7.17	达累斯萨拉姆
88	中华人民共和国政府和坦桑尼亚联合共和国政府关于免除坦桑尼亚部分债务议定书	2001.7.17	达累斯萨拉姆

序号	名　　　称	签订时间	签订地点
89	中华人民共和国政府和坦桑尼亚联合共和国政府经济技术合作协定	2001.7.17	达累斯萨拉姆
90	中华人民共和国政府、坦桑尼亚联合共和国政府和赞比亚共和国政府关于中国向坦赞铁路提供专项贷款的协定	2001.7.19	达累斯萨拉姆
91	中华人民共和国政府、坦桑尼亚联合共和国政府和赞比亚共和国政府关于坦赞铁路经济技术合作议定书(第十一期)	2001.7.19	达累斯萨拉姆
92	中华人民共和国政府和科特迪瓦共和国政府关于免除科特迪瓦部分债务议定书	2001.7.20	阿比让
93	中华人民共和国政府和摩尔多瓦共和国联合声明	2001.7.20	基希讷乌
94	中华人民共和国政府和科特迪瓦共和国政府关于中国向科特迪瓦提供贷款的协定	2001.7.20	阿比让
95	中华人民共和国政府和乌克兰政府关于在二十一世纪加强全面友好合作关系的联合声明	2001.7.21	基辅
96	中华人民共和国政府和赞比亚共和国政府经济技术合作协定	2001.7.24	卢萨卡
97	中华人民共和国政府和赞比亚共和国政府关于免除赞比亚部分债务议定书	2001.7.24	卢萨卡
98	中华人民共和国政府和日本国政府关于日援项目"北京日本学研究中心扩建计划"换文	2001.8.3	北京
99	中华人民共和国政府和苏里南共和国政府经济技术合作协定	2001.8.9	帕拉马里博
100	中华人民共和国政府和科摩罗伊斯兰联邦共和国政府关于免除科摩罗部分债务议定书	2001.8.9	莫罗尼

序号	名　　称	签订时间	签订地点
101	中华人民共和国政府和巴基斯坦伊斯兰共和国政府关于巴瓜达尔港口项目第一期工程议定书	2001.8.10	北京
102	中华人民共和国政府和巴基斯坦伊斯兰共和国政府关于建设巴瓜达尔港口项目第一期工程融资方案的协议	2001.8.10	北京
103	中华人民共和国政府和巴基斯坦伊斯兰共和国政府关于中国向巴基斯坦提供优惠贷款的框架协议	2001.8.10	北京
104	中华人民共和国政府和安提瓜和巴布达政府经济技术合作协定	2001.8.13	圣约翰
105	中华人民共和国政府和圣卢西亚政府经济技术合作协定	2001.8.15	卡斯特里
106	中华人民共和国政府和喀麦隆共和国政府关于喀麦隆雅温得妇儿医院第一期技术合作议定书	2001.8.23	雅温得
107	中华人民共和国政府和巴勒斯坦国政府经济技术合作协定	2001.8.24	北京
108	中华人民共和国政府和缅甸联邦政府经济技术合作协定	2001.8.26	仰光
109	中华人民共和国政府和尼日利亚联邦共和国政府贸易协定	2001.8.27	北京
110	中华人民共和国政府和尼日利亚联邦共和国政府关于开展油气合作的框架协议	2001.8.27	北京
111	中华人民共和国政府和尼日利亚联邦共和国政府相互促进和保护投资协定	2001.8.27	北京
112	中华人民共和国政府和莱索托王国政府就莱索托在中国香港特区委派名誉领事换文	2001.8.27、9.5	北京
113	中华人民共和国政府和几内亚共和国政府关于免除几内亚债务议定书	2001.8.28	北京

序号	名　　称	签订时间	签订地点
114	中华人民共和国政府和赤道几内亚共和国政府关于中国派遣医疗队赴赤道几内亚工作议定书	2001.8.29	马拉博
115	中华人民共和国政府和伊朗伊斯兰共和国政府航空运输协定	2001.8.30	北京
116	中华人民共和国政府和加蓬共和国政府关于中国派遣医疗队赴加蓬工作的议定书	2001.9.11	利伯维尔
117	中华人民共和国政府和哈萨克斯坦共和国政府联合公报	2001.9.12	阿斯塔纳
118	中华人民共和国政府和尼日尔共和国政府就尼日尔在广州委派名誉领事事换文	2001.9.14、9.21	北京
119	中华人民共和国政府和中非共和国政府就中非在中国香港特区委派名誉领事事换文	2001.9.20、9.28	北京
120	中华人民共和国政府和喀麦隆共和国政府关于中国向喀麦隆雅温得妇女儿童医院派遣医疗队工作换文	2001.10.3、10.5	雅温得
121	中华人民共和国政府和几内亚共和国政府关于援助几内亚竹藤编中心技术合作项目换文	2001.10.5、10.17	科纳克里
122	中华人民共和国政府和智利共和国政府关于植物检疫的合作协定	2001.10.23	北京
123	中华人民共和国政府和加蓬共和国政府关于向加蓬提供优惠贷款的框架协议	2001.10.26	利伯维尔
124	中华人民共和国与国际复兴开发银行贷款协定（石家庄城市交通项目）	2001.10.29	华盛顿
125	中华人民共和国政府和菲律宾共和国政府就菲律宾在上海设立总领事馆事达成协议换文	2001.10.30	北京

序号	名　　称	签订时间	签订地点
126	中华人民共和国政府和苏丹共和国政府关于向苏丹提供 4 亿元人民币优惠贷款框架协议	2001.10.31	喀土穆
127	中华人民共和国政府和圭亚那合作共和国政府关于中国派遣医疗队赴圭亚那工作换文	2001.11.2	乔治敦
128	中华人民共和国政府和古巴共和国政府经济技术合作协定	2001.11.4	哈瓦那
129	中华人民共和国政府和印度尼西亚共和国政府关于经济技术合作无偿援助谅解备忘录	2001.11.7	雅加达
130	中华人民共和国政府和卢旺达共和国政府关于免除卢旺达政府债务议定书	2001.11.11	大马士革
131	中华人民共和国与国际复兴开发银行贷款协定（四川城市环保项目）	2001.11.12	北京
132	中华人民共和国政府和卢旺达共和国政府经济技术合作协定	2001.11.12	北京
133	中华人民共和国政府和斐济群岛共和国政府经济技术合作协定	2001.11.12	苏瓦
134	中华人民共和国政府和马达加斯加共和国政府关于免除马达加斯加部分债务议定书	2001.11.12	塔那那利佛
135	中华人民共和国政府和马达加斯加共和国政府经济技术合作协定	2001.11.12	塔那那利佛
136	中华人民共和国政府和老挝人民民主共和国政府经济技术合作协定	2001.11.16	万象
137	中华人民共和国政府和赤道几内亚共和国政府关于免除赤几部分债务议定书	2001.11.19	北京
138	中华人民共和国和赤道几内亚共和国政府关于向赤几提供贷款的协定	2001.11.19	北京
139	中华人民共和国政府和加蓬共和国政府关于向加蓬提供无息贷款的协定	2001.11.20	利伯维尔

序号	名　　称	签订时间	签订地点
140	中华人民共和国政府和喀麦隆共和国政府关于免除喀麦隆债务议定书	2001.11.23	雅温得
141	中华人民共和国政府和喀麦隆共和国政府关于向喀麦隆提供贷款的协定	2001.11.23	雅温得
142	中华人民共和国政府和加纳共和国政府经济技术合作协定	2001.11.26	阿克拉
143	中华人民共和国政府和越南社会主义共和国政府经济技术合作协定	2001.11.30	北京
144	中华人民共和国政府和越南社会主义共和国政府关于向越南提供优惠贷款的框架协议	2001.11.30	北京
145	中华人民共和国外交部和科特迪瓦共和国外交部关于建立政治磋商机制的协议	2001.12.3	北京
146	中华人民共和国政府和莱索托王国政府关于免除莱索托部分债务议定书	2001.12.3	北京
147	中华人民共和国政府和莱索托王国政府经济技术合作协定	2001.12.3	北京
148	中华人民共和国政府和马里共和国政府关于向马里提供无息贷款的协定	2001.12.4	巴马科
149	中华人民共和国政府和马里共和国政府关于免除马里债务议定书	2001.12.4	巴马科
150	中华人民共和国政府和科特迪瓦共和国政府关于成立经济和贸易合作混合委员会的协定	2001.12.4	北京
151	中华人民共和国政府和刚果民主共和国政府关于向刚果(金)提供贷款的协定	2001.12.7	北京
152	中华人民共和国政府和缅甸联邦政府经济技术合作协定	2001.12.12	仰光
153	中华人民共和国政府和大韩民国政府就有关韩国驻华使馆领事部在沈阳设立办公室谅解备忘录	2001.12.14、12.21	北京

续表

序号	名　　称	签订时间	签订地点
154	中华人民共和国政府和萨摩亚独立国政府经济技术合作协定	2001.12.17	阿皮亚
155	中华人民共和国政府和阿尔巴尼亚共和国政府关于将两国协定贸易项下中方顺差以及中方 1991 年提供的商品贷款转为政府贷款的协定	2001.12.18	北京
156	中华人民共和国政府和巴基斯坦伊斯兰共和国政府经济技术合作协定	2001.12.20	北京
157	中华人民共和国政府和巴基斯坦伊斯兰共和国政府关于中国提供优惠贷款实施巴基斯坦山达铜金矿项目的框架协议	2001.12.20	北京
158	中华人民共和国政府和柬埔寨王国政府经济技术合作协定	2001.12.24	金边

图书在版编目（CIP）数据

中国外交. 2002 / 外交部政策研究室编. —北京：世界知识出版社，2002. 6

ISBN 7 – 5012 – 1746 – 7

Ⅰ. 中…　Ⅱ. 外…　Ⅲ. 外交 – 概况 – 中国 – 2002　Ⅳ. D82

中国版本图书馆 CIP 数据核字（2002）第 037047 号

中国外交/2002 年版

Zhongguo Waijiao/2002 Nian Ban

责任编辑／武　任
封面设计／郭宝珍
责任出版／王勇刚
责任校对／陈可望

出版发行／世界知识出版社
地址电话／北京东城区干面胡同 51 号　　（010）65265923
邮政编码／100010
经　　销／全国新华书店
排版印刷／世界知识出版社电脑科排版　北京新华印刷厂印刷
开本印张／880×1230　1/32　20¾印张　5 插页　573 千字
版　　次／2002 年 6 月第一版　2002 年 8 月第二次印刷
定　　价／52.00（平装）